モノノメ

創刊号

JN122959

いまのインターネットは「速すぎる」。速すぎる情報の消費速度に抗って、少し立ち止まって、ゆっくりと情報を咀嚼して消化できるインターネットの使い方を考えてみたい。いま必要なのは、もっと「遅い」インターネットだ——。
こうしてはじまった「遅いインターネット」計画。この1年、僕たちはあたらしいウェブマガジンの運営と、タイムラインの潮目に流されない豊かな「発信」のちからを養うワークショップを継続してきました。
そして、2021年。この運動の次のステップとしてあたらしい「紙の」雑誌を創刊します。

雑誌の名前は「モノノメ」にしました。

由来は春の季語の「物の芽」で、いろいろな植物の芽の総称です。そしてそこに「ものの目」という意味も込めました。僕たちはいま、人の目のネットワークの中に閉じ込められている。だから別の目で世界を観てみたい。そんな思いを込めています。

コンセプトは「検索では届かない」。タイムラインの潮目を一切無視した、ほんとうの意味でのインディペンデント・マガジンを目指します。
誰かが設定した問いに大喜利的に応える今日の言論状況とは真逆に、自分たちが問いを立てること、そして「……ではない」ではなく「……である」という言葉で語ることをルールに紙の雑誌を再起動します。SNSですでにシェアされている話題にどう反応するとたくさん座布団がもらえるかばかり考えている人は呼ばない。セールス的に問題がなければ（もしくは十分に広告が取れれば）Amazonには置かない。大手書店チェーンにも（たぶん）置かない。インターネットの直接販売と、このコンセプトを理解してくれる施設でのみ販売します。初版は絞って5000部くらい。基本的には増刷しない。そしてこの5000部をほんとうに届けたい5000人にしっかりと届ける。ただ売って終わりにしない。そのあと読者と一緒に考え続ける。
そんな雑誌を新創刊します。うまくいけば、定期刊行にしたいと考えています（4ヶ月〜半年に1回の頻度を考えています）。

いま、この国はカビの生えた権威に媚びて席をもらうか、アテンション・エコノミーに乗っかって空疎なパフォーマンスをやり遂げるかしないと、ものを表現することが難しくなっています。
けれども、それではどんどん世界は貧しく、つまらなくなっていく。この小さな雑誌が、本当に価値を生んでいる人たちがちゃんとした手続きで読者に出会えるような、そんな場になればいいと思っています。しばらく、粘り強く続けるつもりです。よろしくお付き合いください。

宇野常寛

モノノメ

創刊号　目次

10年目の東北道を、走る

10年目の、旅のはじまり

2021年の夏がはじまろうとしていたある日、僕は編集部のスタッフたちと東北地方へ旅立った。より具体的には、あの地震と津波で被災したいくつかの土地に向けて出発した。10年の時間が過ぎて、3月11日の節目が終わって、復興予算も削られて、復興を旗印に誘致されたはずのオリンピックからはいつの間にか復興という主題が消し去られてしまって、あらゆる意味で忘れられようとしている土地を、僕たちは訪ねることにしたのだ。

僕たちの旅は、最終的には二人の人物に会うことを目的にしていた。一人は、僕の高校の先輩にあたる人物で、もう一人は個人的に参加している研究会で知り合った人物だった。そしてどちらも、民間に生きる市民の立場から津波の被害を受けた地元の街の復興に携わっていた。僕は彼らの話を、彼らが暮らす街に身体を運んだ上で率直に聞いてみたい。そう考えたのだ。

そして僕は地図を広げて、二人の暮らす石巻と気仙沼を中心にその周辺に足を伸ばす計画を立てた。旅に出る前に最初に決めたことがある。それは「いい話」とか、『ひどい話』を探しに行くことは絶対にしない、ということだ。ただその土地を歩いて、目にして、耳

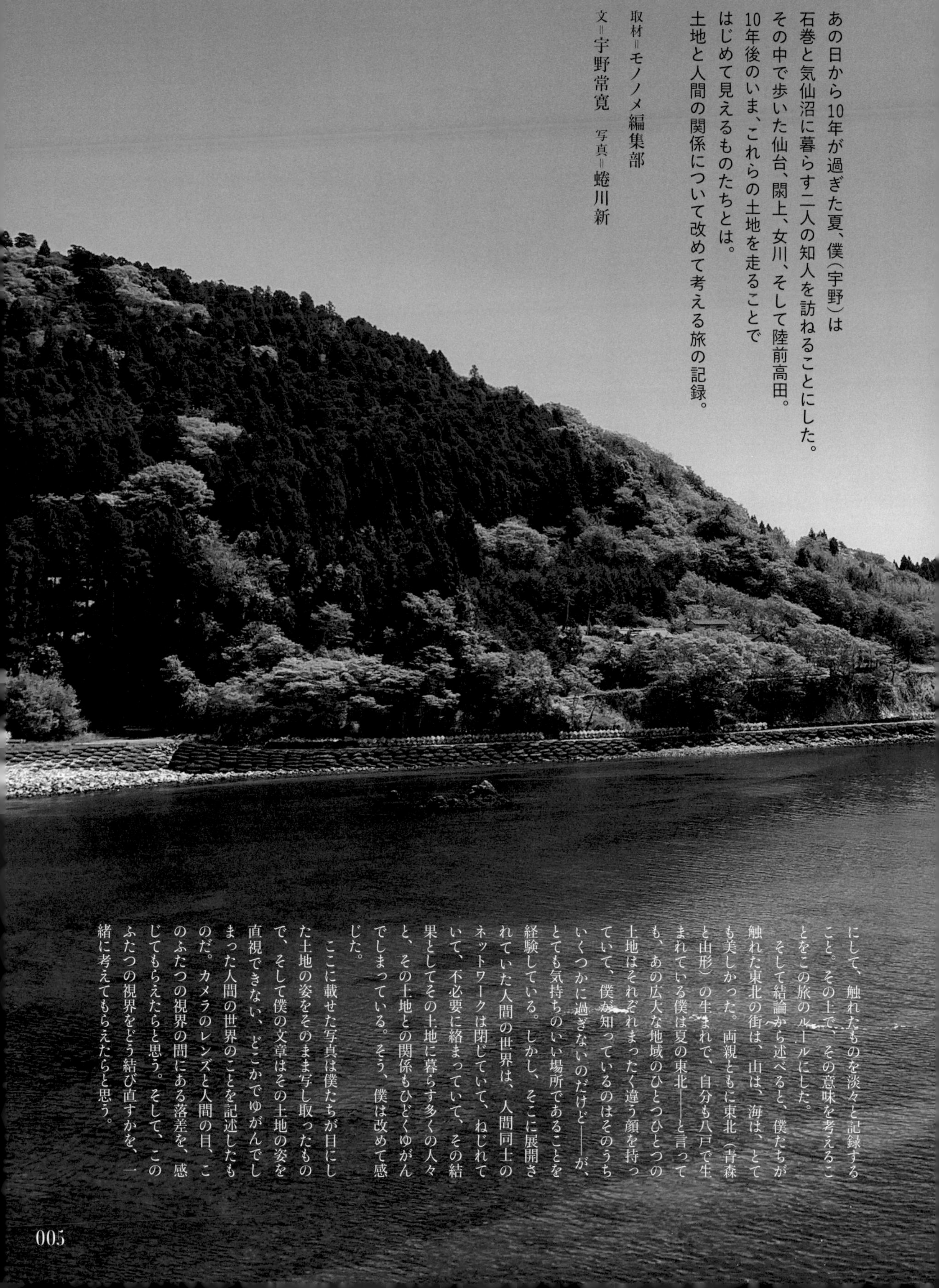

あの日から10年が過ぎた夏、僕（宇野）は
石巻と気仙沼に暮らす二人の知人を訪ねることにした。
その中で歩いた仙台、閖上、女川、そして陸前高田。
10年後のいま、これらの土地を走ることで
はじめて見えるものたちとは。
土地と人間の関係について改めて考える旅の記録。

取材＝モノノメ編集部
文＝宇野常寛　写真＝蜷川新

にして、触れたものを淡々と記録すること。その上で、その意味を考えることをこの旅のルールにした。

そして結論から述べると、僕たちが触れた東北の街は、山は、海は、とても美しかった。両親ともに東北（青森と山形）の生まれで、自分も八戸で生まれている僕は夏の東北——と言っても、あの広大な地域のひとつひとつの土地はそれぞれまったく違う顔を持っていて、僕が知っているのはそのうちいくつかに過ぎないのだけど——が、とても気持ちのいい場所であることを経験している。しかし、そこに展開されていた人間の世界は、人間同士のネットワークは閉じていて、ねじれていて、不必要に絡まっていて、その結果としてその土地に暮らす多くの人々と、その土地との関係もひどくゆがんでしまっている。そう、僕は改めて感じた。

ここに載せた写真は僕たちが目にした土地の姿をそのまま写し取ったもので、そして僕の文章はその土地の姿を直視できない、どこかでゆがんでしまった人間の世界のことを記述したものだ。カメラのレンズと人間の目、このふたつの視界の間にある落差を、感じてもらえたらと思う。そして、このふたつの視界をどう結び直すかを、一緒に考えてもらえたらと思う。

荒浜と閖上――異界の海と空

僕たちが最初に訪れたのは、仙台市の郊外の荒浜だった。震災前、ここは夏に海水浴客で賑わう場所だった。およそ800世帯、2100人ほどが住んでいた集落は、10年前の津波でほぼ完全に流され、約1割にあたる186人が死亡した。集落は復興されず、住民は内陸に移住し、海水浴場も閉鎖されたままだ。避難場所として多くの住民の生命を救った荒浜小学校は廃校となり、その校舎の遺構を中心とした公園開発が進行している……ということだったが、実際に足を運んだ僕たちが目にしたものは端的に述べれば廃墟、だった。いや、それは廃墟ですらないだろう。すべては10年前に流されてしまって、そしてその流された跡は最低限の地ならしがされただけで（計画はあるのかもしれないが）放置されていた。そこにあったのは、ただただ広い空と、砂浜と、そしてその砂浜から続く平坦な荒れ地だった。仙台は市街地を抜けるとすぐ田園が広がっているのだけれど、その水田が海に近づくと麦畑になり、そしてある地点からこの放置された荒れ地になる。その先に、このかつて海水浴場だった砂浜が広がっている。砂浜には名前の知らない雑草が密集していて、それらが黄

色い穂をつけて揺らいでいる。圧倒的な空白がそこにあって、それを松たちが見守っている。10年前の津波で、不自然にある地点から下の枝を失って、歪んだ松たちだ。自然のもたらした不自然な空白。明るい異界。人間の世界と地続きなのだけれど、切り離された土地。明らかにそこは、僕たちの生活世界とは異なる論理で記述された場所だった。僕はそこを歩きながら考えた。もし自分がこの土地に暮らしていて、中学生か高校生くらいの年齢だったらときどき、自転車に乗って一人でここを訪れて本を読んで過ごしていただろう、と。そして、この異界は誰か意図して作り上げたものではない。ただ、自然がそうしただけのものを、人間の知恵と力が追いつかなくて放置していた結果そうなっているだけだった。

僕たちはその足で名取市の閖上《ゆりあげ》という土地へ向かった。ここもあの津波で集落がほぼ丸ごと流されて、跡形もなくなっていた場所だった。犠牲者は700人以上に達した。僕たちは復興のアイコンとなった「かわまちテラス閖上」と名付けられた、土地の食材を扱う店舗を中心としたショッピングモールを見学した。そこは、たぶんありったけの祈りと、被災をバネにこの土地をもっと豊かで、気持ちのいい場所にしたいという前向きな願いが

ありがとう 荒浜小学校
2016.3.31

AEON
AEON STYLE
保険調剤薬局
全国の「処方せん」承ります
土・日・祝日も
イオンお買物アプリ 会員募集中!
火曜市

ぎゅっと詰まったような、細部までしっかりデザインされた空間と建物だった。しかしコロナ禍の影響か人影はまばらで、印象的なのはその周囲の、荒浜と同じように事実上放棄された荒れ地のほうだった。

　そこには、大量の消波ブロックが並べて保管してある場所や、整地だけされて何年も放置されているであろう雑草の目立つ場所が点在していた。人間たちはこの土地に暮らすことを諦めていた。そして暮らす代わりに、何かを作ろうとはしているようだった。しかし、10年経ってもそれがかたちにはなっていなかった。流されたあとに、何を作ってよいかわからない。そのことが、この国が直面している貧しさのすべてを表しすぎているように僕には思えた。

　僕たちは荒れ地を抜けて、近くの大きなイオンモールに入って、スターバックスのラテとユニクロでセール中だった春物のアウターで冷えた身体を温めた。その日は夕方が近くなると、海風は一気に冷たくなって、僕たちの手足の筋肉はすっかり固くなっていた。荒れ地の中に設けられた広い道路を走ると、「津波ここまで」と書かれた標識があって、そしてそこを通り過ぎて少し走ると見慣れた風景が——ロードサイドに大型の量販店が立ち並ぶ、あのどの地方にも見られる変わり映えのしない風景——が広がっていた。しかしその見慣れた景色が、疲れた僕の身体には少し優しく映った。

旅についての、もう一つの理由

　僕はこの10年の間に何度か、講演などの仕事や家庭の事情で東北に足を運ぶ機会があった。その中には、あの震災と事故の被災地と呼ばれる土地もあった。けれど、僕はそこを被災地として訪れることが嫌だった。この気持ちは、東京のテレビや新聞や文化人の類が10年前ここぞとばかりに大はしゃぎしていたのを覚えている（そしていま、彼らのほとんどが見向きもしなくなっていることを知っている）人には分かってもらえるのではないかと思う。

　にもかかわらず僕がこの夏に「被災地として」これらの土地に足を運ぶと決めたのは、ちょっとした理由がある。

　きっかけは、半年以上前にさかのぼる。僕が個人的に参加しているあるプロジェクトの視察で、仲間たちとあの原子力発電所の事故の影響で避難区域に指定された地域に足を運ぶ機会があった。僕はそこで何が起きているかを想像できないほど無知ではないし、世間知らずなつもりもなかった。しかし、それを目の当たりにするのは想像するよりもずっと苦い体験だった。た

とえば、僕らが足を運んだある村は、10年前のあのとき放射性物質による汚染のために住民の大半が避難を強いられていた。10年経ったいま、除染は進み国と村は帰還を呼びかけている。しかし福島市などに避難移住したかつての村民で、再び村に戻ることを選択する人は必ずしも多くないという。

そしてあの日、村の偉い人が僕たちを案内したのは被災後に造られた道の駅だった。放射能の汚染で耕作放棄された村一番の美田の一部を、役場が買い取って造られたというそのピカピカの道の駅には同じくらいピカピカの復興住宅と児童公園が併設されていた。まるでディズニーランドのようなデザインだなと僕が感じていると、海外の有名なテーマパークを手がけた建築家に依頼したのだと村の偉い人が自慢げに他の人に説明しているのが聞こえてきた。この村の復興の象徴として建設された道の駅は地域住民には半ばショッピングモールのように使われていて、駐車場にはなんだか高そうな車が並んでいた。この付近の人々のあいだでは賠償金でレクサスを買うのが流行っていたのだという話を、後から僕は聞いた。そして、この道の駅を中心としたテーマパークのような場所を、耕作放棄されて、草のぼうぼうと生えたかつての水田——村いちばんの美田だった場所——が囲んでいた。とてもグロテスクな風景だった。

このとき僕らを案内してくれた村の偉い人が、僕らの仲間の一人に吐き捨てるように言った言葉を、僕は聞き逃さなかった。「あいつら、カネに目がくらみやがってよ」——この村は村民の帰還を推進し、国から降りてくる復興予算の類でいわゆる箱物行政を推進したいと考える村長派と、避難指定区域を解除させないことで賠償金を受け取り続けたいと考える反村長派に分裂し、抗争を続けているということだった。僕は思った。ここは地獄だ、と。そこは被災したことではなく、その後に流れ込んできたものによって、誰も土地そのものには関心が持てなくなってしまった場所だった。

そして、僕はこのとき思った。近いうちにもう一度、被災地に足を運ぼう、と。震災と向き合う云々、ということではなくて、10年目の「被災地」を歩くことで、これからの土地と人間との関係を考え直すための材料をたくさん見つけることができるのではないか。このとき僕はそう、考えたのだ。

だから僕は夏までにもう一度、東北を歩こうと決めていた。要するに、そこは僕たちが生きているこの社会の、普段は見えなくなっている部分があの地震と津波をきっかけにすべて可視化

されてしまっている場所なのだと思ったのだ。東京と異なる場所に行くのではなくて、東京にも存在するが東京では結果的に見えなくなってしまっているものたちを目にすることができる。そう、僕は考えたのだ。

女川――人のいないテーマパーク

僕たちは仙台で一泊したあと、石巻の取材の前に先に女川を回ることにした。僕はこの旅の計画を立てるとき、女川を行程に含めるかどうか、少し迷った。女川は、この10年で僕がもっとも多く足を運んだ「被災地」の一つだった。

最初に女川を訪れたのは10年前だ。僕は友人と二人、この旅と同じように仙台から被災地を歩いた。この旅の参考にしようと準備をしているときに当時の写真を探した。まっさきに出てきたのは、女川の、すべてが破壊され、引きずり出され、そして流された跡の写真だった。10年間誰にも見せなかった写真だった。港前の街の中心部がほぼまるごと流されてしまった女川は、人口の約1割にあたる800人以上の死亡、行方不明者を出した。そして、あまりに多くのものを失った女川町は「復興」するのではなく、「創り直す」ことを選んだ。あれから10年、女川は東京からUターンしてきた若い世

代と、同じく若い移住者たちを中心に意欲的な復興に取り組んできたことで知られる街だ。休日には県の内外から観光客が、まるでテーマパークのように整備された女川の街に訪れ、水揚げされたばかりの海の幸を楽しむようになった。人気店はどこも休日は行列だ。

僕が次に女川を訪れたのは、昨年のことだ。そのとき、僕はこの街の、この奇跡的な復興、いや創造を成し遂げた街の立役者たちとも話す機会があった。彼らの目は、自分たちが成し遂げたことへの誇りに満ちていた。そして、うち一人は僕の書いたものを読んでくれていると感想を述べてくれた。とても、嬉しかった。僕の運営する媒体にも、今度はぜひ取材に来て欲しいとまで言ってくれた。でも、僕は今回あえて彼には連絡しなかった。理由は一つ。彼は女川がここまでたどり着くまでの経緯、それをめぐる困難、そしてこれからの女川をめぐる状況を一通り説明したあとにこう述べたからだ。「だから、原発の再稼働をどう思うかと言われたら、反対だとは言えないんですよ」。

僕は彼を批判する気はまったくない。これはもう本当に、まったくない。僕は長期的には脱原発化が望ましいと考えているけれど、同時に僕が彼の立場だったら、原子力発電所の存在を支

持することではじめて手に入る予算を使っていまこの街にできることを全部やろう、と考える可能性がやはり高いだろうなと思うからだ。しかし、それでもこうも思う。そうやって自分たちの街に原発があることを認め続けた結果、東京から下りてくる資金がなければ誰も食べていけない街にしてしまった結果、福島のある地域の人たちは自分たちの土地を失ってしまったのではないか、と。僕はその言葉をぐっと、飲み込んだ。それが僕が今回この土地を訪れるにあたって、彼らに連絡を取らなかった理由だ。何もせずに能書きだけを垂れていた人たちより、彼らは10000倍も素敵な仕事を成し遂げていると思う。でも、僕は彼らが本当に気持ちよく受けてもらえるような取材ができるとは思えなかったのだ。

　そして僕は三たびこの土地に立っていた。そのピカピカの駅前の広場には、まったく人がいなかった。平日とは言え、さすがにこれは厳しいな、と感じた。もちろん、それはコロナ・ショックのためだ。この土地は、原子力発電所を受け入れてキラキラした観光地になることを選んだ。そして見違えるような街を作って、行列店を生んで、目に見える成果を上げた。そして10年目に、次の災厄に晒されていた。その日はまともに目を開けていられないくら

いよく晴れていて、海から気持ちのいい風が吹いていて、けれどもほとんどそこには人がいなかった。どこかの店舗から女川の魅力を力説する広告ビデオが流れていて、そのアニメ調の美少女キャラクター（どうやら女川など被災地のいくつかのイメージキャラクター的な存在らしい）の甘えた声色が無人の開かれた空間に拡散していった。この土地の生まれ変わり方が正解かどうかを、僕が判断することはできない。ただ、一つ言えることは、外から観光客が来なければ立ち行かない街というのは、国策としての原子力発電所の設置を受け入れないといけないことと同義で、やはりそれ「だけ」ではダメなんじゃないかということだ。今は「毒饅頭」を食べることで力をつけて、いつか「毒饅頭」を差し出してくる彼らの支援なしでもやっていける街にすること――声にはしないけれど、この街を「復興」させた人たちの少なくない人がそう考えていたはずだ。そして僕は思う。だとすると、もう一枚別のカードが要るのではないか。そう思わずにはいられなかった。そんなことを考えながら、僕たちは次の目的地である石巻へと向かった。

石巻のヒーローたち

　石巻は、10年前に僕が歩いた被災地の一つだった。石ノ森章太郎の生家に近く、少年時代の石ノ森は文化の香りを求めて郷里の山村から本屋と映画館のある石巻に通い詰めていたという。このような特別な関係から、石ノ森の愛したこの国の「萬画（石ノ森はマンガという文化の多様化と成熟を理由に、この字を充てていた）」の歴史と精神を伝える美術館が、この街に建てられている。僕が10年前にこの街を訪れた理由の一つが、この石ノ森章太郎と石巻の関係にあった。僕は当時石ノ森が生んだヒーロー――特に仮面ライダー――についての批評を書いていた。震災が起きて、津波が石巻を襲って、たくさんの人が死んだ。この街には石ノ森が生んだヒーローたちの像が街のあちらこちらに立っていたのだけど、その大半がこのとき一度流された。しかしそれでも、ある仮面ライダーの像が奇跡的に残っていた。僕はそのことをある新聞記事で目にして、この街に足を運んでみようと思ったのだ。この手の扇情的な記事に心を動かされたというよりは、その記事に添えられた写真の風景――廃墟に立つ仮面ライダー――を目にしてみたい、という不謹慎な動機が僕を動かしたのだ。

　そのときのことを、僕は鮮明に覚えている。僕は友人とタクシーをチャーターして、まだ瓦礫も撤去されていない石巻の街を見て歩いた。そのとき、タクシーの運転手――当時50代半ばに見えた男性――は、津波で壊滅した市街地を案内しながらこう言った。「このあたりは、津波が来る前からダメだったんだ」と。そこは地方都市にありがちなシャッターの下りた、さびれた商店街だった。そこに津波が押し寄せてきてすでに経済的に、文化的に死んでいた街を物理的にも殺したのだ。

　あれから10年――「復興」したはずの石巻の街は、やはりさびれていた。あの津波から生き残ったであろう、レトロモダンな店舗兼住宅の大半にシャッターが下りていた。何のために、この街は復興したのだろうか、と僕は思った。この街に来る途中で、僕たちはおそらくは人間が居住するには相応しくないと判断されたであろう沿岸の地区を高台から見下ろしていた。そこは近代建築の白と公園の緑に塗り分けられ、無菌室を思わせるクリーンで、そして無機質な明るさに満ちていた。それは古い漁師町にはお世辞にも似合うものではなかった。しかしこれがこの10年で、この街の人たちが（少なくと民主主義の建前としては「選んだ」）復興の姿だった。人が住むのは難しいと判断した土地には無菌室のような公園を新造し、そして津波が来る前からさびれきっていた商店街をそのまま復興する。それがこの街の10年だったのだと僕は思った。そしてそんな２０２１年の石巻の街を、石ノ森章太郎の生み出したヒーローたちが見守っていた。

　石巻の駅の前には大きなビルがある。もともとそこは震災の10年以上前にできたデパートだった。街の外側の資本が強引に、地元の商店街の反対を押し切って進出したものだった。そして、デパートと商店街は共倒れになった。そもそも衰退していた商店街はデパートに客足を奪われてとどめを刺され、そしてデパートもまた想定した利益を上げることができずに撤退した。

元氣創造
キヨーレオピン
滋養強壮・虚弱体質
キヨーレオピン
NEO
疲れた体に
レオピンファイブNEO
滋養強壮
虚弱体質
肉体疲労、冷え症の滋養強壮に。
レオピン
ロイヤル
バランスター
WZ
第3類
医薬品
松《しょう》寿《じゅ》仙《せん》
あります
赤松葉エキス・クマザサ葉緑素液・ニンジンエキス配合の滋養強壮剤

石巻駅

SARUKOYA

TAKE OUT
HERE!!
TAKE OUT
HERE!!

ISHINO MAKI

各種証明写真
パスポート用
すぐ出来ます
写真
福来館
☎22-0351

マルサン

気がつけば、石巻の商業の中心は少し離れた場所にあるイオンのメガモールに移動していた。デパートは罪滅ぼしのように、店舗ビルを寄付して去っていった。石巻市は市役所機能をそのビルに移したが、1階に何のテナントも入ることなく、「空き家」状態が2年以上続いた。それを見かねたイオンが、半ば土地への救いの手として温情的に入居した。こうして、石巻は駅前にイオンと一体化した市役所が立つ街になった。そしていま、その入り口を仮面ライダーV3が仁王立ちで守っている。仮面ライダーは、ある意味においてまだ廃墟の上に立っていた。

必要なのは「復興」ではない

そして、僕たちはそのさびれたものをそのまま復興した商店街の中のある場所を訪れていた。「IRORI石巻」と名付けられたそこは、「石巻2・0」と名付けられた運動の拠点だ。この旅の目的の一つが、この10年間、この運動を主導してきた人物——松村豪太さん——に会うことだった。

松村豪太さんは僕の高校の先輩にあたる。彼の少年時代、石巻は何もない街だったという。正確には、古いものだけが残っていたという。誰もが顔見知りで、変えることより変えないことが常に選ばれ、目立ち過ぎた人間は叩

きのめされる。そんな街が嫌で嫌で嫌で、仕方がなかった。そう考えた松村少年はこの街を少しでも早く出たいと考えた。そして、なるべく離れた街にある私立の、できれば寮のある受験校に進学することに決めた。どうせなら、歴史のある、文化の香りのする街が良いと考えた。そして彼が進学したのが函館のとあるミッション・スクールで、僕の母校だった。しかし、青年になった松村さんは石巻に戻ってきた。その理由を、僕は知らない。しかしそれは「無気力な日々だった」と彼は言う。そして津波がこの街を襲ったとき、その凄惨さに立ち尽くしながら彼は心の片隅でこうも思ったという。「この靄がかかったようなつまらない世界を変えられるんじゃないか」「これですべてが変わる。いや、変えないといけない」「絶対に震災以前には戻さない」と。

　そして彼は立ち上がった。仲間を集め、ワークショップを開き、復興のビジョンを語り合った。「石巻2・0」はこうしてスタートした。「僕らは『復興』というよりも、なにもなくなったところだからこそ可能なかたちの『これからの地方都市のモデル』を作っていこうとした」――そう、松村さんはこの街を「復興」するつもりはなかった。街の何割かが流され、失われてしまったこのタイミングで、そしてその

結果として「復興」のために大量の人と資金が東京から流れ込んでくるこのタイミングで、石巻という土地を支配する古い根を排除して新しい種を蒔きたい。そう彼は考えたのだ。

「石巻2・0」はまず「守り」の復興からはじめた。避難生活で地域のコミュニティから切断された高齢者のサポートを行い、そして同時に「攻め」はじめた。移住コンシェルジュを名乗り、地方だからこそ可能な事業や創作に貪欲な現役世代を呼び寄せ、支援する活動を開始した。ローカルベンチャーの立ち上げを支援して、こうした若者を対象にしたワークショップを開催した。とにかく出る杭を打たずに、伸ばすことを考えて、動いた。

あれから10年、この運動はかつての彼がそうであったようにこの土地からはみ出していこうとする人々の拠点になっている。本当にこの土地だからこそ生むことができることは何かを考えている若者たちの、試行錯誤の拠点になっている。しかし松村さんには半分の手応えと同時にもう半分の敗北感があると、僕に話した。

「再開発のきれいな、新しいビルはそれなりに建っているけれど、街にはまったく人が歩いていない。こうした想定された通りの光景が広がっているのは間違いない」——それはなぜか、と尋ねると松村さんはこう答えた。「経済構造、産業構造の問題が一番にあるので、『変えるぞ!』と言っても、かなり難しい状態です。工場設備、建物といった資本を持っている人は一定数います。ただ、今後間違いなく従来のパイは縮小していきますが、彼らはでも自分の代くらいまでは食えてしまう。つまり、『緩やかな死』を迎えている状態なんです」

そう、松村さんたちが展開したゲリラ戦は、相応の成果を上げた。しかしこの街を津波の前から緩やかに殺しつつあった構造を変えることは、この10年ではできなかった。

そして、彼は短くこう、付け加えた。

「この間の市長選に、僕がドン・キホーテを演じて出馬すべきだったんじゃないか、と今でも後悔しています」と。

松村さんは言う。石巻は古い街だ。漁業や製紙業といった古くからある産業を中心とした旧時代からのコネクションが支配する息苦しい世界に、国や中央から流れ込んでくる資金を再分配する自治体とその周りの地元の顔役たちが仕切るネットワークがつながっている。この閉じたネットワークは、かつて松村少年に息苦しさを与えた閉鎖的なコミュニティそのものでもある。東京のジャーナリストや活動家がいくら騒ごうと、原子力発電所の再稼働はあくまで問題の一つでしかない。しかし、この街を支配する構造を象徴している。それが争点にすらならないこのタイミングでの市長選挙は間違っているんじゃないか。松村さんは僕にそう語ったのだ。

その日、僕たちは「復興」した石ノ森萬画館を訪ねた。そこには小さなベンチが設置されていて、その左側には仮面ライダーの銅像が座っていた。観光客が隣に座って記念撮影をするためのものだった。僕は仮面ライダーの隣に腰を下ろした。そして目を瞑って、しばらく考えた。

仮面ライダーたちは、いま、この復興してしまった街を守っている。本当は復興するのではなく、生まれ変わるべきだった街を守っている。かつて、石ノ森章太郎はこんな言葉を遺した。「時代が望む時、仮面ライダーは必ず蘇る」——もし、この２０２１年が、復興のことを意図的に忘却し統治権力の体面のためだけにオリンピックが強行されるこの２０２１年が「時代が望む時」なのだとするのなら、石巻に点在する仮面ライダーたちは今こそ蘇り、立ち上がるべきなのではないか。そしてあの津波の力をもってすらも破壊できなかったものを、破壊するべきなのではないか。それが今日における仮面ライダーの役割なのではないか、と。

気仙沼のやっちさん

僕たちが最後に訪れたのは、気仙沼だった。その前に一度岩手に入って、陸前高田の追悼施設に立ち寄った。有名な「奇跡の一本松」も一応、見た。荒浜でも、石巻でもそうだったが、あの大津波を経て人が住むのに適さないと考えられた土地は、荒れ地のまま放棄されるか、緑(植林)と白(コンクリート)に塗り分けられて公園になるかの二択だった。つまり、津波を経て「住むのに適さない」とされた海辺の低い土地は、予算が付けば土建行政の一環として——地方に税金を注ぎ込む口実として——公園化される。しかし付かなければ事実上放置される。両者を隔てているのは、究極的には復興予算の有無(優先度)で、それは要するに、人の住めない土地は地方への利益分配装置としてその必要性を度外視した公園を建設すること以外の利用法が見当たらない、と考えてしまうこの国の想像力の貧しさを示していた。

陸前高田から気仙沼に向かう途中、僕たちはいくつも大きな堤防を見た。堤防の中にはまだ工事が続いているものが、いくつもあった。中には、陸地から海がまったく見えなくなるような、大きな壁のような堤防があった。それはこの土地を津波から守るための

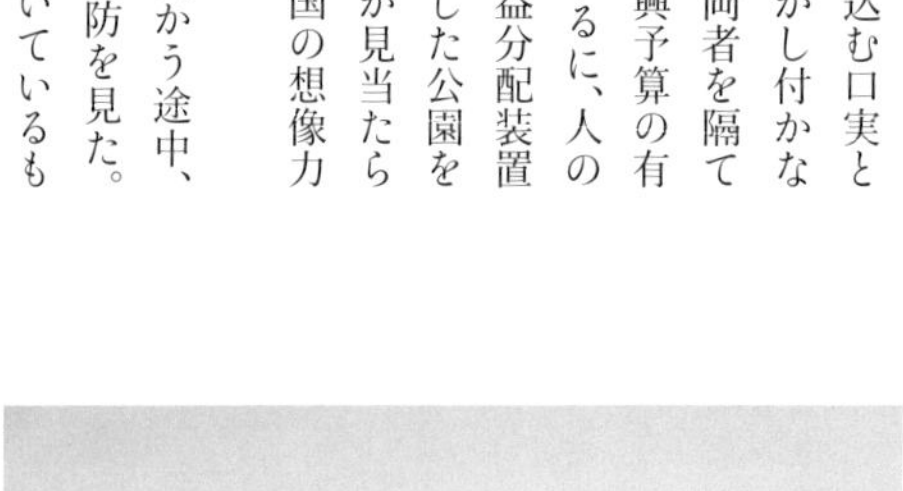

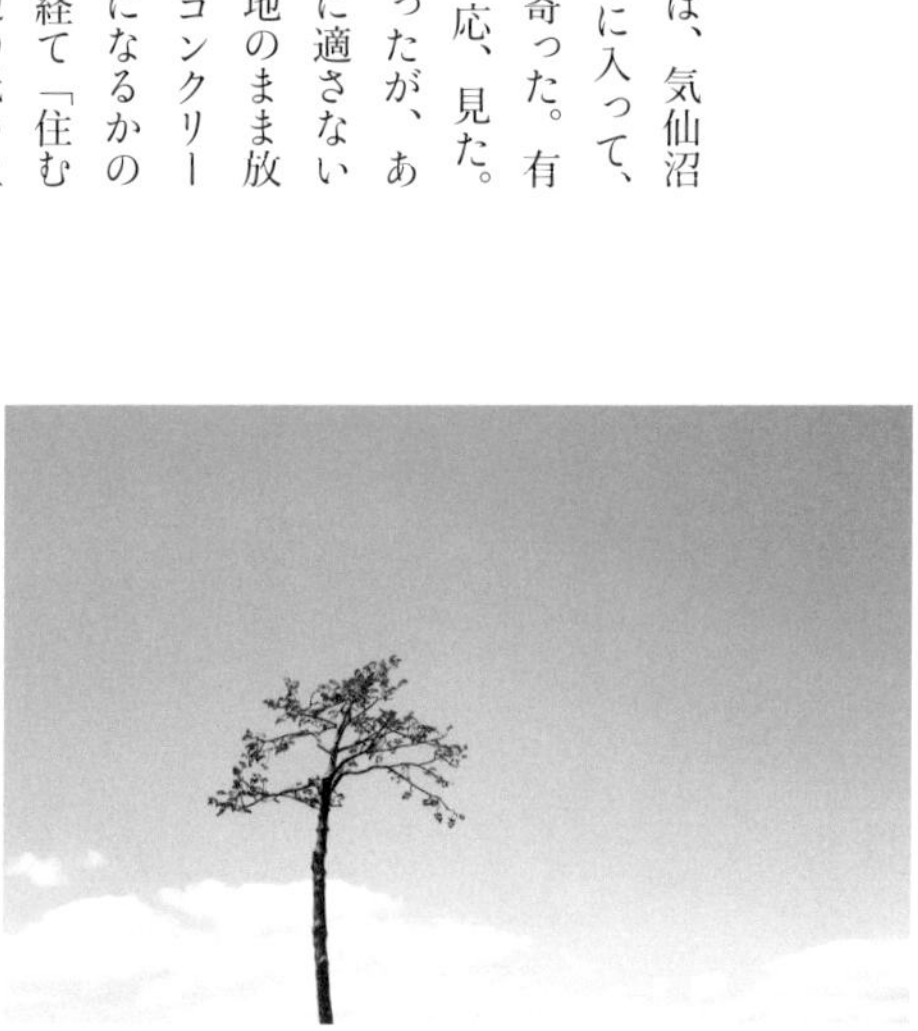

もののはずだったのだけれど、そのあまりに大きな存在感はその土地のあり方を根底から変えてしまっているように、僕には思えた。海を見て育った土地の人は、この堤防をどう思うのだろう、と思った。

「あんなの、とんでもないですよ。だってここに来た津波は15メートルで、あの堤防は8メートル。まったく意味がない。なんのために建てたものなんだか、本当に分からない」

分からない、と彼は口にした。しかしこの「分からない」は納得できないという意味であって、なぜこのような意味のないものの建築に膨大な時間と資金と労力が費やされたのかも、こうしたものが生み出されてしまうメカニズムも、この人は深く理解していて、そしてだからこそ、ここで深い、静かな怒りを示しているのだ。

「そもそもセメントの材料を作るために山を何個か潰していますからね。この南側にラムサール条約に登録できるんじゃないかというぐらいいい干潟があったんですよ。そこにカニとか、それを食べる水鳥とかもいっぱい来ていて、これは残したほうがいいんじゃないですかって言ったら『国土保全の規則から言ってそれはできません』とか言われてしまって。何が『国土』なのか、俺にはさっぱり分からない」「復

興事業と言うのは嘘で、復旧事業だったんですよ。50年後とか100年後を見ないで復旧させちゃったんですよね。ゼロから街を作り直すのに、なぜ目の前のことだけを考えて復旧するのかっていう疑問はずっと持っていて」

「原発だって、俺は反対ですよ。その予算がないとできない復興なんて、何かの中毒みたいなもんでしょう」

小野寺靖忠――通称「やっち」――さん。彼が僕が旅で会おうと考えていたもう一人の人だった。スターバックスもブルーボトルもない気仙沼を拠点に、シアトル系のカフェ「アンカーコーヒー」を経営している彼は、主に観光誘致を手掛ける「気仙沼地域戦略」の理事として、民間の立場から気仙沼の復興を主導するキーパーソンでもある。

はじめて訪れた気仙沼は不思議な街だった。他の多くの地方都市がそうであるように、駅前の古い市街地は端的に言ってさびれている。しかし、やっちさんが僕らを出迎えてくれたアンカーコーヒーの内湾店のある港付近だけは、奇妙な活気があった。それは着飾った人々が往来するものとはちょっと違っていて、停泊する漁船とその周囲のメカニズムが強いエネルギーで動いていることが伝わってきた。

「いやあ、ここも他と変わりませんよ。さびれているし、復興と言ってもこの

先のことなんか全然考えないやりかたをしてしまった。けれど、気仙沼らしさっていうのがもしあるとしたら、それは外に向いていることですね」

遠洋漁業の基地として発展した気仙沼は、「グローカル戦略」という言葉が流行るずっと前から当たり前のようにそうしてきた歴史がある。産業的につながりの深い街は仙台や東京よりも静岡の清水であり、ハワイのホノルルであり、ペルーのカヤオであり、オーストラリアのシドニーであり、スペインのラス・パルマスであり、そして南アフリカのケープタウンだ。国内の都市よりも世界中の港町のほうが精神的に「近い」——やっちさんは高校卒業後にミネソタ大学に進学しているが、この海の向こうへの距離感は気仙沼では「当たり前のこと」なのだという。

やっちさんは、地震と津波そのものを経験していない。2011年3月11日14時46分、やっちさんは新規事業の商談のためにイタリアに向かう飛行機の中にいた。そして現地に到着したときに、日本に、気仙沼に何が起きたかを初めて知り、愕然としたという。そして帰国後、すぐに彼は動きはじめた。無事だった店舗を拠点に復興のための活動を開始したのだ。やっちさんには分かっていた。放っておけば、この街の復興は国から注がれる税金を誰

の懐に入れるかというゲームになる、と。しかし本当に大事なのは、この津波を経て、新しい気仙沼をどう作り上げていくかではないか。そして、彼が行ったのは自分の理想の、この港町だからこそ可能な「暮らし」を実現できる環境を作ることだった。気仙沼の港は倉庫や工場など漁業関係の施設だけが並んでいる。しかし欧米の港にはむしろこれらの施設のそばにその「海」を感じられる施設が並ぶ。そこからやっちさんは着想を得た。「港は海の営みを通してその土地の季節に触れられる場所なんですよ」——やっちさんは、立ち上げた復興ファンドなどを通して、次々と観光事業を立ち上げていった。コンセプトは一つ、「気仙沼」という土地を感じられる場所をつくること。それだけだった。それは観光客のためのものというよりは「自分のしたい生活を、自分で作る」ことに近い。という「だって、こんないい場所でずっと仕事ができるんですよ。この良さに触れて、気仙沼っていいところだなと思ってもらうのが一番だと考えたんです」

気仙沼的な「暮らし」のビジョンをつくること。そのビジョンを「外」の知恵を取り入れることで実現すること。それがやっちさんの戦略だ。

そもそも、アンカーコーヒーも、学

生時代に触れたシアトル系のコーヒーショップとそこを中心としたライフスタイルが忘れられず「ないならば、自分でつくればいい」と考えて地元ではじめたものだった。それが「気仙沼的な生き方」なのだとやっちさんは言った。彼の「復興」はそんな「気仙沼的な生き方」の愚直な実践にあった。それは決して、今すぐ目に見える結果が表れるものではない。しかし……

「日本にもそういう選択肢があるんだ、『気仙沼的な生き方』があるんだって、思ってもらうのが俺たちの仕事だと思っていて」

僕は思った。この人のしていることは正確には「復興」ではない。震災があろうとなかろうとそこに存在していた気仙沼という土地のもつものを、最大限に引き出していく。これを淡々と実行しているだけなのだ。そして、結果的にそれが「復興」につながっているのだ。

僕らの取材が一段落したとき、男性の二人組がお店に入ってきた。顔見知りらしいやっちさんが、快活に挨拶を交わした。話の内容から、二人のうち一人は市議会議員のようだった。その巨体を揺らしながら、大きな声でやっちさんは笑い声を上げた。でも、その目はまったく笑っていなかったように僕には見えた。

旅の終わりに

　あれから2ヶ月が経った。僕はいま、あのオリンピックをめぐるいくつもの巨大な空回りを横目に、この文章を書いている。震災からの復興という主題はとっくの昔に事実上消えてしまい、最低限の目配せだけが行われているこのオリンピックだけれど、その本質はこの10年の間に東北の被災地の街で起きたこととまったく同じであるように僕には思える。この10年で行われたことのほとんどが復興ではなく復旧にすぎず、新しい価値を生むのではなく古くから存在する権益を分配するものでしかなかったように、このオリンピックも、それ自体では何も新しいものは生まなかった。しかし、僕は思う。やっちさんが震災を体験することで、気仙沼的な生き方を再確認したように、僕たちも前向きな諦めのようなものをいま、手に入れている。あのオリンピックの誘致が決まったあと、僕たちはこのオリンピックに対して建設的な批判を行うために、２０２０年大会の「対案」を考えて一冊にまとめた。しかし、僕たちの計画は少なくとも表向きはほとんど見向きもされず、オリンピックは既得権益の再分配を目的に、コロナ・ショックを背景にした内外の中止論を無視して強行開催され、それに対し、ＳＮＳを用いたポピュリズム（による関係者への私刑）を用いて対抗するという地獄絵図が展開された。仙台の、石巻の、女川の、気仙沼の豊かで美しい土地を人間のネットワークの貧しさが覆っていたように、２０２１年の東京も貧しい街になっていた。

　しかし、今の僕たちはこの貧しさに対して、これまでとは違うやり方で対抗しようとしている。当時の仲間たちのうち、ある人は世界中の都市に自分たちのメッセージを伝えるアートを展開して、あるメンバーは義肢のプロジェクトのアイコンになることでこの国に決定的に欠けている多様性を訴える活動に注力している。僕も小さくても持続性のある、そして多くの後続に模倣してもらえるような新しいメディアのかたちを模索する運動を始めた。それぞれが、それぞれの現場でがんばっている。モニターの中のものを眺めるオリンピックを変えるのではなく、自分の足で走ることを考えている。世間の中心にある、大きなものをハックするのではなく、それぞれがそれぞれの場所で自分なりの取り組みをして、それが中央に集まるのではなく横につながっていくことを考えている。やっちさんの言葉を借りれば、これも「気仙沼的な生き方」になるのかもしれない。

特集

「都市」の再設定

宇野常寛

この雑誌の創刊号の特集のテーマには「都市」を選んだ。けれども、最初に断っておくべきことがある。たとえば僕は21世紀を席巻するであろうグローバルなメガシティ間の競争とそれに対応するための有り得べき都市開発のビジョンといったことには、あまり興味がない。そしてその反対側から都市を見ること――地域コミュニティを振興するためにワークショップとアート展示を重ねて、住民とクリエイターの交流を図るといった類のこと――にも、同じように興味がない。僕たちが考えたいのは、もっと本質的なことだ。

　情報技術の発展とネットワークの整備は、この四半世紀で空間の定義すらも変えつつある。このとき、はたして僕たちが長いあいだ「都市」と呼んできたものの性質は根底から覆るのではないか。

　たとえば僕たちは都市に接続することで、自分が一人の独立した個であることを確認してきた。家庭や職場から切り離されて、一人の人間として活動する時間を手に入れてきた。そのことが、共同体の一部ではなく一人の独立した人間として社会にかかわっていることを自覚させていた。しかし空間の移動はもはや、この「個」であることを確認できる時間を確保することを意味しない。そもそも同じ空間にいることが、その対象とコミュニケーションを取ることを保証しない(僕はいま、高田馬場のカフェにいるがこの文章を、香港の友人とチャットしながら書いている)。もはや都市は、人間が何ものでもない誰かになれる場所ではなく、僕たちは常にスマートフォンに着信する、家庭からの、職場からの、そして「世間」からの通知にまとわりつかれて生きている。

　あるいは、かつて僕たちは都市に接続することで、目当てのものではないものに偶然出会い、会うつもりのない人に出会ってきた。しかしこの前提は既に崩されて久しい。実際にコロナ・ショックでそれが強制終了される前の10年は、あらゆるシーンにおいて――政治運動から「インスタ映え」消費、音楽フェスやアイドルの握手会まで――人間がSNSによって実空間に「動員」されていた10年だった。この10年で、もはや実空間はサイバースペースの延長にしか存在しなくなったのだ。

　そしてハッシュタグを検索して、「動員」されて街に出てきた人は、そこでどれだけ雑多なものを目で見、手で触れても目当ての物事以外は意識できなくなっていく。今日においてはもはや「広場」も「街頭」も検索窓とハッシュタグの先にある。それはそこが既に交通事故のように予想外のものに出会う場所ではなく、予定調和だけが待つ場所になっていることを意味する。

　そう、世界人類は圧倒的なスピードでその生活空間をメガシティに集中させるその一方で、実空間は、都市という場所そのものは、その力を低下させていったのではないか――そう僕は考えている。人間を居住させ、給餌し、繁殖させる装置としての都市が肥大する一方で、公共心と創造性の培養装置としての都市は、情報ネットワークから

撮影：蜷川新

の侵略を前に、いまその力を失いつつあるのではないか。

多くの人が、こう考えている。閉じた情報ネットワークの外部としての実空間が重要なのだと。そこで人間と人間が接触することこそが公共性を育み、豊かな文化を生み出すのだと。しかし、それは甘い認識だ。観光客たちが、目当ての物事の写真をハッシュタグをつけてInstagramに投稿して満足して帰るように、検索してたどり着いたそこはSNSを中心に展開する、閉じた相互評価のネットワークの外部ではなく、その一部に過ぎない。そこで人は、何ものにも出会うことはできない。重要なのは物理的な空間に身体を運び、そこで事物に接触すること「ではない」。そのことによって、ネットワークの裂け目に、穴に、触れることだ。空間的に特定の場所に身体を置くことではなく、そうすることで時間的に自立することだ。情報技術を用いた、世界中の人間の時間を同期させる力に抗うことだ。

僕はコロナ・ショック以降の東京を――特に2020年の最初の緊急事態宣言下に見られたあの無人の東京を――走りながら考えていた（僕はランニングが好きで、よく都内を走っている）。場所がその力を取り戻すために必要なことは何か、と。僕は思う。それはたぶん「つながらない」ことだ、と。

無人の都市を走りながら、僕は考えた。ここには人間がいない。だからこそ、可能性がある。孤独に世界と向き合う時間がある。街を走るランナーたちの目的は「走ること」そのもので、誰かに会うとか、何かを買うとか、そういったことのために街に出ているわけじゃない（ハッシュタグに「動員」されていない）。だから走るとき、目の前にある街の風景そのものを強く意識する。道が、建物が、木々が、虫たちが、商店に並べられた物品たちが、ハッシュタグのつかないむき出しのかたちでそこに現れる。人がいない街では、特にそうだ。走るとき僕は他のどのような時間よりも、たくさんのものごとに出会っている。閉じた相互評価のネットワークから切断された時間だからこそ、「走ること」そのものが目的であるからこそ、ものごとそのものに触れることができる。しかし、かつての都市はただ歩いているだけでもこうして人を孤独に、匿名に、鋭敏にしてくれる装置だったのではないか。

僕たちはずっと「つながる」ために都市を用いてきた。しかし、いま必要なのは「つながらない」ための都市なのではないか。いま僕たちの世界から急速に失われつつある時間的な「自立」を、僕たちが暮らすこの都市というシステムをどう扱い、どう変えることで回復できるのか。それが僕の問いだ。「つながる」ことなど、インターネットに任せてしまえばいい。僕は「都市」の話がしたい。

座談会

復興、防災、地方創生

「都市」を再設定する——

饗庭伸×安宅和人×菊池昌枝×渡邉康太郎

人間が長きにわたって築き上げてきた「都市」という発明が、
大きく曲がり角を迎えている現在。
新型ウイルスのもたらした厄災が、人々の集う過密空間の
落とし穴を思わぬかたちで浮き彫りにするなか、
都市には何ができて、何ができないのか——。
それぞれ異なる立場で都市の課題に携わる4人が、
もういちど都市と向き合うための論点を洗い出す。

司会＝宇野常寛　構成＝杉本健太郎・中川大地

注釈＝ぽむ企画

撮影＝岡田久輝

都市が抱える本質的な問題とはなにか

——本誌「モノノメ」の創刊特集には、「都市」を選びました。僕たちが生きている間に、メガシティへの人口集中化、気候変動により高まる災害リスク、そしてコロナ禍が後押しするデジタルトランスフォーメーションなど、人類がずっと使い続けてきた「都市」という環境が大きな転換を迎えつつあるという認識が背景にあります。

　そこで、今日は慶應義塾大学ＳＦＣ教授でヤフーＣＳＯの安宅和人さん、東京都立大学教授で都市計画を専門にされている饗庭伸さん、デザイン・イノベーション・ファーム「Ｔａｋｒａｍ」でコンテクストデザイナーとして活躍されている渡邉康太郎さん、星野リゾートで各地の「星のや」などの経営に携わってこられた菊池昌枝さんの４名を迎えて、現代の都市が抱える課題について総論的に話していければと思います。

　まずは自己紹介も兼ねながら、皆さんが都市に対して感じている問題意識を聞かせてください。

安宅　**全世界的に都市に人口が集中している**[01]のは事実であり、都市以外の住環境が捨てられていく流れにあるのは否定し難い。たしかに人類がずっと文明を通じて発明・発展させてきた都市という空間は効率的ですが、私は三つ弱点があると思っています。一つは災害に弱いこと。二つ目は過密になりすぎたことによって、人間にとって息苦しい、つまりリラックスする空間が足りていないこと。三つ目は災害に加え、今回明らかになりましたが、それ以上にパンデミックに弱いことです。

　主要国の都市においては、今や戦争以上に天災と**パンデミックのリスク**[02]のほうが高い。21世紀に入ってから災害とパンデミックは増える一方ですが、当面その傾向は変わらないでしょう。温暖化がもたらす気候変動によって、暴風雨が激しくなり、台風は大型化することはほぼ確定的です。また、２００４年のスマトラ島沖地震Ｍ９・１～９・３、２０１１年の東日本大震災Ｍ９・０～９・１など、この十数年、太平洋西側は地殻活性度が高く地震が増えているのも否定し難い。そして人間と野生動物の生活空間が近づきすぎているために、新たなパンデミックは今後も起きる。そういう意味で人間に適した空間のはずの都市は人間が住むにはリスクの高い空間になりつつありますが、都市から人間が逃げられない構造があるのも事実です。

　そういう流れがあるからこそ、私自身は、今回のメンバーの菊池昌枝さんや宇野さんと一緒に、さまざまなテクノロジーを使い倒しながら、都市化とは異なる原理で、少ない人間の数でも幸福に生きられる空間を地方に作っていけないかという都市集中型社会に対するオルタナティブ（新しい選択肢）を創るための活動もしています。

饗庭　まず自己紹介から始めますと、私は建築学科の出身で、都市計画を専門にしてきました。海外では都市計画は政治学科などで教えられること

渡邉康太郎（わたなべ・こうたろう）
デザイン・イノベーション・ファーム Takram コンテクストデザイナー。慶應義塾大学 SFC 特別招聘教授。個人の小さな「ものがたり」が生まれる「ものづくり」＝コンテクストデザインの活動を推進。趣味は茶道、お酒、香水。J-WAVE TAKRAM RADIO ナビゲーター。Twitter @waternavy

菊池昌枝（きくち・まさえ）
化粧品・トイレタリーのマーケティングから星野リゾートに転職。3つの「星のや」の総支配人の後、現在は星野リゾート・アセットマネジメント IR ディレクター。ESG（投資の世界の SDGs）投資担当で不動産投資のサステナビリティを検討しながら、「風の谷」に携わる。ホスピタリティと飲食、暮らしが地球の良い未来に繋がるように考え中。

安宅和人（あたか・かずと）
マッキンゼーを経て、現 慶應義塾大学 SFC 環境情報学部 教授／ヤフー株式会社 CSO。データサイエンティスト協会理事。一般社団法人 残すに値する未来 代表理事。公職に総合科学技術・イノベーション会議専門委員、内閣府デジタル防災未来構想チーム座長ほか。イェール大学脳神経科学 PhD。著書に『イシューからはじめよ』（英治出版）、『シン・ニホン』（NewsPicks）ほか。

饗庭伸（あいば・しん）
早稲田大学理工学部建築学科卒業。博士（工学）。同大学助手等を経て、現在は東京都立大学都市環境学部都市政策科学科教授。専門は都市計画・まちづくり。主な著書に『都市をたたむ』（2015 年 花伝社）、『白熱講義　これからの日本に都市計画は必要ですか』（共著 2014 年 学芸出版社）、『津波のあいだ、生きられた村』（共著 2019 年 鹿島出版会）、『平成都市計画史』（2021 年 花伝社）など。

も多いのですが、日本では建物の集合が都市だということになっていて、もっぱら建築学科出身の都市計画の専門家が多いという状況になっています。ですので、私自身も、何らかの空間を設計したり、空間づくりのルールを定めたりすることによって都市が抱える問題を解決しようとする、建築系の都市計画家です。本日は、都市空間を使うことによって、何が解決できて何が解決できないのか、という視点をお示しできればと思います。最新の日本の都市計画の論点は、やはり世界に先駆けて起きている人口減少です。世界的に見ればまだ都市への人口集中は続いているわけですが、もちろん大都市と地方都市のタイムラグはあるものの、日本の都市全体でくくると、他の国に比べて、日本の都市はかなり激しい人口減少をこれから経験していきます。単純化すると人口減少とは亡くなる方の数が生まれてくる方の数を上回るという現象ですが、これからの都市ではまず高齢化が進み、その次に大量の方が亡くなります。そうなると、膨張を繰り返してきた都市はどんどん歯抜けになっていって、いろいろな問題が浮上してくると言われています。

亡くなる方の数を減らすことはできないので、人口減少を「緩和」することは難しい。そこで都市計画ではその急速な減少に都市をどう「適応」させていくかが議論になっているのですが、その一つの答えが**「コンパクトシティ」**[03]です。2015年にはコンパクトシティの形成支援に向けた法律ができるなど、ここ10年ほどの都市計画の専門家の大きなトピックです。

渡邉　私はデザイナーなので、今日はその目線で都市について語りたいと思います。私は**「コンテクストデザイン」**[04]という独自の分野を開拓しています。Ｔａｋｒａｍというデザイン・イノベーションファームでの活動のほか、慶應義塾大学ＳＦＣで同名の授業も受け持っています。コンテクストデザインは、消費者をいつのまにか表現者に変えることを目指します。生活者が単に与えられたものを消費するだけではなくて、いつのまにか表現者の側に回ってしまう状況をつくりたい。もちろんそれを強いるのではなく、あくまで表現したくなった人の後押しをする「補助線」を引くものです。コロナ禍では、生活者が「表現者の側に回る」構図が随所で見られました。多くの人が料理やＤＩＹ、ガーデニングなどに打ち込んで、手を動かし始めた。マスクを縫うといったような小さなことでも、つくること、表現することの快楽に気づいた。それは災禍の中でも数少ないプラスの側面だったと捉えています。

ちなみにコンテクストデザインというのは「文脈をつくる」ことではありません。ラテン語の原義に溯れば、「コン」は「一緒に」の意味で、「テクスト」は「テクスタイル」の語とも共通する「編む」に由来します。つまり、「共に編む」こと。デザイナーとそれを享受する人をはっきり分けるのではなく、いつの間にか一緒に編み始める、つくり始めるなめらかな変化のイメージを込めています。つくる側が意図するものや社会が常識と認

KEYWORD 01

メガシティへの人口集中

世界の都市圏の人口は年々増加傾向にある。国連の調査によると2018年時点で世界人口76億人の55％以上が都市圏に暮らし、2030年には6割超になる見込みだ。中でも人口1000万人を超える都市圏はメガシティと呼ばれ、国連によると2018年時点で世界に33都市圏が存在し、2030年にはさらに10都市圏が加わると想定されている。

特に都市化が顕著なのが成長著しいアジア、アフリカ圏で、2030年時点でメガシティの74％以上が集中する見通しだ。都市圏への人口集中はアイデアやビジネスの創出しやすさ、インフラの効率化といった効果がある反面、過密化などによる自然災害や感染症の拡大リスク、交通渋滞、生活環境の悪化などを引き起こす要因となる。さらに都市圏へと人口が流出することで、地方の過疎化や高齢化を招き、産業や文化の衰退にもつながる。そのため地球環境や地域の多様性を維持する観点から、都市化が招く課題の解決が全世界的に望まれている。

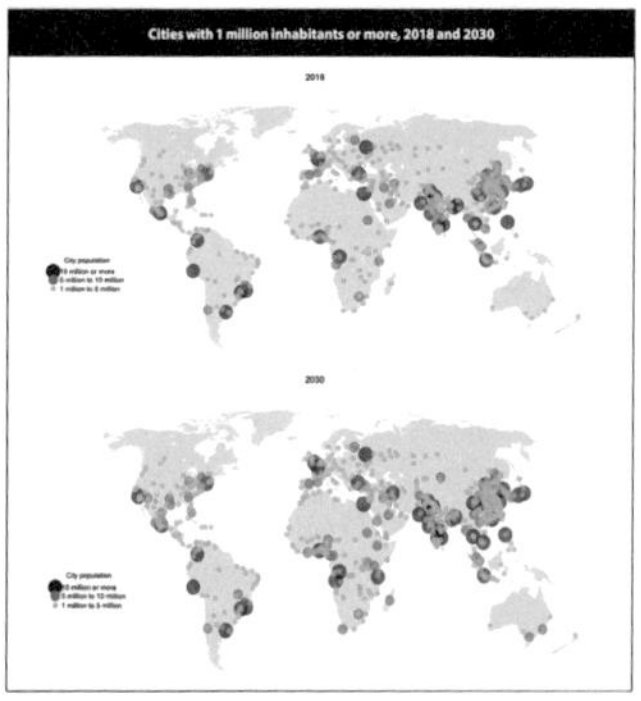

2018年と2030年時点での人口1000万人以上を擁する都市（国連レポート「World Urbanization Prospects The 2018 Revision」より）

めているものを仮に「強い文脈」と呼ぶとすると、受け手の解釈や社会で異端とされているものは「弱い文脈」と呼べるかもしれません。文脈の強弱が両方存在すること、強い方だけじゃなく弱い方の存在がちゃんと認められていること、そして、ときに文脈の強弱が入れ替わっていくことが文化を豊かにするのではないでしょうか。これは今後の都市に必要な要素なのではと思います。

今回、都市について考えるうえでイタリアのデザイン思想家エツィオ・マンズィーニのことを想起しました。彼はデザインには問題解決と意味形成の二つの側面があると言っていますが、私はまちづくりにも同じことが言えると思っています。たとえば災害対応などは起きている・起こりうる問題を解決する側面です。一方、価値をより大きくしていくのは意味形成です。場所の魅力やその都市に住む人々の人間性は、その土地固有の、コピーできないもの。その個有性をいかに際立たせていくか。これは宇野さんの「遅いインターネット」の考えとも共振すると思っています。

菊池 私は（株）星野リゾート・アセットマネジメントにおりますが、その前は京都、軽井沢、東京の「星のや」という旅館で総支配人をしていました。

コロナ禍になってから旅ができなくなり、観光業界は大打撃を受けていますが、星野リゾートは自宅から身近な場所で旅を楽しむ「**マイクロツーリズム**」[05]を導入しました。これまでとは経済圏を変えたのが功を奏して、打撃を抑えることができました。旅行市場は国内の需要が全体の80%という構造です。ここ10年近くインバウンドツーリズムを強化してきた日本ですが、コロナ禍でインバウンドがゼロになってしまったということで、一時的に止まらざるをえなくなりました。ただ、遠くに行けなくても人間の旅したい気分というのはなくなるものではありません。日常から出たい、リラックスしたい、温泉に入りたい、美味しいものを食べたいというニーズは減りません。そこで遠出はできないけど、住む地域に注目したり、暮らし方や働き方に注力したり、いち早く提案したのがマイクロツーリズムやワーケーションだったのだと思います。

また、人口分布が首都圏をはじめとする都市に集中しているため、この都市依存が激しいのは危ないのではないかという実感がありました。たとえば身近な飲食店経営に関して、飲食店への卸しを主な生業にしている農業、漁業、畜産業などの生産者さんたちが窮地に陥りました。しかし、コロナ禍で飲食店は休業や時間短縮営業をしていますが、日本の人口が減ったわけではないですよね。飲食店が営業していないことで混乱が生じるのは、一つには流通戦略の問題だと思います。こんなに大騒ぎになってしまうのも、生産されたものの流通が都市部へ偏っているためで、リスクマネジメントの不足だと感じます。これも長い間の都市集中が引き起こした問題の一つで、こういう問題を解決していくことが必要なのではないかと思っています。

KEYWORD 02

パンデミックと都市

ル・コルビュジエ「サヴォア邸」（1931年）。大きなガラス窓や吹き抜けには疫病の蔓延を避ける工夫も。（写真提供：門脇耕三）

都市の発展とパンデミックは無縁ではなかった。たとえばヨーロッパでは19世紀前半に2度のコレラの大流行があり、政治家ジョルジュ・オスマンによるパリ大改造や、イギリスの社会改良家エベネザー・ハワードの田園都市構想など、近代を代表する都市計画が生まれた背景には、防疫を含む生活環境の改善があった。

またモダニズム建築が普及しはじめる直前の1918〜20年頃にはスペイン風邪のパンデミックが起きた。建築史家のビアトリス・コロミーナは2018年刊の『X-RAY Architecture』でル・コルビュジエらモダニズムを牽引した建築家の思想や白く透明でクリーンな建築様式と、結核の流行やX線の発見との影響関係を指摘している。

しかし1968〜69年の香港風邪を境に大規模なパンデミックが絶え、2020年のCOVID-19流行まで都市は疫病をあまり恐れずに発展した。そのため感染症の存在を踏まえ、改めて都市のインフラを見直す必要性が議論されている。

私自身は個人的には3年がかりで計画して地方移住をしました。最初は京都に住もうと思っていたのですが、京都が私にとっては住みたい場所でなくなりつつあったので滋賀県に引っ越しました。そこで約130年前の明治23年にできた**古民家**［06］をなるべく手を加えないよう修繕だけして、無駄なく無理せず自然と戯れながら、仕事は東京と同じという暮らしをしています。毎日庭のダンゴムシを観察するのが楽しみなんです。ダンゴムシが土壌をどんなふうに変えていくのか、ワクワクしながら見ています。

こういった生活者としての日常が私の望んだものでした。都市部でもこういう環境があるなら住んでもいいと思っていますが、東京の都市部ではそれが不可能なので移住しました。地方に引っ越してみて、改めて私は都市が得意ではなかったのだなと気づきましたね。コロナ禍で「仕事＝都市生活」から、「地方の生活 with 仕事」になったわけです。

災害ドリブンで形成されてきた戦後日本の都市計画

――ありがとうございます。今の皆さんの問題提起を受けて順番に検討していきたいと思うのですが、最初に安宅さんから提起された防災という観点、具体的には震災や異常気象による水害といった自然災害、あるいはCOVID-19などのパンデミックのような危機が日常化したことで露呈した都市の脆弱性について議論できればと思います。

安宅　僕は内閣府のデジタル・防災技術ワーキンググループ（未来構想チーム）で、年末以来、半年ぐらい毎日**災害のことばかり考えていました**［07］。そこで得た知見をお話しします。

首都直下型地震はいつか起きるのは間違いない。けれども、そもそも東京には逃げる場所がないというのが最も深刻な問題です。人口密度があまりにも高いので、たくさんの人々が逃げ惑うとそれだけで大混乱に陥ります。

それから猛暑。どんどん気温が上がり、世界の多くの地域で夏の平均気温が40度以上になる日も近いことが現実的なシナリオとして推定されています。今も熱中症で毎年お年寄りが亡くなっていますが、子供や大人も含め暑さで人が亡くなるということがさらに増えるでしょう。また、2100年には瞬間風速90メートルの台風が来るようになることを環境省は予測しています。風速90メートルのなかで人が屋外で行動するのはほぼ不可能です。立つことはもちろん、這って移動することすら困難なレベルです。さまざまな物が吹き飛んで人や建物を襲います。木造であれば大半の家は基礎まで壊れてしまう。

火山の噴火はさらに厄介ですね。噴火が引き起こす多くの問題について有効な打ち手なしというのが防災検討的な共通見解です。悪夢と言える火砕サージ、火砕流、火山泥流などは幸い都市にはこないですが、とはいえ火山灰が3センチ積もると東京の上下水道が止まります。そこに雨が降ったりすると、陸上の物流も多くがおそらく止まる

KEYWORD 03

人口減少とコンパクトシティ

コンパクトシティとは、徒歩や公共交通によって地域のサービスや職場へのアクセスを容易にした都市のこと。少子高齢化や中心市街地の空洞化、インフラの老朽化といった課題の解決法として、近年、国土交通省や全国の地方自治体で地域都市再生のキーワードとなっている。

概念としては1970年代から存在するが、国内では阪神淡路大震災を教訓に1990年代後半に「コンパクトシティ構想」を打ち出した神戸市、実践例としては2000年代より公共交通ポートラムの整備を軸にまちづくりを推進した富山市などを先駆けとする。全国各地で取り組みが推進された契機は、都市再生特別措置法等の改正（2014年施行）で、各自治体のコンパクトシティ形成を支援する仕組みが制度化された。その実現のための計画制度「立地適正化計画」の策定に取り組む地方自治体は7年間で581団体（2021年4月時点）となっており、2015年時点での目標値である150団体をはるかに上回っている。

富山市が実施しているコンパクトシティ戦略（総務省資料「コンパクトシティ戦略による富山型都市経営の構築」より）

ので食糧危機も起きかねない。実態としては灰というよりガラスの粉である火山灰が多く舞っているとヘリも飛ばせません。シャフトに火山灰が焼き付きヘリが墜落するからです。つまり陸路も空路も塞がれ上下水道は止まる。食料と水が足りなくなる。ということで火山灰が多く降り積もったら一発アウトです。変数があまりに複雑すぎて実際にどんなふうに二次、三次災害が起こるのか読めない。誰もしっかりとシミュレーションしたことがないんです。ですから、今のところ火山噴火に関しては完全にお手上げで、誰もが考えるのをやめています。起きないことを祈るしかない、という。せいぜい地震が起きても壊れないビルを建てる、局所的に水害に備えるというのが東京で進んでいる戦略です。

饗庭　おっしゃる通り、災害のことを知れば知るほど暗澹たる気持ちになってきます。日本の都市計画の歴史をひもとくと、戦前からずっと「お化けが来るぞ」型とでも言うのでしょうか、大地震や火災といった災害に対する恐怖を煽るやり方で都市計画は進化してきました。**1923年の関東大震災からの大規模な復興事業が近代都市計画の原型の多くをつくりました**［08］が、それ以来、「地震が危ない」「水害も懸念される」と次々と新しいリスクが提唱され、それに対応して建築や都市のルールが変わり、そのことが都市開発の大義名分、推進力になってきました。ややこしいのは、リスクが「発見され続けている」ということです。1995年の阪神淡路大震災では木造住宅が密集する市街地のリスクや、1981年以前に作られた建物のリスクが、2011年の東日本大震災では海岸に近い土地のリスクが広く明らかになりました。日本のどこかで災害が起きては、科学が動員されてリスクが定義され、そして対策が進んだと思ったら、次の災害が別のリスクを明らかにする、という繰り返し。科学的知見がアップデートされ、後追い的に政策がそれをルール化していきます。安宅さんがおっしゃったのは、最近になって発見されたリスクですよね。

一応、建築や都市計画が何をやってきたのか、不充分ながらも到達点をお話ししておくと、地震については、国内観測史上では東日本大震災と熊本地震の震度7が最大ですが、最近の建物は震度7の揺れが来ても、壊れはするけど倒れないという設計になっています。関東大震災では市街地大火が発生しましたが、火災が広がらなかった熊本地震からもわかる通り、次の首都直下型地震ではそこまで火は広がらないでしょう。東京の建物はどんどん建て替わるので、かつてに比べると格段に建築物は燃えにくくなっていますし、ガスはすぐ止まるようになっている、慎重に通電するので火災も起こりにくいです。しかし、当然古いものもたくさん残っているので、それらは改良する、補強する、あるいは壊して建て替えていかなければいけません。良くも悪くも大義名分があるので、都市の新陳代謝が進んできて、強靭さは増しています。しかし、繰り返しになりますが、そこにまた新しいリスクが発見されているので、頂上にた

KEYWORD 04

共創型デザイン理論とまちづくり

渡邉康太郎『コンテクストデザイン』（Takram 2019年）

コンテクストデザインは渡邉康太郎が提唱するデザイン理論。渡邉は「それに触れた一人ひとりからそれぞれの『ものがたり』が生まれるような『ものづくり』の取り組みや現象を指す」と説明する。このような考え方が編み出された背景には、現代社会においてデザインに託される役割が、課題解決だけでなく意味形成にも及んでいる状況がある。まだ社会的に認められていない個人の思索・思想や物事の解釈を、コンテクストデザインでは「弱い文脈」と呼ぶが、これはしばしば領域間の境界から生じるとされるイノベーションにも潜在的に接続する。

こうした共創型のデザイン理論は、特に東日本大震災以後、国内のまちづくり分野でも不可欠なアプローチになってきている。たとえば山崎亮を第一人者とする、ワークショップ等を通じて組織づくりなどを支援し、地域の人々による課題解決を促す手法「コミュニティデザイン」は、従来のトップダウン型の方法を是正する取り組みとして注目を集めた。

どり着いたと思っていたら、また高い山がそびえ立っている……という気分なわけです。

安宅　そして地震よりももっと高い頻度で起こっていくのが、集中豪雨、暴風雨、台風とそれに伴う高潮による水害です。基本的には巨大台風が来たら高潮は起きると思っていいです。吸引現象で海面が上がるので低地は水没するリスクが高い。

特に東京、大阪、名古屋という日本の三大都市圏はどれも恐ろしく標高が低い地域が広い。**中沢新一さんの『アースダイバー』**[09]にも書かれているように、東京は皇居のある武蔵野台地の端まで入江だったし、大阪は上町台地を除いてほとんどがもともとは海。東京の東側、大阪の多く、どちらも縄文時代の途中までは海だったのが、だんだん海面が下がって陸地が出てきたという土地です。名古屋も同じくらい低地です。伊勢湾台風で5000人以上も死者・行方不明者が出たのはそのためだと思います。

しかもこれらの都市にはいずれも世界でも屈指の巨大な地下街があります。高潮に襲われたら水没する可能性が極めて高い。地下鉄も大半が使えなくなります。ちなみに冠水問題については、いずれ起きることがわかっていながら充分な手を打てていません。実はここ40年の東京の地下開発があまりに激しいために、どことどこの管がつながっているのか誰も全容を把握できなくなっているのです。どこから水が入ってくるのかわからないので止めようがない。豪雨や高潮がきたら、とりあえず「建物の3階以上に逃げる」が正解です。

ハザードマップを見てもらえればわかりますが、首都圏で冠水、水没可能性のある地域は既に示されています。これから引っ越す人は近所や活動圏のハザードマップを確認することをおすすめします。大雨が降っても大丈夫なのかどうか、近くの河川が氾濫しないか、いざという時、自分はどこに逃げたらいいのかどうか見ておくと良いです。

饗庭　要するに日本の大都市圏の特徴は、欧米の主要都市圏に比べて、極端に高い災害リスクを減らすという命題のもとで都市作りが進んできたわけです。だからこそ、建築は永遠にスクラップアンドビルドを続けていくことになります。東京はいつもどこかで工事をしていますよね、東京の再開発が止まらないのは、災害情報が常にアップデートされて、地震リスクや浸水リスクに応じて建築基準が更新されていき、それに即した「新しいビルを建てないとまずい」という大義名分が常に生まれるからです。災害が直接的に大小の破壊をもたらすこともありますが、それ以上に防災というモチベーションによって、常に都市は作り替えられ続けてきました。災害リスクというものを都市計画側から捉え直すと、そんな見方も可能です。

直接的な災害の被害を受けた日本の大都市は神戸だけですから、戦後75年間というのは、災害はもちろんのこと、戦争などによる壊滅的被害がなく、防災というモチベーションだけで開発をすすめることができてきた例外的な時代だったと振り返ることができるのかもしれません。とはいえ、開発によってリスクを下げることができたのは、

KEYWORD 05

マイクロツーリズム

三浦半島南端部に豊かな自然生態系が保全された小網代の森。
東京都心からも電車とバスで2時間程度でアクセスできる。

自宅から1～2時間で行ける範囲への旅行のこと。Ｗｉｔｈコロナ期における旅のあり方として星野リゾートの星野佳路が提唱。新型コロナウイルス感染症の拡大によって苦境に立つ観光業界を救い、人の移動を最小限に抑え、三密を避けながら観光を楽しむための手段として考案された。普段の職場とは異なる場所で余暇を楽しみつつ仕事を行う「ワーケーション」とあわせ、新しい時代の旅のスタイルを示す用語として定着。２０２０年の夏頃より多くの宿泊施設や旅行代理店、観光バス・タクシー事業者などから、マイクロツーリズムを謳う旅行プランが提案されている。

マイクロツーリズムの特徴の一つは地域の魅力再発見で、旅行客は地域食材を用いた料理や伝統文化との接触を通じて、地元の魅力をあらためて知ることができる。またマイクロツーリズムが定着することで、地域内での人々のつながりがより深まり、地域における経済循環が活発化されるなどの期待もかかる。

経済が成長し、人口も増えた時代であったからです。だからこそ、日本の大都市は今後も同じように「災害ドリブン」でいいのか、それとも別の動力を見つけられるのか、これからの都市開発の大きな論点になりうると思います。

菊池　コロナを除けば、たしかに東京は戦後大きな災害に遭っていないと思います。しかし、たとえば大地震が起きたとき、避難場所へ避難した後に大規模な人口はどう生きていくのかが大きな問題になると思うんです。戦後の焼け野原の頃の話を聞くと、最も深刻だったのは衛生問題だったそうです。不衛生な環境を防げるのか、コレラなどの感染が広がらないように今の東京は対応できるのかというところが気になります。

渡邉　この点に関連して、イギリス出身の**理論物理学者ジョフリー・ウェストが『スケール 生命、都市、経済をめぐる普遍的法則』で論じている**[10]のは、生物にはスケールメリットがあり、体が大きいほど体重あたりのエネルギー消費が小さくなるから効率が良いという考え方です。しかも、それが都市のレベルでも、その他のあらゆる指標でも連動しているというんですね。人口が増えると、住民の収入も増える。これが都市化が加速する大きな原因だといいます。都市化が進むと、クリエイティブな人の数も増え、さらには住んでいる人の心拍も歩くスピードも全てが上がっていく。『ゾウの時間 ネズミの時間』の考え方を都市スケールにも当てはめるようなものですね。

一方、犯罪率やインフルエンザ罹患率のような負の側面でも数字は増えます。スケールとスピードが上がると、やがて限界を迎えます。都市の成長限界があるとすれば、ひとつは資源の枯渇によるものでしょう。今までは何らかの革新によって限界をリセットすることができてきた。イメージとしてはトレッドミルの上で限界まで速く走っている。やがてそのトレッドミルは壊れてしまうので、次のトレッドミルにパッと飛び乗る。常にもっと速いトレッドミルの上を走らなければいけないような状況です。我々はこの終わりのない走りから、逃れられない。それがいま明らかに破綻を迎えているということだと思います。

一見際限なく進行するようにも見える都市化は、人が抱く短期的な願望と長期的な願望が短絡して起こるのではないかと思うんです。これについて物理学者の長沼伸一郎氏は『現代経済学の直観的方法』でこう述べています。「例えば手元のタバコに手を伸ばしたいと思うのが短期的願望であるのに対し、禁煙を行って健康になりたいというのが長期的願望である。そして一般的には両者は矛盾するのが普通であり、さらにほとんどの場合は短期的願望の力の方が強力で、長期的願望は注意深く意識的に保護していないと、すぐに短期的願望に圧倒されて完全に駆逐されてしまう」。これはもともと現在の資本主義経済の限界についての考察ですが、まちづくりに関わる投資や優先順位設定についても、この危機感は共通するのではないでしょうか。今の経済システムでは、願望の短期化が進み、長期的な願望が蔑ろにされやす

KEYWORD 06

リノベーションムーブメント

古い建物を直して住宅や仕事場などに活用するリノベーションは、欧米では一般的な方法であった。2000年前後には火力発電所を改修したロンドンの「テート・モダン」、帝政ドイツ時代の議事堂を改修したベルリンの「ドイツ連邦議会新議事堂」などが首都の顔となり、都市開発の上でも世界的な潮流となった。

国内では1990年代後半頃、リノベーションの専門企業があらわれ、建築専門誌で特集が組まれ、研究も盛んに行われるようになった。2000年代を通じて幅広いメディアで取り上げられ、不動産広告に使われるほどに一般化した。

さらに2010年頃よりワークショップを通じて事業立ち上げおよび空き店舗と民間の事業者候補のマッチングを図る「リノベーションまちづくり」が普及するなど、地域再生の起爆剤としても注目されはじめた。そして若手のクリエイターなどが各地で空き家や空き店舗の改修と施設運営などを通じてまちづくりに取り組むようになっている。

京都府宇治市の町家と建具工場だった空き家を地域文化発信の複合施設にリノベートした「中宇治 yorin」（公式サイトより）

い。すぐ結果の見える短期的願望にのみ注目が集まることで、どうしても社会全体のスケールとスピードが高まっていく。これは都市の災害リスクをどう捉えるかということにもつながるかもしれませんね。たとえば気候変動や自然災害のような長期的なスパンで予防や対策を考えるべき施策と、現在進行形の経済活動にまつわるまちづくり上の施策。そもそもジャンルが異なる事柄ではありますが、意味と時間軸を異にする問題に対して、対策にかかる時間単位が全然違う。

　そういうことに対して、我々が都市生活を送る中で、どこまでリソースをかけることに合意や協力ができるのか、これからはきめ細かく問われてくるのだと思います。いま僕たちが直面しているコロナ危機では、人々が抱いている願望のタイムスケールの違いが特に大きく可視化されたのではないでしょうか。

饗庭　新型コロナウイルスのような感染症リスクに関して言えば、建築的、都市的な空間では、これ以上は防ぎようがないです。せいぜい換気の仕組みを良くするくらいしかできない。たとえば建築が密集するスラムのような空間が問題になるわけですが、それは日本の場合はきわめて局所的に残っているものの、それへの対策は既存の都市計画のツールで十分に可能です。なにか抜本的に新しい建築デザイン、都市デザインが必要かつ可能かというと、それは難しいのではないかと思います。

　たとえば先日に築地跡地の開発をどうするかについて東京の中央区が要望書を出したのをパラパラと読んでみたのですが、そこには新型コロナのコの字もない。現在は東京都のワクチン接種センターがあるわけですが、パンデミックへの対策について新しい都市デザインを考えているのかを尋ねたら、「それは考えられない」という反応でした。今から築地の再開発を始めても完成するのは10年後くらいですし、そういうタイムスケールのズレもあって、新型コロナウイルスへの対策が建築を変えていくというシナリオは考えづらいです。空間資源は偏って存在するので、感染症が出たときに、大規模接種会場をどこに準備するかとか、個室で暮らせるホテルをどこに準備するか、ということに対する細かな調整は必要ですが、それは運用面で何とかなるのではないでしょうか。これから人口が減って空間が余っていきますので、現状の建物の活用で対応可能な範囲も大きくなってくると言えます。

安宅　だからこそ、長期的な運用の問題として考えなければいけないこととして、三つの大都市圏で日本のＧＤＰの大半を占めていることが本当にいいのかということが出てくると思います。世界的に見ても、日本の都市集中は過剰で、都市中心部に意思決定機構が集中しすぎている国の一つです。『シン・ゴジラ』のように都市中枢が破壊されると、日本社会はほぼ１００パーセント脳停止を起こすでしょう。

　ゆえに我々にはリアル空間への密集だけで解決するのではなく、**頭脳レベルでデジタル空間へ脱出していくという発想**［11］が必要なのではない

KEYWORD 07

都市と災害学

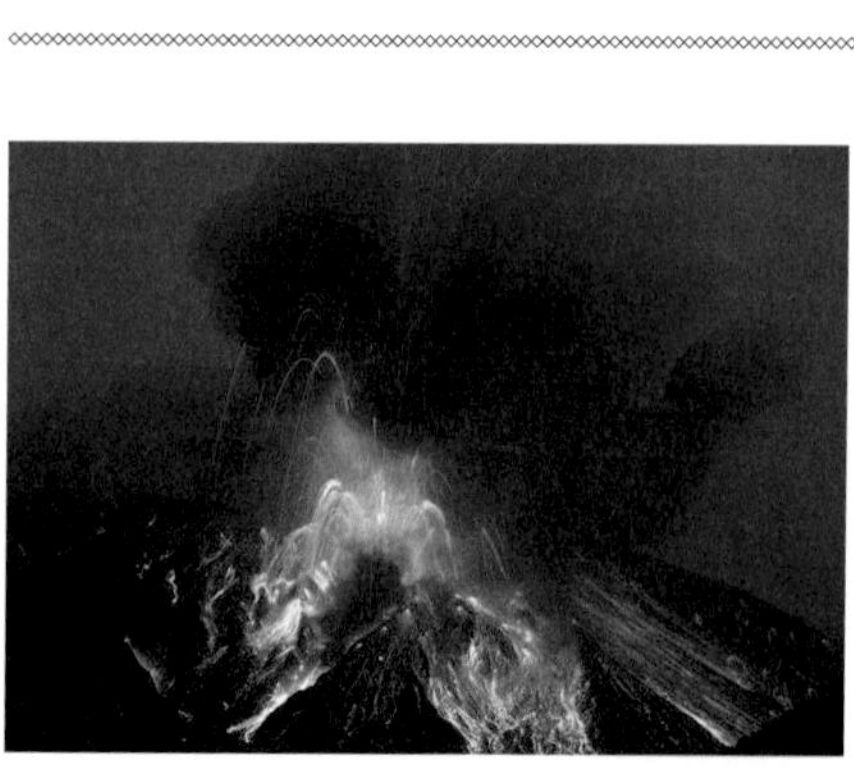

sirtravelalot/Shutterstock

　東日本大震災などを教訓に、国は自然災害が起きてから事後的に復旧・復興を繰り返すのではなく、事前防災を計画的に行い、災害に対するしなやかなレジリエンス（回復力）を持たせる「国土強靱化計画」を進めている。国土強靱化基本法が２０１３年に施行され、来たる南海トラフ地震や首都直下地震などに備え、インフラ整備等が進められている。

　その流れで内閣府は２０２０年12月、五つの有識者会議「防災・減災、国土強靱化ＷＧ・チーム」を立ち上げた。その一つ「デジタル・防災技術ワーキンググループ（未来構想チーム）」では安宅和人を座長として、２０２１年５月に提言を出した。そこでは被災時の先読み能力を高める「防災デジタルツイン」構築、民間の情報網などを活用し安否や被害状況をリアルタイムに統合・可視化する「安否・インフラ状況等のリアルタイム情報共有」、デジタル空間で24時間３６５日ダウンしない司令塔機能「究極のデジタル行政能力の構築」が盛り込まれた。

か。意思決定に関わる方々が信州の山奥にいようとどこにいようと意思決定ができる国家にしないとまずい。特にこの国の指導者層が陥っているような、対面でないとミーティングできない、決定できないという悪弊をやめないといけません。コロナの問題は、あくまでその構造に対する気づきのきっかけに過ぎないと思います。

人口縮小時代の都市のスポンジ化と欲望のタイムスケール

——「頭脳レベルでのデジタル移民」を前提にすると、この国の国土開発にもまた別の可能性が開けるように思います。この流れで人口減少時代の、特に地方のインフラの維持と国土のメンテナンスについて考えたいのですが。

安宅　どんどん人がいなくなって、人口が半分くらいになった東京や大阪ってどんな都市なんだろうと夢想します。これまで東京も大阪も膨張圧力ドリブンで拡大してきた。たとえば最近、武蔵小山に超高層マンションを作る計画ができたのですが、周囲に住宅街と昔ながらの商店街が広がる場所の近くにボーンと建てるそうです。これがまさに膨張圧力で作られているものですね。こうした圧力のない状態の未来に向けて、都市がどうあるべきかをすべての主要先進国の都市が考える局面に来ている。しかし、我々はこのビジョンを持っていないんじゃないか。議論が不足していますし、もっと注目されるべきです。このままいくと『北斗の拳』や『ＡＫＩＲＡ』みたいな半分廃墟のディストピア・トーキョーが待っているかもしれない（笑）。本当にそれでいいのか。

中央集中のフェイズはもはやリスクを増大させるだけで時代遅れになりつつあるのですが、まだ中央に寄せようとする謎の開発が行われている。地上げの意味もあるのかもしれませんが、東京でも大阪でもまだそのロジックが生きている。あべのハルカスとか見事でホテルに泊まった時は夜景に驚きましたが、国内、国外ともに主要国の人口が減っていく長期的トレンドの中で本当にこれが答えなのか？　これから我々は人が流れ込んでこない前提で都市を発展させるという人類史的に考えられたことがないアクロバティックなことをしなければいけない。世田谷のいくつかの街を見ていると、もうこうした動きは発生しています。立地の良い街なのに空き家が増えて荒れ始めているんです。都心が同様に荒れ始めるのも時間の問題だと思います。世代ミックスが大きく偏る地区からそうなるでしょう。

饗庭　たしかに、これから人口減少にともなってさまざまな都市問題が起きてくると思いますが、基本的には戦後75年間で蓄積してきた今ある都市インフラを活用しながら解決していくしかないし、それは充分可能だと思っています。地下鉄、バスなどこれだけ交通網が発達している都市はない。世界に目を向ければ、ここまでストックを作らずに都市化してしまったアジアの大都市はいっぱいあります。極端な話、これから新しい建物ができなくなったとしても、東京や大阪は中短期的

KEYWORD 08

災害復興と日本の都市計画

災害復興と近代都市計画の手法は、１９２３年の関東大震災後に確立された。土地区画整理が大々的に導入され、焼け跡に幹線道路や橋梁、公園などが整備された。以降、災害によって建築物が大きな被害を受けるたびに基準や制度が更新された。たとえば宮城県沖地震を受けて１９８１年に建築基準法が改正され、阪神淡路大震災を受けて１９９５年に基準を満たさない建物の耐震改修を促す耐震改修促進法ができた。

しかし東日本大震災において災害復興は、人口減少時代の課題に直面する。過疎地では復興を前提とした土地区画整理が通用しにくい上、行政の機能不全による復興の遅れも顕在化した。状況を受けて政府は、被害を限りなくゼロに抑える「防災」に加え、被害を最小限に留める「減災」という概念を導入。想定被害レベルをエリアや施設ごと分けて対策し、ハザードマップで災害に関する情報共有を図るなど考え方を切り替えた。

復興局公認 東京都市計画地図
（１９２４年・江戸東京博物館蔵）

課題に対しては、手持ちのストックの活用でけっこうやりくりが利くと思っています。

いま安宅さんがおっしゃったような、人口減少化の局面に及んでも中央に寄せていこうとする発想は、コンパクトシティの議論にも非常に根強くあるわけです。つまり、政府が強制力をもって、外側の人を内側に移転させ、都市を中心に向けて収縮させていくべきという発想です。しかし、それは日本では土地の私的所有権が強いのと、自分の土地からなかなか離れないという習性があるので、そんなに簡単にいきません。だから日本の都市が縮小するときは外側から内側へと小さくなるのではなく、都市の内部の至るところに空き家や空き地が増えていく、ランダムに小さく穴がボコボコと空いていくような感じで小さくなっていくんです。こういう現象を、私は**都市の「スポンジ化」**［12］と呼んでいます。

ですから、こういう現実的な都市構造にあわせて、つまり小さくボコボコと空いてくる空間を使って、都市の課題は解いていかなければならない。災害の問題にせよ、気候変動の問題にせよ、あるいは新しい商業施設やコミュニティ施設をつくる、イノベーショナルな産業を支える空間をつくるといったことに対しても、こういう都市構造に乗っかった上でやっていくのがスマートですよというのが、コンパクトシティに対する「スポンジシティ」という考え方になると自分は考えています。空き家や空き地はネガティブなものとして考えられることが多いですが、それは課題解決のための新しい種地である、というふうにポジティブな方向に考え方を切り替えれば、人口減少ってそこまで恐ろしいことでもありませんよ、ということです。

安宅　まさにそうだと思います。私はパンデミックレディ（pandemic-ready）化の延長で、開放×疎にむかう「開疎化」というドライブが発生しつつあると考えています。これは今話している都市の未来という文脈から見ると、人口減少で隙間が空いていくところを使って未来を作っていくしかないよね、という話とも言えるので。全部をきれいにワイプアウトしようという発想が、国家権力的で実際にはやりようがないという意味で、間違ってるわけですよね。でも空いていった1割、2割、3割の空間を使っていくことで、未来を変えていくためのティッピングポイントを超えるかもしれない。

今の饗庭さんの話をお聞きしていると、超絶古くて捨てられたところには、やっぱり未来につながる何かがあるということなんだと思います。そこに康太郎さんたちデザイナーの方がヤバイ何かを仕込んでいただければ、きっとおもしろいことが起こっていくんじゃないでしょうか。

渡邉　ありがとうございます。さっきの災害リスクの話題の中で、都市では人々の長期的な願望と短期的な願望が短絡しやすいという話をしましたが、まさに今の饗庭さんのスポンジシティ化の話にもつながっていると思います。

古い街には土地を相続する人も多くいるため、

KEYWORD 09

『アースダイバー』と都市の古層

2000年代、地形や風景、古地図などから土地の変遷やその要因を考察する都市の見方が注目された。契機となったのは中沢新一の著作『アースダイバー』（2005年）の刊行で、縄文時代の地形と神を祀る場所の位置関係から都市を読み解くという切り口が話題を呼んだ。

そして地形に造詣が深いタモリの冠番組「ブラタモリ」が2009年にレギュラー化し、風景から都市の古層を探る視点はより一般化した。建築・都市系の分野では皆川典久を会長、石川初を副会長とする「東京スリバチ学会」（2003年〜）の活動や、宮本佳明、中谷礼仁、清水重敦らによる「10＋1」No.37（2004年）特集「先行デザイン宣言」などを契機に、地形やそれに付随する加工履歴をひもとき、建物および都市の計画や分析に応用する思考法が広まった。さらに東日本大震災が災害と土地の履歴の関係を詳らかにしたことも相まって、地域を分析する上で潜在する過去の記憶を読み解く考え方は根強い支持を得ている。

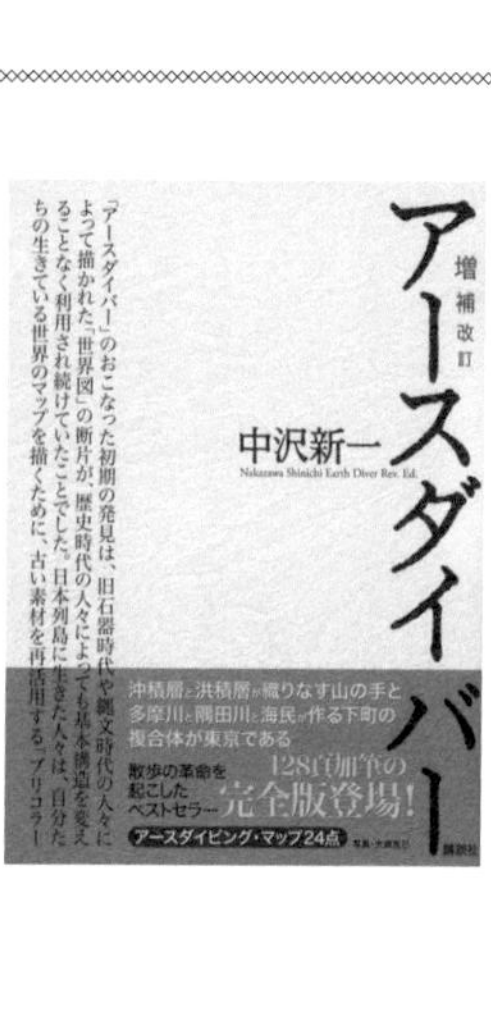

中沢新一『増補改訂 アースダイバー』（講談社 2019年／原著2005年）

代謝が遅いですよね。たぶん安宅さんがおっしゃる世田谷で増えてきている空き家の多くも、放っておいたら廃墟化していくのではなく、高度成長期より速度が落ちているだけの「長い代謝」の過程にあるんじゃないかと思います。むしろ、スクラップアンドビルドのスパンが短かった今までが異常だったのかもしれません。

「遅いインターネット」ではないですが、そうしたファストな動きに対抗して、人間の願望と社会の動きをゆっくりにすることで、新しい文化やフラジャイルなものを礼賛していく仕組みを考えていくべきではないでしょうか。長期的な願望が、短期的願望に打ち負かされないようにうまく編み込んでいく技がこれからのまちづくりの鍵になるでしょう。速くて大きい都市を目指す発想を、いかに捨てるかが大事だと思います。

菊池　短期的な欲望、長期的な欲望という表現にはピンとくるものがあります。人間の欲望は短期的にコロコロ入れ替わりますが、都市開発は10年、20年という単位で考えなければいけない。ここに人間と都市の時間のズレがあるということですね。都市ができあがったときには人間の欲望とはずれてしまったものになっている。そこでまた都市開発をして……という繰り返しになる。

コロナになって良かったこと……と言うと語弊がありますが、気付かされたこともあったと思っているんです。私のように都市にいないと仕事はできないという思い込みを捨てて、東京から出て暮らし始めている人が少なからずいる。これは転換点になったのではないかなと思います。私自身は短期的な欲望があまりなかったですが、最初にお話ししたように古い家には住んでみたかったので、滋賀に移住して古い町家を買いました。買ったというよりも借りている感じがするんです。使わせてもらっているという感覚です。こうして昔から使われてきたものをつなげていくことのほうが大事だという気がしています。

いま住んでいるのは１０００年ぐらい続いている街なんですが、その土地の記憶みたいなものを持って生きている人たちが集まっているんです。そのなかによそ者として入って１３０年ぐらいの歴史を持つ建物を使わせてもらっている。こうして建物を磨いているうちに見えてくるものがあるんです。感覚とか感情とか文化とか言語化するのが難しいものを過去から未来につなげていく感じです。これは東京にいて都市的生活をしていたときにはなかった感覚ですね。都市の問題とはずれるかもしれませんが、人間の持つこういう感覚を無視してはいけないと思います。

「食」と「環境」から考える
都市と地方のあたらしい未来

渡邉　僕が注目しているのは「食」です。都市の未来を「食」が牽引していくシナリオがあり得るのではと思っています。食べることは人間の共通の関心事です。誰にとっても身近であり、生存に必要不可欠であり、同時に娯楽でもある。さまざまな切り口で経済活動にも組み込まれているもの

KEYWORD 10

ジョフリー・ウェストの都市スケールをめぐる議論

ジョフリー・ウェスト『スケール：生命、都市、経済をめぐる普遍的法則（上・下）』（早川書房 2020 年／原著 2017 年）

イギリスの理論物理学者ジョフリー・ウェストは２０１７年刊行の『スケール：生命、都市、経済をめぐる普遍的法則』で、理論物理学による世界の秩序の解明を試みた。ネズミのような身体が小さい生物がなぜすぐに死ぬのか。都市はなぜ長生きするのか。企業はなぜ発展し、倒産するのか。さまざまな事象の背景をべき乗則から説明した。特に紙幅が割かれているのが都市の分析だ。そこでは都市は道路・上下水道・電力などのインフラと、賃金・疫病・犯罪などの社会経済的要素という二つで構成され、都市の規模が拡大するほど前者は効率化され、後者は増加する。都市は巨大化しすぎると資源の枯渇によりシステム崩壊が近づくが、大きな革新が起き再スタートする。その結果、都市は無限に成長すると説明されている。

本書のジャンルをまたいだ大胆な分析に対し、日本語版の訳者である山形浩生は「これほど訳しつつわくわくさせられる本もなかなかなかった」と述べている。

です。「食」には地域差があるのでまちの個性が自ずと発揮されますし、その地域の特産物や食文化は大きな資源です。地域での食の自給は自律分散型社会を論じる鍵概念の一つですね。地域の資源が価値を生むことにつながります。個人のレベルでは、料理。新しい要素を組み込み、クリエイティビティを発揮する場でもあります。料理は誰でもどこでもできるもので、みんなの家も実践の舞台のひとつであり、全員が表現者であり受益者になりえる。これは完璧なプラットフォームだと思うんです。

ここ数年発酵食品が再注目されていますね。「コンブチャ」という言葉は外国でも通じます（日本で使われる意味とは異なりますが）。マイクロブリュワリーも確実に勃興しています。クラフトビールやクラフトジンの銘柄は増加傾向にあるし、これらを愛好する人も増えています。その土地原産のボタニカルが差別化の武器になる。大量生産はできないけれど、確実に豊かな食体験を提供できます。

このように「食」には経済と文化両面を活性化する力があるのではないでしょうか。農民の日常生活が生活を芸術に高めていく、という宮沢賢治の『農民芸術概論要綱』にも通じますね。あるいはヨーゼフ・ボイスの「社会彫刻」のように、あらゆる人が社会を彫刻していく芸術家なんだという発想、ウィリアム・モリスの「アーツ・アンド・クラフツ運動」や柳宗悦の「民藝運動」などにも接続します。一人ひとりの生活の小さな取り組みが、いつの間にか経済や文化を駆動するような状況をつくれないか。

菊池　安宅さんたちと進めている「**風の谷を創る**」[13]という都市とは違う環境を考えるプロジェクトでも、「食」には注目しています。その中でヨーゼフ・ボイスや宮沢賢治も出てきましたが、みんなうまくいっていないと私は思うのですが、いかがでしょうか。原因はわかりませんが何かが足りない。なぜ民藝運動的なものが長続きしないのか。地方と都市の分断を解消できないのか。ここを明らかにしなければいけないと思います。長続きしないから失敗だと思うのではなく、ちゃんと長期的な批判力を持った文化を育てていくということに、今こそチャレンジしなければいけないと思っています。

「食」に関して言うと、たとえば地方に行くとたしかに食材は豊かです。私の家にも気づいたらポストに隣のおじちゃんが作ったヤングコーンが10本ぐらい入っていることがある（笑）。味も美味しいんですが、問題は地方でそれを作る担い手がどんどん減っていることです。正直、家庭料理はその地域に住む人にとっては普通のものなので、現在そこまでわくわくするものなのか疑問です。都市の人がたまに来て食べるぶんにはいいかもしれませんが、田舎の人が日常的に感動や快楽を得るものではないと思います。だからテクノロジーを使って、その土地らしさがアップデートされた美味しいものを作ることができる仕組みと環境づくりが求心力として必要だと思います。

渡邉　先ほどボイスや賢治の名を出した理由は、

KEYWORD 11

デジタル移民とミラーワールド

新型コロナウイルスの世界的流行を機に、情報技術によって生活空間とは別の場所といとも簡単につながれることを多くの人が実感したことで、会議からエンターテインメントまで交流の主戦場はバーチャルへと移行しつつある。そこで注目を集めるのが、VR・AR技術を用いた現実世界の仮想化だ。このムーブメントは人や空間同士のつながり方を根本的に変えうるだけでなく、現実の都市のあり方にも影響を及ぼすと見られている。

たとえばシンガポールやヘルシンキなど世界各都市では、仮想空間に都市の鏡像を構築する「ミラーワールド」が進められている。そこで期待されているのは都市をまるごと3Dモデル化し気候や災害のシミュレーションなどを行い、都市計画の効率化を図ることだ。日本でも2020年に国土交通省が都市を3Dモデル化するプロジェクト「PLATEAU」を開始。全国56都市の3Dモデルの整備などが完了し、オープンデータが順次公開されている。

国土交通省が進める3D都市モデル整備・活用・オープンデータ化のリーディングプロジェクト「PLATEAU」（公式サイトより）

「世界を分節する」考え方から少し離れて、「世界に参加する」感覚を取り戻すことが、まちづくりの鍵になると感じているからです。クリエイティビティの発揮によって社会に参画する。自ら社会のなかに入って手を動かすからこそ、やっと自分で考え始め、参加し始めることができる。まちづくりでも市民の関わりはテーマの一つだと思うのですが、何かをつくることをきっかけに一人ひとりが世界に、まちづくりに「参加する」度合が上がるとよいですね。

2020年4月に、アムステルダム市がイギリスの**経済学者ケイト・ラワースが提唱した「ドーナツ」の枠組み**［14］を導入して、循環型都市を目指す発表をしましたね。人権、エネルギー、住環境や教育のような、人間社会が最低限満たさなければいけない項目をドーナツの輪の内側に置き、外側には気候や生物多様性などを維持できる「地球環境の限界」を置いて、その二つの輪に挟まれたドーナツの円環の中に収まるように、都市や社会の活動を目標設定しよう、というフレームワークです。

アムステルダムのみならず、バルセロナなど世界の先進的なまちづくりの方針を見ていると、どの都市にもビジョンがあります。まずは現在とは異なるオルタナティブなありかたを夢想するわけです。そのビジョンは最初はたった一人の夢から始まるものかもしれない。でもそれがたくさんの人に伝わり、みんなの共通の夢になっていくプロセスには、おもしろいダイナミズムがある。「いまできること」ではなく「これからあるべき理想の姿」をまず思い描く。ロジックはビジョンを支えるために用いられます。

そして、それをやるには、単に何かを目指すだけではなく、現状のシステムの一部分を手放さなければいけない。バックミンスター・フラーの『宇宙船地球号操縦マニュアル』という本に出てくるメタファーが好きです。船が沈没して救命ボートもないから、必死に泳いでいる。そこに偶然ピアノの蓋が流れてきた。我々は都合の良い救命道具としてそれにしがみつくけど、ピアノの蓋がいま世の中で考え得る最適な救命道具とは限らない。世の中には本当はもっと良い道具はあるはずで、何かもっと良いものが流れてきたときに、少なくとも片手を離して別のものをつかむ勇気が必要になってくる。いま常識だと思っているものからいかに手を放すか。いま異端と思われているものでも、その潜在的な力にいかに気づけるか、いかに応援できるか。この意識がまちづくりにも、そこで暮らす個人レベルにも必要だと思います。

饗庭　渡邉さんのおっしゃる「食」への注目は、農業が持つ第一次産業のゆっくりした速度と、商業が持つ第三次産業の慌ただしい速度を結びつけることで、これからの都市の速度の基盤を作っていくという話だと思うんです。自然に近い一番ゆっくりとしているところと、確実に流動していく物流という、異なるレイヤーにあるものの速度を接続していくことで、新しい速度を作ることができるのではないかと。いま挙げられていたドー

KEYWORD 12

都市のスポンジ化

都市が人口減少に従って、内部に小さな孔がランダムに空いていくように低密化していくこと。元は都市計画の専門用語で、『都市をたたむ』（2015年）で饗庭伸が論じたことで、広く知られるようになった。

饗庭は本書で「土地の所有権が強い日本では、個人のライフステージに合わせたタイミングで土地の売却や建物の建て替えがなされるため、スポンジ化は避けがたい。都市の規模を縮小し、機能や住まいを集約するという意味でのコンパクトシティを短期的に実現するのは難しい」という主旨の指摘を行った。

そして空き家や空き地を子育て支援施設やコミュニティカフェなどの地域に利する場所として活用するなど小さな拠点を細やかに再編する、スポンジ化を前提としたまちづくりを提唱した。

この考え方を受けて国土交通省は2018年、都市再生特別措置法の一部を改正し、コンパクトシティ政策の中にスポンジ化対策を盛り込んだ。

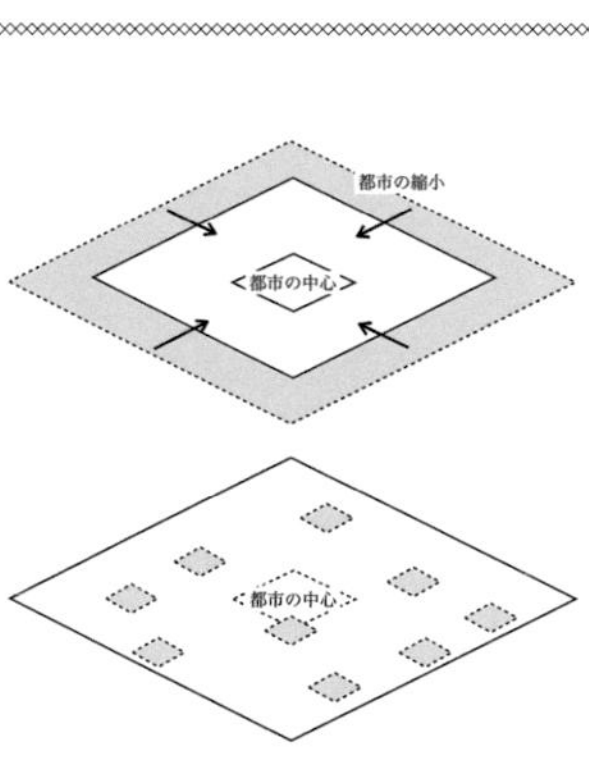

都市のスポンジ化のイメージ
（饗庭伸『都市をたたむ』より）

ナツの話で言うと、一番内側の人間社会の輪の部分と、一番外側の自然の部分の動きを調和させていく動きを作れるんじゃないかなとも思うんですよね。それができると、外側の皮が災害などでこぼれおちた後でも、しっかりと芯が残るということじゃないかなと思ってます。

　一方で、それだけでは日本人は食べていけないのも間違いない。今は第一次産業と第三次産業の組み合わせの話でしたが、やっぱり第二次産業のものづくりとか、もっと多くのレイヤーを緻密に結びつけていくことで、異なる速度で動くプレイヤーたちを結びつけて価値を生み出していかないと、きっと立ちゆかなくなる。そこの部分の戦略は、持っておかなきゃいけないなと思っています。どういう戦略なのか、私自身もまだわかりませんが。

安宅　全世界的に新しい都市の方法論がいる気がします。少なくとも主要国の都市はみんな行き詰まりを迎えている。どうすればブレイクスルーできるのか。都市が持つ匿名化できて不思議な人と出会えるという価値はとても大きいです。ここから新たな文化やビジネスが生まれる。この機能を人が減る中でどうやって維持するのか。そこはスケール論の話で、1k㎡あたり約1万6000人の人口密度を前提としている東京という都市が人口密度5000人になっても価値を失わないようにする計画を考えないと、300年後の東京に出会いから新しい価値を生み出す力が残っているかわからない。これは大阪、名古屋も同様です。すべて人口密度が1万人を超している前提で動いています。実は那覇ですら人口密度8000人です。このように完全に人口密度ドリブンでできている日本の都市をどうしていくか、答えを出す必要がある。

　そのうえで時間軸を意識することも重要だと思います。都市を作るのには100年単位の時間がかかります。50年では何もできないかもしれない。しかし、200年後は人口が激減しているのは間違いない。すでに田舎では空き家問題、廃墟問題が深刻ですが、それが東京でも起きる。これまで私たちは人口拡大を前提とした都市拡張のことしか考えてこなかった。これから縮小フェイズに入るときに、人口は減る、建物は廃れるという前提で廃墟のマネジメントをどうするか考えないといけません。

　たとえば都市の新陳代謝を進めるとして、古い建物を潰すにはものすごい時間と金がかかります。「使えなくなった建物は全部潰しましょう、そういう法律を作ればいいだけですね」は解決策にならない。例えば、ちょっと突飛なことを言うと、東京の空いたビルは全部田畑にすればいいんじゃないかと思うんです。ビルを壊すのではなく、ビルのなかで野菜と米を育てる。農業＝田舎という図式から脱して都市で農業をやる。田舎を田畑から解放することで「風の谷」のように田舎で理想的な街づくりを行うことができる。田舎で「東京のコメは美味しいね」って言いながら好きなことをやって楽しく暮らすんですよ（笑）。

菊池　なるほど。まさに本当のハウス栽培ですね

KEYWORD 13

風の谷を創る

ウェブマガジン「遅いインターネット」でも「風の谷」プロジェクトの関連記事を連載中（Photo by Kaz Ataka）

「都市集中型の未来に対するオルタナティブ」をつくる運動体。新旧の知恵に学び、テクノロジーを批判的に活用することで、自然と共に豊かに生きる選択肢を目指す。安宅和人を中心に2017年始動。情報技術、エネルギー、建築、食、ヘルスケア、教育などに携わる多彩な人材が集い、リサーチと実験を重ねている。

　人々が自然と共に暮らす魅力的な場所を成立させるため「インフラ」と「求心力」という二つの課題に着目。上下水道やエネルギー、交通、ごみ処理など必要なインフラをオフグリッド型で独自整備することや、都市とは異なる求心力を生み出すため自然や食文化など土地固有の要素の再設計などが検討されている。

　また、運動のコンセプトを示す「風の谷憲章」では「よいコミュニティである以前に、よい場所である。ただし、結果的によいコミュニティが生まれることは歓迎する」といった「風の谷文法」で「態度表明はする。しかし柔軟性をもたせる」という姿勢を表明している。

（笑）。今のお話を聞いていて、人間はそもそも膨張するようにできているので、これから膨張しない都市になっていくと、きっとそこに住む人間は苦しむだろうなと思いました。膨張の代わりになるのが「食」などのソフトウェアになるのかなという気もする一方で、そんな簡単な話じゃないぞという気もしています。やっぱり人間ってどうしても膨張したいし、成長、拡大したくなる。だからそういった人間の本性を止めるにはどうすればいいのか。答えは出ていないですが、そこを考えないといけないと気づけました。

饗庭　菊池さんのおっしゃるように、これまで都市は膨張することを基本原理にしてきたのだと思いますが、前半の話を踏まえると、これからは「環境と防災」が基本原理なんだと思いました。ただ、それもいつまで続くかはわかりません。時代時代でできることも変わってきますから。結局、膨張とその反動の調整を繰り返す果てしないイタチごっこに入っていくのかもしれません。

安宅　私もそう思います。都市は本来、人間が快適に過ごすために作られてきたものです。野生のなかでは安心して暮らせませんから。それは壁があるからとかではなくて、人間が密集して暮らしていることがお互いを守ることにつながる。人間自身が都市を構成する要素であり城塞なのです。しかし、パンデミックを含む災害が増える流れのなかでは、人間が城塞として機能しないことが露呈した。むしろ多すぎる人口がリスクになっている。

　そういう都市問題をデジタルで解消しようとするスマートシティ系の実験は、世界的にことごとく失敗してしまっている。だから最近の私は、DX（デジタルトランスフォーメーション）より移住だと思いはじめていて、一度都市を放棄して、プログラマブルに空間を設計し直すことが必要だと思うんです。今あるものをデジタル化するというより、はじめからサイバーマインドを持って作った空間や世界を構築してそちらに移るという意味です。そういう意味では廃墟になった空間が未来への袋になる気がしています。意図的に廃墟だらけの街を開発するのが答えのような気がしますね。全体として箱は余るわけですから、東京や大阪で「この区のこの地域を10年で空っぽにしたいのでみなさんなるべく移住してください、補助金は出します」「開発のために土地の権利を一旦我々に預けてほしい」と呼びかける。

　そこに新しい袋を作れば、ネオ東京、ネオ大阪、ネオ名古屋も、たしかに夢ではないでしょう。実際に福岡市が一気に50棟ぐらいのビルを建て直そうとしており、「天神ビッグバン」と呼ばれています。あれができるんだったら、他の街でもできるんじゃないかと思いました。それは我々が先に進むためには、新しい酒を入れるための新しい袋を作らなければいけないという発想です。

　そして、実は廃墟になった古い袋そのものを、新しい酒を入れるための新しい袋として生まれ変わらせることができるんじゃないか。そんな妄想を、今日は皆さんからいただいた結論として持ち帰りたいと思いました。

KEYWORD 14

ケイト・ラワースの「ドーナツ」モデル

　ドーナツの外側に生態系の限界を、内側に最低限保たれるべき人間らしい暮らしを置き、その二つの輪に挟まれたドーナツの円環に収まるよう都市や社会の活動を目標設定していこうというビジョン。著作『ドーナツ経済学が世界を救う』で知られるイギリスの経済学者ケイト・ラワースにより２０１１年に提唱された。社会構造を従来型の「成長」型のモデルから、地球環境の維持保全と人々の快適な生活が均衡する「繁栄」へとシフトする突破口として、世界的に期待されている。

　２０１５年より行政主導でサーキュラーエコノミー（循環型経済）の推進に取り組んできたオランダ、アムステルダム市は、２０２０年4月、ラワースの提唱するドーナツモデルを公共政策の意思決定の前提として正式に導入した。また実現のために三つの重点分野「食品と有機性廃棄物」「消費財」「建設」を定め、それらの生産から廃棄までのプロセスを変革するという具体的な目標も設定されている。

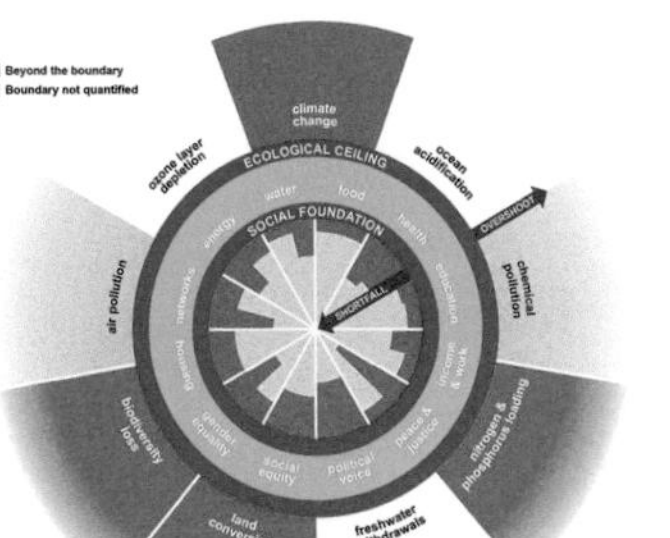

ケイト・ラワースが提唱した「ドーナツ」の概念図

解説

「都市」の再設定のためのキーワード集

21世紀に入ってからの20年あまり、人口の一極集中化や情報化、気候変動の進展などによって、国内外での都市をめぐる問題のかたちは大きく変わりました。このページでは、都市について語られてきたこれまでの論点を振り返りながら、これからの暮らしかたをあらためて考え直していくための重要キーワードをご紹介します。

執筆＝ぽむ企画

東京 2020 大会後の選手村イメージ図（提供：東京都オリンピック・パラリンピック準備局）

ぽむ企画（ぽむきかく）
京都を拠点とする編集・ライティング事務所。2000 年、平塚桂、たかぎみ江により設立。現在は平塚がひとりで運営し、主に建築・都市・まちづくりについて編集執筆する。編著作に『空き家の手帖』（学芸出版社）、『ほっとかない郊外』（大阪公立大学共同出版会）など。http://pomu.tv

1 都市計画

多くの人々が集まり、働き、生活する場である都市。そこで快適かつ効率的に人々が活動できるように建築物やインフラの秩序を保つための手法が都市計画だ。それを推進するために法があり、日本では1919年制定の都市計画法で国全体を対象に制度化された。現在の都市計画法は1968年に全面改正されたもの。その後も災害や経済状況の変化などに応じて法制度は変動し、特に平成期には規制緩和と地方分権の流れから住民参加システムや特区などの手法が導入された。

現代の都市のあり方には、近代の都市計画思想が影響を及ぼしている。たとえば1898年にイギリスのエベネザー・ハワードが提唱した「田園都市」は3～5万人の住宅街を緑地帯で囲み、鉄道や道路で他都市と結ぶモデルで、阪急や東急などの沿線開発に影響を及ぼすなど国際的な広がりを見せた。またフランスのル・コルビュジエは「ヴォアザン計画」「輝く都市」などの巨大高層建築群を核とする都市のモデルを発表したが、高層・高密度な現代都市を彷彿するものだ。

2 東京五輪後の湾岸再開発

東京五輪の競技会場が集中した湾岸エリア。五輪の準備とあわせて進められたのが湾岸の再開発であった。だが、その道のりには紆余曲折があった。先駆けて築地市場の豊洲への移転工事が進められたが、土壌汚染対策に不安が残るとして2016年、都知事の小池百合子が当初予定の3ヶ月前に開場の延期を決め、関係者の混乱が起きた。さらに湾岸再開発の目玉として企画された選手村宿泊棟にも問題が起きた。同施設は都有地に建てられ、五輪終了後は総戸数5632戸（分譲4145戸、賃貸1487戸）という史上最大級のマンション群「HARUMI FLAG」となる。ところが都から開発業者11社への土地の売却価格が周辺の公示地価より9割以上安いとして都民が訴訟を起こした。1万5000席の「有明アリーナ」をはじめオリンピックレガシーが残る有明地区や勝どき・豊洲地区などでは、今後もテレビ朝日とコナミグループを事業予定者とする「臨海副都心有明南G1区画・有明南H区画」など、大規模開発がつづく見込みだが、どこまで順調に進むかは未知数だ。

1
田園都市的な思想で築かれた米国カリフォルニア州サンノゼの緑豊かな郊外住宅地
Photo by Sean O'Flaherty aka Seano1 atwal singh(2005)/CC-BY-SA-2.5

2
東京五輪の新規恒久施設として有明北地区に建設された有明アリーナ（提供：東京都）

3
外国人観光客が殺到した京都・祇園などは、コロナ禍以前までのオーバーツーリズムの象徴となった。Calin Stan/Shutterstock

3 都市観光とインバウンド政策

2010年代、観光は成長産業として世界的な注目を集めていた。LCCの普及などによる移動コストの低減、中間所得層の拡大、旅行業界のデジタル化やビザの緩和による旅行手続きの簡易化などさまざまな事情が、世界の観光マーケット拡大を後押しした。

またAirbnbなどのシェアリングサービスの普及などから観光スタイルは多様化し、ホテルで行き届いたサービスを受けるよりも地域に溶け込み日常生活を楽しむ方向へと、求められる観光のあり方も変化しつつある。

そして急速な観光産業の成長を受け、公共交通や公共空間の過度な混雑、地域コミュニティの変質などを引き起こすオーバーツーリズムがバルセロナ、ヴェネチア、京都など世界の主要観光都市で起きた。

しかし新型コロナウイルス感染症の世界的蔓延により観光は一転、パンデミックを助長しかねないとして問題視され、観光による国境をまたぐ移動は途絶えた。そして各国で観光戦略の見直しが図られるなど、これからの観光のあり方が模索されつつある。

4 格差拡大による都市の分断

国連によると1990年以降、世界人口の3分の2以上を占める国で所得格差が拡大しているという。先進国、途上国を問わず格差拡大が進む傾向にあり、あわせて社会的な分断が起きている。貧困層が拡大すると問題となるのが、居住環境の悪化である。国連の調査によると2016年時点で都市住民の4人に1人（10億人以上）が過密や不衛生といった課題と隣り合わせにあるスラムに住んでいたという。一方で中間層〜富裕層が閉じたコミュニティで発展し、貧困層が経済的発展から取り残されていくという二極化の傾向が全世界的に進んでいる。居住区周囲に塀を設けて住民以外の出入りを制限する「ゲーテッドコミュニティ」がアメリカ、南米、中国など世界各地で増加し、またロンドンやニューヨークなどの大都市では再開発により都心部の地価が高騰し既存の生活や文化の維持が難しくなる「ジェントリフィケーション」が進行している。格差拡大やそれにともなう階層および空間の分断は人々の流動性を阻み、経済循環や文化形成などに負の影響を及ぼすことが懸念されている。

5 都市の文化生成

1980年代以降、高度消費社会の訪れとともに都市は文化生成の舞台として注目を集めるようになる。たとえば、盛り場を切り口に浅草、銀座、新宿、渋谷を比較し考察した吉見俊哉の『都市のドラマトゥルギー』（1987年）や渋谷における都市空間の広告化を分析した北田暁大の『広告都市・東京』（2002年）などの都市論が展開された。

しかしインターネットや携帯電話の普及を機に高度情報化が進むと、人々は情報源や表現の場をSNSや特定のプラットフォームに求め、相対的に都市の文化生成装置としての力は弱まった。『日本文化の論点』（2013年）で宇野常寛は、ネット社会の進展により地理と文化の分断が進み、都市が文化生成に寄与しなくなったことを、南後由和は『ひとり空間の都市論』（2018年）で都市空間にSNSのネットワークが組み込まれ、遭遇可能性が減退したことを指摘した。新型コロナウイルス感染拡大の影響で日常の交流がより情報空間へと収斂されていく中で、都市空間の価値があらためて問われている。

4

メキシコ・ナヤリット州ヌエボ・バジャルタのゲーテッド・コミュニティ
Photo by Coolcaesar(2005)/CC-BY-SA-3.0

5

1980年代以降の都市論の象徴だった渋谷。その求心力は衰えるも、新たな都市文化の生成をめざす目まぐるしい再開発は依然として進行している。 TK Kurikawa/Shutterstock

6

国道460号新発田南バイパス沿いのロードサイド店舗群（2020年3月） CC-BY-SA-4.0

6 地方都市の画一化

地方における中心市街地の衰退が叫ばれて久しいが、背景には小売業をめぐる規制緩和があった。商店街などに位置する中小売業は、大型店の出店を規制する「大規模小売店舗法（大店法、1973年施行）」によって長らく守られてきた。しかし1991年、経済界および日本に商圏を拡大したいアメリカ政府の要望を背景に大店法が改正された。この規制緩和を機に郊外のロードサイドにショッピングセンターや大型家電量販店が立ち並びはじめた。このことは中心市街地の空洞化を招き、バブル崩壊以降顕在化したシャッター商店街の増加に拍車をかけた。

こうした状況を受けて郊外や地方都市の風景が均質化、画一化していく現象を評論家の三浦展が「ファスト風土化」と名付け、ゼロ年代を通じてファスト風土化およびそれらをめぐる都市開発や文化性の是非が論じられた。その一方で大規模小売店舗の立地は2006年、まちづくり三法（大店立地法、中心市街地活性化法、都市計画法）の改正によって規制強化され、あわせて地方の開発指針は中心市街地活性化へと本格的に舵が切られた。

7 地方創生とバナキュラー文化

「地方創生」とは２０１４年に地方の人口減少対策や雇用創出などを狙い、政府が打ち出したスローガン。『地方消滅』（２０１４年）の著者・増田寛也が座長を務めた日本創成会議による「２０４０年までに８９６の自治体が消滅する」と示唆した発表、通称『増田レポート』が影響を与えたとされる。同年、内閣府に「まち・ひと・しごと創生本部」が設置され本格始動。地方自治体の自助努力による地域の活性化や人口増を促すべく、年間約１０００億円の「地方創生推進交付金」が自治体の地域活性化事業に配分され、約１兆円の「まち・ひと・しごと創生事業費」が各自治体に交付されるなど支援が続けられている。開始後７年、言葉そのものは定着し、内閣府の調査でも東京圏在住者の地方移住への関心は増加傾向にある。経済や資源の循環から地方の優位性を論じた藻谷浩介らの『里山資本主義』（２０１３年）や、発酵から地域文化を捉え直した小倉ヒラク『発酵文化人類学』（２０１７年）などの思想も注目されている。しかし東京一極集中の是正などの明確な成果には至っていない。

8 スマートシティ

スマートシティとはIoT、AIやビッグデータの活用によって快適性や利便性を向上させた都市のこと。スマートグリッドなどを活用して環境負荷の削減と生活の利便性向上を図るアムステルダム、あらゆる公共交通や移動サービスを統合する次世代交通システムMaaS（マース）の導入で人々の移動手段の最適化を進めるヘルシンキなど、世界中で多くのスマートシティプロジェクトが進む。国内でもモビリティ、インフラ、物流などあらゆるサービスを包括的に最適化する「スーパーシティ構想」を進めるべく、２０２０年９月に複数のサービス間でのデータ連携ができるように規制改革する法改正がなされた。しかし同年５月にグーグルの姉妹企業がカナダ・トロントのウォーターフロントで進めてきたスマートシティ開発から撤退することが報じられるなど実現への障壁も顕在化しつつある。多くのスマートシティ計画の失敗の背景にはデータの収集と監視に対する住民の忌避感があるとされ、快適で便利な生活とプライバシー保護のバランスが常に課題となっている。

7

地方創生の稀少な成功事例として知られる石川県能登町の農家体験型民宿群「春蘭の里」（「春蘭の里」公式サイトより）

8

トヨタ自動車が静岡県裾野市で2020年より始動した実証都市プロジェクト「Woven City」。国内のスマートシティ系の実験を代表する事例。（TOYOTA WOVEN CITY 公式サイトより）

9

気候変動への対処を訴えるデモ参加者たち
DisobeyArt/Shutterstock

9 気候変動・SDGsと都市

国連の機関IPCC（気候変動に関する政府間パネル）は２００７年に「温暖化には疑う余地がない」と報告し、２０２１年にはその要因が人間にあると明言した。環境省は２０１９年、対策をしなければ２１００年には夏の最高気温が全国的に40℃を超え、台風の最大風速が90mに上るとする未来の天気予報を公開した。人類が地質や生態系に大きな影響を及ぼした時代は科学者により「人新世（アントロポセン）」と名付けられ、正式な地質年代とすることも検討されている。この気候変動の主要因は大気中の二酸化炭素濃度の上昇で、IPCCによると２００５年の時点で産業革命前の１・４倍に増加したという。温暖化は気候変動のみならず水害などの災害を招く。生態系にも打撃を与え、このままでは２０１９年より２１００年の間で漁獲量が20〜24%減るというIPCCの試算もある。この状況は２０１５年に国連で採択された「SDGs（Sustinable Development Goals：持続可能な開発目標）」の前提として重く捉えられ、気候変動への対策は重点項目として17ある目標の一つに挙げられている。

論考

湧出東京

——生きのびる土地

松田法子

松田法子（まつだ・のりこ）
1978年生まれ。建築史、都市史。京都府立大学大学院生命環境科学研究科准教授。主な著書に、『絵はがきの別府』（単著、左右社、2012年）、『危機と都市——Along the Water: Urban natural crises between Italy and Japan』（共編著、左右社、2017年）など。

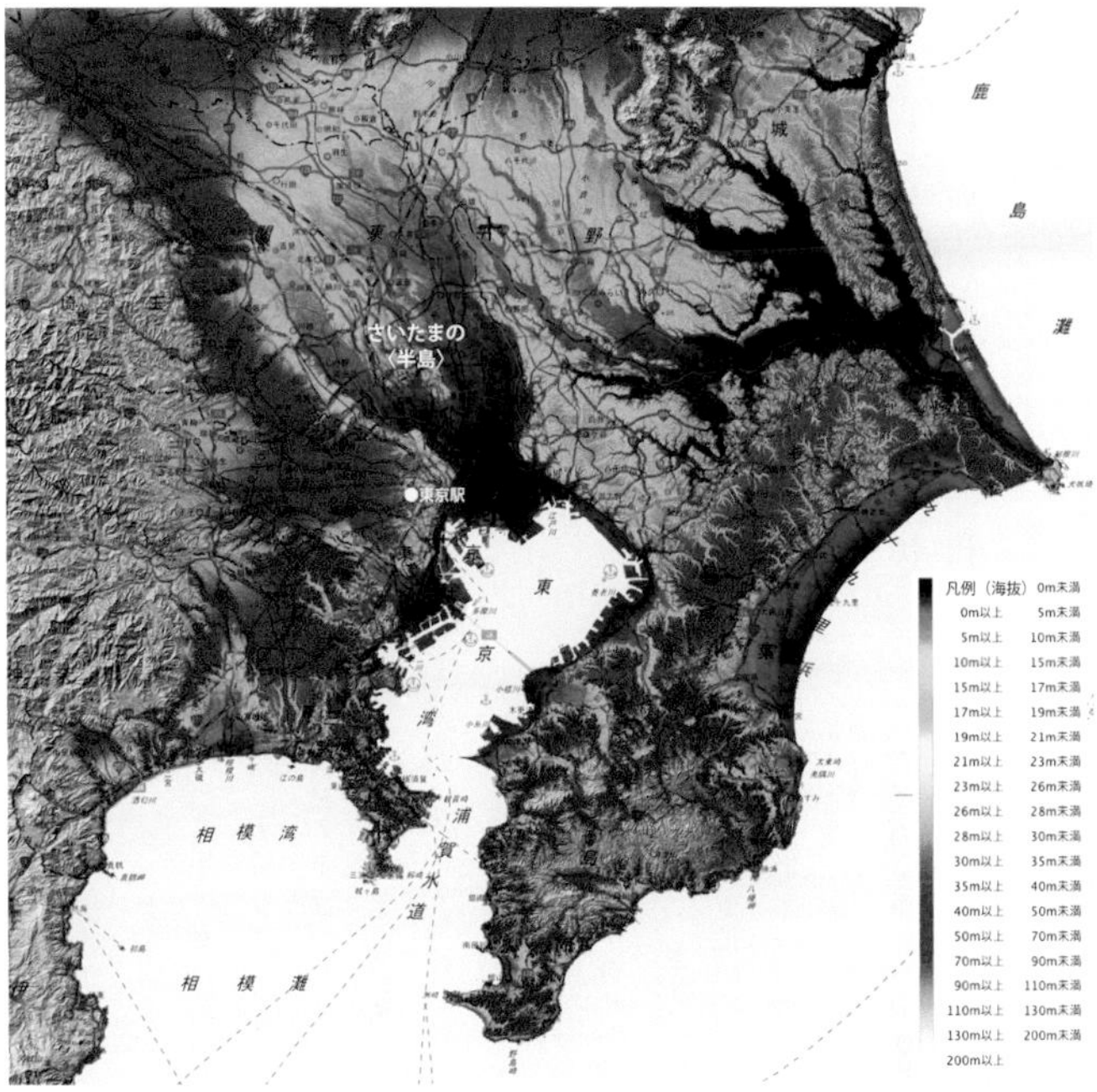

図 1A 東京 - さいたま地形段彩図
（国土地理院地理院地図「自分で作る色別標高図」より作成）

1 都市／東京の大地形態

都市の足元

２０２０年早々に広まったパンデミックの混乱は都市を非常事態下におき、自宅やその近辺に閉じ込められる期間が長引くと、「15分都市」圏という言葉が伝わってきたりもした。15分や20分程度で移動できる近隣範囲の地区の豊かさによって生活の質を向上させるという話は、なるほど言われてみれば納得できる。都市は居住地でもある以上、その充実度は加えて都市各所の土地そのものの豊かさから計られてもいいはずだ。

生活の質を担う基盤は数々あるが、その「基盤」のことを、ここでは思い切り物理的かつ即物的に捉えてみたいと思う。都市のほんとうの「あしもと」に眼を向けるのだ。都市の地面や大地に視点を移してそこから都市空間を見渡すとき、都市はどんなふうに見え変わるだろうか。

土地には固有の性格がある。その性格を決定付ける二大要因を先に挙げておこう。つまるところそれは、地質と気象だ。

地形を象るのは、地質と気象。雨が、水流が、谷や平野をつくる。山の削れやすさや丘のかたちは、地質と降水量が決めている。地表や地中の水環境は、地質と地層による。地面の上にどんな植生がかたちづくられるかということも、まずは地質と気象に由来する。こうした条件のもと、動物やヒトは活動してきた。これらの大元にあるのは地球それ自体の運動である。

地球の運動は地質を決定し、地形をかたちづくる。地震や噴火、断層や段丘などとしてあらわれるその活動は、土地の基本的な骨格を造形してきた。その骨格に水の流れが多様性を与え、大地に数々の固有の場を発生させてきた。それは都市の、たとえば東京の土地にも隠れている現象なのだ。

土地条件の生存ユニット

２０１５年に、さいたま市ぜんたいを歩いたことがあった（松田法子「さいたま——大地の『め』」、三浦倫平・武岡暢編『変容する都市のゆくえ——複眼の都市論』文遊社、２０２０年所収）。さいたまはのっぺりとした住宅地が続く、特徴のないまちだと思われがちだ。しかし古い村名などをたどってゆくと、市内には中世集落を元にする集住体が広範に分布し、歴史的な空間構成の原理を変えずに存在することもわかった。

そしてそれらの村々には、立地上のある定型が見いだされた。それが、「キワ地」（以下、そう呼ぶことにする）である。

キワ地の集落のありさまとは具体的に、次のようなものだ。集落において家々は台地上に立地し、そのすぐ下には低地が広がる。台地上は宅地と畑地に利用され、低地は田んぼ。そして台地と低地のキワぎりぎりには寺院と神社が建つ。これがキワ地の集住体の土地利用ユニットである。

　こうしたキワ地こそは、住むことの発生地であった。しかも、長期的に居住が営まれてきた土地である。

　図1Bには、かつてのさいたま歩きで〈半島〉と名付けた、大宮台地片柳支台の南端を示している。このキワ地には、旧石器時代から近世までの多数かつ多様な遺跡が連なる。しかも出土物からは、同一のキワ地が長期間利用されてきたことも読み取れる。

　〈半島〉とは、周囲の低地からこの台地をみたときの地形的特徴を指した比喩だが、実際、この〈半島〉を囲む低地は、近世中期まで水面だった。さらに遡ると縄文海進期には、関東平野の奥深くまで入り込んでいた東京湾に面する岬のひとつだったと考えられる(図1A)。人びとはこの〈半島〉あたりから丸木舟に乗って、漁撈や交易に出かけた。

　〈半島〉まわりの水面は、見沼＝御沼と呼ばれていた。御沼は信仰の対象で、その西の岸には北から南にかけて、氷川男体社、簸王子社、氷川女体社という三つの神社が沼に面して立地する。これら三社が一体に氷川神社を構成した。大宮(この地名も氷川社から)の男体社が武蔵一宮として氷川神社の全体を代表するのは維新後のことで、〈半島〉の南の対岸に位置する女体社は、むしろ重要だった。女体社の下から御沼の最も深いところへこぎ出して行う祭祀があり、これを御船祭といった。しかし御沼は幕府の方針によって、まず南端に堤を築いて水の流れを締め切ることで米作のための巨大な溜池とされ、続いては一転して全面的に干拓されて、沼全体が新田とされた。その工事を率いた紀州出身の技術者、伊沢弥惣兵衛の宿所には夜な夜な女があらわれ、工事の取りやめを求めたという。それは御沼の龍だった。

　キワ地とは何か。それは、居住に好適な乾燥した台地上の土地と、水生の動植物を獲ったり、交通や交易の路ともなったりする水面(後には稲の耕作地)という、2種類の異なる領域を結ぶ地帯である。なお居住の足がかりとなるこのキワ地は、洪積層と沖積層という異なる二つの地質にまたがる。別の言い方をすれば、洪積世と沖積世という異なる二つの地球の時代(地質時代)にまたがる。

　そして重要な点は、キワ地では清水が得られやすいということである。地形の変曲点であるキワ地では、地中を流れてきた水が斜面の途中や崖下から滲み出す。湧水が集まってできた沢は、台地を削り、キワ地に谷地を発生させる。そうした谷地はまた、住み続けることの条件を高めた。のちにそこは谷地田として稲の容易な栽培地となった。

　さいたまのキワ地の高低差をより増幅したような地形を、実は特に東京の海側で見いだすことができる。武蔵野台地という巨大な台地のキワである。そして東京にはまた、見沼を小型かつ複雑にしたような分岐した谷地が、居住ユニットにふさわしいキワ地を台地のあちこちに作り出している。東京の湧水はこうした谷地や、台地の輪郭を象る崖線のキワに湧き出している。

　住むこと、食べていくこと、交流すること。そして生命維持の根源のひとつである真水を得ることに深く関わる、生きのびるための土地。その主要なひとつが湧水を伴うキワ地だと、ここではいったん考えてみよう。棲み着き、住み続けるためのそのような土地条件は、現代東京のどこに、どのように存在しただろうか。湧水の地から、東京に棲み着くこと、住み継ぐことの、何らかの根源性は発見されるだろうか。居住に本質的な基盤を与える大地性は、都市空間にどのように見当たるだろうか。あるいはもっと単純に、東京の湧水はいまどんな形をしていて、その周辺の土地はどうなっているのだろうか。湧水の近隣地区とはどんなところなのか。

　大都市・東京を、湧水地からみる。

　こんな観点から、東京を歩いてみることにした。

図1B　さいたまにおける〈半島〉の遺跡地図
(さいたま市埋蔵文化財包蔵地地図・国土地理院基盤地図情報より作成)

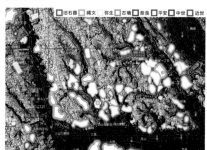

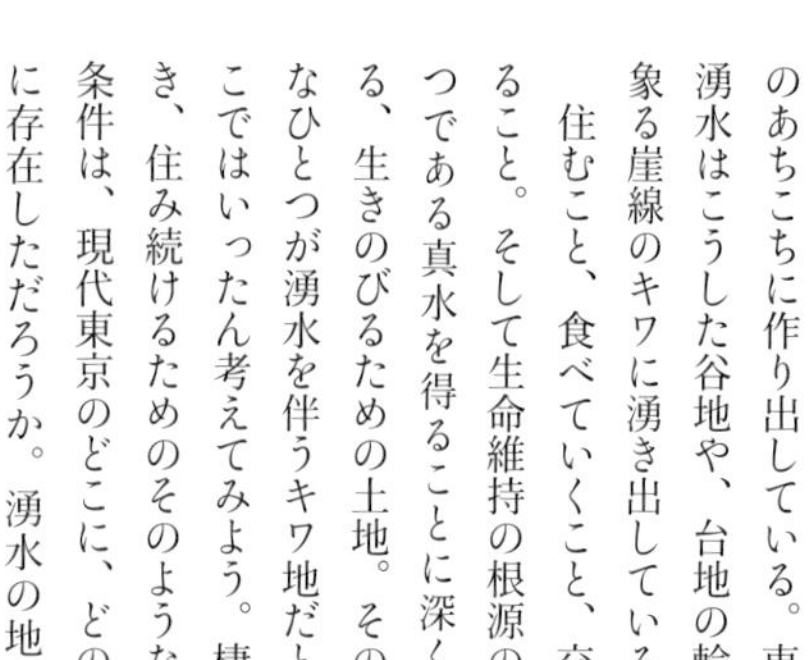

図2A ヒメガイの湧出口 1916年
（写真提供：渋谷区郷土写真保存会）

2 湧水からみる東京

渋谷の神泉

先だってまずひとつ、東京の湧水と集住地形成の一例を挙げておく。渋谷の事例である。

２０１８年に、渋谷の神泉あたりを歩いた（松田法子「円山町の襞を歩く」、『渋谷の秘密――12の視点で読み解く』パルコ出版、２０１９年所収）。そのときの主な目的は、芸者町から展開した円山町の歴史を読み解くことだったが、それに至る土地の核として、谷地奥の湧水という存在に気がついた。

その湧水は17世紀後期には、空鉢上人という宗教者に紐付けて語られている。のち明治10年代に、〝今弘法〟と呼ばれた異僧が浅草・吾妻橋あたりの低地からこの地にやってきて、湧水を使った浴室をつくり、そこで施浴を行った。その後この施設は神泉の谷地を囲む集落の人びとの共同管理となり、明治18年頃に佐藤豊平という人物が受け継いだ。明治18年とは渋谷駅の開通年である。

弘法湯では横に料亭を増築し、増加する客を見込んで向かいには芸妓置屋ができた。駒場の陸軍施設の拡大にも重なって弘法湯周辺は賑わい、藪が広がっていた台地上を大正初期に開発して三業地（芸妓置屋・料理屋・待合営業許可地）の免許が取得される。これが芸者町（のちに旅館街）円山町のはじまりである。台地上の三業地と神泉が湧く谷地を上り下りするここの路地は、芸者階段などと呼ばれるようになった（63ページ図２D）。

神泉水が湧き出す井戸「ヒメガイ（姫ヶ井、秘ヶ井）」は、永らく弘法湯の庭内にあった（図２A）。神泉という駅名も、むろんこの湧水に由来している。また神泉の北には、区立松濤鍋島公園の谷地に湧く水があり、渋谷川の谷を挟んだ東にある金王《こんのう》八幡宮（11世紀末創建）の地は、甘露水とも呼ばれる多くの湧水に恵まれ、武蔵渋谷氏の祖で平安末期の伝説的武将・金王丸の居館跡とも伝えられてきた。これらの湧水は渋谷川などの水源をなした。

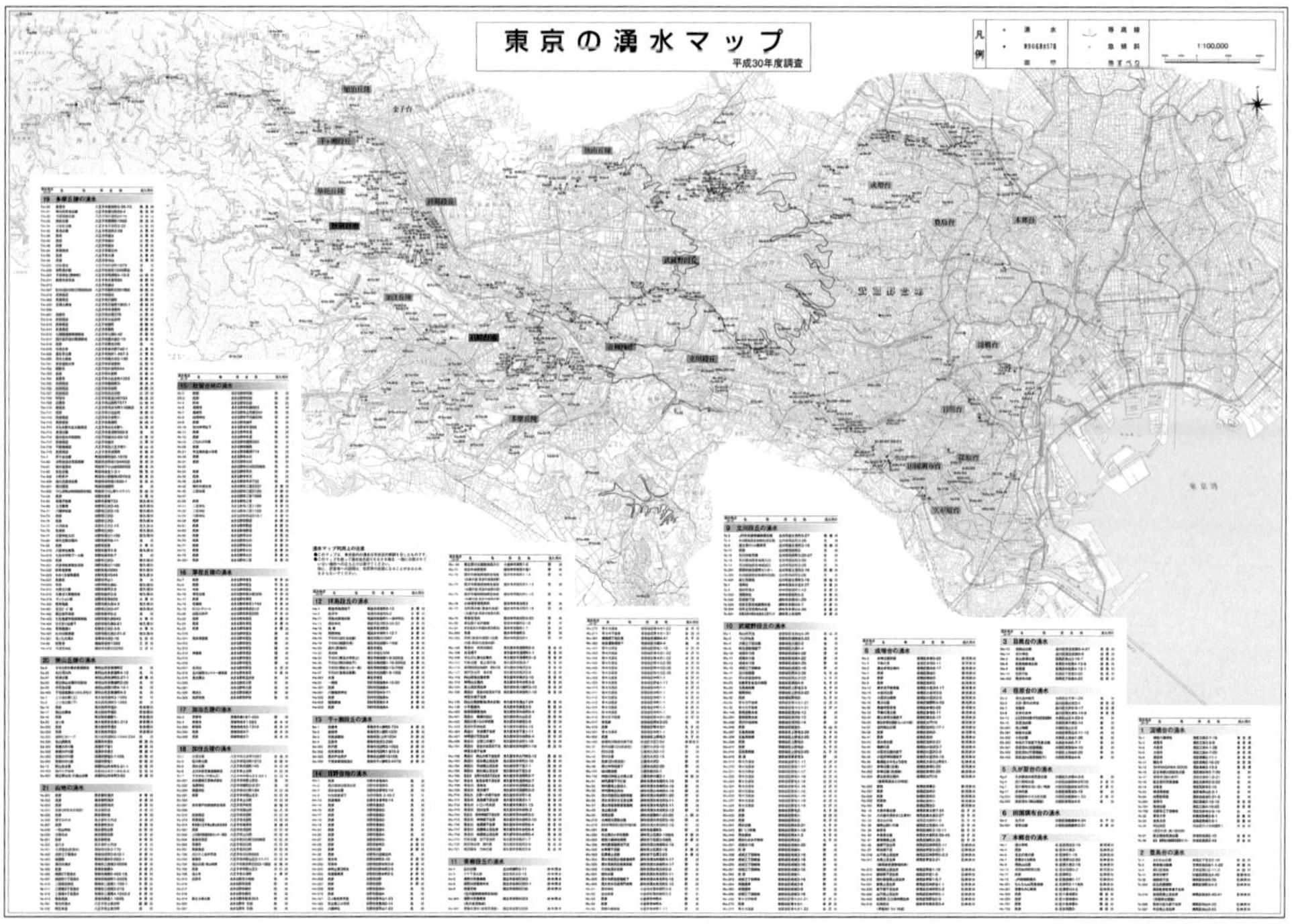

図 2B　東京の湧水マップ　2019 年（東京都環境局発行）
https://www.kankyo.metro.tokyo.lg.jp/water/conservation/spring_water/spring_water.html

東京の湧水マップ

湧水は、東京が都市化するずっと前から存在する。かつそれは、棲み着くことの根拠になったことも少なくないのだろう。

東京の湧水をみるために、1枚の地図を手に入れた。「東京の湧水マップ」（図2B）。東京都環境局の発行で、各市区から報告された計605箇所の湧水が掲載されている。

ただその地図には都内全範囲の湧水が1枚にプロットされているのだから、もしかすると地図上の位置はおおむねかもしれないし、地図に併記されているリストからも、湧水の所在地は番地までしかわからない。現地まで行ったとしても探索困難かもしれない。そんなことも考えられたが、まずはこの地図の情報だけで歩いてみることにした。そして結論からいうと、大半の湧水は発見できた。

「東京の湧水マップ」から、まず湧水の大まかな分布傾向を検討すると、その一群は台地のキワ、つまり崖線沿いにある。そしてもう一群は、河川沿いや旧河道に関係していると読める。谷地の位置はこの地図からはわからないので、谷地を含め台地と低地の境目を浮き彫りにするような微地形段彩図（66ページの図T1から85ページの図T8まで）を作成し、「東京の湧水マップ」に記されている湧水の位置をトレースした（Ho-◯など台地名に即した略号）。すると、残りの湧水群の位置と谷地とは実にぴったりと重なった。

大まかではあるが湧水発見のための原理を押さえたと言えるこの手製地図を携行し、6月初旬に5日間を確保して、湧水地だけを目的に東京を歩いた。

その歩行範囲を、以下三つの観点から選定した。

① 崖線がはっきりしたエリア（大きな川で台地が削られた地形）
② 谷地が入り組むエリア（小河川や沢、湧水が台地を複雑に削った地形）
③ 都心と市部（大河川の下流／上流域の違いと土地利用上の違いがある）

そして武蔵野台地の東端（おおむね都心にあたる）では、北から本郷台（Ho）、成増台（Na）、淀橋台（Yo）、目黒台（Me）、荏原台（Eb）、田園調布台（De）、久が原台（Kg）を、内陸側（市部）では、日野台地（Hn）、多摩丘陵（Tm）、武蔵野段丘（Mu）のへりを歩くこととなった（図2C）。

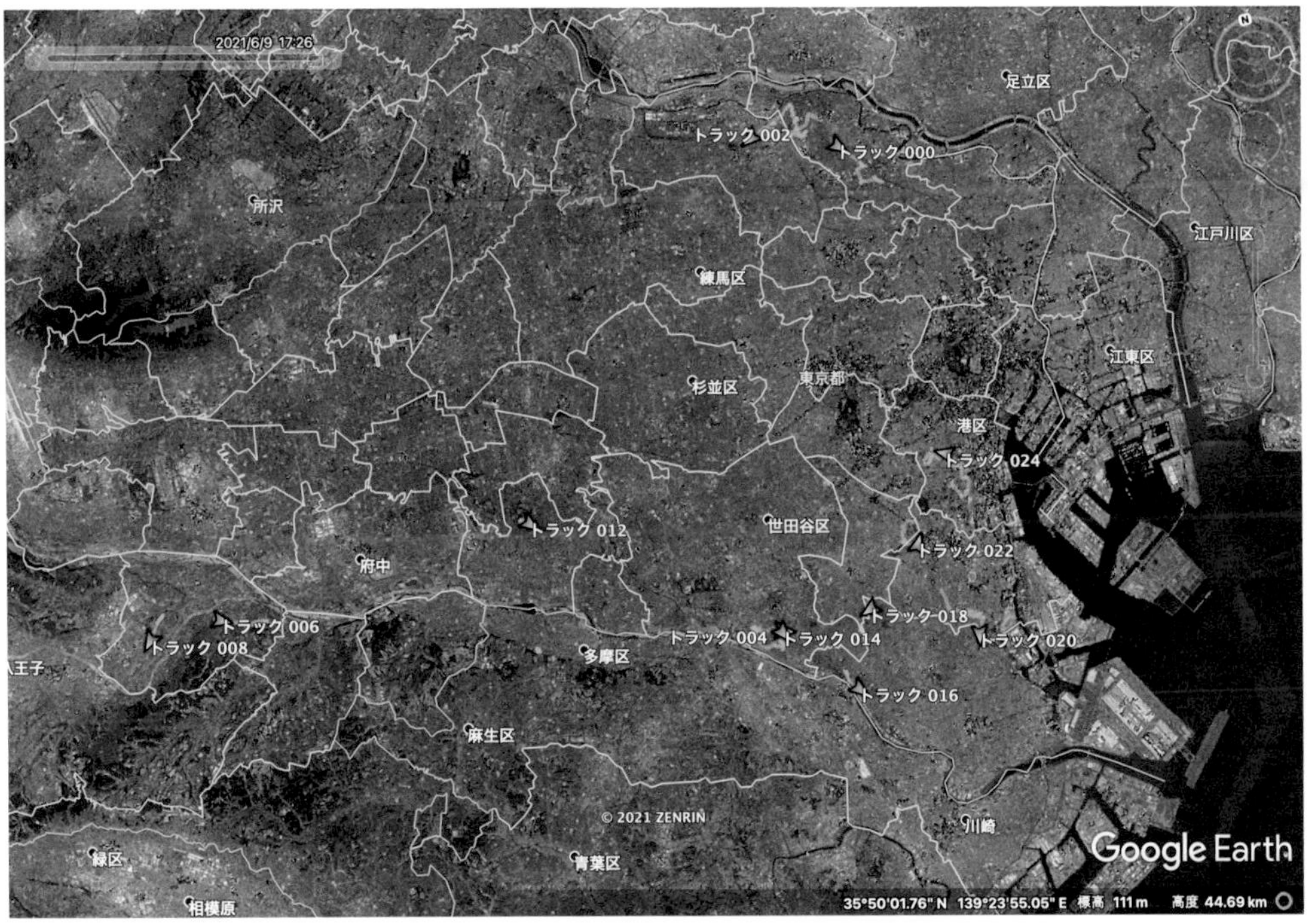

図 2C 行程全体の GPS ログ
（GARMIN eTrex で記録した位置情報のトラックを Google Earth 上に表示）

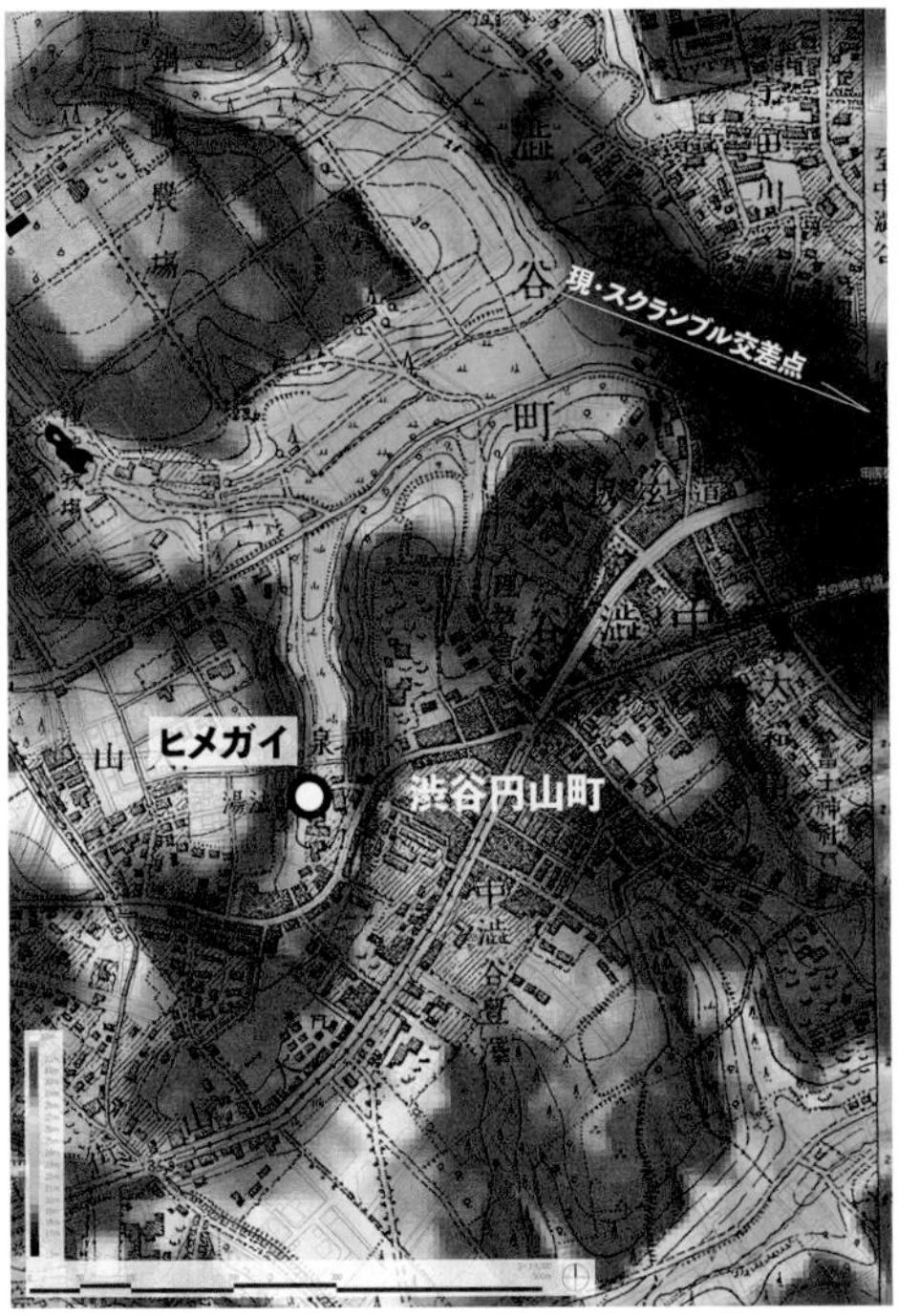

図 2D 明治 42 年の渋谷円山町と地形
（陸地測量部 2 万分 1 地形図・国土地理院基盤地図情報より作成）

3　2021年東京の湧水をあるく

1日め　王子から十条まで

6月5日（土）曇りときどき晴れ
最高気温26℃　最低気温20℃

王子駅に着く。湧水地点ではないが、駅前すぐ西にさっそく水面。音無川親水公園がある（写真1）。谷の左岸台地上は王子神社で、そのすぐ北はかつて王子宿だった。

親水公園は、隅田川に注ぐ音無川から水流の一部を引き込んでつくられている。まずは通り抜けてみると、次のようなアクティビティが確認できた。①中学生の帰り道になっている。②川沿いのベンチは本を読んでいる人などでほぼ満席。③旧岩槻街道が橋状に架かるその下の岩場では、近所の女性たちがお弁当を広げている。

水のまわりに滞留する人たちがいること、水辺を目的地に集まってくる人たちがいること。そしてより何気なくて日常的な使われ方としては、通り道であるということ。公園は、隣り合う飛鳥山側からみるとかなりの窪地になっている。まちの幹線道からここには、わざわざ降りてこないと入れない。しかし結構な数の人が次々と水辺に降りてきては、谷を通過していく。園路が王子駅にほぼ直結していることも大きそうだが、もちろん散歩中に岩槻街道から降りてくる人もいる。そして思わず、ということなのか、たいていのみなさんは、ちょっと立ち止まったり会話中の一瞥だったり、谷の上から水に視線をやりながら降りてくる。

さて、湧水めぐり最初の目的地、飛鳥山（66ページ図T1 Ho-9）へ。ここは公園内のどこに湧水地点があるのか、短時間のうちに確認することは難しかったが、公園のあちこちが水流を前提にしたデザインになっている。湿り気を帯びた小規模な崖地の下には虫採りの親子。今日は枯山水状態だけれど、流れを受け止めるはずの石組みのまわりには、リモートワークらしい人や、浴衣女性の撮影会の人たち。

続いて音無さくら緑地（図T1 Ho-7）をめがけて石神井川沿いを西に進む。石神井川の川面は、コンクリートで固められた護岸のかなり下。石神井川は全長25・2kmで、王子一帯はその下流域になる。かつてここでは蛇行する川が深い渓谷をつくり、飛鳥山のあたりでは滝のような水流をなしていた。それで滝野川とも呼ばれたという。轟音をひびかせるその川を、あえて「音無川」と呼んだのが徳川吉宗だとの解説板。飛鳥山を桜の名所に仕立てた吉宗はまた、音無川沿いに紅葉を植えさせた。なぜ飛鳥山に桜が植えられたのかというと、それは吉宗による享保改革の一環だったという。江戸にあった桜の名所は寛永寺くらいで、花見の季節には人が集中し過ぎた。そこで享保5（1720）年頃から飛鳥山に桜を

1

2

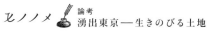

写真：筆者撮影（P.58の0からP.86の24まで）

植えて、花見の人出を分散させたのだという。

地図で確認すると、さくら緑地は蛇行していた音無川の旧河道だということが明白だ。楕円を半分に切ったような形の緑地が、川の右岸にこぶのように張り付いている。緑地に足を踏み入れると、細い流れの上には小さな吊り橋。緑地の浅い水流は湧水だとの説明がある。ゆるやかに曲がる土の道。植生はサクラ、エゴノキ、コナラなど。

そこから西へほど近いところに、音無もみじ緑地（図T1 Ho-301）。やはり音無川の旧河道にあたる。歩道が切れると、川面と一続きになった半円形の水面が、ぱっと眼下にひらけた。都営住宅が建つ向こう岸と水面との間は垂直の崖。その崖下にはかつて、松《まつ》橋弁財天窟《はしべんざいてんのいわや》と、滝があった。窟には弘法大師の作と伝わる弁財天像がまつられ、そこに源頼朝が太刀を奉納した伝承もある（新編武蔵風土記稿）。昭和50年代の護岸工事まで窟は残っていたらしい。

王子駅の西側一帯になるこのあたりは、かつて滝野川村といった。その名は急流になる石神井川を滝野川といったことに加え、この地に散在していた滝そのものの存在にも重なる。

天保5（1834）年の『江戸名所図会』には、弁財天窟の松橋を渡る里人の傍らで床几を据えて涼んだり、水浴する人々の姿も描かれる（67ページ図3A）。江戸の人たちは暑い都心を抜け出して、王子の滝や水辺へやってきた。涼を求める季節には、今日のようによく育った青もみじが美しかったに違いない。

蓮が広がる水辺では、子どもが何かを捕っていた。兄弟姉妹とおぼしき子どもたちが上の住宅地から駆け下りてきて、「どう？　どう？」と声を掛けてはまたどこかへ走り去っていく。男の子はまるで無口な漁師のように、ひとり淡々と獲物を追いかける。通り過ぎざまに音無川の深い水底をのぞきながら、ふと「カワウ」と「ウミウ」の違いについて友だちに解説する小学生のサッカー少年も。

石神井川沿いは、ここからまだ上流へ旧河道の緑地や水面を利用した公園が続く。しかし今回はここで川を離れて北東に。次の湧水地に向かう。明治期には陸軍砲兵工廠の銃砲製造所だった陸上自衛隊十条駐屯地の東をかすめ、名主の滝（図T1 Ho-5）へ（67ページ図3B）。

旧岩槻街道（455号線）よりも東側はほぼすぐ低地となる。つまり岩槻街道はこのあたりで、本郷台崖線のす

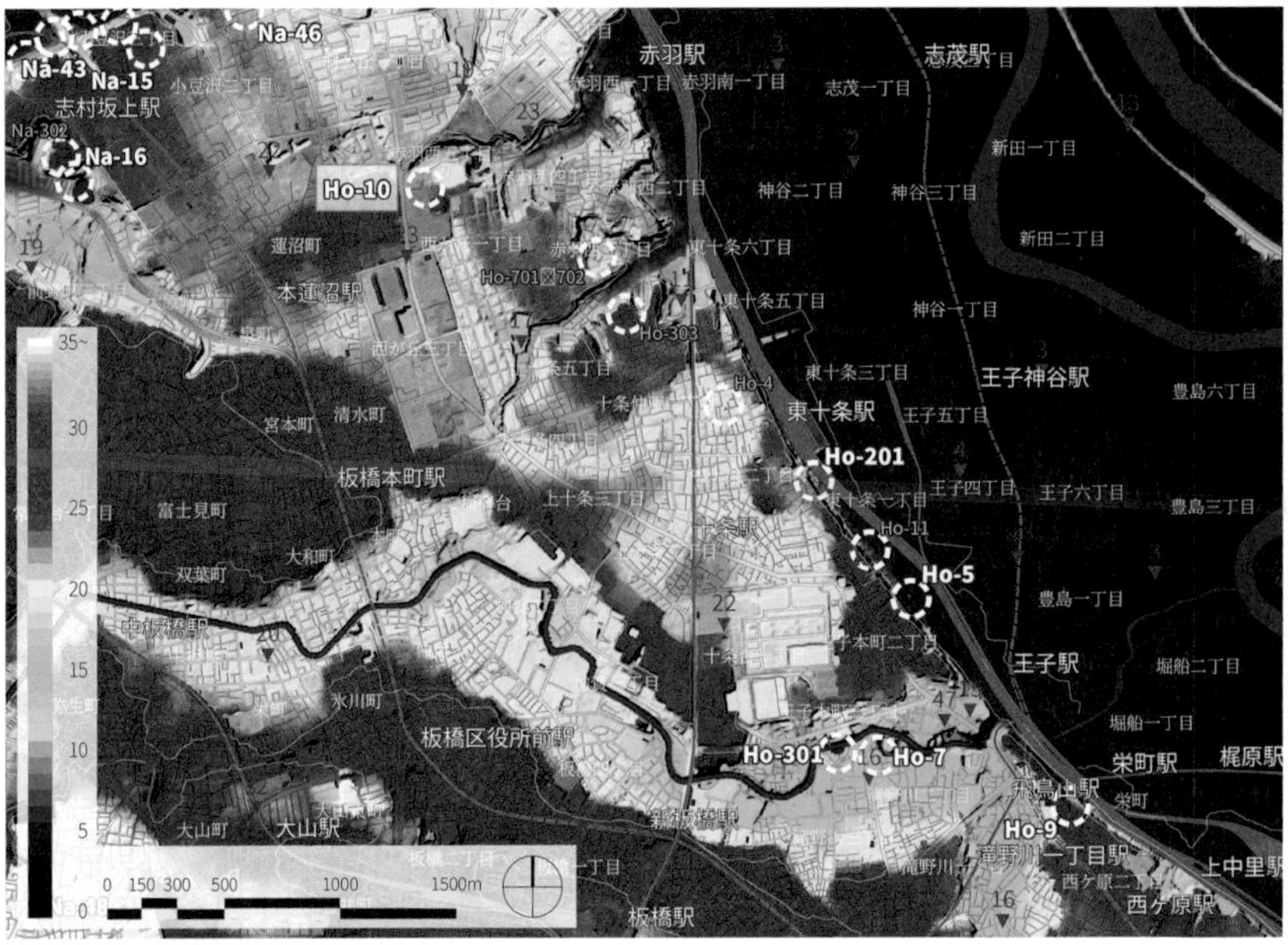

図 T1 本郷台（Ho）の地形段彩湧水地点図
（国土地理院基盤地図情報・東京の湧水マップの情報を用いて QGIS で作成〈橙色の線は鉄道〉／地形段彩湧水地点図は以下同）

ぐ内側を、崖線と並行に北北西へ延びている。崖下に同じ方位で敷かれているのが鉄道。東北・秋田・山形・北陸の各新幹線、東北本線・宇都宮線・高崎線・上野東京ラインなどの線路の束が崖の直下を通る。台地下は荒川の氾濫原。

名主の滝公園は、台地上からはじまる。その西端に着くと、東京都北区役所防災課の災害時用給水所が目に入った。非常時の生活用水としてここに水が蓄えられている。給水所の横は三平坂という急坂。つまり本郷台の崖を降りる道。かつては台地上の農民たちが、崖下の水田と行き来する通い道だったという。明治13年の迅速測図を見てみると、低地は田で、台地上は畑地と宅地であるという2種類の土地利用が、崖線を境にくっきり分かれている。

名主の滝は、王子村の名主だった畑野家が屋敷内に開いたもの。訪問客も避暑に利用できる、開放された滝だった。嘉永3（1850）年『絵本江戸土産』（歌川広重）第四編に、「十條の里　女滝《めだき》　男滝《おだき》」という図もある。絵の横の文章には、一帯には多くの滝があり、貴賤が集って水浴びをし、夏の炎暑を避けるのだとある。一帯にあった多くの滝とは、今は東北本線や高崎線が走り抜けていく低地側に向かって本郷台の崖線を流れ落ちていたにちがいないだろう。

公園の案内板によれば、園内にはこの男滝と女滝のほか、湧玉の滝および独鈷の滝と名付けられた全部で四つの滝組があるらしい。訪問時には男滝のみが流れていた（公園を出て門の外の説明板を読んでいたとき、老女が通り掛かりざまにこう言った。「滝、壊れちゃってね。いま、一つしかないでしょ」）。水量は豊富で、三平坂を下る耳にもざあざあと響き期待が高まっていたが、この流水はいま、地下水を汲み上げて作り出されているらしい。そして滝が流れる時間帯は、午前10時から午後4時の間という掲示も見かけた。とはいえ東京都内でこんなふうに滝そのものを目にするとは、思ってもみなかった（写真2）。滝の前にいればずいぶん涼しいということは確か。滝組のまわりの深い植生にも引き込まれる。夫婦や単身の若い男性、親子など訪問者はそれなりにあり、飛び石を渡りながらしばし黙してたたずみ、滝を見上げている。

名主の滝の土地は明治中期に、名主・畑野家から貿易商・垣内徳三郎の手に渡った。垣内氏は自身が好んでいた栃木の塩原の景に模して滝の下に渓流をめぐらせ、庭石を入れて楓など植栽も整え、ここを一般公開した（写真3）。当初から半ばコモンズのように開かれ

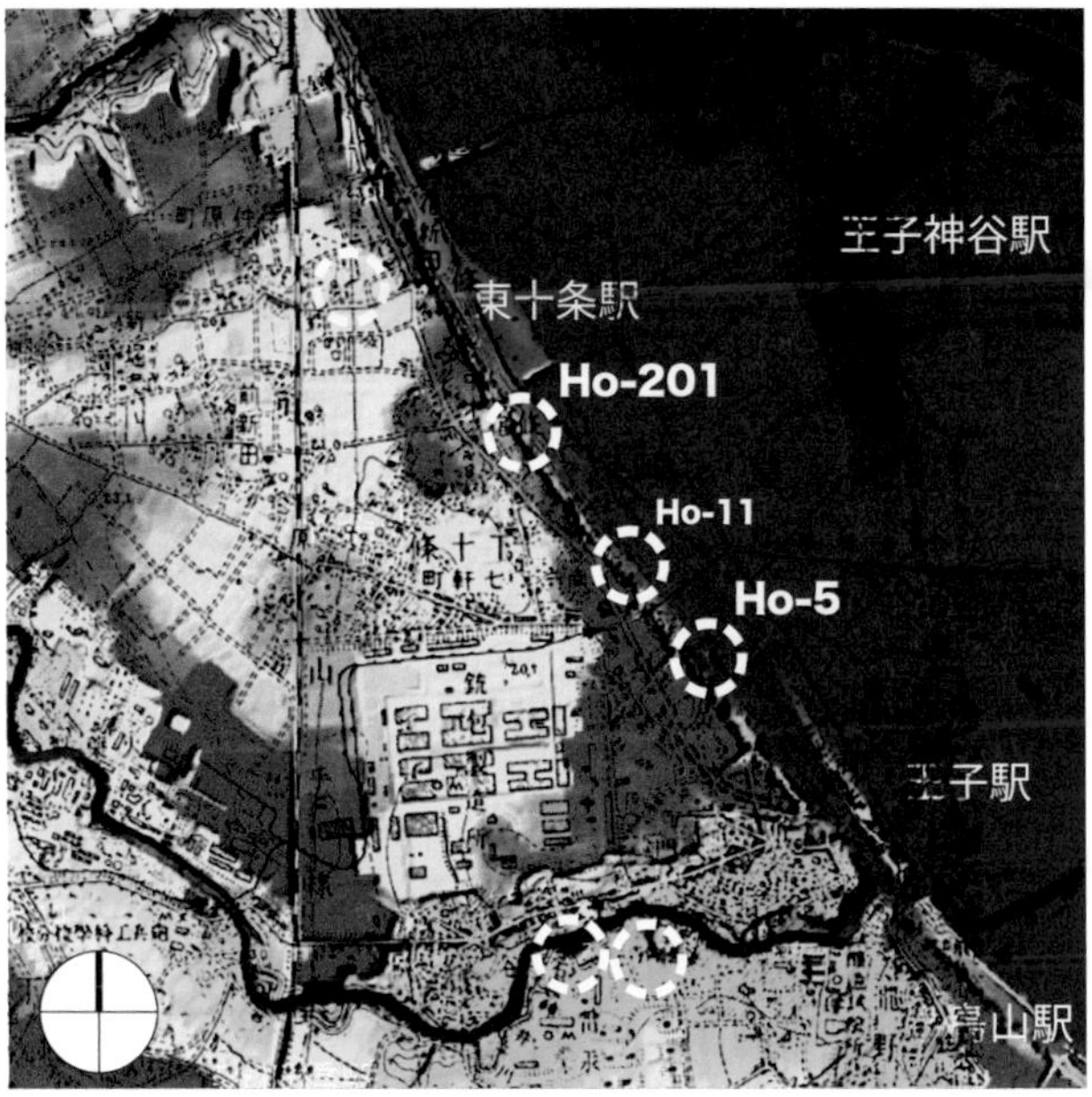

図 3B　本郷台（Ho）地形段彩湧水地点図と明治 42 年測図陸地測量部 2 万分 1 地形図「王子」オーバーレイ図

図 3A　「松橋弁財天窟」、江戸名所図会（現地解説板より）

ていた滝の性格は引き継がれたらしい。

庭園を後に、本郷台の崖下を北上。明治期に台地上には銃砲製造所がつくられたが、ほかにも火薬の製薬所や兵器庫、貯弾所など、王子から赤羽も台地上と低地には陸軍砲兵工廠の施設が集中した。これらを連結する軍用列車がベルを鳴らしながら盛土の上を走っていたという。

東十条駅の少し手前、本郷台地に登る地蔵坂という坂道のあたりで、建物の間を流れる名もない湧水を発見。割れ鉢に注いでいるだけのその素っ気なさからは、むしろこの水と人との近しい気配も漂う。

東十条駅の横から台地上へ登って旧岩槻街道に復帰、さらに少し北上。街道が環七通りと交わる角にある八雲神社の小さな境内まで行ったところで、都心へ戻る時間になる。

初日の湧水地歩きからは、大都市江戸、あるいは明治の東京の北方の郊外に、夏には避暑を求めて都心を抜け出し、水辺や湧水地に集まった人びとの動きが浮かんできた。そこで思い出したのは、以前調べたことのある明治初期東京の保養地のこと。

明治10年前後、東京にはたくさんの「温泉」が新造された。それらの「温泉」は、鉱物を含む東京の地下水を利用するものから、温泉地の湯の花を溶かしたり、薬湯を仕立てたものまで様々だったが、これらの都市内温泉にかなりの割合で共通する売り文句は「滝」だった。明治期東京の温泉は、温泉だけでなく同時に滝を備えることが重要だったらしい。そこでまたはたと気がついたが、都市内や近郊につくられた温泉施設が庭内に滝を備えたとなれば、都市温泉は少なからず崖線下に生まれていたのかもしれない。

そして今日みた名主の滝の様子からは、本郷台北側崖線の湧水は素朴にそこを流れているだけでなく、人が積極的に介入して水流がデザインされてきた状況もうかがえた。滝や園地は文化による湧水の拡張デザインなのだ。崖線下に那須の渓谷美が呼び込まれたことには、その土地のポテンシャルを使いながらも、そこにはなかった、より理想的な風景や環境の「つくりもの」を営むという創造行為が明白となる。

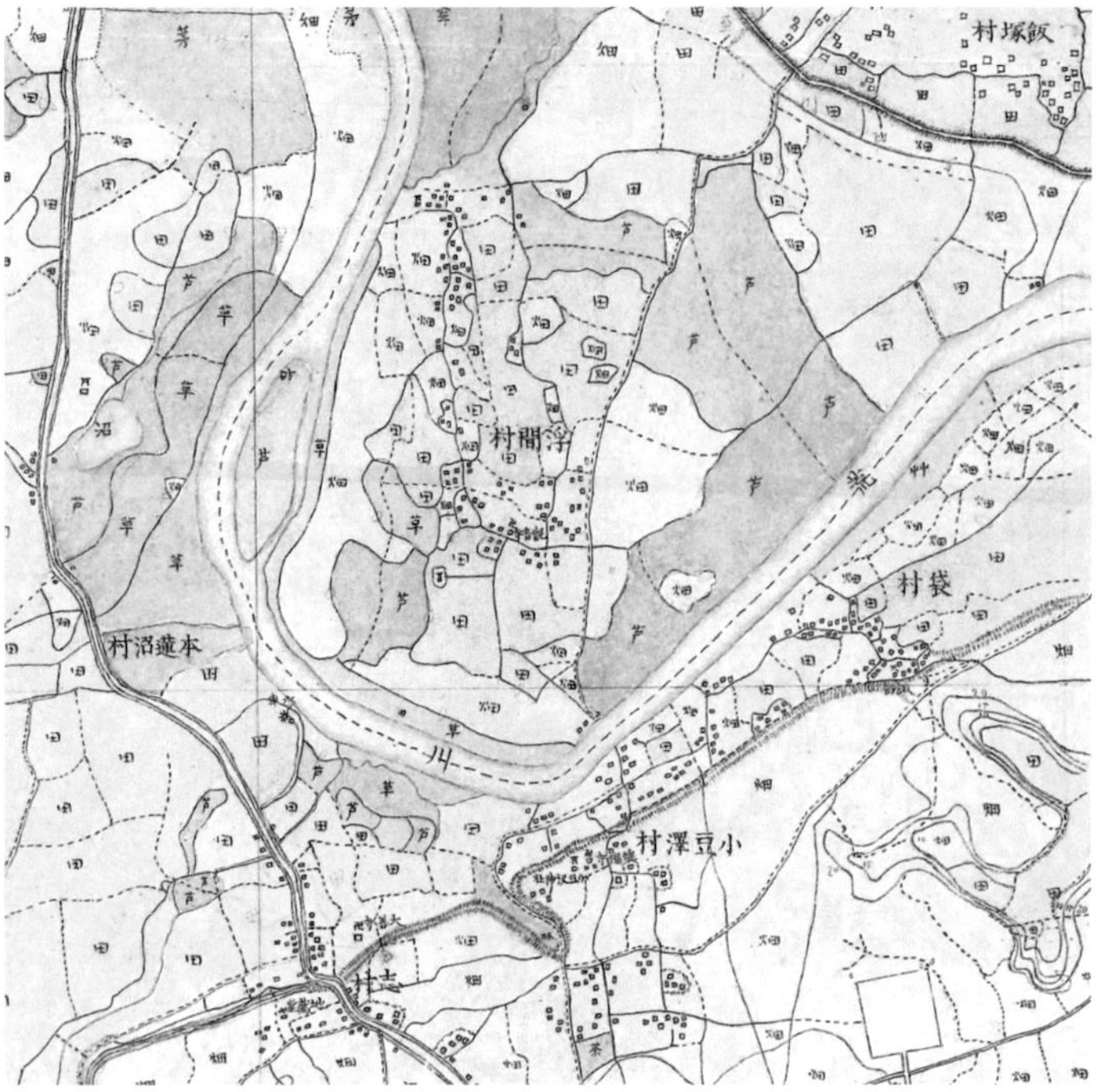

図 3C　明治 13 年 2 万分 1 迅速測図（フランス式彩色図）より小豆沢神社付近

2日め

赤羽から志村まで／上野毛から等々力渓谷まで

6月6日（日）曇りときどき雨

最高気温23℃　最低気温20℃

赤羽から志村まで

　JR赤羽駅からスタート。低地に位置する駅から南へ、まずは本郷台の崖線を登る。UR都市機構のヌーヴェル赤羽台団地と、東洋大キャンパスにつながる長めの階段。キャンパス左端を抜けて台地上を南西に折れ、赤羽自然観察公園の湧水地点（70ページ図T2 Ho-10）を目指す。土地利用の単位は大きく、原っぱ状の広い空地も散見される。陸軍陸地測量部による明治42年と大正6年の2万分の1地形図を見ると、ヌーヴェル赤羽台団地は陸軍被服庫、都営桐ヶ丘アパートの団地群の土地は火薬庫だったとわかる（図3D）。

　桐ヶ丘アパートの、445号線（常盤台赤羽線）に面した棟の1階には、薬局、眼鏡屋、鰻屋、合鍵屋、文房具屋、肉屋などの小店が並ぶ。その前を歩いていく。いわゆる下駄履き団地だが、善徳寺前交差点角に建つ棟の奥はさらに、低層の木造建物が密集したマーケットになっている。ちょっと中に入ってみると、小さい台湾惣菜屋だけがシャッターを開けていて、さかんに良い匂いを放っていた。日よけの下には小さな卓と古びた椅子。この桐ヶ丘中央商店街は昭和27年の開業。今や閉店している店も多そうだが、高度成長期に膨張した東京の人口を受け止めてきた団地の、買い物客であふれていたマーケットの過去を想像する。

　赤羽自然観察公園の入口は、この一角からまっすぐ南へ行ったところにあった。赤羽台に食い込んだ谷地の奥に、湧水点はあるはず。その谷地の痕跡は、赤羽駅から西に延びるうねった道の形に残されている。明治13年の迅速測図を見ると、谷地の中はすべて田んぼ。いまそこには戸建て住宅が建て込んでいる。谷地からすぐ西南の台地上が明治19年開設の兵器庫だった。いまそこには、国立スポーツ科学センターや、オリンピック・パラリンピック強化指定選手のトレーニング施設である味の素ナショナルトレーニングセンターなどが建っている。

　軍による土地利用は戦前までに今の自然観察公園の範囲にも拡張し、湧水地のある谷地は大幅に改変を受けたらしい。赤羽自然観察公園では、谷地の痕跡を元にして谷を新たにつくりなおしたという。その谷の一帯に、いま水が湧いているわけだ。西門から園内へ。何組もの少年野球チームで賑わうスポーツゾーンを抜けて、緑地の奥に。谷は北東にあった。

　湧水地一帯は立ち入り禁止区画にされていて、植生回復中との掲示。ヨシ、ヒメガマ、ヤナギ、サクラソウ、セリ、ミソハギなど湿性草本植物の復活が期待されている、とある。湧水地付近には、フェンスの向こう側を覗く。浮間

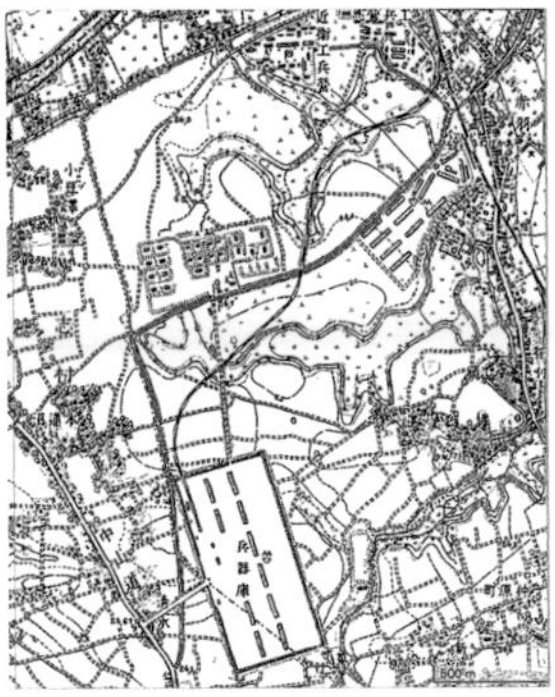

図３Ｄ　明治42年測図２万分１陸地測量部地形図「王子」より赤羽付近

村にあった古民家、旧松澤家住宅（伝・弘化元〈１８４４〉年築）が移築されていた。浮間村とは、このあと行く予定の小豆沢《あずさわ》から本郷台地を降りた荒川氾濫原の村で、民家は地面を盛り土した水塚《みづか》の上に建てられていた。家の小屋裏（屋根裏）は洪水時の避難場所でもある。荒川と共存してきた旧家だ。

本郷台北側に続く台地、成増台へと進む。荒川に面する台地の北縁は、人工的にすっぱり切られたかと思うほど直線的な崖線をなしている。元火薬庫横を通って北へ。昭和初期に工兵作業場だったあたり。隣棟間隔を広くとった団地群を空き地越しに眺めながら歩いていると、軍用地だった頃、あるいはそれよりもずっと前の、台地の野っ原に月がかかった静かな夜の風景が頭の中に舞い降りてくる。

北へ進み、成増台の北端に出た。台地の直線的な縁に沿って湧水が集中しているはずだ。今回訪ねる準備はないが、東京湧水マップによると民家内の湧水も少なくない（図Ｔ２ Na-9など各地形段彩湧水地点図に示した小さめの番号）。

まずは旧袋村に入る。いまの赤羽北3丁目。袋村の鎮守だった諏訪神社前の宮ノ坂を降りて、袋小学校（図Ｔ２ Ho-1）に向かう。ただ日曜で閉門しているの小学校の外から、湧水の所在はわからなかった。

西に進路を切り替えて、崖下の道沿いに小豆沢《おずさわ》神社を目指す（図Ｔ２ Na-46）。道すがらの崖線には緑地が続く。仕立てられ方は大きく3通りあって、道路際までの緑地、道路横に石垣を積んだその上まで木々や下草が伸びる緑地、民家の2階くらいの高さまで斜面をコンクリートで固めた緑地で、印象は互いにだいぶ違う。小豆沢神社下の崖には緑地内を歩く遊歩道。神社は台地上に建つ。

同社は康平年間（１０５８～65年）に、前九年の役を戦った源義家（１０３９～１１０６年）が勧請したと伝わる（板橋区教育委員会）。近世には十二天社と呼ばれ、村の鎮守だった。祭神は国之常立神《くにのとこたちのかみ》。『日本書紀』では天地開闢の最初の神とされる根源神である。

さて、この神社の崖下はかつて「入江」だったという。どういうことか。小豆沢神社の崖下には元々、蛇行する荒川がせまっていた（図３Ｃ）。七々子崎と呼ばれたというその「入江」は、荒川の淵だったのだろう。天長年間（８２４～34年）のこと。この七々子崎で薬師如来が発見される。像は小豆沢神社に隣り合う龍福寺の秘仏となった。室町時代末に開創されたと伝わる龍福寺は多数の板碑でも知られ、板碑寺とも呼ばれたが、20余基あったそれらは第二次世界大戦の爆撃で破壊され、今は13世紀半ばのものなど9基のみが残る。

これら旧小豆沢村の社寺の崖下に、旧御手洗不動尊の御手洗池《みたらしいけ》（図Ｔ２ Na-12）がある。

池の来歴はこうだ。江戸や江戸周辺では、近世中期頃より富士詣と大山詣が爆発的に流行した。富士山や大山へ向かう道者たちが、出立にあたって心身を清めるために水垢離を行う。御手洗池はその禊場のひとつだったという。さらに池の水は眼病に効くとされた。その池の傍らに、石造の不動尊が祀られていた。しかし鉄道の発達により、明治期以降に東京から富士や大山へ徒歩で詣でるという人はいなくなった。禊場は荒廃し、不動堂は台地上の小豆沢神社と龍福寺の間に引き上げられた。いまの池と小堂は、地元の人たちが再興したものなのだという（写真４）。

御手洗池からさらに西へ、成増台が志村で途切れるその先端を目指す。途中、複数の湧水がある小豆沢公園（図Ｔ２ Na-14・15・45）では、幼女が父とザリガニを捕っていた。この公園では湧水を長い水路で拡張し、崖下に浅

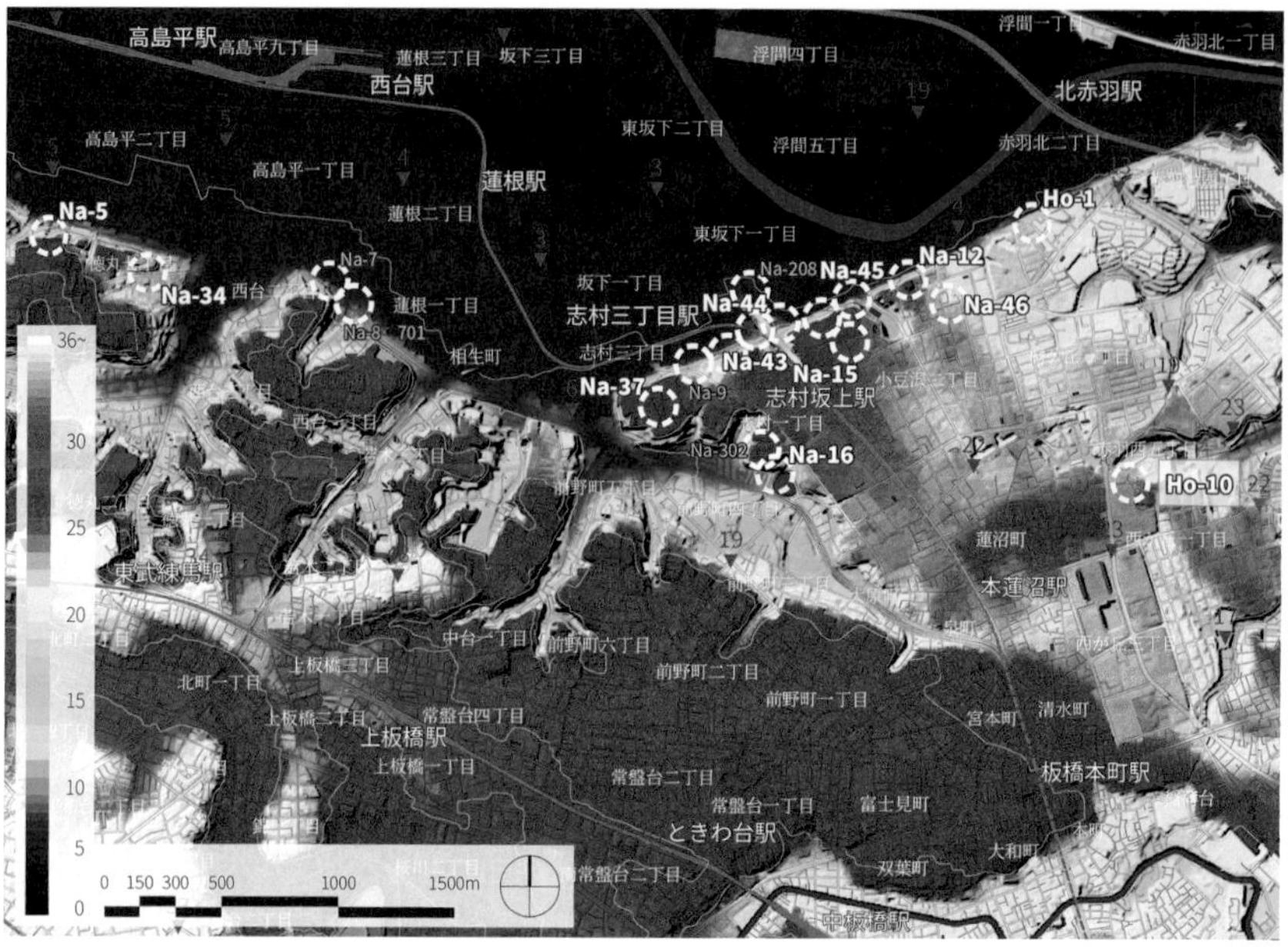

図 T2　成増台（Na）の地形段彩湧水地点図

い池をつくりだしている。そこが水生生物たちの生息地になっているのだ。そんな土地の向かい側はショッピングモールで、休日昼前のこの時間、駐車場に入るための車が崖下の道に列をなす。モールの北側は環八通り。

さらに西へ進むと、ほどなく薬師の泉（図T２ Na-44）に着く。環八通りと中山道の大きな交差点から、信号ひとつ分だけ南の崖線下。本来の中山道が成増台地を下る地点を清水坂といい、薬師の泉はその坂下にある。泉のまわりは現在、よく手入れされた明るく繊細な庭園。『江戸名所図会』も参照しながら、板橋区が平成元年に整備したものという。『江戸名所図会』とは、（40年の歳月をかけて）天保7（1836）年に完成した書物だが、そこに「境内山の腰より清泉湧出す」とある絵が薬師の泉を描いた一枚。境内とは庭の上にある大善寺のこと。また他の近世の文献にも、この付近の清水に関する記載が少なくないという。

庭の管理か手入れをしているらしい女性と、東屋でその人と話し込んでいる近所の男性。高島平の話（このまちあるきの文脈で言えば、ここから少し西にある成増台下の氾濫原一帯だ）。しばらく近くの縁台に座らせてもらい、言葉をかわす。庭は池泉をめぐる回遊式。

すっかり涼を得て、車通りの多い中山道（17号線）を横断、西南西に延びている旧中山道の細い坂道に入る。中山道最初の難所と言われた清水坂。江戸からみてこの坂の先は蕨宿で、手前は板橋宿。清水坂を降りた先には荒川を渡河するための戸田の渡しがあった。

午前中最後の目的地は志村城山公園（図T２ Na-37）。戦国期の城と考えられている。城山は成増台地の突端に位置し、三方は崖、荒川流域の低地を一望できる。湧水は城山の崖下に確認でき、細い流路の両側には湿地を好む蕺《どくだみ》が群生していた。

上野毛から等々力渓谷まで

5

都心を経由して丸の内付近で少し用を足してから、夕方近く、多摩川方面に南下。

上野毛駅で下車し、急坂を南へ一挙に20メートルほど下る。坂道両側に切り立つ法面のコンクリートは、びっしりと苔に覆われている。コンクリートの土留め内側の土に水気が多いのだろう。崖下には上野毛自然公園と、丸子川の細い流れ。それより先の低地は多摩川の氾濫原だ。この崖地は多摩川が10万年以上かけて台地を削った、国分寺崖線。それに沿って多くの湧水がある。上野毛自然公園の説明板によると、世田谷区にある約100ヶ所の湧水のうち8割が国分寺崖線沿いにあるらしい。

崖線の地層は上から、表土、立川ローム層、東京軽石層、武蔵野ローム層、武蔵野礫層か東京層、そしてその下が上総層。上総層とは関東平野の基盤をなす海成堆積層で、砂岩・泥岩・凝灰質の礫などからなる。東京層とは貝化石を多く含む更新世後期の海成層で、砂礫や泥層からなる。武蔵野礫層は締まった砂礫層。そして関東ローム層は第四紀（258万8千年前から現代まで）の火山活動が排出した火山砕屑物や堆積物で、粘土質。湧水は、砂礫層の下、粘土層の上の境目から湧きやすい。

斜面から丸子川までの植生は、ケヤキ、ムクノキ、シロダモ、クスノキ、スジダイ、ヤブツバキ、ヤツデ、アオキ、ミズキなど。

折り返して坂を登る。五島美術館の中にも湧水があるはずだ。門の前まで行くが、閉館間際だったので改めて来ることとし、等々力渓谷（次ページ図T3 Mu-34-35、219-228、269、271-274、401-416、601）へ向かう。

谷沢《やさわ》川が武蔵野台地を開析した、東京都区部唯一の「渓谷」。谷底と台地の比高は約10mだが、鋭角に切れ込んだ暗い谷から両岸を見上げれば、先ほどまで歩いてきた住宅地はまったくの別世界に思える。平成14年の調査ではここだけで33ヶ所の湧水が確認された。谷沢川は湧水の集合体というわけだ。

台地上から川底までの地質は順に、表土、東京軽石層を挟んだ関東ローム層、武蔵野粘土層、武蔵野礫層、渋谷粘土層。湧水が多く出るのは、詰まった渋谷粘土層と透過性の高い武蔵野礫層の境目あたり。小路に敷かれている木道は、湧水の流れを遮らないようあちこちに切れ目が入っている。

植生は、コナラ、イヌシデ、シラカシ、ケヤキ、ムクノキ、アカガシ。ケ

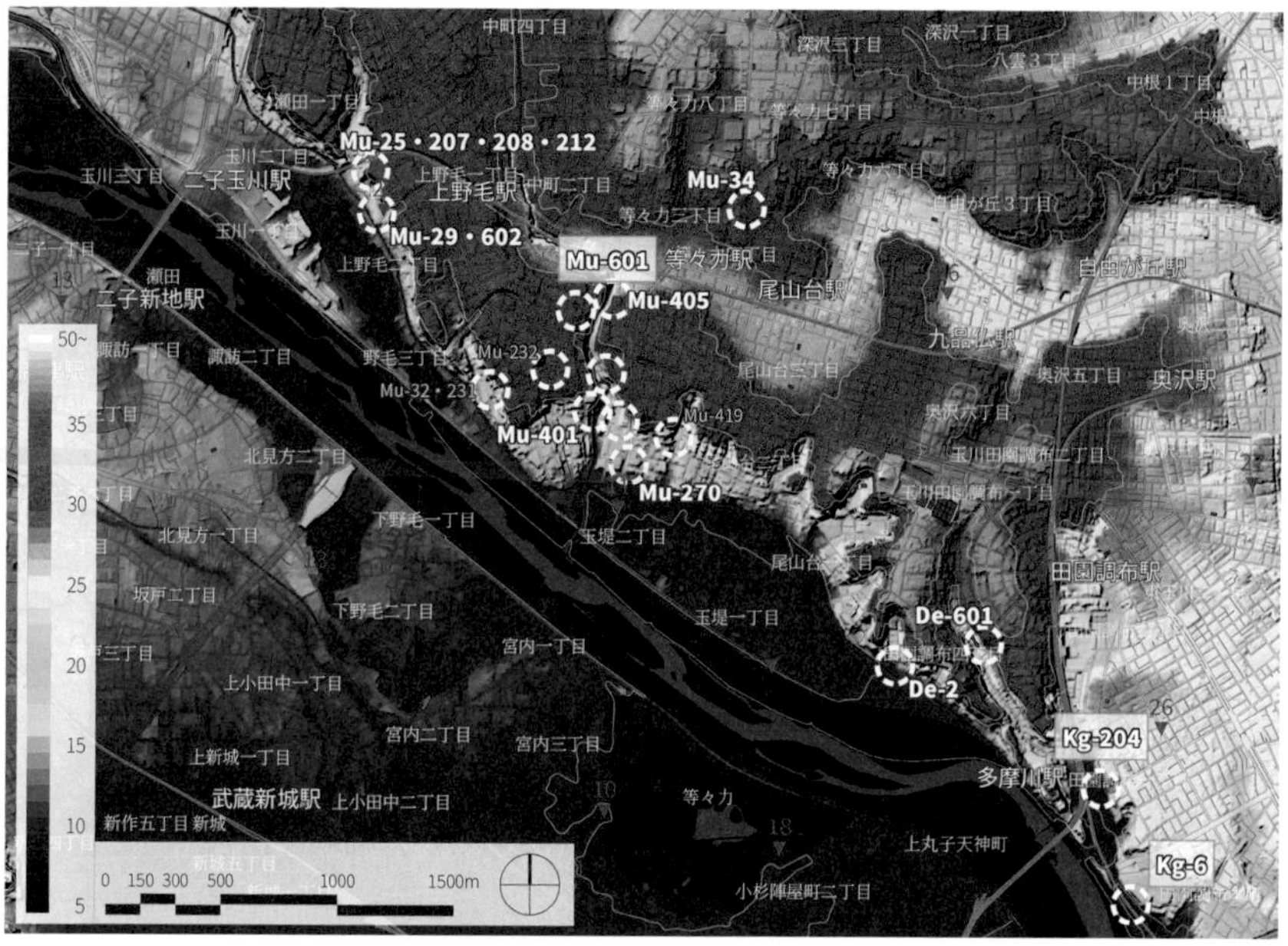

図 T3　久が原台（Kg）・田園調布台（De）・武蔵野段丘（Mu）の地形段彩湧水地点図

ヤキ・コナラ・シラカシは、かなりの大木に育っている。これらの足元に、アオキ、ヤツデ、ヒサカキ、アズマネザサ、ベニシダ、クズ、セキショウなど。そして最も低いところに湿性植物。こうした「シラカシ群集ケヤキ亜群集」は、武蔵野台地崖線の潜在植生だと考えられている（写真5）。

川沿いの小路は、昭和5年から13年にかけて多摩川全円耕地整理組合が整備したもの。それ以前は渓谷内に人が立ち入るということは稀で、キジなどの鳥類や、イタチやキツネなど小型の動物と虫たちが跋扈する森だったという。

日没後暗がりに沈んでいく渓谷の、黒々とした生命力。その谷歩きを、まるでこの世のものではないようにも感じるのは、こうした土地から切り離されている都市生活のせいなのだろうか（58ページ写真0）。

古墳時代終末期から奈良時代にかけて、渓谷の斜面には横穴墓が造られた。左岸では6基以上確認されていて、奥行きが13ｍの3号横穴を見ることができる。ここからは金銅製の耳環や刀子が出土した。平安時代に渓谷は、役行者の霊場として関東一円に知れ渡る。10世紀末から11世紀のはじめには、紀伊は根来寺の大師が等々力不動尊を創設したと伝わる。不動尊は１９５２年に再建され、その後、滝の上に不動尊や弁天堂などが建立された。

不動の滝を経て、矢川橋で渓谷を抜ける。薄暮の空が、急に明るく頭上に広がった。

6

3日め

日野／深大寺

6月7日（月）晴れと薄曇り

最高気温29℃　最低気温20℃

日野

百草園駅で降りる。多摩は乾燥していて明るい印象。駅からまっ直ぐ南の落川大宮神社（次ページ図T4 Tm-77）へ。このあたりの旧集落の名を落川という。平地から急に盛り上がる多摩丘陵の、北向き斜面にある社。50度ほどもある急勾配の参道を登る。下の鳥居と拝殿・本殿の間は25mほどの高低差。

社から少し東には、わかくさ幼稚園（図T4 Tm-223）がある（写真8）。歩道から園舎までのプロムナードとして、小さな橋が設計されている（彦根明+彦根アンドレアによる建築）。

幼稚園から西へ方向転換し、小沢緑地（図T4 Tm-75）を目指して多摩丘陵の入り組んだ北裾を行く。それは丘陵を少し登った窪地にあるらしい。鈴なりの枇杷の大木。家の敷地内に立つ墓。卒塔婆や紅い百合が穏やかに光を受け止める。道が急になる。緑陰が増す。小沢緑地に着いた（75ページ写真7）。湧水地横の坂道を、ワンピース姿の女性が日傘を差しながら登っていく。白い半袖ワイシャツの老人が下りてくる。小沢緑地の坂道は、台地上の住宅地と台地下を行き来する生活道として使われているようだ。坂を登り切ると、日野の平野がひろく眼下に見渡せた。浅川と多摩川、ほかいくつかの河川がつくりだした低地である。

八幡神社の湧水（図T4 Tm-71）までは、丘陵に造成された百草台の住宅街を抜けていくことにする。家の門から玄関まで6〜7mほども敷地内で階段を登る戸建て住宅が立ち並ぶ。宅地の地面レベルが道路よりもずっと上にあるので、2階建ての家の屋根が道から見えない。八幡神社はその丘を下った北向きの山裾にあった。境内の低い石垣に太い配水管が差し込まれてい

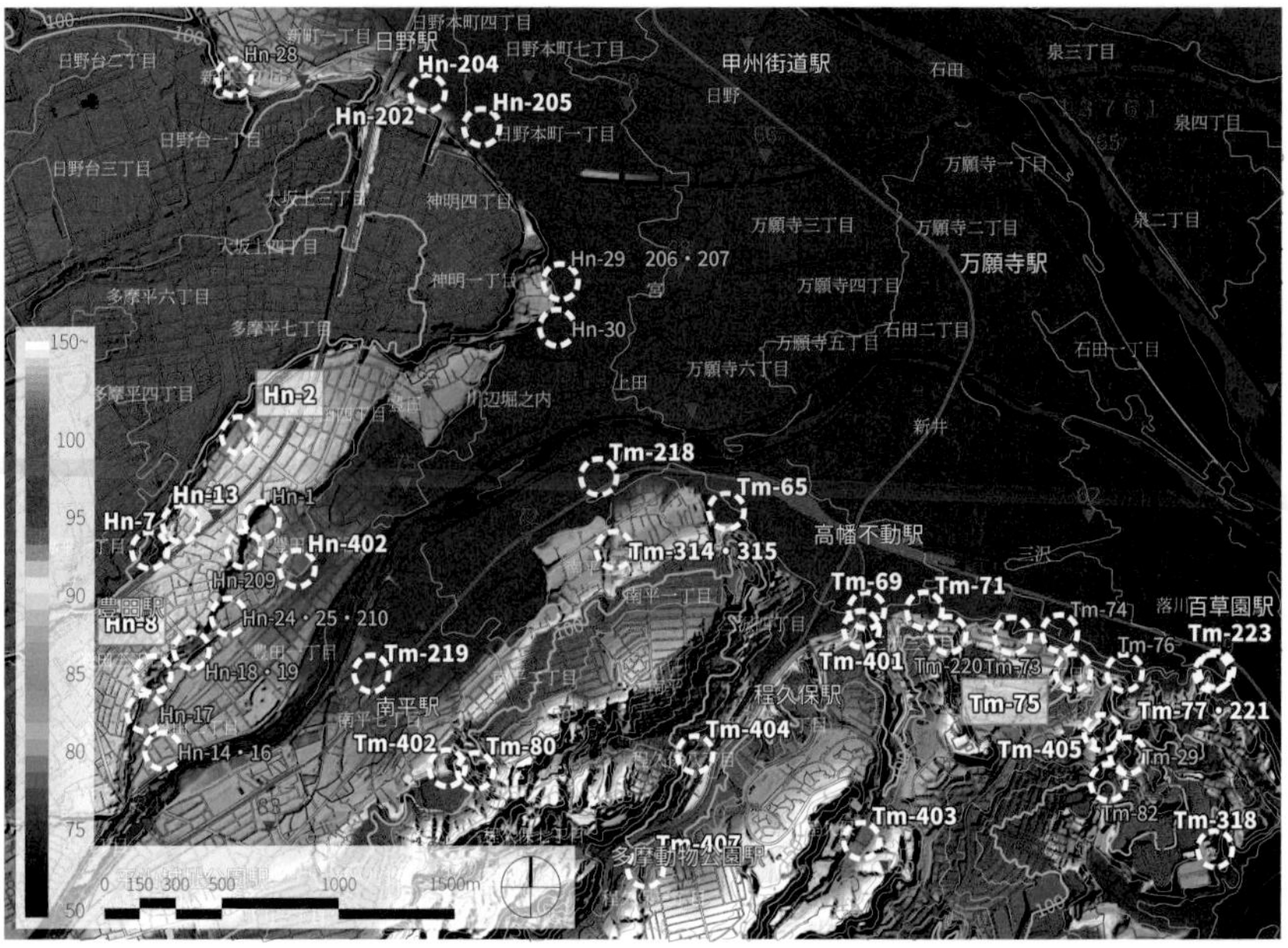

図T4　多摩丘陵（Tm）・日野台地（Hn）の地形段彩湧水地点図

て、ちょろちょろと水が流れ落ちている。これが湧水らしい。北区の湧水群を思い出すと素っ気ない印象を受ける。むしろ北区の湧水群には、江戸東京の都市文化が求めた水の形があらわれていたのだろうとも思う。参道と41号線、つまり旧川崎街道が交わるあたりに石仏。沖縄料理店の裏。

程久保川を渡り、高幡不動へ（図T4 Tm-65）。寺は大宝年間（701〜04年）以前の開創といわれ、行基が大日如来を、空海が不動明王を安置したという伝説。足利尊氏らの厚い帰依を受けてきた。

不動堂の中では護摩が焚かれ、僧侶たちがコロナ疫退散の祈祷を行っているところだった。境内の五重塔より東は斜面で、林になる。そこに、ふたすじの湧水。下の弁天池にも注いでいるようだった。

駅前で少し休憩をとり、ミニバスに乗って浅川左岸の河岸段丘に向かう。それなりに暑く、時間を考えても徒歩で行くのは難しそうだ。黒川清流公園湧水群（図T4 Hn-2）が次の目的地。段丘の上は多摩平、下は豊田という土地。日野バイパス沿いのバス停で降りるとすぐに、ながながと伸びる緑地が見える。入口を探してきょろきょろしていると、住宅地の角からあらわれた中学か高校の女学生が、つと緑地の中に消えていった。足早にそちらへ向かうと、白い家のすぐ横に細い土の小路が秘められていた。森に入る。ほんの少しだけ湿り気を含んだ心地よい風が、下からほのかに寄せてくる。柔らかな空気の動き。明るい声で「こんにちは」と言いながら、土の道を上ってくる小学生の女の子ふたり。見渡せる範囲の木立の中にはあかるい光が散る。何かしあわせなミリュー《環境》に満ちた道だ。下まで降りると、石敷の遊歩道に沿って清水がほそく南西に流れる。それに沿って歩く。クヌギ、コナラ、スジダイ、ミズキ、サンショウの林。水面が広くなる箇所には、ゆっくりと行き交う灰色の鯉（写真9）。「わき水の調査中です」という立て札があちこちにある（写真10）。子どもたちは流れに入って水鉄砲で遊ぶ。水面をへびが泳いでいく（写真6）。そういう道が豊田駅のほうへ1kmほど続く。

清水谷公園（図T4 Hn-7）を超えるとほどなく緑地は途切れ、崖線下の道はゆるやかな上り坂となる。それがやや急な坂に変わったところで、ぽいと駅前に投げ出された。カラオケ店、コーヒーショップ、コンビニ、マンション賃貸の店、ロータリー、予備校、

チェーン居酒屋、銀行、ファストフード、タクシー乗り場。はじめて来るけど見慣れた駅前。

緑地があるよ、わきみずがあるよ。すぐ、こっち側に。そう叫びたい気持ち。わたしたちがふだん生きている「都市」のほとんどの空間とは、なんて同じようなタウンスケープのパッチワークでもあることだろう。でもそうしたパッチのほうこそはむしろ、東京の地面の広がりに島状に浮かんでいる特異点なのかもしれない。主には鉄道駅を中心にして表皮に薄く広がっている「都市」の範囲だけを、わたしたちは飛び飛びにスキップして暮らしているのかもしれない。そんな日常性からは異質な場として、湧水や渓谷に出会う。けれどもそれらは、都市ができるずっと前からそこにあった、土地や大地の基本構造なのだ。都市の足元には、地質や地形、水系などからなる、大地の強固な空間構造がある。

豊田駅から中央線に乗る。駅のホームからみる風景には沿線のいわゆる都市景へと完璧に引き戻される。その力の強力さに、少しうなだれる。この間の大地を歩きたいという未練を抱きながら、8駅、都心側へ。三鷹。

深大寺

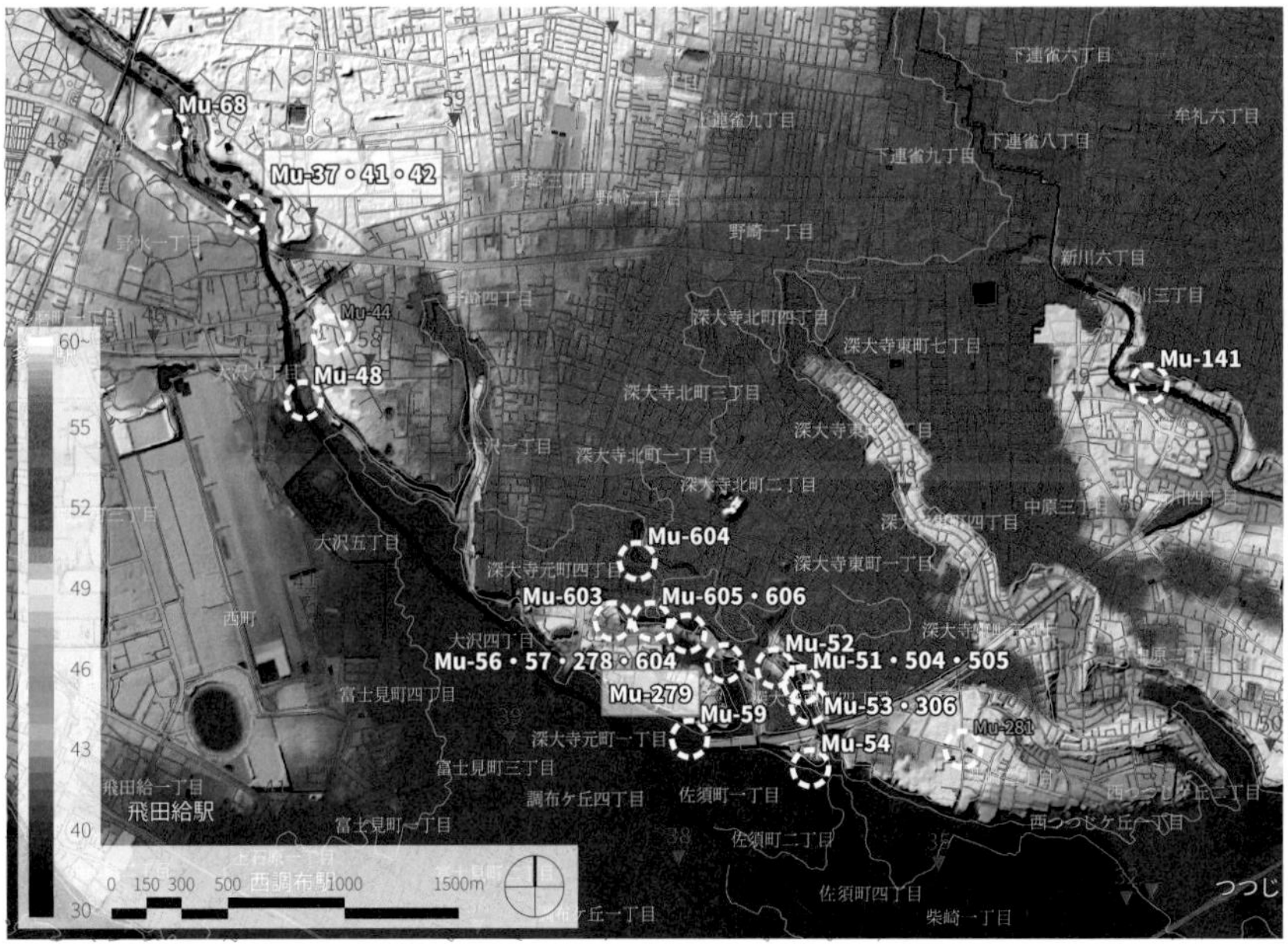

図T5　武蔵野段丘（Mu）‐東 の地形段彩湧水地点図

バスに乗り換えて向かうのは、浮岳山深大寺《じんだいじ》。天平５（７３３）年開創との寺伝。貞観年間（８５９〜77年）に法相宗から天台宗に改宗したという。関東最古級の白鳳仏があり、その伝来についてはいろいろと取り沙汰されてきた。また寺の古さは一説に、高麗人の居所を意味する〝高麗居〟に由来するという、多摩郡狛江郷との地理的近さが指摘されることもある。

寺はバスの終点で、もう閉門間際でもあり、残った乗客は自分ひとり。まずは不動の滝へ（図Ｔ５ Mu-２７９）。二つの龍頭から流れ落ちる水。滝口の上には不動像。その水は小ぶりの川石が積まれた水路の石垣沿いを西に流れていく。山門の下にはもう一つ不動の滝がある。こちらは滝口の上に結界。その向かい側には池。祠が二つ、池の中で向かい合って浮島に立つ。

昔むかしのこと。福満という旅の若者が、水神である深沙《じんじゃ》大王に助けられて、武蔵柏野の長者の娘と結ばれた。深大寺を開いた満功上人とはかれらの子。法相宗の奥旨を極めた。

この地に湧く多くの水がこの水神説話につながったとも言われる。その深沙大王を秘仏として祀るのが、寺域の最も西に位置する深沙堂。そして堂の真裏に湧水地がある（図Ｔ５ Mu-56）。蕺《どくだみ》の白い花に覆われた湧水地の中に立つ不動像（写真11）。あたりはとても静か。薄闇がしのび寄ってきた。

11

4日め

野毛かいわい／田園調布から沼部まで／大岡山／戸越から大井まで

6月8日（火）おおむね晴れ
最高気温30℃　最低気温20℃

野毛かいわい／田園調布から沼部まで

五島美術館内の湧水（図T3 Mu-25）を訪ねるため、再び上野毛へ。館のまわりの家々も広大な屋敷で、屋敷林の植生は崖線のそれらと似通っている。美術館本館正面の奥にすぐ庭が広がる。庭内の斜面、つまり国分寺崖線を降りていくと、下にいくつかの池や湧水。湧水は、雨のあとなどは遊歩道の石畳の隙間からも湧いてくると受付の人が教えてくれた。手水鉢には竹樋から湧水が注ぐ。水は手水鉢表面のふくよかな苔を伝い、地面に染み込んでゆく。あたりにはオオシオカラトンボ。二子玉川駅を出た東急大井町線が、轟音を響かせながら庭園の北縁を走り抜ける。

等々力渓谷の右岸にある野毛大塚古墳へ立ち寄ることにする。5世紀初頭の造営で、全国最大級の帆立貝式前方後円墳。前方部分が短いので、帆立の貝殻のような形。円墳の直径は68m（写真12）。ここの上から南向きの眺望は相当すぐれている。そして崖線上に連なる大小の古墳群は、多摩川以南の平野からよく見えたことだろう（図3E）。

自由が丘駅で東横線に乗り換え、多摩川駅まで東急に乗る。田園調布せせらぎ公園（図T3 Kg-204）は、多摩川駅の東に隣接。駅の西側にはこのあたりの古墳群で最大の亀甲山《かめのこやま》古墳（4世紀後半〜5世紀初頭）がある。要するに多摩川駅は古墳と湧水に挟まれている。園内の低地と、東屋が整備された湧水地を確認。久が原台の湧水。そこから南下して、丸子橋から六郷用水を追いかけて歩く。

開発責任者の名から次太夫堀とも呼ばれたこの六郷用水は、和泉村、今の狛江市和泉で多摩川の水を取り入れて、世田谷領14ヶ村・六郷領（大田区）35ヶ村・馬込領などに分配した灌漑用水。見分と測量は慶長2（1597）年に始められ、14年かけてつくられた。大きくは池上・大森方面に配水する北堀と、蒲田・六郷・羽田方面に配水する南堀とに分かれる。たとえば六郷領の水源は元々、千束（洗足）池など少数の溜め池しかなく基本的に水不足の土地柄で、六郷用水が引かれるまでは各村7〜8軒の民家しかなかったという。つまり水が村を発展させた。

六郷用水路のほとんどは、1960年代の農地の市街化によって埋め立てられるか暗渠化されたが、いま歩いている丸子橋と沼部駅の間では保全された水流を見ることができる（写真13）。保全区間は旧中原街道桜坂の下で途切れるのだが、付近に湧水がある（図T3 Kg-6）。井戸状に四角く区切られた枡で保護され、しっかりした屋根も掛けられていた。目の前は沼部駅。

図3E　二子玉川 - 田園調布間の古墳（下は多摩川）
（東京都遺跡地図情報インターネット提供サービス・国土地理院基盤地図情報より作成）

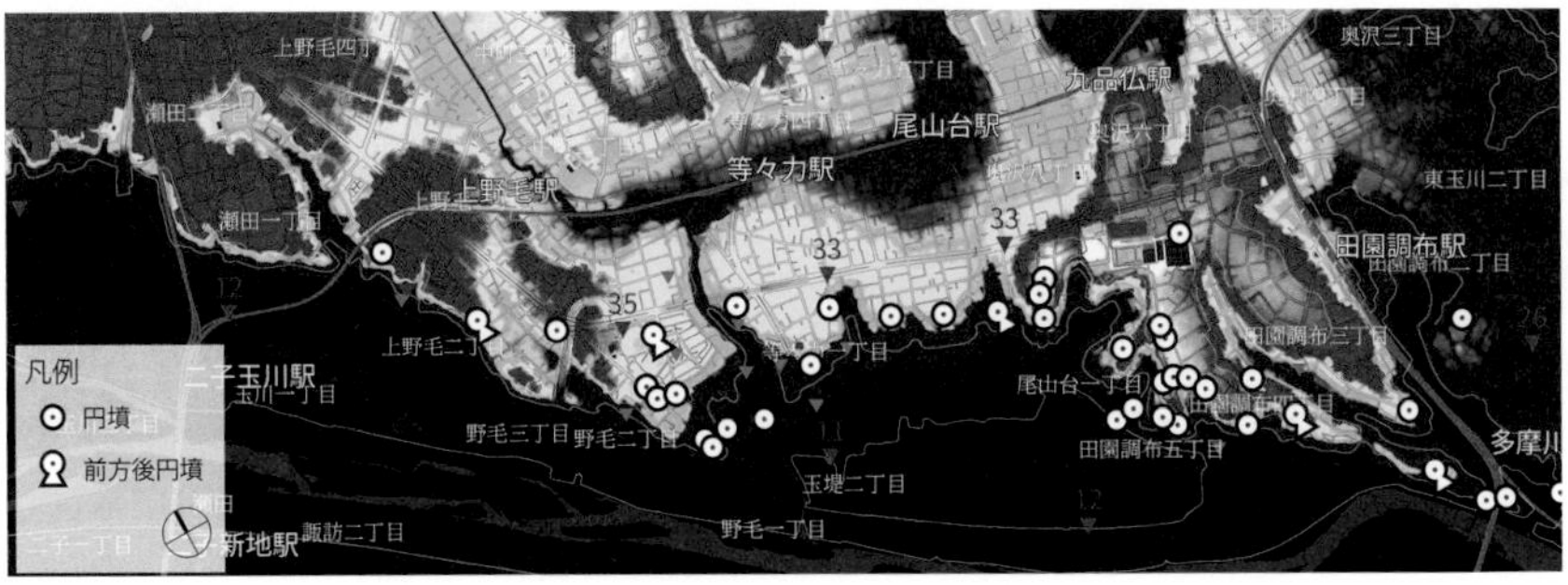

12

13

大岡山／戸越から大井まで

沼部から東急目黒線で大岡山へ。続いて訪ねるのは清水窪湧水（次ページ図T6 Eb-3）。ここは荏原台の湧水になる。駅前から北へまっすぐのびる商店街を抜けていく。大岡山の台地の背にあたる道。ほどなくして背から東に降りていくと、清水窪弁財天があった。境内に湧水地があり、池と小さな滝がつくられている（81ページ写真15）。池中に弁財天。神社の案内板によれば、この土地一帯の所有者だった岸田家がこの地に霊気を感じ、江戸初期に社を祀った。当時は昼でも太陽を見ることができないほど鬱蒼《うっそう》とした杉の森だったとも伝わるらしい。そしてこの湧水はどんな干ばつにも枯れることがなかったという。地形図を見てみると、ここは大岡山の東を区切る谷地の再奥にあたる。そしてこの湧水はかつて、洗足池の源流のひとつだった。鳥居の礎石に少し腰を降ろすと、窪地に涼しい空気が寄せてくるのを感じる。

洗足池はこの谷地をしばらく下った先にある。地形的にみると洗足池とは、この清水窪のほか、北千束二丁目方面、南千束一丁目と三丁目方面からつごう四つの谷地が合流する窪地だと言える。洗足池の谷地が呑川の低地につながるまでには、東からさらに上池台一丁目「小池」の湧水や、北馬込一丁目の谷地が合流していく（図3F）。東京の台地と谷地のキワには、小さな谷地が大きな谷地に接続して、全体では鹿の角のようなフラクタル図形をなすこのような類型がある。

東急大井町線から池上線に乗り換えて、大岡山から戸越へ。続けて荏原台の湧水を歩く。東海道線西大井駅方面へ南下。伊藤博文の壮大な墓所の前を通って西大井へ。小規模な戸建て住宅が密集する地域が続く。次の目的地、大井・原の水神池（図T6 Eb-5）は、やはり谷地の再奥に見つかった。

ここは、近辺の原や出石《いずるいし》などの農家が出荷する野菜の洗い場だったという（品川区教育委員会）。生業に欠かせない湧水に、水神を祀ったわけだ（写真14）。水神の祠の横には鯉塚がある。

石碑に刻まれている詳しい由来書きによれば、一帯は徳兵衛・治右衛門という人物らの所有地だったが、図らずも清水が湧いたためにこれを溜井とし、出荷する蔬菜の洗い場とした。冬には暖かい湧水の恩恵は大きく、水神の池と称えて祠を祀った。さらにこの湧水は眼病にも効能があるとされ、遠方からも人びとが訪ねる水となった。病の治癒の暁には返礼として池に鯉を放ったのだという。一方でそれらの鯉を捕獲したものには、逆に眼を患うと

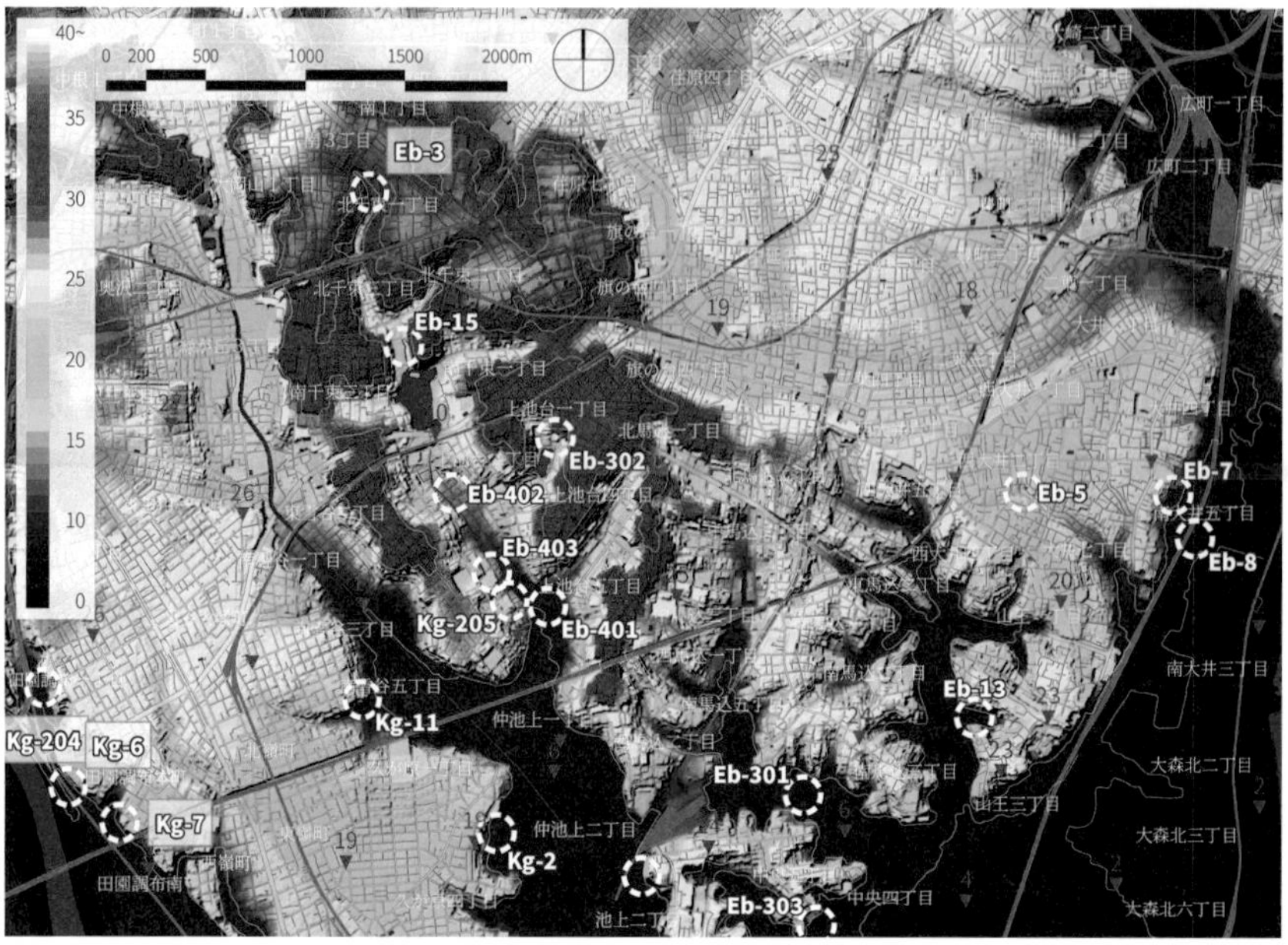

図T6　荏原台（Eb）の地形段彩湧水地点図

いう神罰があると伝えられてきた。

しかし宅地化の趨勢によって周辺の畑地は住宅街となり、洗い場も必要がなくなって失われた。だがこの小池は有事のための貯水池として保存されることになり、近くにある鹿島神社の神職によってその由来が書き残されたものがその石碑なのだった。

品川歴史館の横を東進して光福寺（図T6 Eb-7）を確認し（閉門中だった）、大井の水神に向かう。途中で道を間違えて、たまたま滝王子稲荷に出くわした。滝王子という一帯の地名には水との関係がほのめかされているが、ここは湧水が枯れたところであった。特産の人参をはじめ、やはり様々な野菜の洗い場だったという。大井一帯は、江戸という大都市に供給するための野菜の生産地だったのだ。社は湧水がいつまでもわき続けることを祈念して祀られたものだった。

目的の道筋に復帰して、大井の水神社（図T6 Eb-8）に。それは、東海道新幹線や東海道本線が走るJRの高架すぐ東にあった。このあたりのJR線は、海抜3mから6～10mほどの崖線上の縁を走っている。それは東京の洪積台地の、最も海側のキワになる。大井の水神社はそのすぐ下、つまりかつての陸地の真下にある。そこは渚のような場所だっただろう。

大井の水神社は、農用水や飲用水の豊かな供給を願って、その湧水に九頭竜権現が祀られたのがおこりという（品川区教育委員会）。それは貞享2（1685）年のこと、願主は大井村の桜井伊兵衛・大野忠左衛門だった。日照りの時にはここで雨乞いが行われた。この湧水は柳の水とも呼ばれた。そしてまた歯痛を治癒したという。今は小さな池がフェンスで囲われていて、水中に石塔が建つ。池は電気的な装置で注水されているようだ。祠が線路側を背にして、窟のようなつくり物の中に納められている。

水神社から550mほど南下したところに、大森貝塚がある。低地からそれを見上げると、貝塚は台地のぎりぎり縁に位置していることがよくわかる（図3G）。貝塚もキワ地の居住の痕跡なのだ。

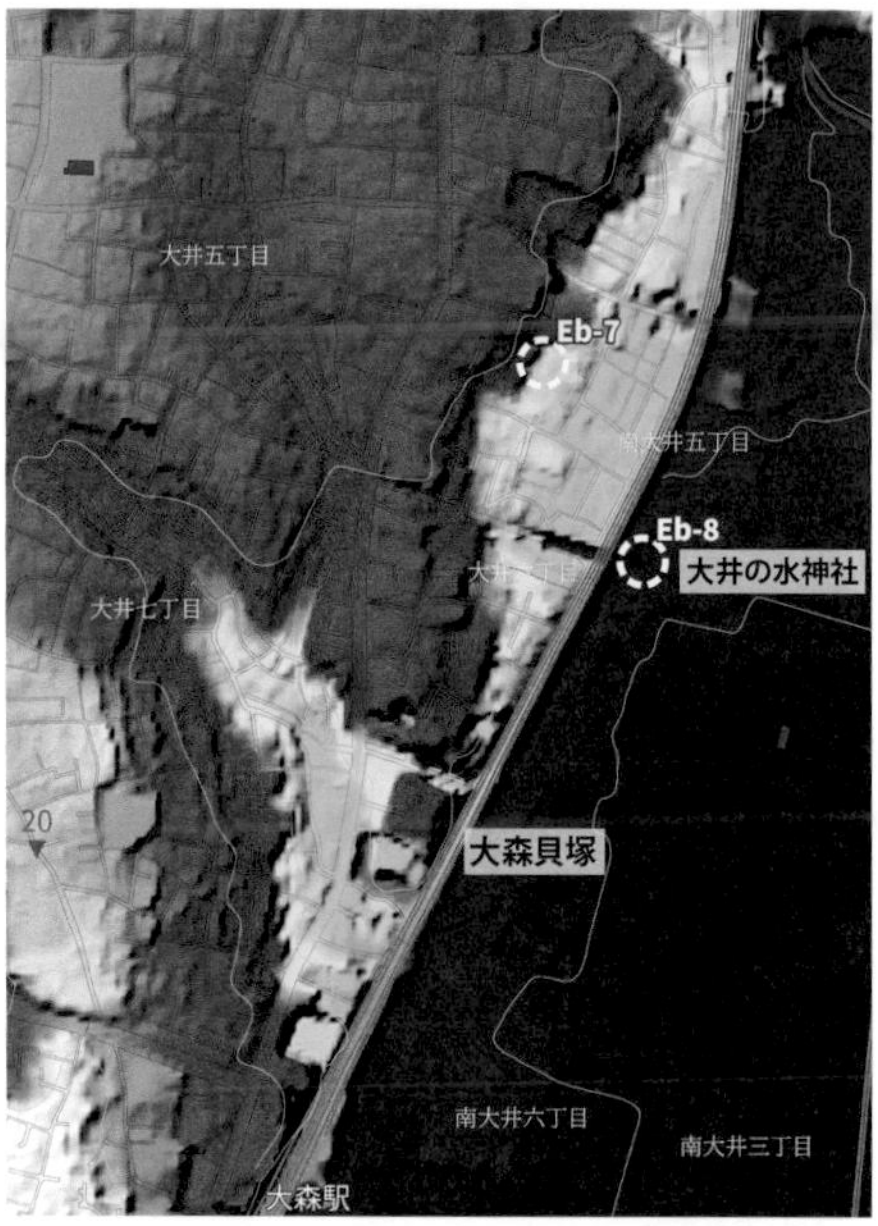

図 3G　大井の湧水 - 大森貝塚付近の地形段彩湧水地点図

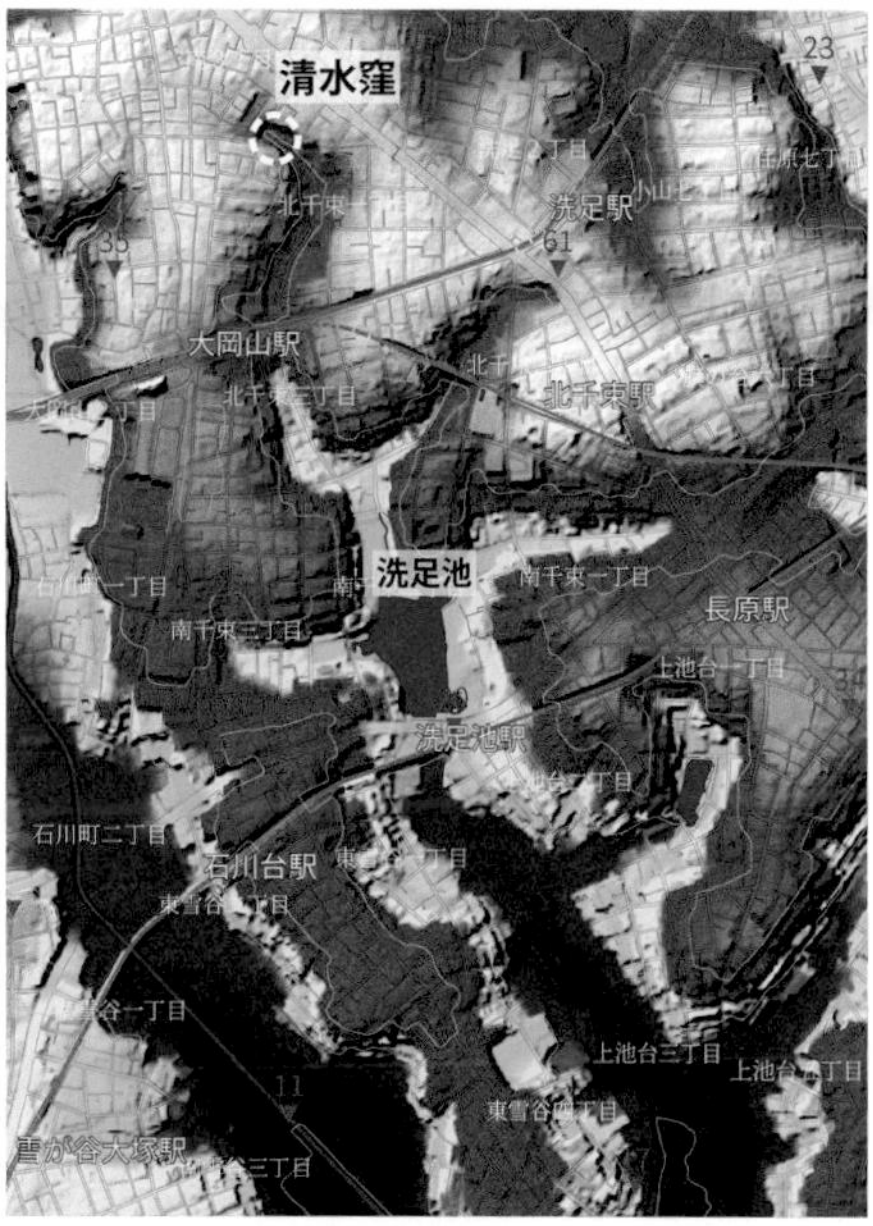

図 3F　洗足池周辺の微地形段彩図

16

5日め

高輪から麻布まで

6月9日（水）晴れ

最高気温30℃　最低気温20℃

目黒

今日は最終日。目黒から始める。

目黒不動（84ページ図T7 Me-10）。泰叡山滝泉《りゅうせん》寺という。のち延暦寺第三世座主となる円仁が、その出身地、下野国から比叡山に赴く途中、この地で不動明王を夢見し、像を刻んで安置した。大同3（808）年のこと。これが目黒不動の開創伝となる。さらに円仁は入唐後に当地を再訪し、独鈷を投じた。その地点から清泉が湧き出した。寺は滝泉寺と名乗ることになった。下って近世には寛永元（1624）年に徳川家光が堂宇を造営するなどして隆盛し、「江戸五色不動」（目黒、目白、目青、目赤、目黄不動）第一の霊場となる（図3H）。湧水地下の独鈷の滝は不動行者の水垢離場となり、また寺の縁日の日にはこの滝水を浴びて病気平癒を願うならわしが生まれた。

　石垣の龍頭から水が流れ落ちている（写真17）。滝の傍らには垢離堂もあった。

　境内西側には羅漢寺川という川の跡があり、そこにも湧水があることになっている（図T7 Me-202）。いったん坂道を登って再び低地に降り、今は住宅地の裏口を縫う暗渠となった川跡をたどった。その路地裏に出てTシャツ姿でたばこを吸っていた住民をちょっと驚かせてしまう。ここを通る人などいないのだろう。

　そのまま歩いていくと目黒不動の門前に出た。暗渠探しの振り出しに戻ったわけだ。つまり羅漢寺川は、目黒不動の滝の前に流れ込んでいたらしい。独鈷の滝の、羅漢寺川跡を挟んだ向かいには山手七福神の恵比寿神を祀る池があって、その参道の途中に金明湧水という名の湧水が見つかった（写真18）。湧水マップには載っていない。かなり鉱物を含むのか、手水鉢は赤銅色に染まっていた。

高輪から麻布まで

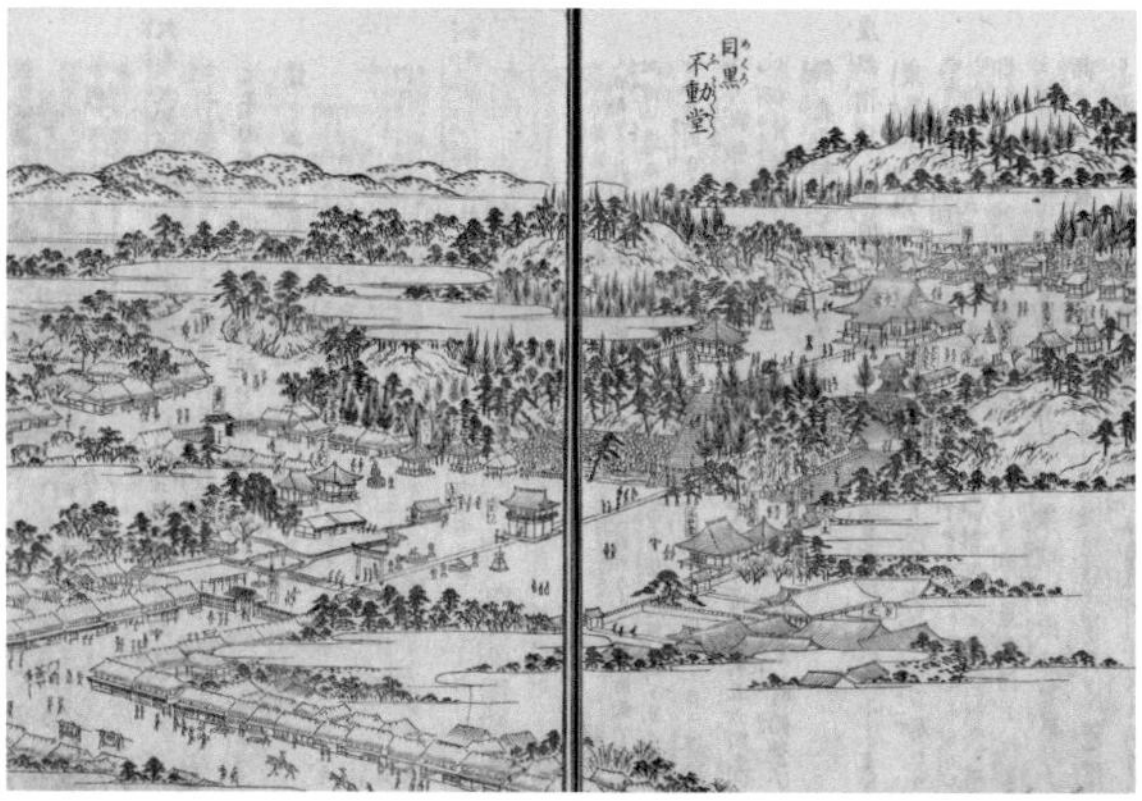

図3H 「目黒不動」江戸名所図会、三巻（国立国会図書館デジタルコレクションより）

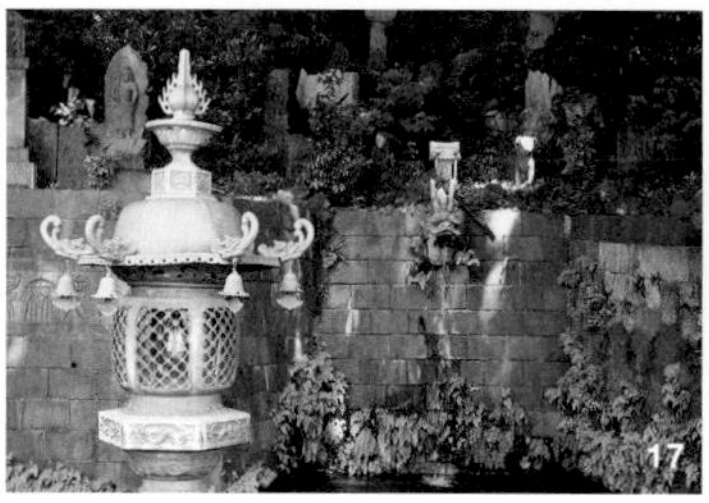

不動前駅まで歩き、目黒線で白金高輪へ。高輪地区総合支所敷地内の階段で、淀橋台地の上に登る。ここは15mほどいっぺんに上がる急崖。台地の上からは近くの男子校の生徒たちが次々と降りてきて渋滞気味。階段を上りきると、胴回りが8mもあるスジダイの大木が現れた。ここ一帯は肥後熊本藩細川家の下屋敷で、藩邸内の樹であったらしい。南に進むと、道はほどなく下り坂となった。左手に仙洞仮御所。二本榎通りをわたって、さらに崖を降りる細い路地へ。古い木造住宅が集まる一角にはポンプ式の共用井戸。そのまま降りていくと、台地上からは約20m下になる泉岳寺（図T7 Yo-9）の門前。同寺は慶長年間に徳川家が外桜田の地へ創建したが、寛永18（1641）年、寛永の大火を経て当地に移った。

山門をくぐって左手には「首洗い井戸」というものがある。地面に丸い穴があいていて、上に金網がかぶせられていた。討ち取った吉良上野介の首級を赤穂浪士たちがここで洗い、主君、浅野内匠頭長矩の墓前に供えて報告したという井戸。位置としては崖線の下。その首洗い井戸からわずかに斜面を上がったところに、浅野内匠頭とその妻、赤穂四十七士の墓地がある。泉岳寺は元々、赤穂浅野家の菩提寺だった。元禄14（1701）年、松の廊下の刃傷当日に切腹した長矩がここに埋葬された。討ち入り後、義士らは四つの大名家に分けて預けられた。いずれも泉岳寺に近い屋敷で、大石内蔵助を含む17人は、先刻みたスジダイの大樹があった細川家下屋敷の庭で切腹した。義士たちは長矩の墓のまわりに弔われた。背を粗く刻んだ同じ形と石質の墓石がずらりと並ぶその一角は、尋常でない事件の発生を告げる都市のトポスである。

そこをあとに国道15号線すなわち旧東海道沿いを北へ、願生寺（図T7 Yo-11）に向かう。寺は通りから少し引き込んだ西側の崖下にあった。15号線を挟んで東向かいには、高架の底の低さで有名な高輪橋架道下区道がある。高輪大木戸跡も同じあたり。願生寺の門前は車町といい、牛屋、つまり牛車を使う運送業者たちが集住する町だった。多いときには千頭にのぼる牛がいたという。車町とは、芝増上寺安国殿の普請の際、京都四条の牛町から幕府が呼び寄せた牛持ち人足へ与えられた居住地で、その後、江戸で独占的に牛車を営業した。

そこから淀橋台の縁を北に進み、御《み》田《た》八幡神社（図T7 Yo-1）へ。延長5（927）年の『延喜式神名帳《じんみょうちょう》』に記載されている武蔵国荏原郡稗田神

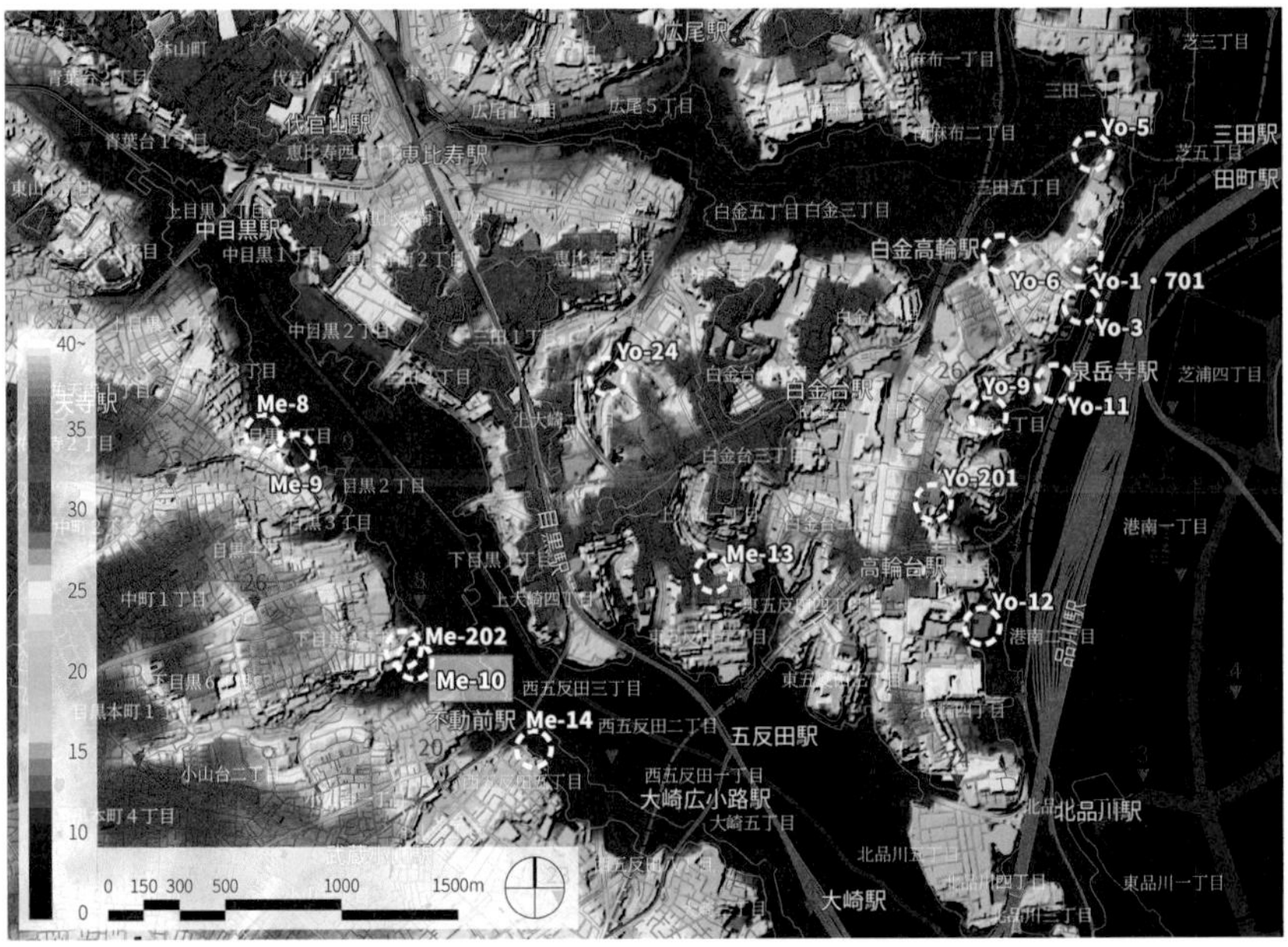

図T7　目黒台（Me）・淀橋台（Yo）の地形段彩湧水地点図

社の後身と伝わる（蒲田の稗田神社や六郷神社がその式内社だという説も）。稗田神社は和銅２（７０９）年に東国鎮護の神として牟佐志国の牧岡に祀られた。御田八幡神社は三田に遷座し、現在地には寛文２（１６６２）年に移ってきた。本殿は台地上で、そこへの参道脇石垣に流水を確認。

続いて御田八幡神社の背後にある次の目的地、亀塚公園（図Ｔ７ Yo-７０１）に登る。ここの高低差はすごい。神社の参道下から25ｍもひと息に上がる。崖を登り切ったところに、さらに２・５ｍほどの高さを加えた亀塚があった。ここは『更級日記』（平安中期）に書き留められた武蔵国竹芝寺伝説の故地とされ、さらには塚の頂部にあった酒壺に出入りする神亀の伝説などが伝わる。文明年間（１４６９～87年）には太田道灌が物見を置いたとも。ここを下屋敷としていた上野国沼田城主・土岐頼煕《よりおき》（１７１９～55年）が、それらの故実を石に刻みつけて塚の上に建てた亀山碑がある。その石材も面白い。

ここから三田側へ台地を降りる。そちらは古川に削られた斜面になっているはずだ。幽霊坂という坂道を下る。あたりに墓地が多いからだとも言われる坂名。確かに台地の古川側斜面には10以上の寺院が連なっている。１号線（桜田通り）に出ると、穏やかなよいお顔の石仏が歩道に面している。享保13（１７２８）年の銘あり。さらに台地の先端まで進む。そこにあるのが大松寺（図Ｔ７ Yo-５）。すぐ北側の台地上に慶應義塾大学。

湧水を探してうろうろしていると、庫裏の中から僧侶が声を掛けてくれた。窓越しの会話によると、庭の奥に水が湧いているらしい。戸を押し開いて入っていくと、崖下につくられた池の隅に竹樋から注ぐ水（写真16）。降雨のない日が続くとここの湧水量は減るそうだ。

古川がつくった低地を渡り、台地の麻布側に移動。元麻布の麻布山（亀子山）善福寺を目指す。途中、麻布の黒湯温泉・竹の湯前を通過。善福寺には樹齢７５０年以上と伝えられる銀杏の大木がある。寺は天長９（８３２）年、空海の開山とされ、都内最古級寺院のひとつ。貞永元（１２３２）年には親鸞が帰洛の途次に半年滞在し、文永３（１２６６）年には亀山天皇の勅願寺となる。幕末には初代アメリカ公使館としても使われた。本堂前石灯籠の大きな丸い礎石に、先ほど見てきた牛屋のまち高輪車町の、「善八」による寄進銘。

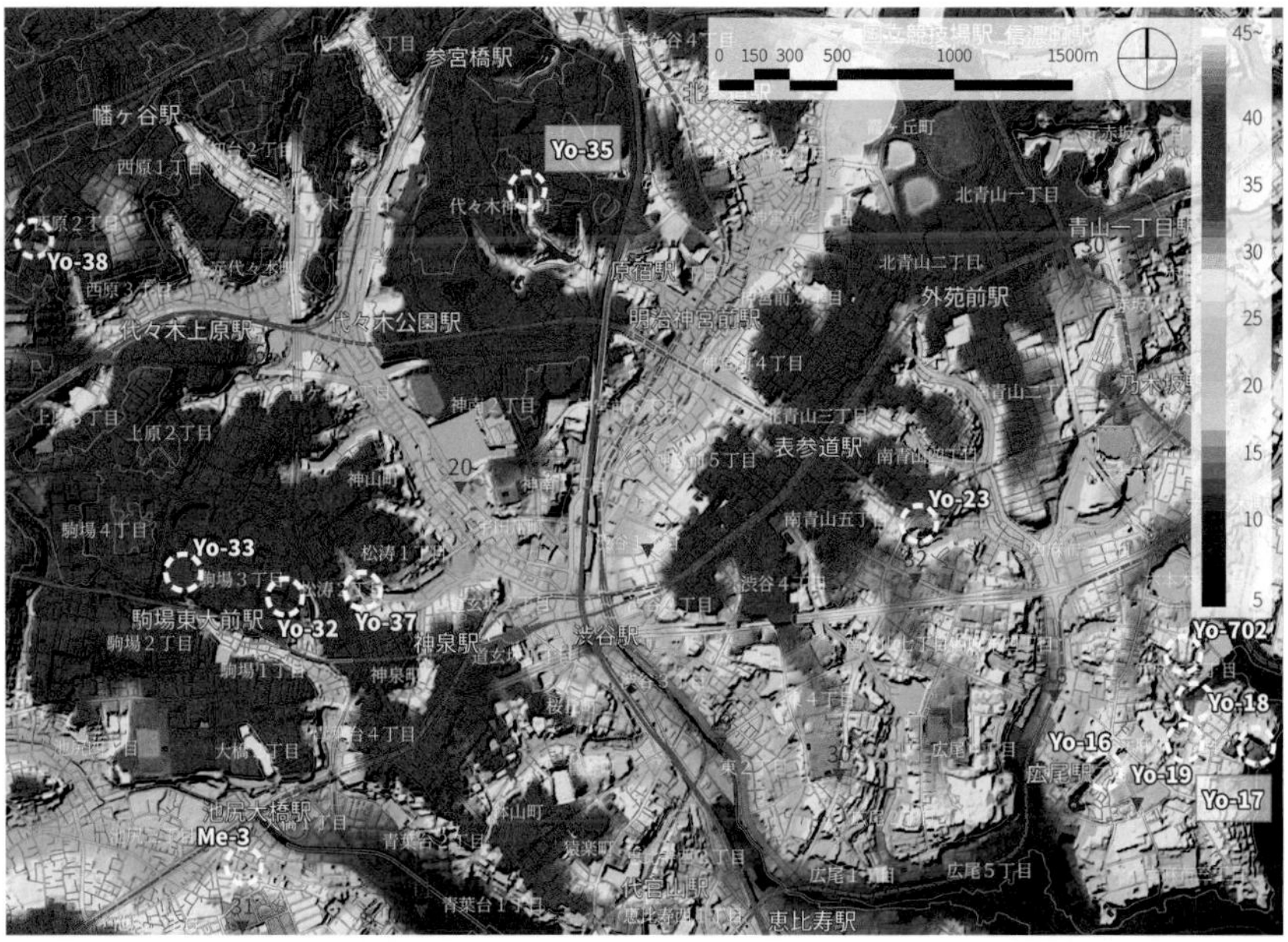

図Ｔ８　淀橋台（Yo）の地形段彩湧水地点図

その門前の緩やかな坂道に、鹿島清水（図Ｔ８ Yo-17、柳の井戸、揚柳水とも）が湧いている。弘法大師が錫杖を突き立てて湧出したなどの伝承。これまで多く見てきた崖線沿いの湧水とは異なり、地面から湧き出ているようにみえる。水に触れてみるとよく冷えていた。浅い水底に敷かれた玉石や水生植物が、澄んだ水越しに光を跳ね返す（写真24）。港区教育委員会の説明に、関東大震災や第二次世界大戦の空襲の際にはこの水が人びとの困苦を救ったとある。

そこから台地を登り、元麻布二丁目方面へ。がま池（図Ｔ８ Yo-19）を探す。道が窪地を舐めて屈曲する地点に大きな門。そこに立て看板。池は門の中の私有地にあり、公開されていない。そして今は大部分が埋め立てられたらしいが、かつては５００坪ほどの大きな水面だったという。港区教育委員会の説明板などによると、当地は備中国成羽領の藩主・山崎氏の上屋敷だった。文政の大火（１８２９）のとき、この一帯で山崎家の屋敷のみが類焼を免れたため、池に住む大蝦《おおがま》が水を吹きかけて屋敷を守ったのだという伝説が生まれた。その噂から江戸市中の人びとが山崎家に火除けのお守りを乞うようになり、のち近くの末広神社が代わって札を授与するようになったという。札には「上」という一字が書かれていて、「上の字様」と呼ばれたこの札は、末広神社の後身となる麻布十番の十番稲荷神社が復興し、今も求めることができる。

がま池のまわりは大使館やその関係者の屋敷街。坂道を登り、有栖川宮記念公園（図Ｔ８ Yo-16）へ。インターナショナルスクールの放課後の子どもたちが群れになって遊んでいる。まるで運動会のような賑わい。公園は昭和9年に有栖川宮邸の跡地が下賜されてできた。近世には陸奥盛岡藩の下屋敷。園内の西側に大きな池があり、その上流が谷地になっている。公園管理事務所の前で、本誌編集の宇野さんや中川さんと合流。あいさつを交わし、おもむろに池のほうへ。池の水自体は地下水の循環などと管理事務所で聞いたが、地形図を見ながら池に合流する谷地へ向かう（写真20）。水はほとんど流れていないものの、地面は湿っている（写真22）。

谷地の行き止まり地点を確認してから上の道に出る。愛育病院前の交差点。そこを東に折れて、有栖川宮記念公園東門の前にある麻布運動場まで戻り、そこからは細い道を北に入って区立宮村児童公園（図Ｔ８ Yo-18）へ。この

19

20

21

22

23

小さな公園も、放課後の多国籍な子どもたちで賑わっている。麻布十番の谷に合流する谷地の上流。邸宅が建ち並ぶあたり一帯のなかで、児童公園の下には木造の古い住宅が建ち並ぶ木密地域だった。この小さな公園から臨まれる六本木ヒルズとレジデンスの建物はまるで巨塔（写真23）。ここの湧水は確認難易度が高く、次の目的地へ。

元麻布三丁目緑地（図T8 Yo-702）は、宮村児童公園から少し北へ進んだ窪地にあった。港区街づくり推進部の案内板によると、この小さな緑地は港区が自然回復事業として整備したビオトープだとある。奥のほうに建物の壁を伝う配水管が見えていて、その口から水がしたたり落ちている。その下あたりから細い水路が緑地のほうへ延ばされていて、小さい板橋が渡されていた（写真19）。

伊達藩の下屋敷があった仙台坂を降り、編集部のみなさんと一緒に善福寺前の柳の井戸を再訪。先ほどよりも少し陽が翳っていて、風が柳の葉を揺らす。参道を下ったところは麻布十番駅に続く賑やかな雑色通。

5日間の湧水歩きを終える。

24

4 湧水地からの都市像

図 4A 東京都の地価分布と湧水地の分布（黒細線は市区境界）
（国土交通省国土数値情報〈地価公示〉東京令和2年・東京湧水マップ掲載湧水位置情報・国土地理院基盤地図情報より作成／作図協力：京谷友也）

湧水地からみる都市のトピック

5日間で訪問可能だった範囲に限られるが、〝東京の湧水〟を歩いてみて、そこには都市における以下のようなトピックとトポロジーが浮き上がるように感じられた。

①都市のキワ地：多くの湧水が集中するトポロジーとしてのキワ地。台地と低地の境目という物理的キワ地性。加えて、文化的なキワ地性。都市の近郊農村（都市と農村のキワ）、名所性（地形や風光に対するうつし・やつしなどの文化的操作）の発生など。湧水のあるキワ地に発生しているマイクロ・クライメットにも、都市住民は引き寄せられる（避暑・保養）。

②都市の祈り：信仰。治癒への願い。湧水を通じた現状の好転あるいは維持、日常幸福度の希求。

③都市の畏れ：忌諱すべき事柄へのおそれ、回避への願い。水を通じた伝説の発生。②の一部にも関係。

④都市の救済：災害時における上水の給水源。人工の水インフラが破壊された時のライフライン。

⑤都市の備え：防災用水としての備蓄。結果は④につながる。

⑥都市以前の歴史：都市以前の居住史。棲み着くことの足がかり。集住体の発生。多様で長期的、あるいは断続的に繰り返されるキワ地の居住史。

⑦都市における非人間存在と時間：湧水地に発現している、人間以外の生き物による生態系。さらに、水という非生物の運動。ヒトの居住いかんに関わらず存在する大地の構造。それらと人間との接合こそをみること。大地の構造や超長期的な時間軸と、現代都市との交錯や乖離。

都市の空間構造と湧水
——鉄道駅による近現代都市構造、大地の構造による湧水

湧水地にみる大地のメカニズムと現代都市のそれは、一部重なりながら、ずれている。特に商業や経済活動の集積地から東京の都市構造をみると、それは強く鉄道駅（地下鉄を含む）に規定されているだろう。それでも、「一部重なっている」というのは、鉄道の敷設位置や駅の設置場所が、もちろんかなりの程度大地のあり方を読み取って決められているからだ。たとえばさいたま市域の鉄道は、すべて大宮台地上をやや傾いた軸線をもって南北に走る。その経路は先行して同様の位置を通る中山道のものでもある。そして鉄道と中山道のやや傾いた南北軸は、大宮台地の傾きに則っている。しかし街道や鉄道がまるきり大地の構造に沿うわけ

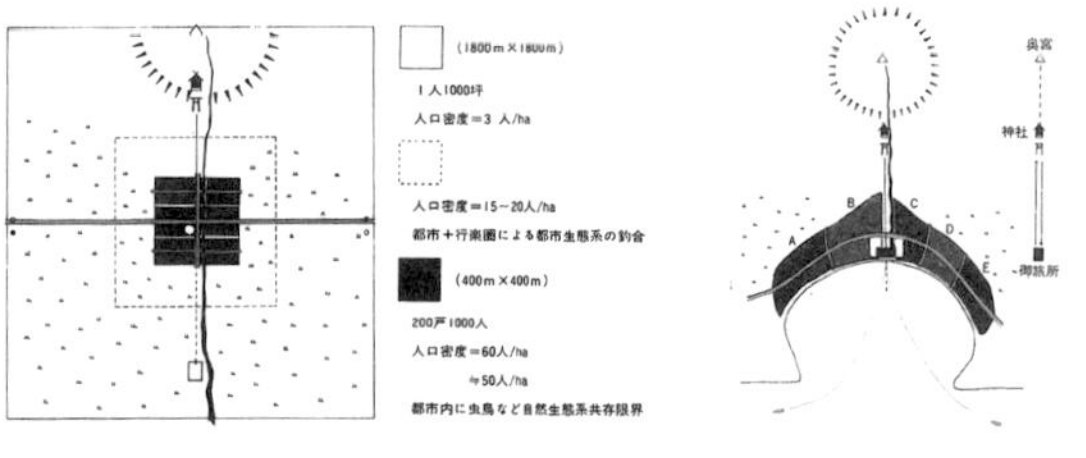

図 4C 神代雄一郎による最適コミュニティの図
(明治大学工学部建築学科神代研究室編『日本のコミュニティ その1コミュニティとその結合』SD 別冊 No.7、鹿島出版会、1975 より)

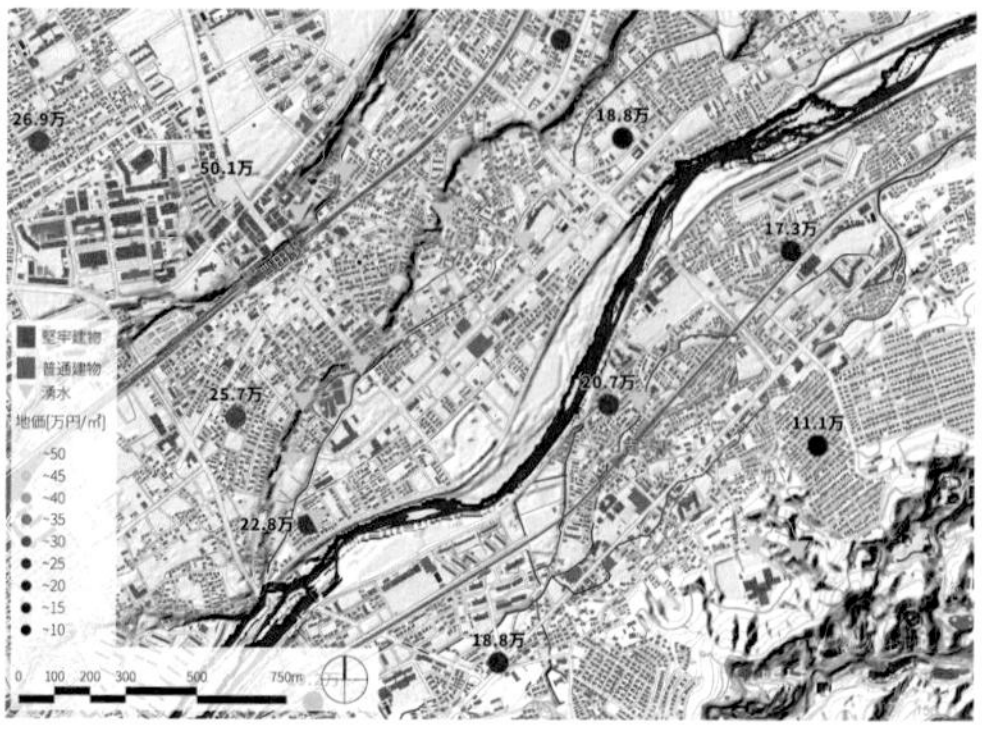

図 4B 豊田駅周辺の地価・建物種別・湧水地の分布(図 4A に同じ)

でもない。なぜならこうした交通路は、ある地点と別の地点とを結ぶ合理が経路上の優先事項であり、基本的にはその効率に向かって構築されるからだ。

図4Aには、平米あたり5770万円から8万円まで、都内地価公示価格の分布を示す。皇居まわりを最も内側の核として、山手線とその沿線、及びそこから放射状にのびる路線沿いの地価が高いことがわかる。高地価の分布を武蔵野の西奥へと引っ張るのが中央線だ。ここに青い逆三角形で、湧水の位置を重ねてみた。それらが描く列状の湧水点の集合は、近現代都市構造とは別種の、大地それ自身の構造を示す。

今回歩いた範囲から、湧水地まわりと駅前の都市構造との違いを実感した日野市豊田駅の周辺を拡大して地価分布をみてみると、駅前だけが周辺よりも突出して2倍から5倍ほど地価が高い(やや南を走る京王線の駅前よりも中央線の豊田駅前の地価がずっと高いことも興味深い)。そして同じ図に建物の種別も重ねてみると、堅牢建物(概ね鉄筋コンクリート・鉄骨造の建物に対応)は豊田駅前に集中し、その他の土地に普通建物(概ね木造に対応)が広がる(図4B)。水色の記号で示す湧水は、これら鉄道駅を中心とする都市構造とは無関係に、崖線・山裾・河道沿いに堅実に分布している。

大地
——都市の先行構造

湧水は大地の構造の節理をあらわす。湧水だけをたどって東京を歩く行為は、東京における大地の節理を体感する歩行になるだろう。

大地の節理とは、都市の先行構造である。それは、都市空間の基底部に力強く脈動する、土地のコンテクストだ。大地という先行構造は、都市や建物を築く人間の時間スケールを大きく超えて、存在し続ける。

現代都市とはアスファルトが地面を覆い尽くし、あらゆる建物がそこを埋める世界であって、そんなところへ、静謐に、あるいは荒々しく広がるむき出しの大地のイメージを重ねることはそうすんなりとはゆかないだろう。しかし都市を捉えるタイムスパンを、より広く・深く拡張しながら現在や未来を知ろうとするとき、都市と大地の関係をみる手法はきわめて重要な鍵になる。現代都市において、大地は消去されているわけではない。それは見えにくくなっているだけだ。

大地は、都市の成立や存続と拡大にあたって何を提供してきたのか。逆に言えば、都市はどのようにして、大地から生かされてきたのだろうか。そんな問いを立てることは、むしろ重要ではないだろうか。

都市の生態系
——テクノマスとバイオマス

北欧の研究者、アルフ・ホーンボルグ(1954年〜)は「テクノマス」という言葉を使う。それは生物量としてのバイオマスに対する人工物の総量のことである。東京は日本列島において人間バイオマスとテクノマスが連動的かつ最も高密度に集積する土地である。その構造はたぶん当面変わらないだろう。しかしヒトは大地に棲み着き、大地に生かされてきた。

湧水が残る台地際の居住歴を、ここで数例だけ確認しておこう。初日から2日目にかけて歩いた、王子から志村までの本郷台地のキワには、十条台遺跡群や赤羽台遺跡、桐ヶ丘遺跡など、縄文時代から奈良・平安時代まで複数の時代にわたる住居跡を含む遺跡が分布する。また別に小豆沢からは縄文・弥生時代の集落と貝塚が、志村城山遺跡では弥生時代の環濠や奈良・平安時代の住居跡などが見つかっている。最終日に歩いた目黒不動では、縄文・弥生時代の集落が検出されている。

ヒトは基本的に、大地の構造の中にニッチ(生態学的地位)を見つけて生きてきた。そうであればこそ、都市生活における大地性の再考、再認識、さらにはその恢復や再獲得は、居住とよりよき生存のためのきわめて根本的なイシューであるはずだ。東京の居住及び労働の空間において、大地性の恢復はどのように可能だろうか。

２００戸１０００人、４００m圏、１人１０００坪
——神代雄一郎のコミュニティ論

建築学者の神代雄一郎（１９２２〜２０００年）は、２００戸１０００人、４００m圏、１人１０００坪というコミュニティの最適規模をとなえた。かれの探究の発端は高度成長期の日本における都市の急拡大と、生活環境や生活文化の急激な変化にある。神代は人間コミュニティと土地との関係の最適規模をさぐるため、列島各地の集落へ飛んだ。当時、アーヴァン・デザインの前提となる調査手法として、アメリカからデザイン・サーヴェイと呼ばれる試みが日本に導入され、それは１９６０年代後半から１９７０年代初めにかけて多くの大学の建築研究室が熱狂的に進める運動へと広がった。神代はアメリカ留学中に直接その動向を見聞きしてもいた。帰国後すぐに調査を開始した神代は、デザイン・サーヴェイを、建築物それ自体やその集合形態のデザイン理論の獲得のためだけではなく、コミュニティと空間の適切なあり方を見定めることへ収斂的に展開させ、その目的に向けて結果的にほぼ漁村を対象として調査を重ねる。それは壱岐など離島の漁村から、東京の漁業集落、佃島などにも及ぶ。*

ところで漁村もきわめてキワ地性の高い集住体だ。それらは主に陸地を居住と農業生産の場とし、海をもう一様の生産や交通の場として使いこなす。

漁村におけるコミュニティと土地との関係から神代が導き出したのが、２００戸１０００人、４００m圏、１人１０００坪という、土地に住むことのスケールの最適解であった（図４C）。これは１９７０年当時の日本列島の面積を日本人の総人口で割った値にも結果的に等しいという（現在、日本列島のヒトバイオマスはその１・２倍）。集落の人家部分は４００m圏内にまとまり、その外側の土地を合わせて、１人が１０００坪の土地と結び合う。冒頭に触れた「15分都市」圏と単純なスケール比較としてここで引き合わせてみると、集落コア部分の４００m圏は徒歩圏としては15分都市圏のおよそ3分の1で、15分圏は集落全体の少し内側の範囲になりそうだ。またこの図には、２００戸１０００人という集住体の人口密度が、都市内で人間以外の生態系が共存する限界値だと書き込まれていることも改めて注目される。

しかしこの図には描かれていないものもある。それは集住体形成の最も根源的な動機となる真水のありかと、空間構成上のその重要性だ。

筆者はいま紀伊半島の漁村を１００ヶ所ほど踏査したところだが、その中には神代が紀伊半島で調査した菅島集落も含まれる。神代が先の最適コミュニティスケールを着想したのは菅島集落を通じてのことだったが、菅島を含めてこれら集落の居住の足がかりとなっているのは明らかに、湧水などがつくりだした沢である。沢はあらゆる上水の供給地であり、同時にまた、そこに棲み着くための一定の平地を提供する。今年度調査している奥熊野の九鬼は、神代が適正規模とした２００戸の倍、約４００戸の集落をなす。それだけの戸数を養える浦の豊かさがあるのだろうが、集落は実はほぼ２００戸ずつのコミュニティに分かれて祭礼などを組織する。そしてその２００戸は、ユヤジミゾとサトジミゾという２本の沢を軸に分節されている。沢の上には、この土地の地盤を構成する花崗岩（熊野酸性岩類）の切石で組まれたボッチと呼ばれる方形の水槽が設置されていて、人びとはここから飲用水などを取得する。また沢は洗い場などとしても利用されてきた。住民は、斜面上の家と低地の浜・海、後背斜面の畑地に加えて、沢筋に集まり、行き来する日常を送ってきたのである。

ボッチを転用した可能性が高い地蔵堂が、沢の上にある。感染症の足音が迫る直前の２０２０年2月にそこを訪れたとき、面白いことがあった。堂の中に老女が二人腰掛けていて、談笑しながら、より年配の女性のほうがもう一人の女性の肩を揉んでいる。通り掛かるとかのじょたちはわたしたち一行を笑顔で招き入れ、（半分強制的にそこへ座らされて）肩を揉んでもらうという事態になった。かのじょはいつもそこにいて〝住民の肩を揉んでくれるおばあちゃん〟。最初は遠慮していた孫世代前後の我々は、結局5人全員がかのじょに肩をほぐしてもらって、沢上の小堂で何だかとんでもないエネルギーを受け取ることになった。

＊ 青井哲人「神代雄一郎、その批評精神の軌跡」『特集 建築家とは何か―堀口捨己、神代雄一郎の問い』10+1、２０１３（https://www.10plus1.jp/monthly/2013/06/issue03.php）
青木寛子「神代雄一郎のデザイン・サーヴェイ展開過程に関する研究―コミュニティ論の形成と発展に着目して―」、明治大学大学院建築史・建築論（青井哲人）研究室、２０１４年度修士研究梗概

5 むすびにかえて

現存する湧水という、歴史的意思

湧水だけを目的地として歩く。ごく数日間の行程ではあるが、東京でのそんな移動行為から拾い上げられたことは何だったろうか。まず今回の東京湧水歩きでわかったことのひとつは、現存する湧水には何かしらの物語が重ねられている場合が少なくないということである。地形から推し量るに、東京の大地には崖線沿いや谷頭《こくとう》に無数の湧水が湧出していたであろう。湧水がかなり普遍的に存在したと思われる東京の古環境において、すると何かしら特異点的な湧水に物語は重ねられたはずだ。それは湧水量や周辺の地形、風光であったり、あるいは水量や地形を人工的に改変することで得られた特異性であったりしたのだろう。物語の作用において、大地の構造は人の歴史に愛着をもって切り結ばれた。

現存する東京の湧水には、大地の節理という力だけではなく、それを顕わに、あるいはより強化して存在させる人間の意思が加えられているだろう。湧水地は原初的に生きのびるための土地であるとして、現代東京に存在する湧水地は、人文史との交わりによって生きながらえてきた湧水地でもある。

湧水を拡張デザインする

現存湧水に重ねられた物語性のことを言い換えれば、それは湧水という自然現象を人間の歴史の中へ引き入れてその存在を強化する、ひろい意味で工学的な手続きになるだろう。工学とは、物理現象を人間の役に立つように編集することである。

現存湧水の一群はまず、この物語性によって存在意義が拡張され、維持された（各地の不動の滝など）。その物語性ゆえに復興されることもあった（小豆沢の御手洗池など）。物語がやや独立して活動していくこと（がま池「上の字」様など）や身体の治癒など別の有用性が物語性に重ねられていることもある（大井・原の水神池、大井の水神社、小豆沢の御手洗池など）。

次に湧水は、生態系という関心において拡張的にデザインされることがある（赤羽自然観察公園、小豆沢公園、元麻布三丁目緑地など）。そこには生態系が保持され、あるいは新たに発生する。それに接する子どもの育ち方や学びなど、近隣住民や訪問者の経験への組み込みも生まれる。

さらには湧水群をともなうひとまとまりの環境や生態系が、その希少性ゆえに保全されることがある（等々力渓谷、黒川清流公園湧水群など）。

都市コミュニティの大地的再考

ここで前項のコミュニティ論に戻ってみたい。東京におけるコミュニティの歴史的紐帯は色々とあり、祭礼の神輿組などはその典型的なものだ。こうした紐帯に、もう少し何らかの大地性を加えることは可能だろうか。大地はすべての居住と生を支える基盤である。すでにあらゆる開発方式が試され、テクノマスが過剰に累積した現代大都市においても、それは同じことだ。

ところで日本に「コミュニティ」という言葉が広まったのは、都市、特に東京が急激な膨張を遂げ、都市空間の様相がこれまでとは別のフェーズに移行した、戦後高度成長期末の1970年頃である。都市内外の農地・荒蕪地が猛烈な勢いで新興住宅地や商業地に変わり、農村人口の都市移住や核家族化などで新たな住民集団が形成されてきた時代背景とともに、コミュニティという言葉には日本なりの意味づけがなされた。それは、小学校程度を中心とする学区を自主性と連帯性をもつ地域社会単位とし、その単位をもとに市民的地域運営が託されるというものであった。学校やコミュニティセンターなどの施設を中核に、都市における近隣地区の社会関係を編み直して強化しようという動きは現在もある。しかし振り返ってみればまた、学校やコミュニティセンターとは近代的な制度が生み出した規範的施設でもある。加えてそのような施設を核とするコミュニティとは、人口増加と産業・経済発展時代のモデルでもあった。

それが現在有効でないとは言わない。しかし、人間同士のみの交流を地域の中心におく規範施設以外に、これからはより多様な生態系との接続を呼び込む都市の地域核があってもよいのではないか。さっそく付け加えておくとそれは、芝生や砂地やアスファルト舗装で均された都市公園とは異なる。

それはまず、より多種の生物と人との関わりの土地になる。加えてそこは、都市におけるテクノマスとバイオマスのすべてを支える基盤としての大地、つまり地球のテクトニックと、生物・人間社会との共構築意識を育む場となるべきだろう。人が土地に生きることの本源を与えてきた湧水地は、東京の大地にとってまずその具体的な手がかりになるはずだ。

現代都市の土地構造は、鉄道という近代の構築物に引きつけられている(前掲図4A)。それは近現代都市という人類史上最大の集住体を貫通・統合する、強烈な構造だ。しかし大地に生かされているわたしたちの生環境として、それはきわめていびつで、浅はかな目的をもったものでもある。人は都心に集められるために生きているわけではない。湧水地の分布にみるとおり、生存好適地は大地において分散的かつ独自の原理をもって存在する。都心にヒトバイオマスを集める力は、主に、経済と政治と文化の構造である。

気候変動や資本主義の矛盾、既存市街地が歯抜けになっていくいわゆる都市のスポンジ化、人口減少など、現代都市の今後はさまざまな課題と変化にさらされていく。これからの都市生活を考えるとき、先に挙げた神代雄一郎の「２００戸１０００人、４００ｍ圏」という最適ユニットなど、先行して検討されてきたよりよく土地に住むためのモデルの学び直しや、そのアップデートも必要だろう。ただしここでまず新たに問いかけておいてよいことは、地面の上に営まれてきた人間社会のコミュニティデザインへの注力から、都市の足元の大きな基盤と構造である大地への意識を獲得することに向けた、空間・社会デザインにも舵を切ろうということだと思う。

東京湧水コミューン

まずは東京にキワ地を取り戻そう。

一番簡単なことは、キワ地の被覆を剥がして湧水をあらわし、植物・菌類・地衣類・虫・鳥・その他小動物などの生態系をそこへ再導入することだ(しぜんと再発生する可能性も高い)。

キワ地は、人だけではなく、人間以外の存在と、湧水をはじめ大地それ自体の存在が混じり合い、互いが互いをつくりあっていることが感じられるような土地として顕現させる。

人間のためだけではないこのような土地の帯が、都市のコモンズとなる。鉄道路線とはまったく別の、生きる根源としての大地の原理にのっとって、東京じゅうに張りめぐらされる帯である。それは、東京の大地構造ゆえに立ち上がりうるものだ。

キワ地の運営方針をいくつか挙げてみよう。まずはそこに、人が日常的に使う動線を組み込む。家からまっすぐ駅前に向かうのではなく、キワ地を通る地域計画にする。そのためにはキワ地周辺のアトラクター(人を引きつける要素)の豊富化を検討する。

二つ目。湧水祭をつくる。祭の運営組織は世代間に縦と横の結束を生み出し、コミュニティ運営を潤滑かつ強固にする装置であるから(神代がコミュニティ調査で祭礼を重視していた理由もこれである)、湧水のあるキワ地から祭が生まれるのがいい。結果的にそれは、ヒトが生きのびるための土地の根源を祀りうる。

キワ地周辺の住民たちは、おのおのの細かな属性はいったん横におき、まずはシンプルに世代間で縦横のつながりをつくる。そして、かつての宮座(祭礼を中心とする中世由来の自治組織)のように、住民集団から構成される一定人数の湧水祭祀組織をつくる。これが湧水やキワ地の守人集団となる。一方でかつての宮座とはまったく異なる点は、その構成員が男性や日本人に限られないということだ。そしてもちろん、新旧の住民が加わる。構成員は、2年程度の輪番制とする。湧水座(湧水とキワ地の守人祭礼集団を、いま仮にそう名付けた)は、隣り合う湧水座や同じ崖線の湧水座と連合を組む。東京中の湧水座は4年に一度、いずれかのキワ地に集まって大祭を催す。神代は、単一コミュニティからまちへの歴史的で自然な展開を、コミュニティが紐状に連結されるモデルとして抽出していたが、しかしそうした紐状モデルを、交通や経済的交換を軸とする従来の連結方式ではなく、大地の脈を軸にしたものとして再構想する。

キワ地の湧水群を具体的にはっきりさせるには、雨水浸透枡や浸透性コンクリートを都市にもっと普及させる必要がある。土に涵養された水を東京湾に注がせるプランも必要だろう。林地の有機物を含んだ水は、東京湾の生態系を豊かにするはずだ。また防災の観点からみれば、谷地からは居住地を撤退させるという議論もありえる。気候変動による一層の多雨も予想されるこれからの都市において、谷地は水を吸収して流下させるキワ地にしておいたほうがいい。谷頭には防災用水槽も設置する。

以上は東京の湧水地とキワ地から発する都市の未来計画の一部である。これを具現化していくとしたら、都市計画や生態学、社会学、水文学、建築学、民俗学、考古学などの専門家との対話が必要になる。そこでのひとつの軸は、新しい工学に向けた議論となるだろう。人間が人間世界を進化させるためだけに有用な学としてではなく、大地と生態系と人との共構築においてこそ本来与えられてきたはずの、人間生活の幸福度に資する工学について、話し合うのだ。

エッセイ

推しが山いっぱいに増えてくれたら死ぬ

東千茅

間伐して穴が空いたヒノキ林。光が射し込むことで様々な木々が芽吹き、隙間を巡る新たな競争がはじまる。人間は多く不毛の地を作りだし、生物界を盛り下げてきたが、こうして生物たちを焚きつけ、囃し立てることもできる。

推し、萌ゆ

推しが萌えた。毎年のこととはいえ、芽が出るとホッとする。推しとは、ある作物のことだ。

わたしは二〇一五年に大阪から奈良県宇陀市に移り住み、里山生活をおくっている者である。大阪に住んでいた頃、間接的で迫真性に欠ける都市生活に不足を感じ、生をその根柢から十全に生きたいと思うようになった。生きることはまず食べることである以上、食べ物を自給することで不足感は解消されるはずだと考え、中山間地域への移住に踏み切ったのだ。そして移住後、自分の主食であり、したがって最も力を与えてくれる存在である稲の栽培を生活の最優先事項として取り組んできた。

だから、もし苗代に播いた種籾が全く発芽しなければ、一巻の終わりだ。稲作をやりだしてからそんなことは今までになかったし、そんなことは今年もないとわかってはいるものの、播種して発芽するまでの期間は毎年なんとなく落ち着かない。その年の条件によって差はあるにせよ、二週間以内には地表にそれと確認できるほどの青い芽の切っ先が伸びてくる。発芽まで二週間というのは作物の中では長いほうだ。栽培者をして、ひょっとして駄目なのではないかという不安をいだかせるには十分なインターバルである。引っ張って引っ張って、満を持して舞台に登場するその勿体ぶった振舞いは、沼ならぬ水田に人間をズブズブと引き摺り込み、長らくわが国の作付面積第一位に君臨している作物にふさわしいというものだろう。

一般に稲は、非常に手間のかかる作物である。まず、他の多くの野菜と異なり、彼らは湿地でなければ満足に生育しない。つまり、稲を栽培するには水を貯めなければならないわけだが、水をコントロールするには相当の技術と労力を要する。毎年田植え前には畦塗りをし、水を貯めて田植えをしてからも気候や生育状況に応じて取水量を調整し、漏水がないか毎日見廻り、冬季には傷んだ畦を補修し、水を取る沢の整備もしなければならない。そもそも最初に水田を造成すること自体、非常にきつい仕事だったと思う。例えば、水はけのよい草原を水田にしようというとき、畦を盛り上げて田んぼの形だけを作り、そこに水を引くだけで貯水できるわけはない。それでは水は地下に滲みて逃げてしまう。だから、植物が根を張る作土層を一旦取り除き、その下の鋤土層を叩き固めて漏水しないようにしなければならない。また、田んぼに引く水を得にくい土地では溜池を掘る必要もあった。もとから湿地である土地は限られ、まして山が多く平地が少ないこの列島に、重機もない時代から大量の田んぼがあることは、実に驚くべきことである。

稲が日本人の主食の座を占領して以来、人々は彼らを大量に作る必要に迫られた。田んぼを増やせば増やすほど、水を取り巻く仕事のほか、稲の生育自体にまつわる仕事——苗代作りや田植えや田草取りや刈取りなどに投入する労力と時間も増大することとなった。わたしも稲作を生活の中心に据えて以来、夏場は週に四日も賃労働をすればいいほうで、あとは朝から晩まで田んぼに忙殺されている。正社員になって週五、六で働いていてはとてもできない生活だ。もっともそれは、わたしが農業機械を用いずにほぼ手作業でやっているせいでもあるのだが。

このように、稲作は骨の折れる営みである。けれども、わたしはやめるつもりはない。わたしだけでなく、今もって多くの人々が米作りに従事しているし、その後ろには連綿と続いてきた稲作文化の歴史があり、田んぼには人間の汗も大量に注がれてきている。たしかに、歴史上には階級的にそうせざるをえない事情も多くあったにせよ、ともかく人々は米を作ってきた。一人分の米を作るだけでも厳しい労働が要請されることをわたしは身に沁みて知っているが、にもかかわらず、それと引き換えにでも米を得たいと人間に思わせるほどの魅力が稲にはあると思う。味や栄養素もさることながら、世話が焼け、ほっとけないところがかえって人心をくすぐり、さらに味に奥ゆきをもたらす効果があると、一介の栽培者の立場から報告しておきたい。自分で育てた米は、精神的にも信じられないほど旨いのだ。

わたしは当初、稲をはじめ、その他の作物や家畜を食い物にすることで、私腹を肥やす魂胆だった。そしてその目論見はある程度達成されている。しかし見てきたように、わたしは稲を食い物にしながら、それ以上にと言えるくらい食い物にされてもいる。わたしたちは互いに相手をいいように使役しているけれども、どちらかといえばわたしのほうが稲の虜だろう。が、誰もが身に覚えのあるように、悩殺され、身も心も奪われる不自由さはわかりやすい幸福の形なのだから、虜になってしまったほうがむしろ得ではないだろうか。彼らに「ほなみちゃん」と名付け、毎年せっせと奉仕し、その稔りに一喜一憂しているわたしが、すくなくとも悦びに頭から浴しているのは確かだ。

推し、犇《ひし》めく

ここまで稲を持ち上げておいて何だが、推しはほなみちゃんだけではない。田んぼをすれば、稲だけでなく他の生物をも否応なく育むことになる。まず、田んぼに水を貯めるためにした畦塗りは大豆の生育場所をも作ることであるほか、水を貯めて水田＝湿地を作ることは稲以外の水生生物の生息場所をも作ることであるし、水田の周りの畦畔の草を刈ることはある種の植物の生息場所をも作ることである。そうしてくりかえし稲作をしているうちに、他の生き物の存在が目に入るようになってきて、次第に惹かれ、気づけば推しが増えている。

推し水生生物として、例えばアカハライモリを挙げたい。彼らは、背中が黒く、腹が名前の通り赤い、かわいらしい容貌をしているイモリである。早くからわたしにとってアイドル的存在で、田んぼで出くわすたびに心が浮き立つ。雄は、繁殖時期に主に尻尾のあたりが青色の婚姻色を呈し、非常に美しい。

両生類でいえば、カエルたちも数種類いる。なかでもシュレーゲルアオガエルは推し蛙の筆頭である。色はアマガエルより幾分鮮やかな黄緑色をしており、滑らかな質感で、愛嬌ある顔つきをしている。彼らは水田の畦畔に卵塊を生み、孵ったオタマジャクシは田んぼで育ってくれる。成体は昼間、草や灌木の葉の上で休んでおり、その佇まいはとても愛らしい。

水に棲む昆虫たちも忘れてはならないだろう。雄が卵を背負っているコオイムシ、ゲンゴロウ類の中ではシマゲンゴロウが、出くわすと特にうれしい推し水生昆虫である。少年期に図鑑で見ていた生き物たちが自分の田んぼで日常的に見られる悦びは何にも代えがたい。彼らが蠢いているのを見ると、稲作をやめるわけにはいかないと思うのだ。

　また、わたしの田んぼは棚田なのだが、棚田は平地の田んぼに比べて畦畔面積が大きい。それは、作物生産効率の観点からいえば、まさに非効率的で無駄の多い土地ということになる。けれども、畠でも田んぼでもなく、人間がただ草を刈る土地である畦には、様々な草たちが生える。わたしが定期的に草刈りをするのは、作業をしやすくし、田んぼが日陰にならないようにし、刈った草を田畠に積んで堆肥にするためであるが、結果的にそれが強い植物の勢いを抑え、弱い植物に場所を与えることになる。シシウドやアザミやススキやチガヤなどの強健な草たちもわたしは好きだが、自分が草刈りを長年行ってきた結果増えてきた、ウツボグサやリンドウやアキノキリンソウなどの可憐な草たちのほうをより推さざるをえない。彼らの存在を知ってからというもの、わたしにとって畦畔の重要さはいや増し、草刈りにもより身が入るようになった。

　とはいうものの、草を頻繁に広範囲で刈ってはならない。それは他の推したちの生息環境に関わることだ。例えばカヤネズミはイネ科の草を丸めて巣を作るし、彼らが生きるには餌となる小さな虫や種子もなくてはならないからである。餌といえば、わたしはニワトリも飼っているのだが、やはり彼らの餌となる昆虫やカエルやヘビの多くも草むらに棲んでいる。だから、適度に草を刈り残すことによって、草自体やイナゴやキリギリスやトノサマガエルといった多くの者の栄養となる者たちを推すことも、彼らを食べる者たちを推すからには避けて通れない。

　こうして気が付くと、わたしは稲を作るためだけに田んぼをやっているとはいえなくなっていたし、田んぼだけをやっているともいえなくなっていた。もっとも、推しが増えたからといって、ほなみちゃんへのケアが手薄になるということはあまりない。なぜなら、里山を生き物で豊かにすることはほなみちゃんの生育環境を向上させることでもあるからだ。それに結局のところ、里山では一種だけを推すことはできない。推し同士の競合はあるにせよ、ある生物を推すには嫌でも他の生物をも推さざるをえない。里山において生物を推すとは、とりもなおさず利用されることであるが、利用されなくてはこちらも利用することはできない。餌を撒かずに餌を得ることはできない。そして何より、生き物たちの存在を知り、愛で、推すことは愉しい。

里山制作という推し活

　里山に生きることは、アイドルグループなどを応援する活動に似ているかもしれない。気に入った存在を引き立てるという点では違いはほぼない。わたしは推し生物たちにありったけの時間と労力を貢いでいるし、稲からはじまって今や里山の多くの生き物に食い物にされている。もはや彼らを推すためには、現在主流の社会生活をおくっているわけにはいかないほどだ。

　ところが、こんなものではまだまだ足りないのである。田畠や畦畔に注力するだけは、十分に里山をやっているとはいえないからだ。わたしのいう里山は一般的にいわれているものと大差なく、一言でいえば、人の手が入った二次的自然といったところである。里山は、田んぼや畠や畦畔や用水路や溜池や山林を包含し、相互のつながりと広がりを持っている。実際、田んぼとその周りの畦畔に密接な関係があるように、田畠とその周りの山林にも密接な関係がある。シュレーゲルアオガエルは、普段草原や林で過ごし、畦畔に産卵し、幼生は水田で育つと書いたが、それはつまり、一様ではない様々な環境がなくては生きられないということである。わたしは、今いる推したちにこれからも安定して生きていてほしいし、まだ見ぬ推したちの登場を待ち望んでもいる。里山生物が今よりも増え、活躍するためには、もっと広く、かつ

1 素掘りの水路に佇むシュレーゲルアオガエル。土がぬかるんでいるだけではそこに棲める生物は限られるものの、水を貯めれば多くの水生生物たちが集まってくる。
2 田んぼにいたアカハライモリ。この個体の腹は赤一色だが、多くは赤地に黒の斑点があり、個体によって模様も様々で一体一体チェックするのがおもしろい。
3 棚田。稲たちと、畦に植えてある大豆たち。朝の光の中でいっそう美しく見える。

5

4

6

多様な舞台を整えなければならない。

これまでわたしは、力及ばず山にまで手を出せていなかった。が、田畠をしながらもずっと里山という広がりが念頭にあったし、早く山にも関わりたかった。わたしの棚田の周りの山は、戦後にスギとヒノキが大量に植林されたのち、木材価格の下落のために管理もされずに放置されており、真っ暗な林内には他の生き物がほとんどいない。そんな山のまま麓で田んぼをするのは不十分だし、なによりそんな山ではおもしろくない。そこで、もっと生き物が溢れ、騒がしく、愉快な里山を作るべく、この杉山を二百年かけて雑木山に育む計画「里山二二二〇」を始めることにしたのだ。

二〇二〇年から木の伐採の仕事に呼んでもらって練習し、二〇二一年の年明けから自分のところのスギヒノキを伐りはじめた。木を伐るという行為自体の愉しさもさることながら、人工林を間伐することで林冠に穴が空き、陽光が林床に射し込む光景には、そこから様々な木々が育ってくる予感に充ちていて胸が高鳴る。こうして暗闇に閉ざされた森に穴を幾つも穿つことによって、多くの生物が暮らせる豊かな里山を徐々に作っていけるはずである。

ただし、もちろん里山は人間だけが作るものではない。先に里山のことを「人の手が入った二次的自然」と書いたが、わたしはもっと、人間を含む多種による合作であることを強調したい。合作であるということは、当然多種による共働の余地がなくてはならない。つまり、隙のない人為で埋め尽くすことなく、多くの穴がなくてはならない。しかしだからといって、人為によって大きすぎる穴を空けてしまってもならない。適度に穴だらけであるかどうかはいつも状況次第だし、微妙で難しいけれども、ちょうどいい塩梅をつねに探りつづけることが里山制作の醍醐味でもある。

例えば、先述した畦塗りはその好例かもしれない。畦塗りは、簡単にいえば、畦の側面を泥で塗り固め、水漏れをふせぐ技術である。まず前年に塗った部分の土を平鍬で剥がし、水を入れて備中鍬で捏ね、ある程度乾かしてからまた平鍬で塗りつける、というわけだ。陸地を湿地に変える行為であるから、それ自体暴力的であるし、塗りたての畦は貯水という機能を超えて「作品」の様相さえ呈する。だが翌朝見ると、オケラの這い回った跡や獣の足跡がある。水を張った田んぼには、これ幸いと水生生物たちが蠢く。ある日、突如としてモグラに穴を空けられていることだってある。すなわち畦塗りと

7 再びシュレーゲルアオガエル。彼らが水辺に現れるのは繁殖期だけで、あとは草木の上で生活している。出くわすと撮影会をせずにはいられない。
8 畦塗りをした田んぼ。きれいに塗れると、それ自体の悦びはもちろん、水が貯まることで多くの生き物たちを迎えられる悦びがある。

4 棚田につづく道には様々な植物が生えていて歩くのが愉しい。葉っぱの上に佇むアマガエルやシュレーゲルアオガエルもよく見つけられる。
5 甲斐甲斐しく子育てする親鶏と可愛らしい雛たち。「ゆりかごから胃袋まで」大事に見守りたい。
6 ヒノキ林の間伐風景。チェーンソーで木を伐るのは、草を刈るのとは比べ物にならないくらいのスリルと高揚がある。

は、半年たらず田んぼに水を貯め、ほどなく虫たち獣たち草たちに侵蝕される、脆くて、穴のある人為なのだ。

もっとも、水を貯めるだけならプラスチック製の畦板を埋め込むという手もある。たしかに畦板を埋め込んでしまえば向こう十年ほどは畦からの漏水の心配はないだろう。また、世の中には畦塗り機というのがあって、これで塗るなら機械に乗ったまま簡単に済ますこともできるだろう。しかしわたしは、鍬を使った畦塗りを性懲りもなくしつづけている。なぜなら、多くの生き物や水や土や気候を手づから味わいたいからである。棚田という性質上、田んぼの面積の割に畦畔総延長が長く、全段を塗るのは時間も体力も食うけれども、この身体が動くうちは意地でもこの悦びを毎年貪るつもりだ。

里山には、終わりがない。里山は、多くの生物が蠢く動態そのものである以上、完成するということがなく、多種によってつねに合作されつづけ、動きつづけるものである。その里山に生きるには、こちらも動きつづける必要がある。だから、例えば「長閑な里山」を眺めつづけることは、里山を作り、推す行為などでは断じてない。生き物を推し、里山を推すには、同じ地平に、渦中に身を投じる他はない。当然、くりかえししなければならない仕事も多く、それは一面では非常に難儀であるものの、生き物たちにまみれる甘美な不自由さをくりかえすことができるということでもある。推したちに働きかけ、働きかけられる——この応酬を愉しみつづけることができるということである。

舞台を準備すれば、生き物たちの種類も数も増えることをわたしは経験してきた。それは死ぬほど悦ばしいことであり、そのためならわたしは死ぬほど労力を注ぎつづける所存だ。今後山林にも手を加えていくことによって、この里山にもっと推したちが躍動するようになる頃、わたしは二つの意味で悶絶躄地して本当に死んでしまうかもしれない。だが、それまでは死んでもくたばるわけにはいかない。

東千茅（あずま・ちがや）
里山制作団体つち式代表。全日本棍棒協会会長。1991年、大阪府生まれ。著書に『つち式 二〇一七』、『つち式 二〇二〇』（私家版）、『人類堆肥化計画』（創元社）。

虫の眼

虫との再会とご近所の柳瀬さん

少し前から、夏にはカブトムシやクワガタムシを探しに出かけるようになった。子供のころに好きだったのをふと、思い出したのがきっかけだ。いざ探してみようかと考えはじめると、東京の、わりと街中に暮らしていたこともあって、まったく見当がつかなかった。子供のころは田舎にいたので、道端に捨てられたバナナの皮にくっついているのを拾い上げたりしていたのだけれども、東京でそのような経験はまったくなかった。僕が自分の仕事場でその話をすると、当時出入りしていた学生の一人が東京の外れにある自分の大学の近くの森林公園にはうじゃうじゃといると教えてくれた。

そして、僕はどうせならと友人やそのまた友人たちに声をかけて、10人くらいを集めた。当時の僕はこういう遊び方が好きだった。「飲み」の席が苦手で酒をやめてから、ちょっと変わった夜の遊びを思いついては、当時流行り始めていたFacebookを使ってこれくらいの人数を集めて、町田とか鎌倉とか三浦とか、そういったちょっとだけ遠いところに出かけるのだ。こうして僕は、虫たちに再会した。そして虫が好きだった、自分の子供のころを思い出した。僕が虫を好きなのは、意思

特別企画

人間外から都市を読む

監修＝柳瀬博一　文＝宇野常寛
写真＝蛯川新、柳瀬博一、モノノメ編集部
協力＝加隈良枝、今野晃嗣、高木佐保

猫の眼

鳥の眼

の疎通ができないことだ。犬猫や、賢い鳥などとは違って、虫は人間とは大きく異なる世界に生きている。そのせいか、人間にも、犬猫のような大きな動物にもない他者性が虫にはある。それを気持ち悪い、と感じる人が多いが、僕にとって彼らは身近な場所に暮らしながらも自分が見えている世界の外側に導いてくれる存在だった。そして気がつけば、僕は虫を追いかけて、夏を過ごすようになった。

僕がこうして虫に再会したことを聞きつけて、いろいろ教えてくれたのが柳瀬さんだ。柳瀬さんは、僕が東京に出て、この仕事をはじめてすぐに知り合った人で、当時は新聞社系の出版社の編集者だった。年齢は10歳以上離れているのだけれど、家が近いこともあっていつの間にか仲良くなっていた。その柳瀬さんは、僕が南大沢や町田まで虫を見に出かけていると聞いて、こう言ったのだ。「そんなに遠くまで出かける必要はないですよ」「近所で探してみても、結構いますよ」と。柳瀬さんは学生時代から、森や干潟の保護にかかわっていて、こういうことにとても詳しい人だった。一緒にハイキングに出かけると、目につく木や草や花や、飛んできた蝶や蜂を逐一解説してくれた。そして毎年夏に僕は柳瀬さんと近所のちょっとした林や、公園の森や、緑地を歩くようになった。

虫の眼

虫たちの環世界

柳瀬さんの言う通り、僕の住んでいる新宿区高田馬場からがんばれば歩いても行けるような距離に、カブトムシやクワガタムシがいる場所が2つも、3つもあった。かつての僕は、新宿区のようなコンクリートジャングルの魔界都市に、虫たちがいるはずがないと考えていたけれど、違った。柳瀬さんは言う。

「昆虫ってちっちゃいですよね。だから、ちょっとした規模の環境で何代も何代もずっと暮らしていけたりする。それが面白い。カブトムシの場合なら、落ちている葉っぱを溜めておく土場を設けておけば、どんどん世代を重ねて増えていく。クワガタの場合は、樹液が出る木、あるいは自分でかじって樹液を出せる木が数本あって、かつ倒木や切り株や朽木があれば、案外そこで暮らしていける。

　つまり、ちょっとした公園サイズの場所でもクヌギやコナラがすこしだけ生えていて、定期的に枝打ちしたり切り倒したりした材木なんかがそのまま捨てられていると、意外とずっと暮らしていける。そんな場所は都内でも、あるいは意外と誰かの家の庭なんかにもあったりするんですよ。

　だから、狭いスペースでもカブトムシやクワガタムシに適した条件を作っておいてあげると増えます。逆に条件が整わなければ、かなり大きな公園でも全然いなかったりするんですよ」

　人間にとっては、猫の額のような面積の土地でも、一定の条件が揃えば虫たちはそれは十分に生活して、繁殖していくことができる。それも、虫の種類によってまるで必要な環境は違う。問題は、人間から見て豊かな自然があることではない。虫たちにとって必要な条件が満たされているかどうか、だけが問題なのだ。

　かつてドイツの生物学者ヤーコプ・フォン・ユクスキュルは、「すべての生物は自分自身が持つ知覚によってのみ世界を理解しており、すべての生物にとって世界は客観的な環境ではなく、生物各々が主体的に構築する独自の世界である」と考え、その生物ごとの世界を「環世界」と名付けた。ここで問われているのは、カブトムシの環世界とは、クワガタムシの環世界とはなにか、をシミュレーションする視線（虫の眼）だ。カブトムシの眼で都市を歩いたとき、クワガタムシの眼で街を歩いたとき、はじめてそこが彼らにとって価値のある場所かどうかが分かるのだ。

　虫の眼で世界を把握しながら歩いたとき、街はまったく異なった顔を見せる。飲酒をしない人間にとって夜の繁華街がもっとも閑散とした場所に見えるように、喫煙者に駅前の狭く汚いブースが砂漠のオアシスに見えるように。人間から遠く離れた存在であればあるほど、その環世界は人間のそれと隔たりがある。虫の眼は、都市を決定的に転倒させる。美しい街路樹が無価値に見え、人気のない寂れた寺の裏の雑木林が無限の価値を帯びるのだ。

東京の街中でコクワガタを探す

この夏も、柳瀬さんと近所の森に出かけた。柳瀬さんはすぐに、コクワガタのオスを見つけてきた。

「コクワガタ自体はそんなに珍しい昆虫ではないんですが、幼虫が育つ『朽木』と成虫が餌を取る『樹液が出る場所』がセットでないと暮らせない。東京の都心、特に23区の西側はもともと武蔵野のへりなので、クヌギやコナラの木がポコポコ残っていたりする。そんな緑の片隅に切り株や倒木なんかがちょっとあったら、そこでもう暮らせちゃう。コクワガタは、たとえば上野動物園のへりや都内の大学キャンパス、都心のちょっとした公園でも、探せばいると思います。丘陵地にちょっとした雑木林が転々と残っていて、今言ったような条件が揃っていればその程度で暮らしていける。そして、コクワガタが棲息する、山手線の東側の高台から多摩の方まで続く武蔵野台地の環境、クヌギやコナラの明るい雑木林は、明治から現代に至るまでの東京人にとって原風景のひとつでしょう。どの世代の人にとっても懐かしく感じられて、しかも現在も続いている風景じゃないかなと思います。

東京で『自分の周りの都会でクワガ

タがいる場所を見つけてみる』というゲームはすごく面白いと思います。コクワガタは活動時期が長いんですね。実際、今年は5月の連休明けから見かけていますが、10月の終わりくらいまで活動していますよ。真夏になるとなぜかちょっと数が減って夏の終わりにまた沢山みられるのが面白いんですが。コクワガタを見つけるときのポイントは、カナブン、シロテンハナムグリ、あるいは、スズメバチなんかが飛んでいるところを見つけることです。これらの虫が飛んでいる、ということは近くに樹液の出ている木がある。つまりコクワガタがいるかもしれない、というサインです。ぜひチェックしてみたらいかがかなと思います」

たった数メートル先にはコンビニエンスストアと集合住宅のひしめく新宿区の森のある木の上で、虫たちがその幹の傷から染み出した樹液を吸おうと争っている。カブトムシやクワガタムシが餌場をめぐって抗争し、小さなカナブンやハナムグリたちが隅の方にひしめいて蜂や蛾の類がその周辺を飛び交っている。人間の世界とはほぼ無関係に、この木はある種の虫たちにとってのみ、大きな価値を示している。かつての僕が町田や南大沢の大きな森の中でしか、これらに出会えないと考えていたのは、この虫の眼を持とうとしなかったからだ。人間の世界と虫たちの世界の間には境界線があり、それを踏み越えることによってはじめて彼らに出会えると考えていたからだ。しかし、違うのだ。僕たちの環世界と彼らの環世界は、同じ場所に並行して存在しているのだ。

ベランダの中の自然

森の中で柳瀬さんはある都内の公園のことを話してくれた。それは都心の再開発が盛んなエリアで、大きなビルとビルとの間に、すごくきれいな緑化を施しているエリアだった。そこは武蔵野の台地の再現をコンセプトにしたもので、原生のものを中心にさまざまな草木が植えられている。そして一番高い場所からは人工の小川が流れているのだけれど、そこには茂みにも水辺にもまったく動物の姿がない。それは、このエリアが「絵葉書のような自然」の見た目を再現することにとらわれて、この土地に暮らし得る動物たちにとって必要な環境を考えなかったからだという。

「うちのマンションのベランダにいま、ひょろひょろの山椒が1本生えている鉢があるんです。そこはアゲハチョウの通り道になっていて、しょっちゅう卵を産んでいく。だからいつも

5〜6匹の幼虫がついている。ほっとくと全部鳥に食われます。いま話した、不動産会社がものすごくお金をかけた都心のビル街の『自然公園』よりも、うちのコンクリート製のベランダのほうが、ある意味では自然度が高いわけです。アゲハチョウにとってもそうだし、それを食べに来るヒヨドリにとってもそう。くだんの公園には、蝶や蛾の幼虫が好む草や木がまったくないので、幼虫が育たない。鳥にしてみれば、緑はあるけど餌がない。だからヒヨドリもムクドリもいない。スズメすらいない。こうした都心の人工空間につくられた僕たちが見ている自然というのは『絵葉書のような自然』のイメージ。それぞれの生き物にとっての環世界から見たときに、それが本当に暮らしやすい自然かということとはまったく別なんですよね。僕たちは、ついつい都市と自然を対立概念として区分けしようとしてしまう。でも、そんな自然観は、あくまで人間がそう思い込んでいるイメージに過ぎないわけなんです。一見、豊かな自然に見えてもそれぞれの生き物が必要とする生態系がなかったら、どれだけ僕らが『ここは自然だ』と思っても生き物は全然いなかったりする。人工的に再生した都心の多自然スペースにしばしばみられるパターンです」

鳥の眼

カワセミたちの暮らす川

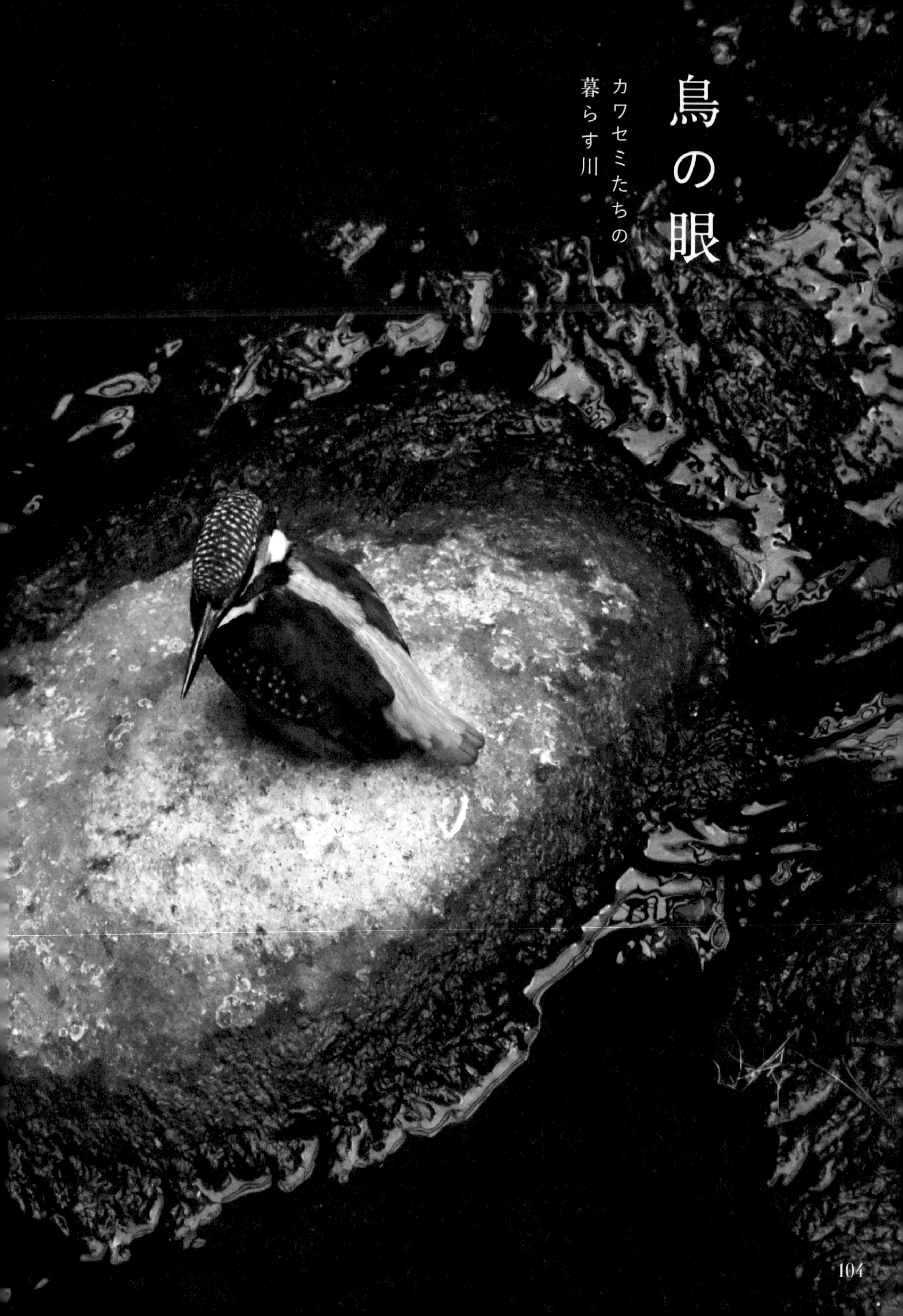

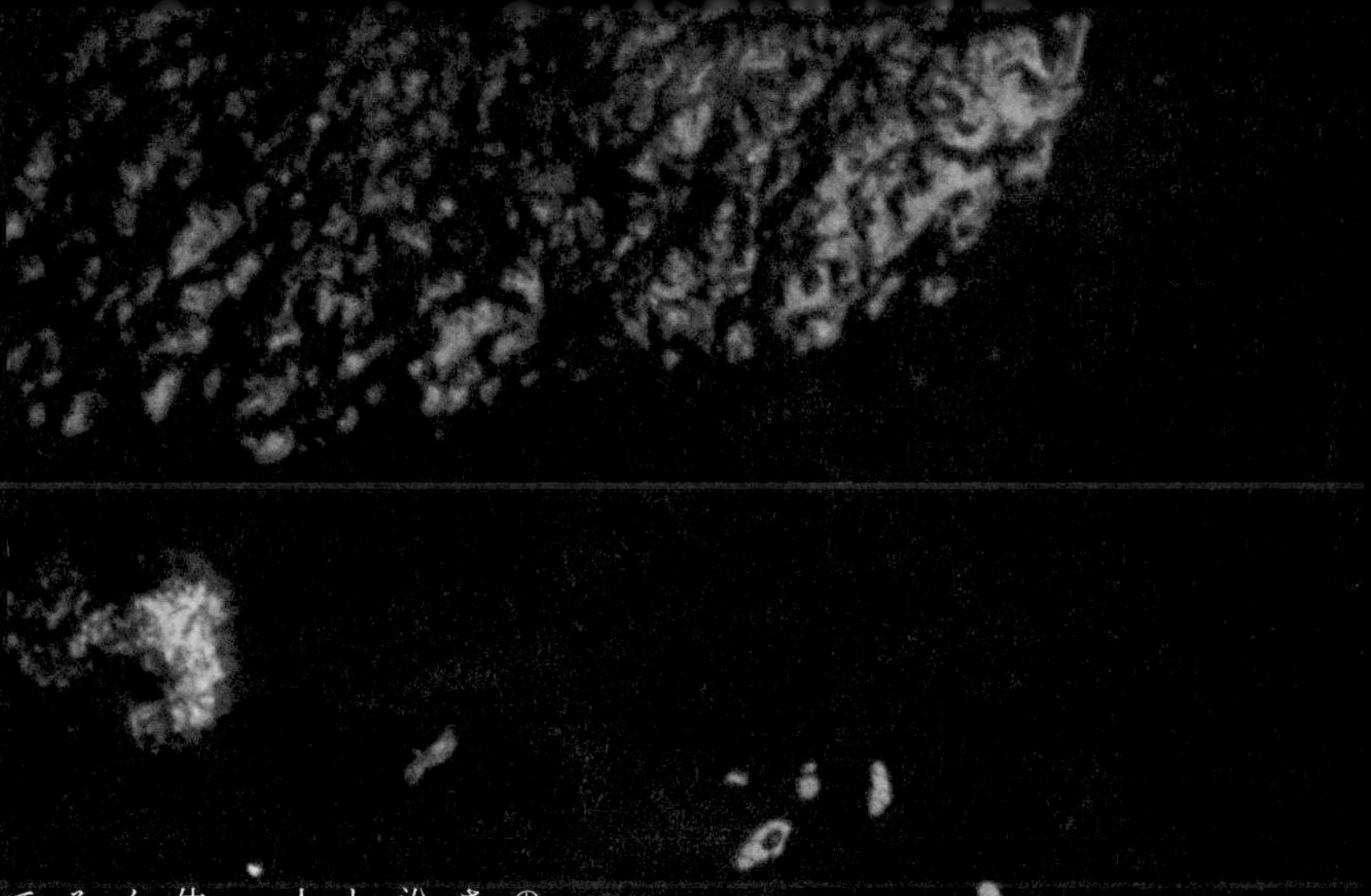

クワガタムシを放した僕たちは、その後に森の近くを流れる川を自転車でさかのぼっていった。私鉄の線路に沿って住宅地の中を走るその川沿いをしばらく行くと、橋の袂にたむろする人影が見えてきた。

「カワセミを探すときは、カワセミ自体よりもその写真を撮りに来たおじさんたちを見つければいいと言われているんですが、まさにあの人たちがそれです。そして、僕たちも今日はその仲間入りをします」

　近所の川でカワセミの夫婦が子育てをしている――柳瀬さんからそう聞いていた僕は彼にお願いして、森歩きの後に連れてきてもらうことにしたのだ。そこはなんの変哲もない住宅地で、ぱっと目にしたとき緑らしい緑もなくとても豊かな自然が存在する空間とは思えない。しかし、たしかにそこにはカワセミがいた。川べりの木に止まり、ときどき水面に降下してすばやく離脱する。そう、餌をとっているのだ。その光景を、バズーカ砲のようなカメラを構えた人間たちが遠巻きに取り込んでシャッターを連射している。

「たとえばこの空間って三面張りのコンクリートで固めてしまった川で、一見生き物なんか全然いない。でも、カワセミにとってはとても住みよい環境なんです」

　そう、生物は、それぞれ異なる環世界に生きている。人間にとってそうは見えなくても、別種の生物にとってそこは十二分に豊かな自然となり得るのだ。

「ここに生えている緑色の藻はオオカナダモという外来種なんです。そしてこのカワセミが捕まえているエビもおそらくカワリヌマエビという外来種です。東京は１９６０～70年代前半にかけての公害問題もあって、川が汚染されて生き物がいなくなってしまったわけです。また、護岸工事や河川改修でいろいろなところで段差を設けたから、生き物が遡上しにくくなっている。その後、ここ30年くらいで下水処理施設が整備されて、よく見ると水もだいぶきれいになっている。そこにたぶん何らかのかたちで外来種が入ってきて、そんな外来種の生態系に頼るかたちでカワセミも戻ってきた。そして何代もこの川で暮らしている、悪くない状態になっているわけです。外来種排除を唱える人の中には『外来種を食べているカワセミの暮らしかたは間違っている』という意見もあるようです。でも、それを言うなら日本人の主食のコメは外来種のイネの実です。日本に生きる水辺の生き物のかなりが外来種

を育てている田んぼや水路やため池で暮らしている。原理主義的に外来種を全部排除すると〝豊かな自然〟が復活するかといえば、疑問ですね」

　この日に僕たちが訪れた川の排水口には、ヒノキの枝が刺さっていた。もちろん、排水口にヒノキの枝が自然に刺さることはない。人間が何らかの目的のために、刺したのだ。柳瀬さんが言うには、それは「絵になる」カワセミの写真が撮りたいと考えたおじさんたちの仕業である可能性が高いという。6月には同じようにあじさいの花が設置されていたそうだ。

「ある意味で絵葉書的な自然のイメージしか持っていないから、こういう小賢しいことをしてしまうのだと思います。あじさいもヒノキもあり得ないことは分かるはずです。カワセミは水中に飛び込んで餌をとりますが、あじさいもヒノキも川沿いに迫り出して生えたりなんかしない。ヒノキの枝に止まって、餌を狙うカワセミの絵なんか、自然でもなんでもない」

　少なくとも僕たちのいるあいだカワセミたちは、一度も排水口に刺されたヒノキに止まらなかった。たまたまそうなっただけなのだろうけど、僕にはそれは人間たちの小賢しさを嘲笑っているかのように見えた。

　さらに川を少しだけさかのぼると、

先程見たカワセミの両親だと思われるつがいが目に入ってきた。

「このカワセミの住んでる範囲はものすごく狭いです。どのくらいの距離かと言うと、距離にして1キロ弱ですね。たったこれだけの空間だから、たぶん1カップルしか暮らせません。だから育った子供はよそにいかないといけない。場合によっては親が追い出されるケースもあるかもしれない。どこに巣を作っているかは分かりません。ただ毎年、ここで子育てをしているのが観察されています。ポイントは、ここが武蔵野台地の縁に川が流れているところで、カワセミが巣作りしやすい環境がある。川沿いの斜面に緑地や神社仏閣、庭園などがそれですね。川のコンクリート張りになっている細い水抜きの管で巣作りをしているカワセミも意外と多くて、森が近くになくても暮らせているケースもあるそうです」

東京の都心「にもかかわらず」この一家はここで暮らしているのではない。都心の、それも結構「いいところ」だから暮らしているのだ。ただ、その一等地はそれほど広くなくて、子供は成長すると親に追い出されるか、親を追い出す。カワセミの眼で見たとき、外来種たちの繁殖する下水処理場で浄化された小さな川の中腹は希少な「一等地」なのだ。

柳瀬さんに都心の森と川を案内してもらってから、1ヶ月ほどが経った。この夏のあいだ僕は早く起きた朝は近所の森に足を運ぶことが多かった。すると、たまに柳瀬さんに出くわす。柳瀬さんはよく川にも足を伸ばして、カワセミの一家を観察している。カワセミの兄弟は、なかなか巣立っていかないという。僕と柳瀬さんがよく会うこの森は、少し前までは野良猫が多い場所として知られていた。しかしこの数年めっきり、この森で猫たちを見かけなくなっていた。ある朝、ふと、その話題になった。柳瀬さんも、同じことを感じていたという。僕はいなくなった猫たちを、探してみたいと思った。ここにいないなら、いる場所に行って探してみたいと思った。そして、クワガタムシやカワセミと同じように猫たちにとっての都市という環境を考えてみたいと。しかしクワガタムシやカワセミと同じように、猫たちに出会える場所を柳瀬さんが知っていてそこに案内してくれるわけじゃない。まずは彼／彼女たちが生きている場所を見つけることからはじめないといけなかった。僕は柳瀬さんに尋ねた。どうすれば猫を見つけられますか、と。柳瀬さんは笑顔で答えた。その答えは決まっていると言わんばかりの満面の、得意な笑みだった。「それは〈猫の眼〉で見ること、それだけです」と――。

そして、僕は猫を探しはじめた。詳しそうな人に片っ端から聞いて回って、インターネットでなるべく新しい野良猫の、それも大量に見かけた記録を追いかけた。地域猫としての保護活動を街ぐるみで行っているようなところは避けた。僕が知りたいのは、猫たちにとって人間の作った街がどう見えているか、だった。いくつか、大まかなエリアは絞り込めたけれど、具体的なポイントまでは絞り込めなかった。柳瀬さんの言う通り、あとは現地に足を運んで「猫の眼」で世界を見ることでしか探せなさそうだった。

僕らが選んだのは、湾岸の埋立地にある物流拠点の並ぶエリアだった。この付近の公園や緑地に、野良猫が多いのは有名な話だった。しかし、具体的な場所はよく移り変わっているらしく、決定的な情報は得られなかった。とりあえず、この付近を探すだけ探し

猫の眼

猫とトラックの街

てみよう。僕はそう決めて、編集部のスタッフたちと現地に向かった。

東京に住んでもう15年になるのだけれど、このエリアに足を運んだのはほとんどはじめてに近かった。高田馬場からJRと私鉄、そしてバスを乗り継いで1時間半。そこは人間のいない街だった。存在するのは広大なコンテナヤードと、荷揚げされたものを運ぶためのトラックたちが並ぶ駐車場と整備施設、そして倉庫だけだった。広い道を走る車両のほとんどがトラックで、道を歩く人間の姿そのものがほぼ皆無だった。ときおり倉庫の前で目にする人間はほぼ例外なくつなぎを着ていて、大体の場合自分たちより大きな機械に奉仕していた。まるで、トラックの国に迷い込んだように僕は思った。このトラックの街を、僕たちは猫の住むという湾岸の緑地に向かって歩いていった。

猫の眼で街を見ると、隙間や物陰だけが価値を帯びてくる。開けた場所や日の当たる場所は彼／彼女たちにとって砂漠のようなものだ。人間よりも大きくて、重たい怪物たちが無数に走り回るこの場所で、僕たちは彼／彼女たちにとってのオアシスのような場所を探し、かがんで覗き込んでいった。最初の1匹は、ガレージに停車するトラックの下にいた。日差しの強いその日の午後に、猫たちはまるで人間がそうするように物陰の中で涼んでいた。2匹目と3匹目は緑地の木陰に、4匹目は公衆トイレの影にいた。少し足を伸ばすと、大きな公共施設の小さな駐車場の脇にある茂みに数匹がばらばらに隠れていた。そしてこの街で出会った猫たちは、どの個体も肥えて、そして毛並みも乱れていなかった。それはこれらの猫の栄養状態が良いことを示していた。広く知られているように、家畜化されて久しい猫という生き物は基本的に人間の補助なしに生きていけない。春と秋に大量に生まれる子猫で数ヶ月後に無事に成猫になるのは1割程度と言われている。そしてその成猫もうまく人間から餌を得られる場所を見つけないと、特に都市部ではほぼ生きていくことはできない。僕たちが街で見かける野良猫は実はほぼ誰かに餌を与えられている猫だ。それでも、野良猫たちの平均寿命は2年から3年だという。飼い猫の寿命が15年前後であ

SITC

ることを考えると、猫にとって都市がいかに過酷な環境かが分かるはずだ。猫という生き物の生存にもっとも適した環境は近代的な家屋の中で勤勉で、動物愛護の精神に溢れた人間がそこに同居していることなのだという。僕たちは夕方を待った。この猫たちに餌を与えている人に話を聞くためだ。猫の眼でこのトラックの街を眺めることで、僕はこの近くに人が現れる場所が必ずあるはずだと確信していた。

そして夕暮れ近く、ある緑地で僕たちは男性3人のグループに出会った。まるで猫たちのように彼らはどこからともなく、このほとんど人気のない世界の片隅に一人、また一人と集まってきた。グループ、というには少し語弊があるかもしれない。彼らはほとんど口を利かずただ黙って猫たちに給餌して、その健康状態を観察しているだけだったからだ。うち、僕たちの取材に応じてくれたのは70歳前後のおじいちゃんで、他の二人のうち20代後半に見えるライダースーツの青年は側に立ちただ黙ってその話を聞いていた。その表情は穏やかで、ときどき静かに微笑んでいた。一言も発しなかったけれど、悪い人には見えなかった。もう一人、60代か70代の男性がいたのだけれど彼は僕らが近づくと面倒に思ったのか、ぷいとその場を立ち去って少し奥の別の猫の集団に餌を与え始めた。

ここの猫たちは人間が捨てていった個体が繁殖したもので、彼らは個人的に保護活動をしているのだという。1匹ずつ捕まえて去勢手術を受けさせ、そして定期的に給餌する。怪我や病気をすれば、病院にも連れていく。町内会の類がいわゆる「地域猫」として共同管理する場合の対応を個人で行っているのだ。他の二人とは「なんとなく」分担ができていて、自分が来れないときは他の人が給餌しているのだという。そして、同じような数名のグループが他にもいくつかあって、やはり「なんとなく」担当エリアが決まっていて、このあたりの緑地の猫を数は増えないようにしながら——それでも捨てていく人が多いのでなかなか減らないのだが——世話をしているということだった。彼らの活動があってはじめて、この猫たちは生きられるのだ。

取材に応じてくれたおじいちゃんはもう5年ほどこの緑地に通っているのだという。その前にいた人は5年か6年か通っていて、そして何らかの理由で来れなくなり、彼が引き継いだのだという。このおじいちゃんがここに来れなくなったときはこのライダースーツの青年がその役割を引き継ぐのだろうな、と僕は思った。

猫の眼から見たときこの世界の果て

のような場所はどう映るだろうか、と僕は考える。おそらく猫たちの眼に映るいちばん大事な存在は、このおじいちゃんたちだ。このたぶんちょっと不器用な、でも決して悪い人ではない人たちの共同体未満の集団があって、そこでゆるやかな分担と継承が機能していることが、ここの猫たちの生存の条件なのだ。そして、僕は思った。ここに猫たちがいることではじめて、猫たちに必要とされることではじめて、この人たちは出会わないはずの人やものごとに出会い、そして家族とか、仕事とか、民主主義とか、そういったものとはまったく異なる回路を通じて世の中につながっているのだ。そして、たぶん他のものでは代替できない居場所を確保して、そこに適度な距離感でかかわっている。この日僕たちが出会った人たちは互いが互いを同じ共同体のメンバーとして一体感を覚えているとかでは全然なくて、そもそもこの付近の住人でもなんでもなくて（このエリアには住宅自体が存在しない）、ただ猫を保護したいという目的のためにここにやってきて場を共有し、だからこそ最適なかたちで分担して、手を動かしている。猫たちとおじいちゃんたちはお互いの存在とこの都市の隙間と物陰を、それぞれの理由で共に必要としていた。僕にはこれからの都市とか、住空間とか、公共だとかそういったものを考えるときに、大切なヒントがここにあるように思えた。僕たちの街にとっての、あるいは僕たちの街にとっての「猫」はなんだろうか。そしてそれはどこにいるのだろうか。

柳瀬博一（やなせ・ひろいち）
東京工業大学 リベラルアーツ研究教育院 教授（メディア論）。1964年生まれ。慶應義塾大学経済学部卒業後、日経マグロウヒル社（現日経BP社）に入社し『日経ビジネス』記者を経て単行本の編集に従事。「日経ビジネス オンライン」立ち上げに参画、同企画プロデューサー。「TBSラジオ」「ラジオNIKKEI」「渋谷のラジオ」でパーソナリティとしても活動。2018年3月日経BP社を退社、同4月より現職。『インターネットが普及したら、ぼくたちが原始人に戻っちゃったわけ』（小林弘人と共著、晶文社）、『「奇跡の自然」の守りかた』（岸由二と共著、ちくまプリマー新書）、『混ぜる教育』（崎谷実穂と共著、日経BP社）。『国道16号線 「日本」を創った道』（新潮社）。

対談

〈もの〉がうごめく都市をめぐって

酒井康史
×
田中浩也

世界規模の疫病は僕たちの暮らすこの都市に
思いがけず〈人〉は動かないけれども
〈もの〉たちだけは動き回る世界を出現させた。
この奇妙な状況を手がかりに、少し変わった視点から
都市の課題と未来像を考える。

司会＝宇野常寛　構成＝佐藤賢二・中川大地

田中浩也研究室＋METACITY 青木竜太『Bio Sculpture』

コロナ禍がもたらした物流・交通システムの現在

——まず問題提起をすると、この創刊特集で都市について改めて考えることにしたときに最初に思ったのが、「都市開発」対「コミュニティ」みたいな議論はもうやめよう、ということです。つまり、グローバル資本主義の拡大とともに東京やソウルのようなメガシティに人口が集中していく世界的な潮流と、それを背景にした都市間競争と開発の流れがまずあって、それに対してたとえば国内では東日本大震災の影響もあって地域のコミュニティを再建することで人間性をも回復するということが、この10年はしきりに唱えられてきた。これは同時にスマートシティという言葉が代表する技術主義と、その反動としての反技術主義の立場とも重なっているわけなのですが、しかしこれはあまり意味のない対立だと感じています。核戦争のリスクまでも顕在化した20世紀を経たいま、素朴な技術主義を信奉する立場は難しく、これらはもはやTwitterやYouTubeを見すぎた陰謀論者の妄想の中に悪役として存在しているだけだし、そして反技術主義はまさに、これらの非科学的な陰謀論の温床になっている。僕はこの問題は最初から、批判的技術主義しか知的な態度は存在しないと考えています。そして情報技術に対することと同じことが、都市にも言えるのではないか。それが「都市開発かコミュニティか」という構図を疑うところからはじめよう、と考えた理由です。

では、僕たちが生きている都市というシステムを、コロナ禍を経たいま多角的に捉え直すためには何が必要か。そう考えたときに、ここでは〈もの〉から見た都市という視点を提案してみたいと思います。つまり、ここしばらく都市開発論にせよコミュニティ論にせよ、どちらも都市というものを人間同士のコミュニケーションの場としてばかり考えすぎてきたきらいがある。背景にはインターネットの登場による人間同士のコミュニケーションの量的な増大と「空間」の再定義があり、それは当然の流れだったと思うのですが、だからこそここではあえて人間と〈もの〉との関係を考えてもみたい。そういった観点から捉え直すことで、人間が都市とどんな関係を結べるかについての新たな視点が得られるのではないかと思います。

この対談では、慶應義塾大学SFC教授でデジタルファブリケーションの社会実装が専門分野の田中浩也さんと、MITメディアラボのリサーチアシスタントで工学者として都市とテクノロジーの関係を研究されている酒井康史さんのお二人に、「モノが流通し集積していく場所」という観点から、都市を捉え直す視座をどのように得られるかについて、ざっくばらんに語っていただければと思います。最初に自己紹介を兼ねつつ、この問題設定への所感からお伺いできますでしょうか。

田中 今回のテーマは、移動が不自由になったコロナ禍の中、どこでどのように過ごしていたかの経験が少なからず発言にも影響してくると思います。酒井さんはボストン、宇野さんは東京だと思

酒井康史（さかい・やすし）
日建設計デジタルデザインラボを経て、2017年より米国マサチューセッツ工科大学博士課程・リサーチアシスタントとして同大学メディアラボ シティサイエンスグループ所属。専門は、デジタル・デザイン、都市における集団的合意形成と分散システムの開発。

田中浩也（たなか・ひろや）
慶應義塾大学SFC環境情報学部教授、KGRI環デザイン&デジタルマニュファクチャリング創造センター長。専門は、デザイン工学、3D/4Dプリンティング、デジタルファブリケーション、環境メタマテリアル。2010年、米国マサチューセッツ工科大学メディアラボ訪問研究員。

いますが、私は鎌倉に住んでいます。

コロナ禍の前は週に何回か東京に行っていましたが、この1年半、ほとんど鎌倉から出ていません。大学の講義もほぼリモートです。しかし、もちろんそれで困ることはなくて、ほとんどAmazonとメルカリとUber Eatsと近くのコンビニで生活が事足りている。Uber Eatsを使う機会は増えましたが、毎回思うのは、このサービスはほとんど自動的なアルゴリズムの一部として人間が動いているのに、自動運転技術は間に合わなかったのだなということです。ここまで情報技術と物流システムとの連動が進んできた中で、最後のラストワンマイルで、人間が物をまだ運んでいるという状況を、かえって思い知らされたという感じがします。他方、鎌倉のような起伏の激しいエリアでは、電動アシスト自転車がとても役に立ちます。私自身、自由意志で山から海へサイクリングする生活を謳歌できていて、今までよりも自分の住んでいる街の隅々をよく観察できるようになりました。

そのような生活の中からせりあがってきた関心は、Amazonとかメルカリ、Uber Eatsのような動脈産業はデジタル化が進んでいるけれども、ゴミ回収以降の静脈産業はまったくデジタル化されていないということです。鎌倉市ではプラスチック製品ゴミがコロナ前より35%も増えている。こうした状況から、「ゴミ」や「資源」から都市を考えてみたいというのが、最近の関心です。

酒井　僕も宇野さんの問題提起を受けながら、自分の研究分野を紹介させていただきますと、今はMITメディアラボでシティサイエンスというグループに所属しています。ただ、MITのような工科大学でもっぱらエンジニアリングばかり追求してきた立場からすると、特にスマートシティ関連の技術に関しては、「もうちょっと人間のコミュニティのことを考えた方がいいんじゃないか」みたいな批判が、特にアメリカの研究土壌では強まってきています。

とはいえ、人と人ばかりではなく、人とマシン、あるいはマシン同士というモノとモノの関係に注目[*1]していこうという意味では、面白い議論ができるのではないかと思っています。僕自身の研究としては、自転車にセンサーを積んで、都市のデータをいろいろ集めるというプロジェクトをやっています。具体的には、自転車にセンサーを積んで走行経路を分析して、呼び鈴がよく鳴らされる場所や周囲の環境音から、交通事故が起きやすい場所を割りだしたりするということなんですが、そういう「人間社会に対して有益な知見を得よう」という圧力を外して振り返ってみると、これは自転車を一つの生物種に見立て、その中でママチャリという生き物の行動を観察して「自転車同士のソーシャルネットワーク」があり得るとすればどんなものなのか……ということを考えたりもしていました。言い換えれば、「ママチャリから見た都市計画」[*2]はどうなるだろうか、という研究になっているのかもしれません。

田中　アリババの社長が「コロナによって、想像していたデジタル移行が数年分早まった」と言っ

田中浩也研究室と鎌倉市ほかによる共同実験「データウォーク」。約50cm間隔の点群データによって三次元的に再構成された鎌倉の地形に、津波の際の浸水と多様な避難方法の可能性を模索した。

ていましたが、今や高齢者から幼稚園児までZoomにログインするようになり、「デジタルデバイド」論はほとんど聞かれなくなっていますし、社会の基底がどんどん作り直されている。だから、それに合わせた都市像を考えるには今しかないようにも思うんですね。アフターコロナになって都市に人が繰り出すようになっても構わない、という状況が戻ってくる前に、ある程度、基底となる下部構造を書き換えてしまいたい思いがあるんですね。そういう中で、先ほど述べたように、自動運転技術によって人ではなく〈もの〉が自動的に動いていく世界を実現しようという必要性については、コロナ禍はそのコンテクストを強化する方向に働きうるのではないかと思っています。

――よくわかります。僕は東京の新宿区に住んでいるんですが、コロナ禍で外に出かけなくてよくなったことが、とても快適だったんですよね。おそらくAmazonとUber Eatsがこんなに機能する物流インフラが充実しているのは世界でも東京の中心部くらいだと思うのですが、その時に僕は、いま田中さんがおっしゃったような「人は動かないけどモノが動く都市」に近い状況が一時的に成立していたのを感じました。このことが、この対談企画を考えた直接の動機の一つです。

いま僕たちが都市というものを考えるときに、人が動くということを前提に考えすぎている。ところが人と同じぐらいモノも動いてきたからこそ、都市は成立しているのであって、人を動かすのと同じぐらい、モノの動かし方を変えることによって次の都市像を作っていくということを、もっと真剣に考えてもいいんじゃないか、と。

酒井　まさに東京こそ、Amazonに侵略され尽くされた都市ですね。たとえば秋葉原に行けばパーツは何でも手に入るわけですが、アメリカにはそういう物理的に買いに行ける町がほとんどない。だからこそAmazonのようなサービスが必要だったわけですが、東京とかアジアの場合は、さらに集積率の高い都市環境での既存配送網などの物流インフラを活かして、膨大な量の商品が飛び交っているわけです。

ただ、田中さんがおっしゃった自動運転の必要性についてのアメリカでの感触を言うと、MITでもコロナ前はすごく盛んだったんですが、投資家の関心も含めて今はちょっと下火になりつつあるのを感じています。じつは、自動運転は1939年のニューヨーク万博にGMが出展したFuturamaでも挙げられている。これだけ時間をかけても、未来像を提示して実現していないテクノロジーの典型になっていますね。

でもその一方で、コロナ禍が深刻だった時期、世界各地の都市で、自動車がいなくなったから、このどさくさに紛れて自転車専用レーンをつくる政策を推し進めているというニュースは、確かにたくさんありました。都市計画的には全然お金がかからないし、路上駐車が減るので、コロナ・ショックの思わぬ副産物の一つではあると思います。

田中　道の使い方をめぐる議論は、現在の私の関心ともつながります。冒頭にプラスチック製品ゴ

＊1　ノーバート・ウィーナー 著／鎮目恭夫・池原止戈夫 訳『人間機械論――人間の人間的な利用　第2版』（みすず書房　2014年／原著：1950年）

＊2　Yasushi Sakai, “Bikebump : collective urban design”, Thesis: S.M., Massachusetts Institute of Technology, School of Architecture and Planning, Program in Media Arts and Sciences, 2017

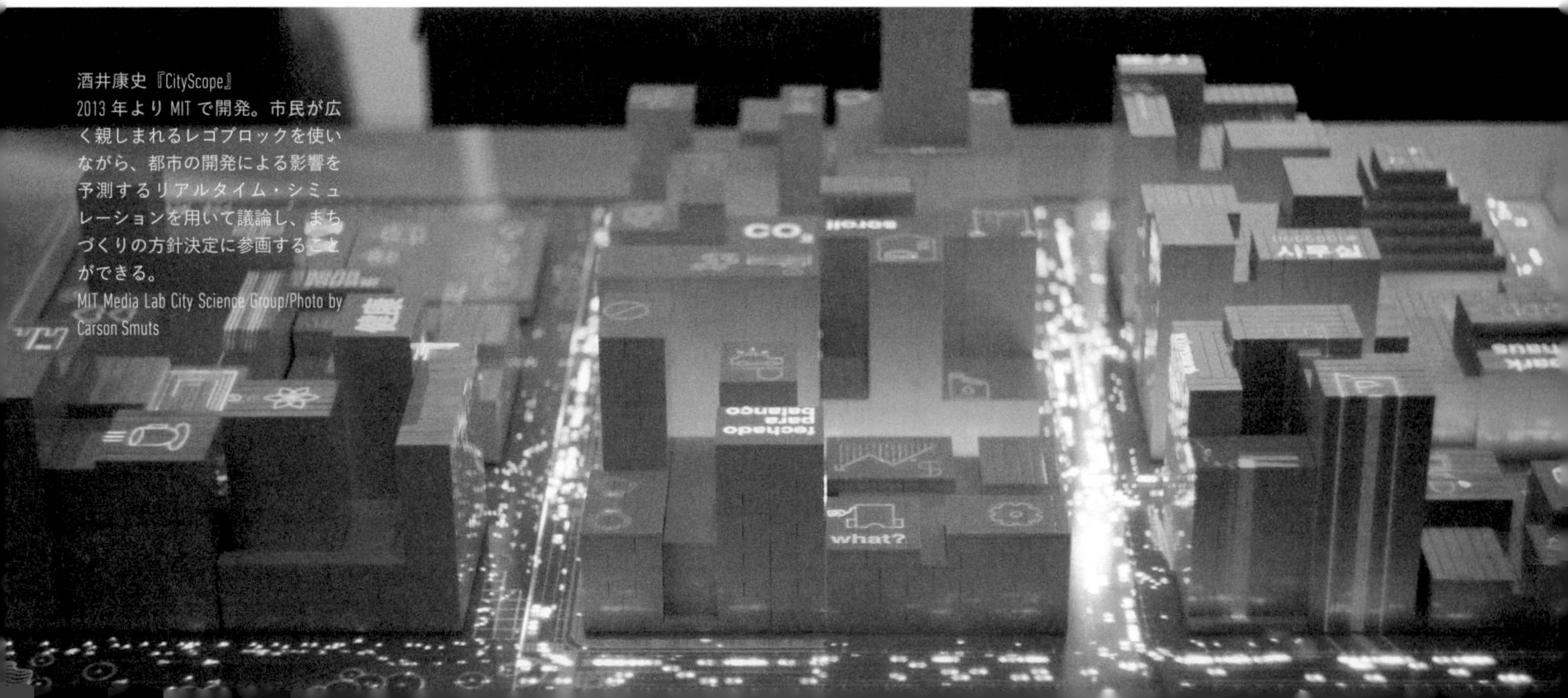

酒井康史『CityScope』
2013年よりMITで開発。市民が広く親しまれるレゴブロックを使いながら、都市の開発による影響を予測するリアルタイム・シミュレーションを用いて議論し、まちづくりの方針決定に参画することができる。
MIT Media Lab City Science Group/Photo by Carson Smuts

ミが増えているという話をしましたが、今後のプラスチックのリサイクル先の一つとして検討されているのが、道路の路盤材なんです。たとえば、花王ケミカル社が「ニュートラック5000」(図1)という道路改質剤をすでに発表しています。現在の舗装材のアスファルトは熱に弱くて軟らかいから、温暖化の影響もあって、夏は車が通ると轍ができてしまいますが、これを混ぜれば強くなるのです。さらに、この商品紹介ページに興味深いことが書かれています。それは「近い将来、自動運転社会がやってくると、全部のトラックが正確に道路上の同じ場所を走ることになるので、路上の轍が今より深い溝になってしまうという予測がある。それを防ぐため、リサイクルプラを混ぜてアスファルトを硬くする必要が高まってくる」というものなのです。

でも、これを読んだとき、私の想像力は逆に働いたんです。仮に全部一気に自動運転になると考えてしまえば、路面電車のレールみたいに轍が2本できれば、車はそこしか通らなくなる。そうすると、日本の道路にはなかなかなかった自転車専用レーンを確保できるかもしれないし、ヨーロッパの路面電車のように緑化して植物を植えることもできるかもしれない。こうやって、道の材質から、新しい交通のイメージが立ち上がってくることもある。

酒井　アメリカやヨーロッパの伝統的な都市計画の発想だと、「基本的に車はこの轍しか通っちゃいけない、自転車は専用道しか通ってはいけない」という計画主義的な方針になりますよね。日本でも国交省主導でストリートデザインをやっていますが、もともと狭い車道幅員を変えずに、人が歩けて自転車も専用路がある街というのは無理があります。僕が育った場所で考えると、商店街ではママチャリと高齢者がぶつかりそうで危ないという話がよくある。そういう計画主義的な発想に対して、僕は、スマートシティで自転車も自動車も車椅子も自動運転が基本になるなら、お互いに避け合うシステムにすればいいと考えています。先ほど触れた「モノ同士のソーシャルネットワーク」のひとつの応用場面として想定しているのは、そういう局面でのことです。

田中　インドの道路では、自動車も象も牛も歩行者も共存してますよね。それと似た感じでしょうか。他方、トヨタの実験都市「Woven City」計画(図2)では、路上を通行するものを、第1に自動運転車を含む高速度の車両、第2に自転車など時速10~20キロ程度のパーソナルモビリティ、第3に歩行者専用という3種類に分類して道路を考えようとしていると聞きました。

それに対して酒井さんを含めたMITが、インド型の混在した道をサイバネティックス的にコントロールする方針なのは、西洋的な計画主義への反省が原因ですか?

酒井　そうだと思います。ニューヨークの交通はまだまだ西洋的な計画主義ですが、インドを含めアジアに多いブリコラージュ的なやり方への一種の憧れはあるのかもしれない。中国も自動車や

図1　花王ケミカル「ニュートラック5000」を採用した市道　(花王ケミカル「ニュートラック5000」カタログより)

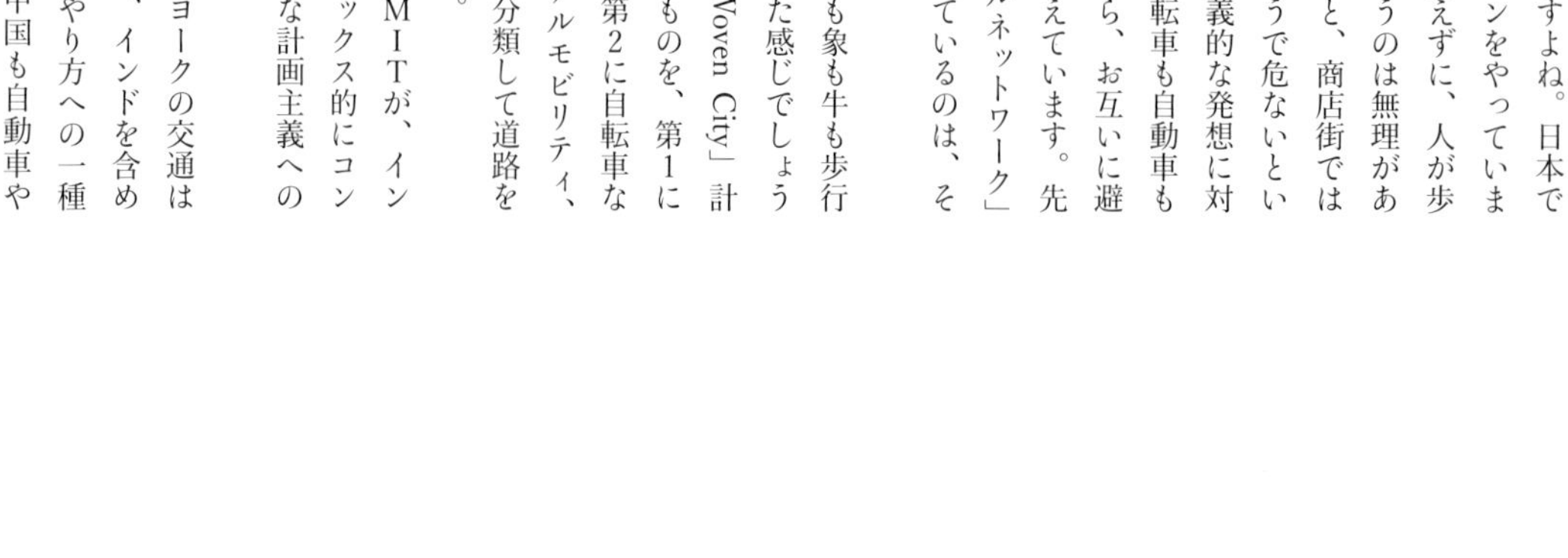

シェアサイクルの混在型モビリティですよね。先に自転車を一つの動物種にたとえるという話をしましたが、車種だけでなく、人を運ぶか、荷物を運ぶかといった用途も含めて、生物多様性がある環境で、いかに自動運転を群的に解くかが近年のトレンドになっている。MaaSとかが日本でも話題になっていますが、すごくロバストですよね。

その前提になる現状としては、アメリカではUberの普及で、車を所有していない世帯や英語が話せない旅行者といった交通弱者のソーシャルモビリティが上がりました。しかし同時にニーズに対応した分だけ渋滞も増えたという研究が出ています。今後、自家用車が自動運転になっても渋滞は解消されない。あと、Uberは、障害者とか小さい子供のいる家庭とか、そういうタイプの人々には相対的に不利な（ソーシャルモビリティを下げる）ツールですね。その対応として、ニューヨークのタクシーは車椅子の客や大きな荷物を持った観光客を乗せるために巨大化しているという、生態系のニッチのような進化を遂げている。だからこそ、道路のゾーニングではなく、Uberと自家用車とタクシーと乗り合いバスで機能を分けて適用していく方向性が見えてきているわけです。

田中　確かにWoven Cityのように新しい街をつくろうという場合には可能であっても、道路が細く地形が複雑な鎌倉では極端に計画主義的なことはそもそもできないという状況もある。それから私は北海道生まれなんですが、冬に雪が降ると車道も歩道も何も関係ないんですよね。どんなに計画主義的に街をつくっても、豪雨とか雪とか自然環境から不確定なことがいろいろやってくると、計画的に作ったものが無効になる瞬間がある。それを前提に考えると、アジア的な群で動かす技術みたいな発想は、いろいろイメージが刺激されますね。

ちょっとモビリティ寄りの話になってしまったので、最初の宇野さんの問題提起に戻ろうと思うんですが、人間には「コミュニケーションの欲望」と「移動の欲望」がありますよね。なぜ独房が罰になるかというと、衣食住は供給されるけど、コミュニケーションと移動を封印しているからですよね。その二つの欲望のうち、これまでの都市文化では宇野さんの言う通り、人と人が集まってコミュニケーションをすることが大事だとばかり言われてきたと思うんですよ。けれども、人間同士のコミュニケーションから切り離されても、たとえば単に一人で夜の都市を歩く快楽とか、海岸まで自転車で行って帰ってくる、浜辺で波の音を聴きながら一人でいる快楽、あるいは単にちょっと移動して帰ってくるだけの快楽みたいな、個人として都市の多様なディテールや自然との接触面に触れあうといった経験を、このコロナ禍で改めて経験できた人は少なくなかったのではないでしょうか。なので、先ほどのコロナ禍の大変化を契機に都市の何を書き換えたいかという話に即せば、たとえばそんな移動の欲望の再発見に立脚して、ソーシャルモビリティのあり方に持ち帰れたらいいのではないかという気がしていたんです。

――今の田中さんのお話にあったように、都市は「一人」という単位の快楽を実現した空間だと言われています。都市の文化的な生成力が高いのは、そこがばらばらの個人が一つの共同体を形成するのではなく、それぞれの文脈を持った個人が、個人という単位のまま、他の個人、あるいは人間外の事物と大量に接する場だからです。そして無数に化学反応が起きていく。ところが、最近のコミュニティ寄りの都市論は、どうも「コミュニケーションの欲望」にとらわれすぎるあまり、人と人とを特定の場所で必要以上に出会わせ、帰属意識を持たせて公共的なものを立ち上げようとする。端的に言って、それは都市ではなくムラで、こうした化学反応はあり得ない。そうしたコミュニケーションを促進するのはSNSのほうが向いていて、それは都市の役割ではない。「移動の欲望」を僕が重視するのはこのためです。そんな基本的なことを置き去りにしたまま、人の温もりを取り戻そうみたいな話ばかりしても、あまりいい議論にならないと僕は考えています。

酒井　おっしゃるとおり、都市が温かいコミュニティになるわけがないんですよね。人の温もりというより、シティサイエンスで議論されていることの本質は、コンフリクトをどうやって調整するかという話です。特にモビリティの話をするとひどいものです。さっきの計画主義の話もそうかもしれないですけど、歩道、車道、自転車専用道とそれぞれの領地を取り合ってるわけです。時にはものすごい反発を生みます。

僕がMITで日本の企業と一緒にやっていた研

究は、ママチャリにセンサーを付けてデータマイニングするプロジェクトでしたが、自転車がどのルートをどのように通っているかとか、事故がどんなふうに起こるかとか、道にこのようにデコボコがありますよといった話は、もうさんざんやられている。そうなると、最終的に論文としては、人々が都市のどんなリソースをめぐっていかに悩んでいるか、それを技術がどうやって浮き彫りにするかをデータから可視化する研究すべきではないか、ということでした。[*3]

より良い都市像を目指すというスマートシティ政策などの議論の多くでは、こういう問題が完全に蔑ろにされている状況があって、どれだけ人間同士が嫌い合っているかとか、あるいは無関心であるかの現実を示す研究が必要になっていくと思います。その上で都市像を構想しなければならないと痛感しています。

「他者との偶発的な出会い」から「モノによる街のハック」へ

——いま、感染症対策で飲食店、特に「飲み屋」の類の営業が大きく制限されているわけですが、外で飲むことにこだわっている人たちは、政府の要請を無視して営業を続けている店を、まるで蝶がその種類ごとに特定の花の蜜を集めて特定の木に産卵するように探しまわっていると思うんですね。僕はお酒を飲まない人間だけれど、その気持ちがよくわかる。僕はコーラが好きなのだけれど、カロリーが気になっていつもカロリーがゼロのダイエット用コーラを飲んでいて、これが地方に行くとなかなかコンビニで売っていなかったりするので、出張に行くと目についたところで買おうとする。つまりここでは特定の商品が置いてあることが、僕がその都市に住める条件の一つになっている。その場所に住める人間の多様性を、アイテムのバラエティが規定しているという事例が、探せばいっぱいあると思う。

たとえばハンディキャッパーに対する都市のバリアフリー化に関しては、みんな注目しているし、セクシャルマイノリティを筆頭に都市が多様性に開かれるべきだという議論がよく行われています。僕はこの議論は、単に社会的にマイノリティで不利な人の権利をどう保護するかという視点からだけではなく、文化の生成力をどう上げていくかを考える上でも重要だと思うし、その鍵を握るのは、意外と空間やコミュニティよりもむしろ「モノ」だと考えているわけです。

田中　それは面白い視点ですね。これまで、美術館とか文化施設とか渋谷のファッションショップが文化を作っていたと考えられていた。でも、その視点を全部外して、すごく即物的に考えると、ゼロカロリーコーラが文化の生成を規定するエンジンだったのかもしれない。

別に人と人とが話さなくてもいい、知り合いになる必要もないけれど、文化生成力の高い状態にするにはどうしたらよいか。文化は一人では作れないから、何らかの他者＝外部刺激は必要なんだけど、別にそんなに人間的な優しいコミュニケーションはしなくてもいいという都市は、どうやって作れるのか。

酒井　それについては、アメリカの都市文化史の有名な事例を振り返りながら考えてみましょうか。たとえば、１９７０〜80年代のニューヨークのブルックリンでヒップホップ文化が広まった一因として、１９７７年にニューヨークで大停電が起きたとき、どさくさに紛れて大量の放火や略奪が起こって、そのときターンテーブルを盗んだ人たちがＤＪを始めて、楽曲のリミックスを広めたという逸話がありますよね。もともとパクったターンテーブルで音楽もパクっていくみたいな状態で、良くも悪くも強い都市カルチャーの生成というのは、人の温もりのあるコミュニティが云々といった話では全然なく、そういうレベルの偶発性とかアクシデンタルなインパクトが必要だという印象があります。

対して、さっきの自動運転を活用したスマートシティとかWoven Cityとかの議論では、そういう話とあまりにも距離感があって、埋められない溝が大きすぎるなと思っていました。

——今の話は、大停電でモノが拡散したことが文化の生成力を上げたということですよね。こういう現象を意図的に仕掛けていくというのも、面白いのではないかと思います。言い換えればモノによる街のハックというアプローチですね。たとえば山形市では、町おこしにかかわる若者たちが、ちょっとおしゃれな屋台をすぐに組み立てられる「山形ヤタイ」（図３）というものをつくってレ

＊３　Andres Rico, Yasushi Sakai, Kent Larson, “JettSen: A Mobile Sensor Fusion Platform for City Knowledge Abstraction”, Proceedings of the Future Technologies Conference (FTC) 2020, Volume 2 pp 773-791

図2　トヨタが計画する「Woven City」イメージ
"Woven City" Visualization © BIG Bjarke Ingels Group

図3　山形ヤタイの展開例
（「山形ヤタイ」公式サイトより）

ンタルしている。地方のシャッター商店街って放置するのが経済的だけど、これを使うと、不動産契約をしなくても若者がシャッター商店街のおじいちゃんに軒先を借りて気軽に出店できる。これは単純な「町おこしのいい話」じゃなくて、モノによる街のハックと言える。こういうものをもっとマクロな視点で展開できないでしょうか。

酒井　「モノによる街のハック」というのは良いキーワードだと思います。ハックという言い方がしっくりくるというか、その屋台を出している若者は、別に町おこしをしようと考えてやっているわけではないけど、機能は成立するじゃないですか。エゴ主導で、小さな道具を持って、周りの環境を改造していく。それは俯瞰すると、文脈としては町おこしに見えるかもしれない。元来ハックというのは個別のエゴからくるものですよね。

田中　いま、うちの大学の研究室の学生もコロナでキャンパスに集まれませんが、ものづくりの研究室なので、全員自宅に3Dプリンタを揃えてアトリエにして、バラバラにモノを作っているわけです。そんな中から、人が着ない服をドローンで都市にたくさん飛行させたい（図4）とか、人が履かない靴を都市に分散設置してみたい（図5）というような妄想力みたいなものが芽生えてきている。私はそれに「幽体離脱的な都市エレメント」という言葉を与えて励まそうとしています。まだ明確には説明できませんが、新しい感性なんじゃないかという気がしているのです。なんというか、彼女らはモノを従来のモノとしては捉えてない。服として、靴としての機能は副次的なものでよくて、むしろ何かしら、みんながすでに知っているものに擬態させて展開し、実際には自分と街とをつなげる新しいアンカーをつくろうという意識が強いように思う。こういうものをコツコツつくりながら、コロナ後の都市への実践に向けて準備しているという空気が生まれています。

酒井　中国でバイクシェアリングが広まった初期、乗り捨てが問題になる直前の良さと似たものが感じられますけどね。どこでも自転車が置いてあって、勝手にどう乗ってもいい状態があって、すごくいいんじゃないかと言われていた。でも、それをやりすぎちゃって、ほとんどゴミみたいになってしまいましたけど、そういう施策の良い部分だけをどうやって生かしていけばいいのかなと……。

　もうすこしマクロな視点から言うと、都市データ分析系のプロジェクトでは、そういうモノを介して文化的な多様性を解析していくような研究は、まだまだ少ないですね。アメリカは人種も貧富も多様な格差社会ですが、GPSの情報からどの業種が収入多様性、人種多様性があるかを分析したら、ラーメン屋だったという研究[*4]があるんです。金持ちから貧乏人、白人から黒人までいろんな人が食べに来るので、なぜかポリコレ的解釈で「やっぱりアジアはすごいよな」という話になっちゃった（笑）し、〈もの〉という解像度での話ではありません。

　今のところ、データ分析系で、文化を深掘りする研究の解像度はその程度なんですよ。なので、

図4　松本夕祈・鳥居巧（田中浩也研究室）『ドローンで服を都市の上に飛ばせる』

宇野さんが言うようにコミュニティ論が延々とやられてきた一方で、技術的にそれを見るという視点が、まだ圧倒的に足りないと感じます。アメリカにはわかりやすい格差があるので、多様性をビジュアライズするという意味では簡単なんですが、逆に日本の文脈で見えるかというと難しい。日本だと、そういう格差がある前提の上で、だけどみんな混在しているという状況があるので、それをいかに分析するかが難しいところです。

——対人コミュニケーションだけを考えたとき、人間はそもそも多様な存在ではないのだと思います。たとえば僕と乙武洋匡さんの身体はまったく異なるけれど、SNSのプラットフォーム上では同じ機能を持つアカウント、つまり社会的身体を用いて活動している。SNSというのは人間の対人コミュニケーションだけ、社会的身体だけを抽出して独立して機能させる装置です。僕はSNSの社会的身体が画一的だから、そこで交わされる人間たちのコミュニケーションから多様さが失われていっているのだと思います。つまりFacebookではFacebookっぽい、TwitterではTwitterっぽい言動を取るようになってしまう。プラットフォームの条件に最適化された投稿を、意識的にも無意識的にもするようになる。そういう条件があるからこそ、いま物理的なモノに再び着目することが、むしろそれぞれの多様な身体性を取り戻すことにもつながるのではないでしょうか。

田中　別の観点から言うと「ストリートカルチャー」という、コロナ禍では聞かれなくなった言葉がありますよね。ストリートカルチャーと聞くと、スケートボーダーとか、グラフィティとか、ある時代の階級文化とかイデオロギーに紐づけられたステレオタイプのモードにどうしても引きずられてしまいます。

　でも、別にそうしたいわゆるストリートカルチャーの文脈に属していなくとも、ストリートという物理的な環境そのものは、あらゆる人間に対して普通に存在しているわけです。奇しくも今はコロナ禍で路上飲みのようなネガティブな再発見ばかりが目立つわけですが、コロナで街に出られなくなった人たちが改めて街に出てきたとき、また違った目線とか身体感覚によってストリートや街を捉えらえる可能性は、十分にある気がします。そこに「SNS身体」とは違う身体に変容するためのきっかけを散りばめられたら、と思うんですけどね。

モノのモバイル化が変えた都市への空間意識

——モノによるハックということをもうすこし卑近なレベルで考えるなら、たとえば１９９０年代に飲み物のペットボトルが普及して、日本人はそれを持ち歩くようになった。これは、かなり日本人の生活を変えたと思うんですよね。僕が10代の終わりに、3年ぶりに函館の高校の寮から戻ってきたら、みんな机の上にペットボトルを置いたり、カバンに入れておいたりするようになっていた。3年間で人間の基本的な消費行動とか、都市の風

＊4　Esteban Moro, Dan Calacci, Xiaowen Dong, Alex Pentland “Mobility patterns are associated with experienced income segregation in large US cities”, Nature Communications volume 12, Article number: 4633 (2021)

図5　松本夕祈・鳥居巧（田中浩也研究室）『履くわけではない靴を分散的に都市に散種する』

景が変わってしまっていた。そういう次元で、流通するモノの変化が街や都市生活のあり方を変えていくという可能性については、いかがでしょうか。

田中　飲み物や水の摂取はもともとは生命維持活動ですよね。でも、あるきっかけでそれ自体が文化の発生のエンジンにもなっていくという現象がある。つまり、あるモノが介在することで、生命維持活動から文化生成に移行する動きを生み出すことがある。「持っていること自体」に意味が発生する場合ですよね。

酒井　ペットボトルの話もそうですが、日本は何でも小さく持ち運びしたがる国ですよね。ウォークマンもそうだったと思う。日本人は、自分たちでゼロから発明しなくても、既存のモノを小さくして持ち運べるようにすることでは、けっこう実績がある。それまで正座して聞くものだった音楽を、持ち運んで聞くものに変換した。そうやってモノの価値を抽象化してモバイル可能にするという行為を、日本はかなりやってきたと思いますね。

――たとえばスマホのバッテリーの容量が5倍になれば、都市の動線は全部変わると思います。灰皿もそうですよね。条例で今の東京はタバコが全然吸えなくなった。それによって喫煙者の生活習慣とか、都市内のどこで時間を潰すかなどの条件が相当変わったはずなんです。

酒井　来年発表する予定の研究で、人間の空間移動のスピードがゼロから無限になったときにどうなるか、つまりもし瞬間移動が可能になったら、生活環境がどう変わるかといった主旨でのシミュレーションを出そうと思っています。それとは逆に、人がまったく移動しなくなったらモノの方が移動するしかなくなるわけで、そういう想定条件で両者の動き方の相関を見る統計シミュレーションのようなものはできそうですね。

――おそらく物流の環境は、人間にとっての心理的な距離の観念にも影響を及ぼすと思うんです。つまり、人は実空間で商品を探す時間と労力を節約するためにAmazonを使うわけですが、その結果として「Amazon Primeにあるものがいちばん近い」といった逆説が生まれつつある。反対に、もし隣の建物が通信不能で立入不能だったら、それは体感としてもはや「近い」とは言えなくなっているのかもしれない。

　要は鉄道網が異常発達した日本の大都市では物理的な空間距離よりも鉄道路線での移動時間が短いものの方が「近い」と感じられるのと似た話で、Amazon以降、特に「商品」については「近くにある」の意味が「ワンクリックすると短時間で配達されること」という条件に置き換わりつつあるのではないかと思います。

　つまり、ここには空間と時間のパワーバランスの変化があって、さっき話したSNSが社会的身体を規定する話ともつながっている。インターネットは距離を無効化するので、時間の感覚がそれに置き換わっている。ここで逆に考えるべきは、それでも置き換わらない身体経験とは何か、ということなのかもしれません。

田中　「モノが来る」はワンクリックで起こるのですが、対照的に「モノを出す」のはまったく大変で、ゴミは朝早く起きて出さないと消えてくれません。情報処理技術は、物理世界のサービスと深く連動するようにはなりましたが、「物質処理技術」と呼ぶべき段階には全然到達していないと思うのです。「近い」「遠い」というより、世界を「入力」と「出力」をつなぐ処理の束、すなわち「システム」として見るのが一つの方向性です。しかし都市が都市であるために、システムともう一つ重要なのは偶然性です。この、システムと偶然性の両方を担保する役割が、新しい種類の「モノ」から見えてくるのではないかというのが今回の視点でしょうか。

酒井　それに関して、かつてネット時代における社会規制のあり方を、法律・規範・市場・アーキテクチャという四つの作用から論じた法学者のローレンス・レッシグの『CODE』は、最後にそこで議論が空中分解してしまってコードがアーキテクチャ化する以上の議論がされていない気がします。そこから都市論にも発展していない。

　レッシグがネット社会において、特に人々の行動を無意識のうちに規定する支配的な規制になるだろうとして挙げたアーキテクチャは、どちらかと言えば原義の建築ではなく情報インフラを指す概念でしたが、まさに建築的・都市的なスケール感というか、ある種の全体性をもった広がりのあるシステムのようなものとして認識されていたと思うんです。一方で、宇野さんが挙げた例は、フィジカルな空間では、どちらかと言えばエレメント

（部品・部材）というか、もう少し小さく意外なものが、レッシグの言うアーキテクチャ的な作用を強く持つという話だというふうに聞こえました。それが議論されていなかったということですよね。

――そのエレメントは、個人が所有できて、運ぶことができるということが重要だと思うんです。

田中　これからの都市のエレメントとして、何か新しいものが出てくるのか。過去を振り返ると、灰皿から電動キックボードまで、いろいろなものがあるわけです。現在のようなインターネットとスマートフォンが普及している前提で、新しい都市エレメントが出てくるとすれば、それは何なのか。意外と食べ物関連とかかもしれないですよね。コロナでテイクアウトが増えて、「ものを食べる」場所は多様に広がり、「食べ方」も変容しつつあります。

――フードデリバリーとコロナ・ショックの組み合わせは、我々の食体験をかなり変えてしまったと思うんですよね。中食の存在感を一気に５倍ぐらいにしたのは間違いない。

酒井　そうそう。ＧＡＦＡが牛耳っているＷｅｂ２・０は、アプリケーションレイヤー上に中央集権的に大きなインフラを作ったわけで、それはうまく成功している。でも、インターネットの世界はこの先どうなるかわからない。現状では手こずっていますが、今後はもっと本来のかたちに近い分散型になるだろうと考えられますね。５Ｇになると電波帯域の物理的特性の関係で、やっぱり基地局も小さく・多くなるわけですから。食べ物とか、それぐらい小さくて軽い物もありますが、僕としては、建築で言うと煉瓦一個のレベルでストレージが分散しているような状況、都市そのものがデータアーカイブになっているという議論は面白いと思いますね。

ＭＩＴのCenter for Bits and Atomsという研究センターがあって、そこのニール・ガーシェンフェルドという先生などが「インターネット０」という概念を２０００年ごろに提唱していました。[*5] これはほとんどすべてのものを使って通信しろという発想で、たとえば僕がＵＳＢスティックを持って歩くのもネットワークだし、発話もネットワークだし、カロリーゼロの飲料を売るお店を回る行為も立派な通信経路と言える。しかし今のＩｏＴは、すべてのモノをつなげて管理しようという議論に回収されてしまっている状態です。

「モノとしての人間」をめぐって

田中　これまでの見方を反転させてみると、人間だってモノなわけで、人間が電車に乗るということも物流の一種なんですね。人間がモノを携帯したり動かしたりするのではなく、モノとしての人間が動かされているのだと考えると、新たなインスピレーションが生まれてくるかもしれない。

個人的な話になりますが、私は自動車を運転できないんです。だからこそ自動運転を待望しているんですが、それは乗っている間、何をするか自由になるからです。ただ自分がモノとして乗って、緯度と経度の座標軸だけが動いていく中で、今は固定された家の中でやっている行為が、移動しながら可能になる、自動運転によって部屋がそのまま緯度と経度が変わる箱みたいなものになるのなら、そういうものが広がった社会でどういうことが起きるかは興味深いです。

酒井　アメリカでは、Ｕｂｅｒを小口の物流に使うような例がありますね。友達から物を借りて、返すときにＵｂｅｒを使うとか。日本では人が乗る方のＵｂｅｒは普及してませんが、Uber Eatsはうまくいってそうなので、物流という視点で、バイトで届けるとお金をもらえるというインセンティブを機能させれば、人の方も定着する可能性はあるでしょう。

つまり、すでに現代の情報環境下では、輸送するうえで人とモノの区別はないんです。おばあちゃんをＡからＢに、パーソナルモビリティで届けた後に、その帰りに薬をどこかに届けてくるといった世界になってきている。

我々も、いま自走式三輪車を開発しているんですが（図６）、そのシミュレーションを自動車産業の人たちに売り込むと、「では東京のこの地域にその数千台を展開して、その10％が故障したときはどうするのか」などと、いろいろ厳しいお題を突き付けられるんですね。それでもシミュレーションを変えて、うまくいくんじゃないかと言って対処してます。そこでは、もう完全に人もモノも同値に扱われているんですよね。

田中　これまではペットボトルにしてもスマートフォンにしても、人間がアクティブに街に出てい

＊5　Neil Gershenfeld N, Raffi Krikorian, Danny Cohen, "Internet-0: Interdevice Internetworking", Scientific American (October 2004)

田中浩也研究室＋ METACITY 青木竜太『Bio Sculpture』
3D プリンティングにより「ひだ構造」が付与され、積層された土の表面で9種類の苔を育て、CO_2 吸収を行いながら多様な微生物の苗床となることを目指した、社会環境彫刻プロジェクト。

図 6　MIT 開発の自走式三輪車
「Persuasive Electric Vehicle (PEV)」
MIT Medea Lab City Science Group,
Michael Lin, Kent Larson
Photo by Jimmy Day

く活動に対応するように持ち運びできるモノを発明することで街や生活文化が変わっていったわけですが、逆に、アクティブではない、出不精な人もいたわけですよね。それから、フィギュアの棚とか、大きすぎて運べなかったものもあった。これから自動運転によって、そういう棚や自分の部屋ごと移動できる技術ができたとき、人々の生活空間とそれを取り巻く都市という環境はどう変わっていくのか。そういうモノと人間の関係性の反転に、僕としては大きな関心がありますね。

人間もモノだという視点に立つと、人が入れる最小単位、ベッドだけのカプセルホテルか、寝台列車みたいなスケールでものを動かすことになる。これが「個人」の単位になるとは、これまで考えられてこなかった。そういう、人のサイズに即したディメンションと、モノのディメンションを等価に見て最適なサイズが見つかれば、そこからまた都市の大きさや道の幅とかモビリティのサイズを、改めて整理し直すことができるかもしれない。

——たとえば、コンテナトラックが走らなければ、道路は全然変わるはずなんです。コンテナって、海運じゃなくて陸運の側の業者から出てきたアイデアで、土木の世界では有名な話らしいですけど、大きくて丈夫で立派な幹線道路は、10トンも20トンもあるトラックが走るためにこそ必要なんです。コンテナに代わる輸送の仕組みが実現したら、街の形態や日本の交通行政、道路のメンテにかかる国家予算や、土木中心の地方再分配システムが変わるかもしれない。このように、特定のアイテムとか機器の普及が、都市インフラ全体を変えてしまうシミュレーションは大きな意義があるんじゃないかと思います。

田中 「フィジカル・インターネット」（図7）という研究分野がありますね。ネットのパケットは、もともと小包のメタファーからきているんですが、その逆照射で、インターネットのように全部IDがついたパケットを、適時3個詰めや4個詰めにして送って、またバラすみたいな輸送法です。この分野自体はヨーロッパから来ていて、EU圏は国境の間を鉄道がたくさん通って、ものすごい分岐をしながら繋がっているわけです。その鉄道網のシステムを「インターネットのように」再デザインしようとしているわけです。

日本では、トラックの運転手さんたちが日本列島の西から東まで、毎晩何時間もかけてモノを運んで社会を支えている。その中で、いわゆるパケット通信みたいなものを、もういちど都市のインフラとして考えていくことで、道路のあり方を考え直していくというのは面白いかもしれない。場合によっては、もっと小さい車両に分散してモノを流通できる可能性もありますからね。

〈もの〉がうごめく生態圏として都市を見直す

——現状の我々の物流システムを改めて見つめ直してみると、たとえばコンビニエンスストアのような、ほぼインフラと化しているようなものにつ

図7　フィジカルインターネットの概念図
（村上富美ほか「米大研究者が明かすフィジカルインターネットの破壊力」日経ビジネス 2019年9月13日付より）

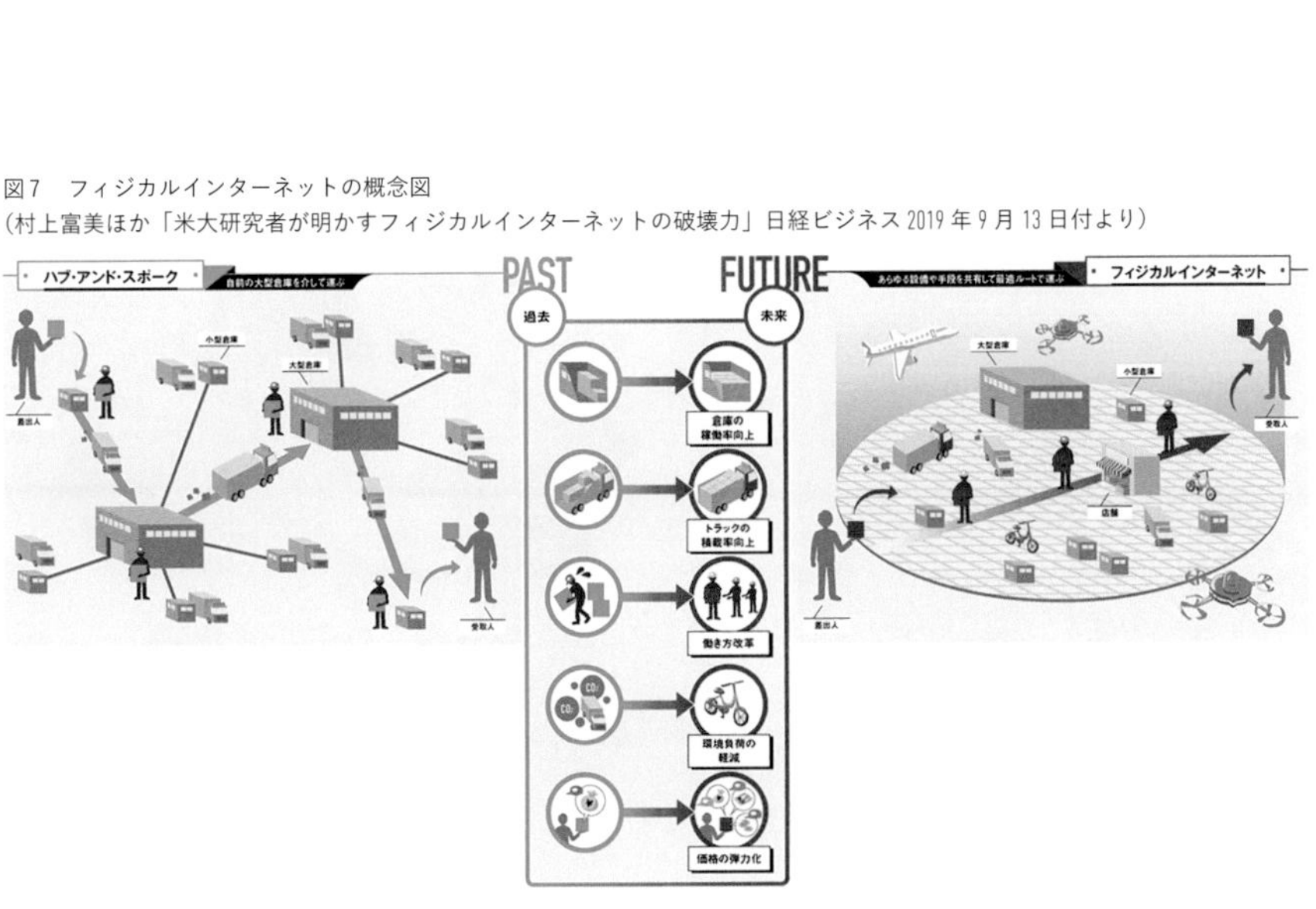

いての見方も変わってくると思います。同じチェーン店のコンビニが近くに3軒も4軒も密集するのはなぜかと言えば、コンビニは1日に何回も弁当とかを入れ替えなきゃいけないので、何店舗か集中出店しないと割に合わないからです。つまり、流通の仕組みや、そこで売られているモノの性能が変わると、街の風景もかなり変わる可能性がある。そして、これは東京大学の生産技術研究所の馬郡文平さんに聞きましたが、巨大な冷蔵庫の扉を24時間ずっと開けているようなものなので、今後、エネルギー消費や環境保全、CO_2排出量規制の観点から、ああいう建物は見直されていく可能性がある。もっと気密性の高い建物が並び、コンビニのような「扉を開けっ放しにした冷蔵庫」のような商店が消えたとき、やはり街は大きく変わらざるを得ない。

田中　熱マネジメントの問題も早晩出てくると思います。クリーニングとか、お風呂を沸かすとかをバラバラでやっていると熱的にすごく非効率だから、一箇所にボイラーを集めて同じ熱でたくさんのことを同時にやれば効率化できる。そういうコンパクトな、熱最適化された都市計画の案を先日見せてもらいました。

酒井　ちなみに冷蔵庫で思い出したのですが、インドでは、もちろんコンビニはないし、宅配も普及してないので、MITの同僚で牛乳を低温輸送するスタートアップをやっている人がいました（図8）。これも都市を変えるポテンシャルが買われていましたね。そこからもう一歩踏み込んで考えると、日本や台湾の都市で、非効率とはいえたくさんの「開けっ放しにした冷蔵庫」が遍在する状態ならではの文化的アウトプットとは何だったのかという問題もあるはずです。つまり、これからの都市には人間同士のコンフリクトの調停装置としてだけでなく、いかに物質環境としての地球生態系というもっと他者性の高いものと折り合いをつけながら、そこにどう人間の雑多な暮らし方を埋め込んでいけるのかということが問われていくことになる。

田中　国連人間居住計画に、将来の海面上昇に備えて考えているモジュール式水上浮遊都市「Oceanix」（図9）というものがあるんです。一つの三角形に300人が住んでいて。それを六つ集めると村になり、さらに六つ集めると都市になるという。この計画案には、今日出てきたような話がたくさん入っています。ゴミと、マテリアルと、エネルギーと、食料と、水といった五つのインフラが整備されている。それぞれの分野で、いろいろな新しい技術を幕の内弁当のように詰めこむ。これは、BIGというデンマークの建築家集団による計画です。でも、この種の「環境都市」案は、地球生態系との折り合いをつけるインフラに提案の方向性が偏るので、どうしても文化的な側面が浅くなるんです。「偶然性」なども想像しづらい。だから今日の話に即するなら、まだ「都市」になっていない。ただ、こういう物質代謝ベースの環境都市計画的なものと、もっと宇野さんの問題提起にあったような、身近なモノとの関係を

図9　水上都市「OCEANIX」構想　（「OCEANIX」公式サイトより）

図8　MITの研究者ソリン・グラマによるインドでの牛乳冷蔵配送システムのスタートアップ　（Jason Margolis “An MIT lesson in failure helps deliver fresh milk to millions in India” GBH NEWS, August 24, 2016）

見つめ直すことで生活や空間をハックしていくような方向と、その両方から挟み込んで考えていくような思考に、これからの都市像があるんだろうなとは思います。

酒井　その答えになるのかどうかはわかりませんが、ふつうIoTというと、すごく無機質で、モノとモノをつなげて交信させると世の中がもっと効率的で便利になる、というくらいの解像度でしかイメージされないかもしれません。でも僕らの目からすると、また別の見え方ができると思っています。モノという視点を介して見れば、「携帯電話という種」もコロナウイルスと同じで、進化して生き残りたいわけです。彼らは彼らの形を変えて、いかにいま人間が牛耳っている社会に適応するかを考えているのかもしれない。進化論じゃないですけど、そういう視点で物事を見ることもできる。同じような観点で、昔、SIGGRAPHというコンピューターグラフィックスの学会分科会のアートギャラリーで展示した作品があります（図10）。デバイスとしてはすごく簡単で、ソレノイドとマイクだけつけたデバイス同士に、いろんなものを叩かせて音を出し、モールス信号みたいな情報を交信させる作品です。ただ、モールス信号と違うのは、先に信号を定義しないで、周囲の環境に合わせて自分たちが叩く強度や頻度をアジャストして学習させる。すると、外環境が変わることによって叩き方も変われば言語も変わるという仕組みです。それに対して人間は、彼らの言語基盤に対して直接介入できないし、人間に何かできるとしたら、騒がしくして情報の行動をすごく冗長にするぐらいです。こういう視点からすると、完全に人間が環境側で、モノ同士の関係が主体となっているという状態を、我々人間が体感することになる。そうした視点から都市を捉え直せれば、ということですよね。もちろん、都市とテクノロジーは、まず人のためになることが存在意義なので、それを研究としてどう社会に説得したらいいか、自分でも答えが出ないままやってる状態ですが。

田中　信号（記号）がエンベッドされた音も一種の「都市のエレメント」ですよね。今日議論してきた〈もの〉は、もちろん単なる「物質」のことではない。新しいイメージで捉える必要がある。動き、動かされ、運び、運ばれるかのような存在であり、形を変えるという要素もあるかもしれない。物質になったり、非物質になったり、気体・流体・固体・情報体、いろいろな状態をとりうる。それを、人間社会の手の内に「おさめる」ような想像力ではなく、むしろ外側に解き放って、人間のほうがそれに導かれて変容していくことに賭ける。データドリブンな分析や編集に基づきつつ、最終的にはエイリアン的視点を携えてプロトタイピングしていくしかないのだと思います。今日はヒントをたくさんいただきました。コロナ禍で溜まっている想像力を解放して、新しい〈もの〉に投射して結晶化させ、今後、「にぎわい」とは別種の価値を都市に先行的にインストールしていけたらと思っています。

図10　Yasushi Sakai + Thomas Sanchez Lengeling + Nicole L'Huillier『Diastrophisms』

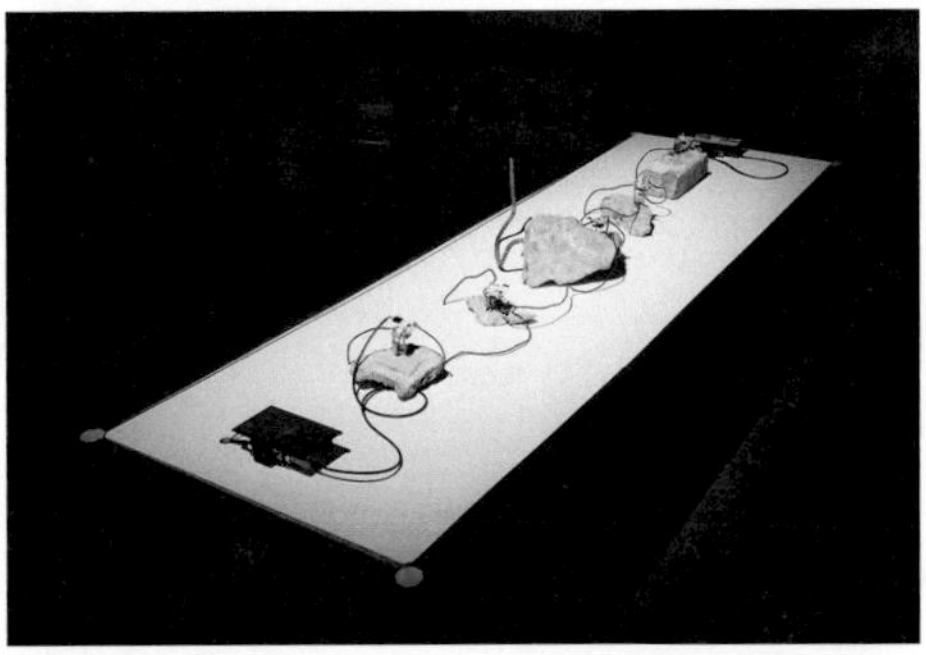

妄想企画

「飲まない東京」プロジェクト2021

宇野常寛＋モノノメ編集部　イラスト＝ダイモンアヤカ

協力＝PLANETS CLUB

この春から、僕は「飲まない東京」というプロジェクトを立ち上げた。

僕はこの「飲まない東京」というキーワードを何年か前から使っているのだけれど、2021年に入るとこの言葉は統治権力の（僕にはまったく賛成できない）政策、というか、ポピュリズム的な支持率対策によって別の意味を帯びてしまい、ちょっと戸惑っている。

僕がこのプロジェクトを通して伝えたいメッセージは一つだ。大人の「あそび」は「飲む」ことに限定されすぎてはいないか。この「飲みニケーション」の文化「ではない」ものを夜の街にたくさんつくると、僕たちの「あそび」は、「暮らし」は、そして「働き方」は、ぐっと多様になるということだ。

僕は普段はあまり、大勢で食事する場所には行かない。特に酒の席が苦手で、むしろ積極的に避けるようにしている。俗に文壇とか論壇とか言われる世界はものすごく陰湿なコミュニティが多くて、基本的にその場にいない人の欠席裁判で盛り上がっている。大体の場合、そのコミュニティのボスのような存在がいて、取り巻きは機嫌を取るためにそのボスが敵視している人間の悪口を言う。それが時折、Twitter や Facebook に漏れ出して、みんなそうしているのだからこいつは叩いて良いのだという「いじめ」的な空気がつくられていく。

僕は10年ほど前にそんな世界に本当に嫌気が差

して人間関係をガラリと変えた。そして同時に酒の席も拒否するようになった。僕がウンザリしたこうしたコミュニケーションの半分は出版業界や論壇の体質の問題でそうなっているのだけど、もう半分はこの国の社会にはびこる「飲みニケーション」という文化の問題だと思ったからだ。アルコールを入れることで、はじめて「ホンネ」を漏らす。その「ホンネ」を共有していい仲間の「範囲」が確認されて、この場にいる人間は分かっているよな、と同調圧力が作られる。僕は当時から、アルコールから距離を取ることで、ある程度まではもっと楽しく大人数でわいわいとご飯が食べられるようになるんじゃないかと思っていた。

しかし、既存の飲食店を舞台にそれをやろうとしても、ちょっとやりづらい。これはお酒を飲む習慣がない人以外にはなかなか分かってもらえないかもしれないけれど、居酒屋という場所は大抵の場合、酩酊していないとても騒がしくて、ゴミゴミとしていて、決して居心地のいいものではないし、実はたいていのコース料理の類も飲酒を前提に内容やリズムが設計されているので、お酒を飲まない人間にはちょっとやりづらいところがある。

僕には以前からちょっとした野望がある。それはアルコールを提供しない（前提としない）、夜に遊べる場所を東京につくることだ。僕は東京の面白いところは、24時間眠らないところだと思っている（もちろん、その背景には劣悪な労働環境の問題が常にあり、これはきちんと対応しなければならないが）。しかし、こうした夜に遊べる場所のほとんどが、アルコールを前提としている。「飲み屋」や「バー」だけではない。カラオケボックスもクラブも、客が飲酒することを前提にしているのだ。そしてそのことが、僕はこの街の楽しみ方をすごく狭くしているように思えることがある。

　数年前に完全に夜型のライフスタイルだった頃の僕は、友人たちとよく夜の街を歩いていた。駅前の賑やかなところを、店から店へというのではなく、本当に歩いていた。高田馬場から九段下や、ときにはお台場まで5キロ、10キロといった距離をほんとうに喋りながらノンアルコールで歩いていた。夜の街は昼には見せない顔を見せる。昼の街にはない解放感がある。広い道も人気が少なくて、自分が主役になったかのように思える。すれ違う人の、人生がより生々しく見える。ギターを提げて、深夜の1時台に駅と逆方向に向かう人はきっと練習終わりに深夜のアルバイトにいくのだろうと想像する。コンビニの袋を提げて、楽しそうに電話しながら足早で住宅地を進む女性はきっと彼氏の家を訪ねるのだと想像する。

　このとき、僕らが休憩に使っていたのは主に深夜営業のファミリーレストランとイートインコーナーのあるコンビニエンスストアだった。そして、こういうときにふらっと入れる場所がもっとあれば、東京の夜はもっともっと楽しいのにと夢想していた。

　僕は「飲む、打つ、買う」といった類の、いわゆる「大人の男の遊び」にまったく興味が持てない人間だ。だからこそ、余計に思う。この街の夜は、もっともっと可能性を秘めている。もっと別の遊び方のできるポテンシャルがあるのではないかと、ずっと思っている。僕が散歩したり、ランニングしたり、夏にカブトムシを採りに行ったりしているのは、そうやってこの街を読み替えるだけで、まだ気づいていない面白さにいくらでも出会えるという確信があったからだ。「酒の友」を「飯の友」に読み替えるだけで、ぐっと参加できる人と楽しみ方の幅が広がるのではないかと思う。

　気持ちのいい、そしてこだわりをもった仲間たちとユニークな発想があれば、その場の熱量を上げるのにアルコールの支援は必要としないのだ。

　いまではすっかり朝型になってしまった僕だけれど、よく夢想する。いつか自分たちの場所を持ちたい、と。そこは本屋と、コワーキングスペースを兼ねていて、そして小さいけれど使い勝手の良いキッチンが付いている。ふだん僕らはそこで仕事をしていて、夕方からは1週間か10日に一度くらいのペースでそこでトークショーをする。僕らのメディアに出ている人たちが、ジャンルを超えて集まって、何かそこに来ると世界が広がるように思える場所にする。そして月に一度くらいは、こうやってアイデアをひねって、楽しいイベントを企画する。このイベントは、アルコールがなくても楽しめるように工夫する。そしてできれば、その場所は（せめて週末だけでも）朝まで開けていたい。最終電車を逃した若い人たちが、お酒の苦手な人や女性が、安心して過ごせる場所として開けておきたい。そしてこういう場所と試みから、あたらしい遊びは、文化は芽生えていくのではないかと思っている。

　それは、コロナ・ショックのもたらす社会不安のはけ口として飲食店を生贄として差し出すなんて発想とは真逆の、多様な豊かさをこの街にもたらしてくれるはずだ。

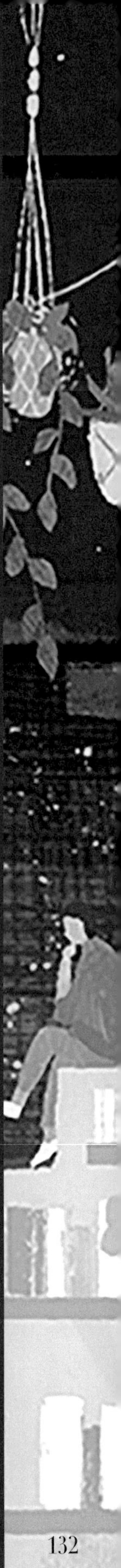

「飲まない」ことを考えると、未来の「暮らし」が見えてくる

世界的に広がる脱アルコール志向や、昭和的な男性会社員文化と「飲みニケーション」の衰退、そしてライフスタイルの転換など、いまなぜ「飲まない東京」なのか、その背景を解説します。

世界的な脱アルコールの動き

改めて提案するまでもなく、ライフスタイルの多様化や健康志向の高まりなどで、特に若い世代のあいだで飲酒文化が後退していることは、いまや世界的な潮流です。世界保健機構（ＷＨＯ）が２０１０年に「アルコールの有害な使用を低減するための世界戦略」を採択し、飲酒問題への取り組みを本格化させたことなどもあって、アメリカや欧州では、脱アルコール化の流れがいち早く進んでいます。

こうした流れを受けて、日本国内でも酒類の出荷量は減少傾向にある一方で、大手飲料メーカー各社がノンアルコールカクテル（モクテル）やビアテイスト飲料などを競って発売するようになっており、ノンアルコール飲料の市場規模は小さいながらも、この10数年で1・5倍以上に成長しています。このことによって大人の飲み物の選択肢は、いま大きく広がろうとしています。

日本的な「飲みニケーション」からの脱却の流れ

かつての日本型のサラリーマン社会では、公私を超えて打ち解け合うことで集団の結束を固める文化が根づいていました。その中で大きな役割を果たしていたのが「飲み会」です。

しかし、工業社会から情報社会への転換によって、生産性の定義も大きく変わりました。飲み会に象徴される、ネジや歯車のような同質性の高い人材を量産する日本的な企業文化は、人間の自由と創造性を損なう効果のほうが大きいことが、今では広く認識されはじめています。

特にミレニアル世代以降を中心とした若者たちのあいだでは、その場のノリを強要する同調圧力や陰湿な人間関係の助長などのストレスや弊害の大きさによって、「飲みニケーション」という悪習が、いまようやく見直されつつあります。

多様化するライフスタイル

ライフスタイルそのものの多様化も、脱アルコール、脱「飲みニケーション」の文化を後押ししています。

たとえば、始業前の時間をランニングなどの運動や勉強会の機会にあてる「朝活」のような朝時間の開拓、あるいは終業後の夜の時間に趣味や習い事など、多様な時間の使い方が、少しずつですが広まっています。余暇の時間の過ごし方に「飲む」以外の選択肢が増えている背景には、特にオンとオフとが1日の中ではっきりと分かれた昭和的なワークスタイルの見直しがあります。「仕事終わりにアルコールを入れてモードを切り替える」といったスタイルもまた見直されています。こうしたライフスタイルの多様化は、治安や居心地の面でも男性中心主義的になりがちな夜の街を、より多くの人々に解放することにもつながります。

「飲まない東京」プロジェクトとは？

2021年から「モノノメ」編集部のかかわる読者コミュニティ「PLANETS CLUB」で、この「飲まない東京」を具体化するプロジェクトが進行しています。
ここでは、その内容をちょっぴりご紹介します。

プラン1

世界にまだ存在しない（そして、するべき）ノンアルコール飲料を開発してみる

現在の飲食をめぐる文化や環境は圧倒的に「お酒を嗜みながら会食する」ことが中心で、お酒を飲まない人は肩身の狭い思いをしがちです。たとえばレストランや料理屋で出されるコース料理は、基本的にワインや日本酒を前提に組まれているため、お酒を飲めない人にはちょっとアプローチしづらい側面があります。

「世の中からお酒の不平等をなくす」をコンセプトに、ノンアルコールの新たなペアリング飲料のブランドを打ち出しているYOILABOの播磨直希さんによれば、ノンアル市場は確かに拡大していながらも、その選択肢は圧倒的に少ないとのこと。かつて飲料業界が仕掛けたモクテルブームも、バーなどで嗜むためのものが中心で、お酒並みに食事と合うノンアル飲料のバリエーションは、決して十分には提案されていません。まだこの世に存在していない、おいしくて楽しいノンアルドリンクのかたちを、ゆくゆくはメーカーや飲食店などと協力しながら開発していければと考えています。

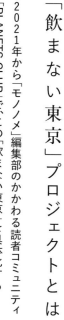

プラン2

「お酒を飲まない」人のための「飲む」以外の夜の遊びを提案したい

昭和期に築かれた「遊ぶ」＝「お酒を飲む」という文化は、長らく日本の労働者のライフスタイルを規定してきました。しかし、これを解除するだけで、都市の遊びかたのバリエーションは格段に増え、労働や家族のあり方も見つめ直すことができるはずです。

たとえば、平日仕事が終わったあとの時間に一人で本を読んだり、映画を観たり、習い事をしたり、何か文章を書いたりする。あるいは仲間と一緒にオープンキッチンで料理に挑戦したり、カードゲームをしたり、身体を動かして楽しむイベントを企画したりすることも、今では難しくありません。

そのためにもっとレイトショーが観やすくなったり、夜カフェのバリエーションを増やしたり、多彩な使い方のできるコミュニティスペースを作ったり。あたらしい遊びだけでなくその環境づくりの方法を、どんどん提案していきます。

プラン3

「飲まない東京」運動の拠点となるようなスペースをつくりたい

「飲まない」からこそ発想できる「夜の居場所」を、具体的に考えてつくっていきます。

居酒屋みたいに騒がしくなく、バーみたいに常連たちの内輪の空気もなく、気取った夜カフェよりは気ままに、でもファミレスよりは場末感がなくて、居心地がよくて、どんな人でも安心して終電後も朝まで過ごせる、夢のスペースとは？　この小特集の最後に、まだまだプランニングの途中ながら、最初のプロトタイプとなるスペースの企画書を公開します。

そしてここを拠点に、誰もが自分の24時間を主体的にデザインして、東京の夜の可能性がもっともっと広がるような、あたらしい都市文化を発信したい。それが「飲まない東京」運動のほんとうのねらいです。

一緒に実現してみたい人はどなたでもぜひ編集部までご一報ください。

インタビュー

「飲むこと」はもっと拡張できる

――ノンアルコール・ドリンクを探訪する

古谷知華

人類がまだ飲んだことのない、
おいしくて楽しい
ノンアル飲料を開発するには？
そのヒントを得るため、
クラフトコーラブームの元祖
「ともコーラ」や、ノンアルコール
スピリッツなどを取り扱う
ノンアル専門ブランド「のん」を
立ち上げた、フードプロデューサーの
古谷知華さんに話を訊きました。
飲食文化に新しい価値を
もたらし続ける古谷さんと一緒に、
ノンアルコールだからこそ辿りつける、
究極の味と香りについて考えます。

聞き手＝小池真幸・宇野常寛

構成＝小池真幸

撮影：石堂実花

撮影：木本梨絵

古谷知華（ふるや・ともか）
1992年生まれ。東京大学工学部建築学科（隈研吾研究室）卒。平日は広告代理店で働く傍ら、個人でフードプロデューサーとして「ともコーラ」やノンアル専門ブランド「のん」などの食のD2Cブランドを開発・経営する。専門領域はブランディングや新規事業開発。食への知識を活かし複数雑誌にて連載も執筆中。2021年6月には、日本全国に眠る“美味しい植生たち”について蒐集、記録、発表をする研究ブランド「日本草木研究所」を設立し木食ドリンクを開発中。

「木を食べる」ということ

——ちょうど最近（2021年6月）、またユニークな取り組みを発表されましたよね。日本全国に眠る〝美味しい植生たち〟について蒐集、記録、発表をする研究ブランド「日本草木研究所」です。なぜ「木を食べてみよう」と思ったんですか？

古谷　私はもともと、「ともコーラ」をはじめスパイスやハーブを使った商品を作ってきたのですが、最近はスパイスもハーブもかなり普及して、手軽にインターネットで買えるようになりました。そんな中で、もっと面白いものを探索したいなと思っていたとき、アオモリトドマツという木に出会ったんです。こんなに香りの良いものが雑木林として扱われているのはもったいない、日本にはたくさん木が生えているし、木を食べることができたら面白いのではないか。それ以降、そう考えるようになりました。

　そこで海外の事例を調べてみると、フィンランドなどの北欧地域では、食べるものが限られていることもあり、マツの新芽をピクルスにしたり、若い松ぼっくりをジャムにしたりして食べる文化があると知ったんです。日本は植生が豊かなので想像しづらいですが、肥沃ではない土地では、工夫して木が食べられている。ということは、日本でも木食を開拓できるのではないか。そう思って、自分でさまざまな香木を集めて、煮たり焼いたりするようになりました。安全性をクリアできれば、他にはない唯一無二のフレーバーや価値が生み出せるのではないかと。

——そこから約1年あまりで、商品化まで漕ぎ着けたのですね。

古谷　でも、商品を作ること自体を目的にしているわけではありません。私がやりたいのは、日本の里山にある木や野草や花などに食品としての価値を見出し、広めていくこと。とはいえ、いきなり木そのものを渡されてもよくわからないと思うので、その魅力を伝えるためのメディアとして、まずは香木を蒸留した新感覚飲料「FOREST SYRUP」のような商品を開発しているんです。たとえるなら、スパイスやハーブを次々と商品化しているエスビー食品の、里山版を作りたい。

お酒に求めていたのは、アルコールそのものではなかった？

——日本にクラフトコーラ文化を根付かせたパイオニアでもある古谷さんは、人々はクラフトコーラのどういった点に惹かれていると思いますか？

古谷　もちろん、美味しさや面白さを魅力に感じてくれている人も多いのですが、「クラフトコーラがあれば、お酒は飲まなくていい」という声があったのは興味深かったです。普段、パーティーなどでノンアルコール飲料かお酒かを選べるシーンでは、お酒を選ぶ人が多いですよね。どうも、その理由は、ノンアルコールを選ぶと損している感覚になるからみたいなんです。たしかに、お酒はいろいろ種類があるのに、ノンアルコールは原価が安そうなオレンジジュースや烏龍茶しかありませんよね。しかも、いわゆるノンアルコール飲料には、味や香りについて語れるものも少ない。

　でも、知人の結婚式の二次会で「ともコーラ」を振舞ったとき、意外な場面に遭遇しまして。ラムやウィスキーも用意して「お酒で割ることもできますよ」という形にしたのですが、多くの人が「お酒はいらないです」と言っていたんです。普段お酒を飲む人であっても、「クラフトコーラなら損した気分にならない」「クラフトコーラなら面白いからお酒みたいに楽しい気持ちになる」と言っていた。そのとき、みんなアルコール成分そのものというより、原材料が少し高そうだとか、楽しくなれるとか、付随する別の価値を求めてお酒を選んでいたのだと気づきました。

——お酒に求めていたのは、アルコール成分だけでなく、文化的な豊かさのような要素もあったと。ノンアルコールというと、健康志向の飲み物だと思われることもあると思うのですが、「美味しさ」や「面白さ」を増やす飲み物でもあるのですね。

古谷　私はお酒も飲みますが、ノンアルコール文化が広まって、選択肢が広がることはとても良いことだと思っています。それに、ノンアルコールだから身体に良くて、お酒だから悪いという単純な話でもないでしょう。お茶にもカフェイン酔いがありますし、クラフトコーラにも砂糖が入っています。蒸留成分のハーブも、摂取しすぎると神経毒になるものがあります。何であっても、食べすぎたり飲みすぎたりすると、毒になるという話ではないしょうか。

日本にも豊かなノンアルコール文化を根付かせたい

——国内のノンアルコール文化の現状を、古谷さんはどう見ていますか？

古谷　もっと豊かになるはずだと思っています。飲食店の人たちは「アルコールじゃないと稼げない」というイメージを持っていて、価格設定も弱気。そうしてノンアルコール飲料が「下のもの」のように扱われてきたから、なかなか市場が開拓されなかったのかなと思います。

でも、海外には高いノンアルコール飲料もあるんですよ。たとえば、イギリスにはノンアルコールスピリッツ「シードリップ（SEEDLIP）」が根付いています。小さな作り手さんがたくさんいて、サポートするコミュニティや、皆で共有できる製造設備も充実している。

ただ、最近は日本にも小さな作り手が増えてきて、大手企業による情報収集も進んできている印象です。ノンアルコール飲料と食事のペアリングに力を入れている高級店も増えていますし、ノンアルコールメニューに力を入れているバーも出てきました。これからは国内のノンアルコール文化も面白くなっていくはず。

——古谷さん自身は、「ともコーラ」やノンアルコールスピリッツを通じて、どのような体験を生み出したいのでしょうか？

古谷　「ともコーラ」に関しては、作っていたときは「みんなでわいわい飲むのかな」と想定していました。しかし、売り出してみるとけっこう違っていて、一人で飲むシーンが多いそうなんです。仕事の合間に疲れたときに飲んだり、お酒のように家に帰ってきた後のちょっとした贅沢として飲んだり。スパイスやハーブがもたらすリフレッシュ効果や、刺激の強さが生む気分転換の効果の影響が大きいのかもしれません。一人時間を豊かにするために、しっぽり飲んでいる人が意外に多いんです。アルコールが入っていないので、仕事中でも飲めますしね。

一方、ノンアルコールスピリッツはまた違っていて、みんなで飲まれる場面がけっこう多い。ジンのノンアルコールバージョンのようなイメージで作っているので、お店でカクテルを作るときに使われるなど、わりとＢｔｏＢ向けの売り方になっています。ですから、お店で「ここからはノンアルコールでいいや」となったときや、そもそもアルコールを飲まない人が飲み物を頼むときに、香りの華やかさやもの珍しさに惹かれて飲むシーンが多いのではないかと思います。

アルコールやカフェインとは異なる、味と香りだけのゲーム

——お茶でもコーヒーでもない、いわゆるノンアルコール飲料は、味や香りそのものが最も直接的に問われる飲み物だと思うんです。アルコールのような酩酊作用はないし、お茶やコーヒーのような興奮作用や鎮静作用も相対的に弱い。でも、だからこそ味や香りそのもので体験を作っていくことが、一番ダイレクトに要求される。その面白さというのが、絶対にあると思うんです。

お酒やコーヒー、日本茶が飲みたいと思うときは、興奮作用や酩酊作用への要求が味より先に来ている。そうした化学反応と味や香りとの駆け引きによって、無限に多様化していくというのが、一般的な飲料のゲームなのだと思います。でも、実はそうじゃないんだと。そうした作用を横に置いて、味と香りだけで純粋に作れる体験があるのではないかという問題提起を、ノンアルコール飲料は結果的にしているのではないでしょうか。

古谷　たしかに！　そういう意味では、お酒のように「酔わせる」という機能がない、究極の嗜好品なのだと思います。

——むしろ嗜好を極めるためにはノンアルコールやノンカフェインでなければならないのだ、という言い方もできると思うんです。もちろん、アルコールだからこそ出せる味や香りはあるだろうし、興奮作用や酩酊作用による化学変化と味や香りの掛け算も、多様な要素が増えるわけだから、まったく別の奥深い世界が広がっていると思います。僕（宇野）自身、コーヒーもお茶も好きですしね。ただ、味と香りに純化した世界というのは、それはそれで別の快楽があるはずです。味と香りだけで人をどこまで遠くに連れていくことができるか、どこまで落ち着かせることができるかというゲームなのだと思うんです。

アルコールって言わばアクション映画のよう

に、刺激の強さを活かしたリッチな体験、「Netflixじゃなくて映画館で観て良かった」と思わせる体験を演出できる。僕は自分には合わないから飲まないだけであって、その偉大さは100%認めますし、培ってきた文化も深くリスペクトしています。でも、それとは違う面白さがノンアルコール飲料の世界にあるんじゃないかということを、一人のお酒を飲まない人間として、もっともっと、この世界は深掘りできるはずだと。

だからこそ、「こういう世界に連れていきたい」という明確なコンセプトが、一個一個の商品に必要だと思うんです。特に僕なんてお酒を飲まない分、喉が渇いたときは、何を飲みたいのか自分の身体に尋ねながら、本当に真剣に飲み物を選ぶんです。一日の摂取カロリーの上限をなんとなく決めている永遠のダイエッターである僕にとって、飲み物にカロリーを入れるというのはすごく贅沢なことですしね。

古谷　（笑）

――150円の飲み物を買うために、ものすごく悩むんですよ。だから僕は、お酒を飲む人よりも真剣に味と香りに向き合っている自信があります。でも、その真剣さに応えてくれるノンアルコール飲料が、世界には圧倒的に不足している。

古谷　そうですね。お酒で培った技術や手法も転用しながら、これまでのソフトドリンクには出せなかったフレーバーを探求していけば、もっと面白いものが作れるのではないでしょうか。実際、「ともコーラ」には味のパンチというか、「これで満たされる」というような味の十分さ、脳が満足する何かを感じてくれている人も多いんです。

いま必要なのは「ノンアルコール」に代わる言葉

――もっと言えば、そこからさらに発展していくんだと思うんです。今でも多分、お店で売っている飲料水よりも、ノンアルコールカクテルの方がフレーバーは多様でしょう。でも、それはカクテルの世界から輸入してきているだけ、言ってみればより多様化しているジャンルから機械的にコピペしているだけなんです。それはステップ0だと思っていて、ステップ1にすら達していない。ノンアルコール飲料の世界というのが、ここから新しく始まっていくんじゃないかと思います。数十年後には、まったく違う風景や受容が生まれているのではないでしょうか。

古谷　たしかに。実はこれまでは、あまり「ノンアルコール」という特定の文脈にこだわらないようにしていたんです。私が飲食というメディアで表現したいことは、何かまだ見向きがされていないものを世の中ごとにしていくことや、価値がないと思われているものを価値化していくことであって、ノンアルを広めること自体がやりたいわけではない。でも、言われてみれば、まったく新しい世界が、ノンアルから広がっていくのかもしれません。

――今は草創期だから仕方がないかもしれないけれど、「ノンアルコール」という言い方も妥当じゃないと思うんです。レモネードとコーラって、「ノンアルコール」でひと括りにされることもあるけれど、全然違うものですよね。そもそも、「ノンアルコール」って「何々ではない」という意味じゃないですか。そうではなくて、たとえばこの「ともコーラ」としてあるというような、独自の価値になっていかなければいけない。

古谷　そうですね、そこの言葉が欲しいです（笑）。ノンアルコール飲料の呼び方は私もずっと考えてきたのですが、まだ解が出ていない。「オルタナティブドリンク」だと「何かではない」という意味になってしまうし、「チルドリンク」も違うし……。否定ではない形の言い方を作るのがとても難しい。

――僕らは、アルコールの酩酊作用を通してしか飲み物を見ることができなかったということだと思うんですよ。飲み物に関して、人類はあまり考えてこなかった、とも言えるかもしれません。アルコールって、もともとは保存食としての側面も大きかったじゃないですか。でも、比喩的に言えば、瓶詰と冷蔵庫を手に入れたことで、飲み物それ自体について考えることが技術的に可能になった。人類はようやく、飲み物そのものについて考える権利を手に入れたのだと言うことができるかもしれない。

古谷　ようやく自発的に、飲み物について考えられるようになったと（笑）。あらためて、ノンアルコール飲料、いやこの面白い液体に、注力してみたくなりました！

鼎談

大人のあそび場は「飲まない」ほうが楽しい

磯辺陽介×田中元子×藤井明香

「飲む人」と「飲めない／飲まない人」では夜の街が違って見える――。
そんな経験を生かして、
東京の夜の街を
もっと多様にするために
素敵な「飲まない」場所を作りたい。
そんな鼎談を、
まちづくりにかかわる
「飲まない」仲間を集めて
ワイワイ話してみました。

司会＝宇野常寛
構成＝鈴木靖子・中川大地

写真提供：グランドレベル

——僕は東京に住んでもう15年になるのですが、ずっと考えていることがあるんです。僕は東京の魅力の一つに「夜に眠らない」ところがあると思うんです。コロナ禍の前まで、繁華街に足を運べば基本的に24時間街が稼働していて、それが人間社会にとって幸福な社会かどうかという議論は別にあると思うのだけれど、僕は少なくともこの街の個性ではあったと思います。ところが、一つ難点があって、いくら夜通し動いていてもほとんどの場所が基本的に「お酒を飲む」ことを前提にしていて、お酒を飲めない人間には居場所がない。僕はこのことを、ずっと指摘してきたのだけど、20代〜30代の酒離れが進むなか、改めて飲まない都市論について考えたくて、この座談会を企画しました。

僕自身がそうなのでよく分かるのだけど、実際に飲まない人から見ると都市の姿はまるで違って見える。どこに入りやすくて、どこが過ごしやすいか、ぜんぜん違うわけです。なので、今日は僕の「飲まない」知り合いの中から、まちづくりやすまいに関わっている3人に集まってもらって、「飲まない」人間だからこそ提案できる新しい都市のかたちや、あたらしい大人の夜の遊び方について話していきたいと思います。

磯辺 僕はもともと、そんなにお酒は強くなくて嗜む程度。ただ、コミュニケーションの場は好きなので、飲み会にいることに違和感をもっていませんでした。でも、4年前に旅行先のタイでハメを外して頭を打って、現地で入院することになっちゃいまして。その反省から酒をやめていたら、すごく体調がいいんです。「じゃ、別に飲まなくてもいっか」とお酒をやめて5年目に入りました。

田中　磯辺さんがおっしゃるとおり、酒を飲まない人は酒の場が嫌いというわけではないんですよね。私は「全然飲めない」と公言していますが、みんなが楽しそうにしているのが好きだし、飲み屋さんの雰囲気も好き。だから、建築家仲間の飲めない人を集め「飲めないと」って名前をつけて、居酒屋に行ったり、お花見したりしていました。それをやっていちばん驚いたのは、お酒を飲まないとめちゃめちゃ安上がりなんですよ。しかも、最後まで頭が冴えてて清々しく解散できる。若い頃は飲む仲間に入りたくて飲んでいた時期もありますが、むしろ今は飲まないメリットを感じています。

藤井　私はお酒に対しての両極端な原風景があるんです。母は奄美の徳之島出身で、祖父はいつも焼酎の入ったコップを持って酩酊していて、夜はたいがい近所のおじさんたちが家に飲みに来て宴会している、かなり飲む家系。一方の父方はビール一缶を父と祖父母が3人で分け合って、真っ赤になってニコニコしているような飲めない家系。私自身はあまり飲めない血を継いだみたいです。でも、大学に入ってみんなが飲むようになって、その流れに乗らなきゃって一緒に行ったりしていたんですけど、そのテンションに無理してついていっていたように思います。

田中　ああ、わかります。その感じ。

藤井　仲良くなりたい気持ちはあるんですが、正直お酒の美味しさがわかりきらず楽しく酔えないので、場が騒々しくなっていくことには、ちょっと冷めている自分がいて。だから、飲みに行こうと誘ったり、家で飲むことはほとんどありません。でも、建築関係だと、打ち上げの席やつきあいの飲み会がどうしてもあるんですね。そういうときに「飲めないんです」と言うのが面倒くさくて一杯二杯ぐらいは……と飲んでしまう。で、たまに飲むから体調悪くなって後悔する、みたいなのを繰り返していて、自分自身に中途半端感がありますね。

磯辺　僕は飲み会で「お酒をやめたんだ」と公言していました。そこにはためらいがなかったですね。

田中　でも、言い方を間違えると「いいじゃない一杯くらい」ってなりますよね。

藤井　仕方なく一杯飲むと「飲めるじゃん」ってなるんです。この座談会に呼ばれたのを機に、飲めない宣言をしようかなって思っています（笑）。

――僕自身は強いほうではないけれど、飲めないわけではないんです。飲むと関節が痛くなるので、体質的に合わないのだと思いますが、吐いたりすることはないし、精神的にブレることもないんです。ただ、僕は酒の席が本当に嫌いで……。とくに、出版業界は古い業界で、「飲みニケーション」の文化がいまだに根強い。表ではハラスメントを批判しながら、自分は毎週「飲み会」でそれを繰

KEYWORD 01

0% NON-ALCOHOL EXPERIENCE

写真提供：0% NON-ALCOHOL EXPERIENCE

2020年7月にオープンした日本初の完全ノンアルコールのバー「0% NON-ALCOHOL EXPERIENCE」。20種類以上あるドリンクはフルーツやハーブ、スパイスを用いた独創的なもので、フードメニューは「すべての人が等しく楽しめるように」と完全にヴィーガン対応。また、「飲まなくても酔える」体験をと、ASMRサウンドを聴きながら楽しむドリンクや、リラックス効果のあるCBDオイルなども提供。有料でスマートフォン等を預かるデジタルデトックスサービスも行っている。

店舗を運営するのは、小橋賢児が代表を務めるThe Human Miracle株式会社。店名はアルコール0%というだけでなく、「人々の心を0（%）にする」という意味も含まれているそうで、『ノンアルバーに行く』ということが自分の感覚に向き合う時間へのスイッチになったら」とそのコンセプトを語っている。

り返している文化人や編集者が山ほどいるのが情けない現実で、そしてこうした飲み会で人間関係を調節し、いろいろなことが決まっていく。そんな「飲み会政治」の世界が本当に嫌で、飲み会に行かないために、「飲めません」って言うようになったんです。

田中　実際、仕事仲間と飲んでいて、「今度あれやりましょうよ」みたいな話になったとしても、酒に弱いせいか、結局バカ騒ぎしたよねとか、いいムードだったよねで終わってしまう。よくよく考えると、飲まなければできないことってないですよね。別にお酒飲まなくてもカラオケとかできるし。あと、お酒を飲む人といると、炭水化物にありつけるのが遅くなる。

磯辺　ははははははは（笑）。

藤井　早くご飯食べたいです（笑）。

田中　飲まない人間にとって飲み会は晩ごはん。でも、最初からチャーハンをオーダーしたりすると、こちらが間違っているような言い方をされる。

藤井　本音を言うと、飲み屋さんでみんながお酒を頼むタイミングで、私は「いちばんおいしそうなスイーツ頼んでいいですか?」って言いたい。でも、勇気がない（笑）。

磯辺　しかもそれをやると、「あ、もうそんな時間だっけ」みたいなシメのムードに入っちゃうんですよね。ただ、僕は無理にお酒をすすめられるとか、飲まなければコミュニケーションが始まらないとか、そんな圧を感じたことはないんです。周りに恵まれていたのか、たまたまなのかわかりませんが。

田中　私の経験だと、酒を飲んでいる人の同調圧力は根強いですよ。「一口ぐらい付き合えるだろ」とか、変な圧をかけてくるのは本当に謎です。酔っ払って、「俺も裸になってるからお前も脱げよ」みたいなのは、まちづくりあるあるですよ。

藤井　お酒を飲ませることで、本音を吐き出させようとしていると感じることはありますね。でも、その意図が少しでも見えると身構えてしまう。相手も話したいんでしょうけど、お酒を飲んだからって、急に打ち解けるわけではないですよ、って思います。

磯辺　そういう領域の人たちは、そういうコミュニケーションがアクセスしやすいんでしょうね。おそらく、自分の先輩たちを見てきて身につけたのでしょうけど、飲まない自分からすると、うらやましくはありませんが、そんな方法もあるんだなと素直に感じます。

必要なのはお酒に替わる「媒介」

田中　お酒を飲めない人が夜の東京で過ごせる場や機会が充実しないと、酒飲みの真似事をさせられて終わるという悔しさがあります。六本木に「0% NON-ALCOHOL EXPERIENCE」[01]というノンアルコールバーがあるんですね。少人数でしっぽりした雰囲気を楽しめるバーで、酒飲みの高揚感を味わえる。でも、酒からアルコールを抜いた何かではなく、まったく違う楽しみ方が

KEYWORD 02

ナイト（タイム）エコノミー

夜間（18時から翌朝6時）に行われる経済活動のこと。居酒屋やバーといったいわゆる「夜の遊び」に限らず、エンターテインメント、小売や医療、交通インフラなど、24時間都市を成立させるためのすべての活動を指す。

ナイトエコノミー先進都市のロンドンは、演劇やイベントといったコンテンツの充実だけでなく、公共交通機関やセキュリティなどの整備を進め、約3・7兆円（2017年4月発表）の経済効果を上げている。

日本もインバウンドの拡大、地方創生の切り札として夜の街の活性化を推進。風営法を改正し、クラブでのダンス営業が朝まで可能になるなど、環境整備が進められていた。2020年の東京オリンピック・パラリンピックが日本の夜を変えると期待されていたが状況は激変。世界では、ポストコロナにおけるナイトエコノミーのあり方が模索されはじめている。

あっていいはずです。

磯辺　難しいなと思うのが、一人でちょっと飯食ってゆっくりしようと思ったとき、飲めない人間が一人で居酒屋に入るのには抵抗があるし、バーはさらに敷居が高くなる。誰かと一緒だといいんですが、一人だと無理だなって思ってしまいます。

藤井　私は遅くまでやっている食事や珈琲がおいしいカフェを調べて、渡り歩いていました。でもさすがに0時を回ったら、どこも開いてないんですよね。バーで真夜中のキラキラした東京を一人で眺めるみたいなことに憧れを抱いていましたが、飲めない私は外にいるしかない。ひたすら目黒川沿いをてくてく歩いたり、ミッドタウンの庭でボーっと過ごしたり、かなり怪しい人だったと思います（笑）。

田中　日本だと**ナイトエコノミー**［02］って、どうしても酒の場に集中しがちですけど、海外ではちゃんと文化の場もエントリーしてくるんですよ。たとえば毎週決まった曜日に公共施設が入場無料だったり、夜中まで美術館がやっていたり。そうすると夜中でも、パブリックスペースにいられる。夜の図書館とかね。

　ＩＫＥＡが日本に上陸したとき、お泊まり会があったんですよ。抽選で当たった人たちが、モデルルームに泊まれるというイベントです。参加した家族同士が仲良くなって、その後もつきあいが続いたり。スーパーマーケットやショッピングモールでも、一晩ここに泊まっていいよって言われたら、お酒がなくてもめっちゃ興奮しますよね。

磯辺　渋谷ヒカリエも以前は、飲食フロアは深夜帯も営業していたんです。その名残で8階フロアのイベントスペース「8／（ハチ）」で「**渋谷真夜中の映画祭**」［03］という企画をやったことがありました。夜中の12時上映開始で、2本上映する間にトークを挟んで、それをフカフカのソファに寝ころがって観るわけです。寝たくなっちゃったら寝る人もいて、朝の5時に解散。確かに、あの場にお酒はいらないですね。もちろん、あってもいいですけど。

田中　個人的には今すぐ酒がこの世からなくなっても、まったく生活に支障はありません。だけど、お酒に支えられて、オンとオフが切り替わり、人との仲も詰めていけると信じていて、酒があるから遊ぶきっかけになっている人がほとんどなんでしょうね。だから、東京の夜がお酒中心になっている。

——僕は酒飲みを敵視しているわけでもなければ、小池百合子的にアルコールを弾圧して点数稼ぎをしたいわけでもない。問題なのは、モノカルチャーであることです。実際、新型コロナウイルスで緊急事態宣言が出され、酒を奪われた瞬間、大人たちがどう楽しんでいいのかわからず途方に暮れてしまったわけですよね。もし、お酒以外に自分を楽しませる〝カード〟を持っていれば、あの期間だって全然違っていたはずです。

田中　酒に頼りすぎてきたんですよね、東京の味わい方、楽しみ方を。

KEYWORD 03

渋谷真夜中の映画祭

「映画で社会を変える」というテーマを掲げ、映画や広告、IT、音楽業界などから56人のメンバーが集まりプロジェクトが発足。「映画で社会を変えるなら、渋谷の夜を変えることから」と、渋谷ヒカリエの多目的ホール8/COURTを拠点に、映画の可能性を探る取り組みをスタートさせた。２０１２年にクラウドファンディングで資金を集め、11月9日に「渋谷真夜中の映画祭～第零夜～」を開催。第一部では『トレインスポッティング』を、第二部では若手映像作家によるコンペと選抜作を上映。翌年は渋谷ヒカリエのオープン1周年記念で制作したオムニバス映画『ヒカリエイガ』を披露した。２０１８年には「真夜中の映画祭リターンズ」を開催。注目のクリエーターのトークセッションのほか、ウォン・カーウァイ監督の『マイ・ブルーベリー・ナイツ』の上映も行われた。

磯辺　僕は昨年結婚し、コロナの影響もあって友達と会う機会はずいぶん減ってしまいましたが、そんな中でも楽しみはありました。何かというと、ランニングととんかつなんです。それぞれ「**ランニングと朝食（R&B）**」[04]と「**東京とんかつファイターズ**」[05]というコミュニティで活動していたんですが、美味しいお店を教えあったり、たまにみんなでとんかつを食べに行くだけの会をやったり。ランニングもただ走るだけじゃなくて、朝、集合して走って朝食を食べて解散みたいな。遊んだって表現が適切かはわかりませんが、お酒じゃない場で集まって楽しかった瞬間は確かにあります。そういう好きなものを持てるかどうかがキーポイントですよね。僕にとってはとんかつですが、好きなものに触れていると楽しめるし、わざわざ出向こうとアクティブになれますからね。

田中　私がお酒を飲まない夜の過ごし方でいちばん印象深かったのは、ロンドンに行ったときかな。友達の家で「なんで人間は生きているんだろう」といった答えのない話を、一晩中したりして。で、昼間は寝ていてまた夜になったらまたその人と一緒に話すんだけど、そのときの飲み物がお酒じゃなく、同じ茶葉で何回もお湯を入れてラフなお茶を出してたので、「ラフティー」って呼んでたんですね。そんなラフティーな夜を、三日三晩も続けたりした。

——僕がお酒やめた直後やったのは、夜の散歩ですね。高田馬場から渋谷や市ヶ谷までしゃべりながら歩いたり。あと、早朝に虫採りをしたりしました。

藤井　私も夜中、都内の公園でセミが脱皮して羽化するのをずっと見ていたことがあります。流石にこちらが根負けしましたけど、神秘的で面白かったですね。

田中　飲める人だって、飲まなくても過ごせるはずだと思うんですけど……飲む人ってやっぱりアルコールがないとダメなのかな？

藤井　あいだに、お酒があることに安心しているのだと思います。「飲めないと間が持たなくない？」って言われたことがあって。あなたと私が

KEYWORD 04

ランニングと朝食（R&B）

写真提供：磯辺陽介

朝食を食べられるスポットをゴールに、5～10キロをランニングするコミュニティのこと。2016年5月、林暁甫氏（NPO法人インビジブル理事長）が、「誰かと走りたい」「誰かと走るなら朝食も一緒に食べたい」と思い、SNSで呼びかけ友人数名とはじめたのがきっかけ。「ランニング」と「朝食」というキーワードのみでつながるゆるやかさが魅力で、Facebookグループのメンバーは現在777人。清澄白河を集合地とする「東京チーム」のほか、東横線沿線、中央線沿線、鎌倉など、エリア別にグループが誕生しているという。なかには、朝食だけを一緒に食べたいという参加者もいるとか。

お酒を飲んでいる、というのは一緒にいる口実になるというか。多分、何か媒介するものが欲しいんじゃないでしょうか。じゃあ、お酒の代わりになる媒介って何だ？　という話だと思うのですが、美術館での鑑賞とかも対象になるかもしれません。

田中　焚き火の火とかね。

藤井　火！　見ていたいです。あと東京都内、六本木の木々の中からでも、星って見えるんですよ。そういう、眺めるものも媒介になるのかな。映画でも音楽でもいいんですが、触れていたいのかもしれません。

磯辺　媒介が必要だという指摘は面白いですね。飲む人たちもお酒って媒介があるから会話が成立しているわけで。「今日はいい天気ですね」と挨拶したとしても、別に天気のことに関心があるわけではなくて、特に日本人は媒介がないとコミュニケーションを取れないという感じがします。

田中　話しかけるための口実が欲しいんですよ。

磯辺　僕はデベロッパーと呼ばれる職種にいるから、「都市がどうあるとみんな過ごしやすいのだろう？」と思考します。でも以前、ある人に繰り返し「誰目線ですか」って指摘されたことがあるんです。その人が言いたかったのは、「何を提供するか？」だけでなく、「今あるものでどう楽しむか？」という視点もあるという指摘でした。都市をどう読みとくかとか、面白がるかみたいな力が失われ、パッケージ化されたものだけを楽しむしかなくなっている。むしろ、何もないところで自由に楽しむスキルを手に入れることが大事なのかなとも思います。

人の気配と夜の顔

――やっぱり酒を飲んで人と話すこと以外に面白いことを見つけたほうがいいと思うんです。毎晩、飲み屋に行くのは寂しい人だと思う。それはそれで結果として豊かな文化を生むこともあると思うけれど、本当に酒の席じゃないと生まれないのかは怪しい。人と接しないことの楽しさを知っていると、相対的に酒への依存も下がるはずです。

藤井　その通りだと思います。ただ、私が東京の夜に求めるものって、人っ子ひとりいないという状況ではないんです。しゃべらなくてもいいけれど、雑踏だったり、人の存在を感じさせる光があったりするほうが落ち着く。誰かがいてくれる中に身を置きたい。それが東京の夜の良さみたいなところってありませんか。

田中　私も、人類がそこらへんで生きている気配を感じられるのが好き。気配だけでいいんだけど。たとえばふらっとコンビニに寄る動機って、なんか人に触れたいみたいなことがありますね。キオスクが無人化されると、ちょっと寂しいし。

藤井　コンビニ無人化の実用化が進められていますけど、お店に灯りは灯っていても、そこに人がいなかったら、夜、立ち寄る動機が一つ減るような気がします。互いに誰とも知らず、その場だけだけどちょっと一緒にいるみたいなのが都市の良

KEYWORD 05

東京とんかつファイターズ

とんかつ好きにより結成されたクラブチームが「東京とんかつファイターズ（TTF）」。もとは3人ほどで活動をしていたが、２０１９年4月にとんかつの話を聞きながら、カツサンドの食べ比べをするというイベントを開催。10数人もの参加があり、これを機に参加希望者が増え、全国35人ものメンバーが所属するまでに。参加条件は「とんかつが好き」で「とんかつのことを知りたい」という2点。有名店や名物店に限らず、とんかつ屋を食べ歩き、互いに情報交換をするほか、自らとんかつを揚げるなど、とんかつを楽しむアイディアを提案。とんかつを食べれば、すべての栄養が網羅できる「とんかつ完全食理論」を提唱している。

写真提供：磯辺陽介

さですよね。

　私は最近東京を離脱して神奈川の真鶴町に住み、ローカルとシティを行き来してそのギャップを楽しんでいるんですが、都会に一人暮らししていたときは、夜、人の気配を求めていた気がします。

——そういうときに気軽に立ち寄れるところが自分の街にあるとだいぶ違いますよね。まちづくりや建築のプロの視点から、飲まない東京にこういうものがあったら面白いと思うものはありますか？

磯辺　さっきのナイトエコノミーの話のときに田中さんがおっしゃった「夜の図書館」って、響きからしてめっちゃいいなって思ったんですよね。日本でも近い例ってなかったでしょうか。

藤井　泊まれる本屋がコンセプトのホステル**「BOOK AND BED TOKYO」**[06]や、一日利用券で入る本屋**「文喫」**[07]などは、ずっといられる場所としていいなと思います。ただ「夜の図書館」が実現するならぜひ、昼間の顔と夜の顔が違っていてほしいです。たとえば、昼間の光あふれる図書館が、夜になるとまったく違う顔になるなら行ってみたい。飲む人にとって居酒屋やバーが夜の醍醐味であるように、飲まない人にとって「夜の図書館」には夜だけの知られざる秘密感があるといいなって。

田中　私は地域ツーリズムの新しい形として、神田の巨大ビルの跡地や東京国立近代美術館の前庭でキャンプする**「アーバンキャンプ」**[08]を主催しています。その魅力って、夜、みんなの知らない遊びをしていることなんですね。人が働いたり遊んだり、忙しく動いている東京で、地べたを撫でながらお茶を飲むなんて過ごし方は知らないだろう！　っていう。

磯辺　そういう意味では常設系は相性が悪いのかもしれませんね。夜に限ったスペースを作るのは収支的に厳しく、単価の高い酒の提供をしなければ採算が合わなくなってしまう。夜でも過ごせる常設の場所もいいけど、アーバンキャンプのように、そのときしか味わえない一回きりの場のほうが相性はいいのかもしれません。

——いや、常設であることは重要ですよ。「開いててよかった」という場所が自分の生活圏に一つでもあると、その街への信頼感につながると思うんですね。自分にも夜の東京に居場所がある、そう思えることが大切なんじゃないかと。たとえば、眠れないときやもやもやしたとき、自宅ではない場所で一心不乱に本を読んだ、みたいな経験ができるのは大事だと思います。

磯辺　職業柄、どうしても収支のことを考えちゃうんですよね。「開いててよかった」はユーザー側の希望としてはあるけれど、それをちゃんと持続可能な形であり続けるには商売の延長の中でインクルードされていなくてはいけない。

田中　確かに、利益率の高い酒を提供して商売として成立させるというのがセオリーです。でも、個人的には酒とかいらないから、チャージを支払って、私がそこに存在することを認めてほしい。

KEYWORD 06

BOOK AND BED TOKYO

２０１５年11月に池袋に誕生し、現在、新宿・歌舞伎町、大阪・心斎橋で展開。ロビーには数千冊の本が並び、宿泊スペースも本棚の中というまさに「泊まれる本屋」。オープン時には、ＣＮＮや「National Geographic」など海外メディアにも取り上げられ話題となった。

　お気に入りの一冊を見つけたら、ソファやカフェスペースなど好きな場所で読むことができる。もちろん、ベッドで本を読みながら、そのまま寝落ちてもＯＫ。

　奥渋谷にある「SHIBUYA PUBLISHING & BOOKSELLERS」が本のセレクトを担当していて、多彩なジャンルを網羅しているのも特徴の一つ。一泊料金はシングルで３５００円～（新宿）。

画像提供：BOOK AND BED TOKYO

そうだ、入場料！　ナイトサブスクリプションですよ！　ホテルのラウンジや喫茶店で、「何も注文しないけれど、ここにいられる」ということができるパスポートを実額制にするの。良くない？

磯辺　それは面白いですね。**『カフェから時代は創られる』**[09]という本にも、カフェにはコーヒーを飲みに来ているわけではなく、コーヒー一杯を買うことによって客という立場を確保する、といった指摘がありました。ちゃんとお金を払って、そこにいていい状態を得られるっていうのは確かにいい。でも、それってマンガ喫茶と何が違うんでしょう？

――個人の部屋を都市の中にいかに作るかというので生まれたのが、マンガ喫茶やネットカフェだと思います。カフェの話に通じますが、ファミレスの380円のドリンクバーは、セミパブリックな空間を共有する権利を買っているのだと思います。でもネット喫茶はそれとは真逆で、プライベートな空間を買っている。背景にある欲望がまったく違うんです。

磯辺　そうか。仕切りで細かく区切られていますもんね。

――お酒の席って、「本音が話せる仲間」だからそこにいる、いわばメンバーシップ制ですよね。でも、それがちょっとうざい、重たい、押しつけがましいと思っている人たちがいる。そんな人たちが求めているのは、あくまで空間を共有する権利、パーミッションで、メンバーシップに紐付いた具体的なコミュニケーションは求めていない、ということだと思います。

田中　確かに。お酒の場の人間関係で一回喧嘩したり、一回つれない態度をとったたりしら「何、あいつ」みたいになっちゃう会員制っていうのはすごくめんどくさい。だから、なんていうか、風来坊の権利みたいなものが欲しいですよね。ただ単に、そこにいるだけの権利っていう。

藤井　それはとても都市的だと思います。ここまでのお話を聞いていて、夜の楽しみって「静けさ」にあるような気がしました。たとえば公園でしゃべらずに過ごすとか、ものや生き物と向き合うと

KEYWORD 07

文喫

六本木駅すぐ、かつて青山ブックセンターがあった場所にある入場料制の書店。本の取次会社「日販」が「本と出会うための本屋」をコンセプトに2018年にオープンした。販売する書籍は約3万冊で、人文科学や自然科学、デザイン・アートなどさまざまなジャンルを網羅。一人で静かに過ごせる閲覧室、グループで使える研究室、喫茶室も併設されている。コーヒーとお茶は無料（おかわり自由）入場料1650円（税込：土日祝は1980円）を支払えば、一日過ごすこともできる。

「文喫」公式サイトより

か。別にお酒を飲んでいる人がいてもいいんですけど、静かな場所でその静けさを共有すると、夜のワクワクというか、夜スイッチが入るんじゃないでしょうか。

磯辺 静けさをわざわざ共有しにいくって何か面白いですね。

藤井 それでも決して、仲良くはならない。その距離感がとても東京的だと思います。個人が認識されてしまうと楽しめないし、「ここでしか会わないし」ぐらいの感覚のほうが、そこにいやすい。

磯辺 匿名性を帯びながらも、そこにいることが認められる場所ですね。

藤井 まさに、東京に求めるものです。田舎はどこに行ってもあたたかく迎えてくれます。それはそれで魅力なんですけど、それだけだと疲れてしまう。相手の気持ちが重いときもあるし、誰にも構われずにフラットにものを考えたいときってありますから。

表情を変える夜のワクワク感

田中 曜日限定でもいいので、いつものところが、何事もなかったように夜通し開いてるといいですよね。私、『おちゃめなふたご』っていう童話シリーズが大好きで、学校の夜のプールに寄宿舎の女の子たちが先生たちに内緒で集まってパジャマパーティをするシーンがあるんです。

藤井 学校でパジャマパーティー!

田中 水面に月が照らされるなか、女の子たちが、普段、思ってもいなかったことをやっちゃうんです。「サイダーにオイルサーディンつけて食べたらどんな味がするだろう」とか、そういう描写がいちいち出てきて。やっぱり、夜マジックってありますよね。昼間とは違う表情があって、違う自分が刺激されて、素面だったらしないことをするっていう感覚は絶対に楽しい。それは酒を飲まなくてもあることだと思う。

藤井 お酒を飲む人はお酒によって夜マジックが起きていると思っているけど、そもそも生物的に、暗闇や月夜によって夜マジックにかかっている気分を味わえる気がします。自然界だと敵に狙われにくい夜は安心できるから、少しだけ大胆になれたりとか。実際私はお酒を飲まなくても、気持ちが落ち着くからいつもよりおしゃべりになるっていうこともあります。

田中 一人でいても寂しいと感じない夜独特の居心地とか、人との距離感は多分あると思うので、それを味わえたらすごい楽しいですよね。

磯辺 夜マジックって、確かにそうですね。あまり意識してなかったですけど、普通、夜は寝るものだから、夜、遊んだり、夜を楽しむといった、いつもとは違う行動をすること自体、ちょっとハイテンションになります。

藤井 飲まないと、感覚は鋭いままなのでよりいろんな気持ちに気づけそうです。子供の頃に初めて夜ふかししたときのワクワク感みたいな。

田中 深夜ラジオを聞いたりして、夜ふかしするのはすごいドキドキでしたよね。私、東京の醍醐

KEYWORD 08

アーバンキャンプ

都市にテントを建てるとどう楽しめるのか? この疑問に対する答えを求め、田中氏らが2014年から実験的に始めたのが「アーバンキャンプ」。キャンプサイトはまちを楽しむための拠点であり、どう過ごすかは参加者の自由。同時に火をシェアするリビングスペースが設けられ、コミュニケーションが生まれるための仕組みも。

これまで、東京・神田の東京電機大学跡地や秋葉原にある3331アーツ千代田の屋上、さらには皇居のお堀沿い、竹橋の東京国立近代美術館の前庭などで開催。地域ツーリズムの新しいかたちとして、注目されている。

味って、いろいろなもの、いろいろな人が全部ごちゃ混ぜになっていることを誰も否定できないっていうところにあると思うんです。田舎にいると「なんでこんな時間まで起きてんの！」とか、当たり前に言われちゃうし。

藤井　田舎は田舎で一色ですもんね。東京って、本当は多色になりえるわけで。

田中　東京のその極端さ、普段は見られない表情みたいなものは、まだまだ発掘できると思う。

磯辺　なんだろうな、夜になると表情が変わるような場所……。日中、都内を忙しく走っていたバスがずらりと並んでいる車両基地とか？

藤井　虫だけでなく、夜行性の動物もいるから……そうしたものと触れ合うというのもありますよね。

磯辺　動物園のナイトツアーとかですかね。そういえば、夜に博物館の標本が動き出す『ナイトミュージアム』という映画もありました。

田中　夜中に夢の島熱帯植物園とかが開いてくれて、サガリバナとか夜にしか咲かない花の下で好きな本を読んで過ごせたら素敵だろうなって思います。

磯辺　夜の植物園もめっちゃいいですね。

藤井　空間としては、平面的に広くてわりと大きな箱なんだろうなという気がします。イメージとしては、やっぱり公共の図書館とか学校や体育館。そういう場所がガラッと変わって、夜の雰囲気をまとうと楽しいですよね。いろんな人がいて、そこでしか出会わないし、しゃべらないけれど、人がいてくれる。なんとなくの距離感を味わいにいくみたいな場所。そのカオスさが東京っぽいです。

田中　夜の図書館があったら常連とかいそうですよね。顔はなんか知っていたりとか。

藤井　そのぐらいの、通勤電車でいつも同じ車両に乗る人をこっそりチェックするみたいな距離感がいい（笑）。図書館だったら、本棚もちょっと高くて、少し身を隠せるみたいなこともけっこう重要で、天井の高さも欲しいですね。

磯辺　映画にもよく登場する**ニューヨーク公共図書館**[10]の空間のイメージですよね。天井がめっちゃ高くて、アーチ状になってて。

田中　柏の葉に「**KOIL TERRACE**」[11]というコワーキングスペースを提供する建築施設があるんですけど、そこが夜も開いているようなイメージかな。

磯辺　「KOIL TERRACE」は２０１４年に開業した「ＫＯＩＬ」シリーズの２棟めの施設で、延べ床面積が一万平米もあって、かなりだだっ広いですよね。

田中　意外とそれっぽいことに使ってみたら面白いんじゃない？　っていう空間は、実はまだたくさん眠っているかもしれない。

磯辺　ただ、やっぱり空中階は微妙だと思いました。先ほど、ヒカリエの８/でのイベントの話をしましたが、夜中のイベントはかなり強い目的意識が必要で、でなければ、連絡通路を渡ってわざわざ訪れる人はいません。パーミッションという文脈からは少しズレてしまう。となると、なる

KEYWORD 09

カフェから時代は創られる

著者の飯田美樹氏は東京大学情報学環特任助教で、カフェ文化、パブリック・ライフ研究家。パリ留学時にカフェに通いつめ、研究対象とすることを決意。「天才たちがカフェに集ったのではなく、カフェという場が天才を育てたのでは？」という視点から研究を行い、本書を書き上げたという。ピカソやヘミングウェイ、モディリアーニ、藤田嗣治、ボーヴォワールなどの自伝的記録から、人や文化、時代をつくる場としてカフェが果たした役割を紐解く一冊だ。出版社のクルミド出版は、もともと東京・西国分寺市にある喫茶店。著者との出会いが出版社を立ち上げるきっかけとなったそう。

飯田美樹『カフェから時代は創られる』（クルミド出版　２０２０年）

べくグランドレベルで、いつもの帰り道に「なんだここ？」って、発見できるくらいの存在であるべきですよね。

――そうですね。僕も道路に面していることが重要じゃないかと思います。そして、そこがなるべく明るくて、開放感があって、誰でも安心して入れるように思えること。砂漠でオアシスを見つけるように、街を歩いている人が出会うイメージです。

藤井　散歩道の途中とかがいいですよね。偶然見つけた場所のドアが開かれていたりして。

ファミレス・夜カフェから「夜の図書館」へ

――僕個人の思いとしては、一人だけど一人じゃない居場所を夜に作りたいと考えているんです。夜中にもやもやして、誰かに会いたいわけでも話したいわけでもない、だけど、人が大勢いるところに身を置きたいという感覚が、若い頃にけっこうあって。現在も、24時間営業のファミレスや本屋でひたすらスマホゲームや読書をしている人もいるし、そこにいていい場所はある。ただ、そんな夜の居場所として「じゃあファミレスでいいじゃん」とは思えないわけです。なんて言うか、都市部の朝までやっているファミレスや夜カフェって、厭世観の塊のような空気が漂っていて、みんなぐったりしていますよね。あの空間に自分が身を置いても何も救われないし、誰とも出会えないし、何もいい気分にはならない。

飲まない東京の話をすると、「ファミレスや夜カフェじゃだめなの？」とよく言われるんですが、僕の中では違うんです。ファミレス自体が嫌いなわけではありませんが、ファミレスや夜カフェがなぜ、ダメなのかをちゃんと言語化すべきだと思っています。

田中　ファミレスってみんな、始発を待つ時間を潰しているだけなんですよね。

磯辺　照明の明るさも関係ありませんか？　基本的に活動していることを前提にした明るさで、それなのにみんな行動していない。そのギャップは大きいですよね。もしかしたら照明の照度がちょっと落ちるだけで、夜の居場所として成立するのかもしれません。音楽も微妙に陽気だったりするから。

藤井　外は真っ暗で静かな夜なのに、ファミレスの店内だけ夜仕様じゃない。昼の世界の「ファミリー」向けの仕様が、だらだら続いてる感じ？

磯辺　あの空間で、一人で読書してる人がいたり、ひたすら原稿書いている人がいたり、過ごし方が多様な雰囲気ができていれば、ファミレスでもOKなのかな。夜カフェは、藤井さんが言った静けさを共有するというコードとは違うのかもしれません。女子が合コンの二次会が終わった後の反省会をしていたり、意外とわちゃわちゃしてますから（笑）。比較的、そういったノイズが多いというのもありますよね。

田中　逆に夜カフェは客単価も高いし、照明もムーディーすぎて気取りすぎているんですよ。ファミレスのファミリーという建前のダサくて変

KEYWORD 10

ニューヨーク公共図書館

1911年にオープンしたアメリカ・ニューヨークにある公共図書館。マンハッタン五番街と42丁目との交差点に位置する本館と、四つの研究図書館や88の分館からなる。ライオン像が門前に鎮座する本館は観光スポットとしても有名で、映画『ゴーストバスターズ』『スパイダーマン』、ドラマ『セックスアンドザシティ』などのロケ地としても知られる。吉田秋生の漫画『BANANA FISH』でも登場。ファンの聖地になっている。

蔵書数は5万5000点超、コロンブスの新大陸発見に関する資料やジョージ・ワシントンの辞任演説といった歴史的資料も多く所蔵している。

2019年にはドキュメンタリー映画『ニューヨーク公共図書館　エクス・リブリス』が公開。「世界最大級の知の殿堂」であり「世界中の図書館員の憧れ」であるこの図書館の裏側を映し出し、話題となった。

Photo by OptimumPx(2011)

に明るい空間にあえて飛び込むのも、小洒落た夜カフェに行くのも、ある種のプレイなんですよね。だから、一人になりたいときに無自覚に行くと悲惨な気持ちになったりする。

――ファミレスは、やはりセンスの問題のような気がしています。夜カフェはファミレスよりはいいけれど、いまだに「ここすごくいいな。何度も来たいな」と感じる店に出会ったことがありません。空間設計とか、ほんのちょっとしたニュアンスの違いなんでしょうけど、作り方の文法の問題もあると思うんです。

藤井　規模感の問題もあるかもしれません。夜カフェってけっこうお酒を出すバーやダイニングの文法に近くて、こじんまりとしたお店が多いですよね。さっき私が言った「静かだけど場を共有している」というイメージは、わりと大きなスケール感なんです。きゅっとまとまってしまうと、個人が見えてしまう感覚があります。

磯辺　小さいとプライベート感が出てしまうし、そこに集まる人たちの常連コミュニティができやすくて、必然的にメンバーシップが発生してしまう。

田中　30代女子に向けたカフェとか、お店のターゲティングが狭いのだと思います。もうちょっとざっくりと、誰でもめいめいに過ごせる場であればいいんでしょうけど。

――つまり、ファミレスとかファストフード店、あるいは歌舞伎町にあるような終夜営業の喫茶店は、昼の建前と夜の実態が食い違っていることに無頓着なために完全にアンコントローラブルな無秩序な空間になっているし、夜カフェは基本バーやレストランの延長線上で、はっきりと人を選ぶメンバーシップ型の空間です。どちらも公共性を意識して設計された空間じゃない。

田中　そうそう。やっぱりファミレスの気軽さと夜カフェのムードという、それぞれの良さを兼ね備えた、広場的なノーマル空間がなかなかないわけです。

磯辺　つまり、それが「夜の図書館」の基本コンセプトになるわけですね。公共空間だからこそ、深夜ファミレスのように仕方なく流れたりネットカフェのようにプライベート空間の延長で行くんじゃなく、ちょっとは人目も気にしながらアクティブな気持ちで行く、みたいな。かなり高度な気がするけれど、そんな空間が設計できたらすごく面白い試みになると思います。

田中　前半にお酒に替わる「媒介」というお話がありましたが、本も川もキャンプの火も、見る人によって違う。コードが厳しく規定されないんですよね。図書館も何か書きものをしていてもいいし、本を読んでいてもいい。家でも自分の部屋でもないけれど、何か明確な意図や目的をもって行く場所ではなく、めいめいがしたいことができる感じが理想です。

――イメージの方向は見えてきましたね。さらに収益や持続可能性の問題とかも含めてもう少し、具体化していきたいですね。

磯辺　そういえば僕、蔵前に住んでいたときに「N

KEYWORD 11

KOIL TERRACE

「Smart & Well-being」をコンセプトに、千葉県柏市の「柏の葉スマートシティ」内に2021年にオープンしたオフィスビル。アトリウムやラウンジなど多目的に利用できる共有空間が豊富で、ミーティングルームやリラックスルーム、コワーキングスペースなども併設されている。

運営する三井不動産は2014年に同じ柏の葉スマートシティ内でイノベーション拠点「KOIL」を展開。KOIL TERRACEはその第2号となる。

柏の葉スマートシティは国土交通省「Society 5.0」にもとづくスマートシティモデル事業の先行プロジェクトで、「環境共生都市」「健康長寿都市」「新産業創造都市」を三本柱にまちづくりが進められている。KOIL TERRACEでも起業家やクリエイターの交流や連携を促す取り組みを行っていくという。

三井不動産 2020 年 12 月 16 日付ニュースリリースより

ui.」ってホステルが好きで、ときどき行ってましたね。1階のラウンジスペースは24時まで開いていて、キャッシュオン方式で飲食ができる。一人で過ごせる空間もあって、ジンジャーエールを飲みながら本を読んだりして。近くで外国人旅行者たちがおしゃべりしていたりするけれど、一人でいても違和感がない空間でしたし、ホテルだからずっとオープンにしておくことに無理がない。

――ああ、ホテルのラウンジっていうのはアリかもしれませんね。

磯辺 ホテルラウンジの開放は、収益化の試策としていいと思います。なぜなら、いまホテルは経営的にものすごく苦しいですから。ラウンジという空間を、たとえば静かさの共有など、あまり規定しすぎないメッセージを打ち出して開放するというのは可能性があるんじゃないでしょうか。ただ、ファミレスは微妙だけど、スカしすぎるのも嫌だっていう話でいくと、ラウンジの雰囲気はどうなんでしょう。

田中 ホテルラウンジのサブスク、私はすごく欲しいですよ。夜カフェのこじんまりとした感じとはスケールが違いますし、居心地はやっぱりいいですよ。

人の暮らしのある場所で

――具体的な立地についても考えてみましょうか。最近、東急は「**グレーター渋谷**」[12]を打ち出していますよね。渋谷駅を中心に、代官山や原宿、表参道をつないだ開発をしていくということであれば、可能性はあるんじゃないでしょうか。僕、三軒茶屋はすごくハマる気がするんです。

磯辺 そうですね。夜の居場所的な使い方をしたい人もいるかもしれないけれど、別のニーズのほうが多そうな感じがします。三茶でも、ど真ん中より少し外しているほうがいい感じがしますね。生活者の動線上にあって、「なんかちょっと家にいる気分じゃないんだよな」みたいな感覚のときに出られる距離感は大切です。

藤井 住宅街に近いと、夜中に家から出てきても

KEYWORD 12

グレーター渋谷

渋谷駅から半径2・5キロ圏内の「広域渋谷圏」のこと。100年に一度といわれる渋谷駅周辺の大規模再開発を主導する東急グループは「グレーター渋谷」構想を掲げている。渋谷駅の利便性を高めつつ、原宿、青山、表参道、原宿、広尾、恵比寿、代官山を遊歩道や商業施設で結び、「広い意味での渋谷」の価値向上を目指すという。その皮切りとなったのが2012年開業の渋谷ヒカリエで、2018年には代官山方面へとつなぐ「渋谷ストリーム」「渋谷ブリッジ」がオープン。東急が計画している九つの再開発プロジェクトが完了するのは2023年。「働く」「遊ぶ」だけでなく、生活環境を整備して「暮らす」という要素も融合させ、「渋谷型都市ライフ」が実現するという。

いいし、残業した仕事帰りに寄ってもいい、適度な関係性ができそうです。たとえば日々の暮らしを支える商店街のとある一角が夜になるとまた開いて、昼間売り切れなかったその日限りのお惣菜やパンやケーキが集まってきていたら楽しそう。さらにそこには昼間はない本と椅子が散りばめられていて、ずっと居ていいよ、というサインを出してくれていたら嬉しいです。

磯辺　街として人の暮らしがちゃんとある場所だと違和感はないですよね。非日常感が強い街だと、別の使われ方のニーズが高まってしまいます。だとすると、グレーター渋谷の周縁ぐらいの中目黒か広尾というのもアリかと思いますが、山手線の内側に入っちゃうとちょっと違う気がするかな……。あるいは学芸大学とか祐天寺とか？

――それなら蒲田とかはどうですか？

田中　蒲田いいですね。

磯辺　僕は仕事では池上線を担当していて、池上線沿線もハマると思うんですけど、街の規模感的に箱としては、小さい一軒家ぐらいのイメージになっちゃうんですよね。それよりは、僕がいま住んでいる清澄のほうが違和感なくイメージが湧くかもしれません。あるいはその近辺だと、両国・森下もアリですよね。田中さんのやっている**「喫茶ランドリー」**[13]はいいんじゃないですか。

田中　うちね。本当に夜中までやりたいんですよ。実際、お店には夜、近所のマンションの子供が親と喧嘩して「家出してきました」って来たり、おばあちゃんが急に訪れたりするんです。警察ではなくてうちに来たのは、お付き合いがあるとかそれぞれ理由があるんでしょうけど。

――夜中の居場所は、地域にとって治安面でもメリットになりますからね。

藤井　受け止めてもらえる場所があるのはありがたいですよね。

田中　実は「喫茶ランドリー」って、私なりの公民館なんです。私は公民館に対してのファンタジーに近いものを感じていて。なぜなら理想的な公民館に出会ったこともなければ、公民館に全然良い思い出がないから。だから勝手に「公と民と館なんだからこんな感じがよかろう」って作ったのが、喫茶ランドリー。うちが夜やったらどうなるのかというのは、いつも考えています。さっき言ったみたいに、お酒の販売に頼らずサブスクでペイするかたちにして。夜間営業だと人件費がネックになるんですけど、人とほとんどしゃべらないとしても、主はいたほうがいいだろうな、とか。

磯辺　そうですね。ここまで議論してきたコンセプトや過ごし方のイメージからすると、無人だとだいぶ雰囲気が変わってしまいます。

――無人だとパーミッションが発生しませんから。

藤井　主はいてほしいですね。それとなく見守ってくれている。

磯辺　ただそこにいるだけでいい。だけど奥には引っ込まないでほしい。

田中　銭湯の番台みたいなものですよね。その人も好きに本を読んだりしていて、干渉はしないけど、そこにいる、みたいな。

KEYWORD 13

喫茶ランドリー

２０１８年1月、東京・墨田区の住宅地にオープン。店内に洗濯機や乾燥機、ミシンやアイロンなど〝まちの家事室〟が併設された異色の喫茶店が喫茶ランドリーだ。設計から運営までを手掛けるのは、田中氏が代表を務める株式会社グランドレベル。そのモットーである「１階づくりはまちづくり」「あらゆる１階はそこに暮らす人々を受け入れる場所であるべし」を具現化し、０歳から高齢者まできまざまな人が集まり、「どんなひとにも自由なくつろぎ」を与える場となっている。

地域にひらかれていること、能動的に活動できる場所であることなど、その理念に共感した人や団体によって、全国にフランチャイズ展開。帯広や座間市の団地、スーパーマーケットの軒先など、さまざまなかたちで広がっている。

Photo by Daichi Ano

――僕は高田馬場ぐらいがちょうどいいと思っています。やはり大ターミナル駅だと違う。池袋も東池袋か、目白との間ぐらいの南池袋でも成立するかもしれない。たとえば東池袋の「IKE・SUNPARK」[14]みたいな施設が夜通し開いているべきだと思うなんです。池袋の東口や西口の居酒屋では、飲み社会になじめるマジョリティが飲んだくれている。そこから少し離れた場所に民間業者も入りながら、公園というまさに公共スペースに再開発したのがIKE・SUNPARKなので、立地や成り立ちとしては、最適ですよ。あのカフェエリアぐらいの広さと大きさのものがハックできたらいいなと思うんです。1階で明かりが灯っていて、それなりに人がわちゃわちゃいる。本屋かな？　と覗いてみると実は図書館で、「なんでもワンドリンク注文してくれたらいいですよ」みたいな感じで受け入れてもらえる、みたいな。

藤井　IKE・SUNPARKのカフェなら、建物だけでなくて公園というまさに公共的な空間に染み出ていける開放感がいいですね。先程グランドレベルの話が出ましたが、染み出せる道や川辺に併設、ということも場所のポイントになりそうです。

田中　私は京都の鴨川は奇跡的な公共だと思っているんですね。鴨川はお酒を飲む人もいるけど飲まない人もいるし、誰かといる人もいれば一人で来ている人もいる。何をして過ごしたいかを問われないことも、公共のあるべき形だと思うから。鴨川のような場所が東京にないというのは、公共不足なのだと思います。

磯辺　お店も本来、誰でも入っていいはずですが、「ドアを開ける勇気」という点でフィルタリングされてしまいます。でも、鴨川は別に入り口がないから、いてもいいみたいな話なのかもしれません。

東京に「優しさ」の実装を

――やはり昼用の公共施設を、民間業者などがマネジメントするので夜も開けさせてもらうというのが現実的な正解なのかもしれません。事故が起こらないよう十分配慮して、それでも心配だったら、たとえば、YouTube LIVEで中の様子を流して犯罪などが起こりえないような状態を約束するとか、対策はできますからね。

　だからこそ夜の居場所は、本当はパブリックに近いところ、公共が担うべきだという思いもあるんです。公共の役割は、産業社会の中核を占める人ではなく、そこからこぼれ落ちている人たちに網の目のようなセーフティネットを張ることです。東京は、大企業の男性会社員をヒエラルキーの頂点にした構造をしている。そうした夜の居場所は、そこには入らない周辺の人たちのための場所にもなるはずですから。

田中　昼間の東京社会が取りこぼしてしまっているものを、夜であれば掬いとれる。公民館を夜中開けさせてっていう方法もありますよね。ボランティアで店番するからって言って。

磯辺　そのときは、ファサード（建築物の正面デ

KEYWORD 14

IKE・SUNPARK

東池袋に2020年完成した「としまみどりの防災公園」、その愛称が「IKE・SUNPARK」。もともとは造幣局東京支局があった場所で、1980年代に埼玉へ移転が決定。1万7000㎡もの敷地の活用が議論になった際、地元町会連合会が「生活につながる場所」と活動を開始。10万人超の署名が集まり、公園として生まれ変わることとなった。

　広くとられた原っぱ広場やカフェ「EAT GOOD PLACE」には多くの人が憩い、休日には1日5000人が訪れる。豊島区と民間でつくる管理団体は、「公園を起点に循環」「多様性を楽しめるコミュニティづくり」「小商いや新しいチャレンジを応援する」をテーマに運営。新しく事業を始めたい人をサポートする小型店舗「KOTO-PORT」などにも取り組んでいる。防災公園としては、備蓄倉庫や深井戸、非常用トイレなどを整備。約2500人を収容する一時避難所となるほか、豊島区全体の防災活動を行うヘリポート・物資集積拠点として機能を担う。

イケ・サンパーク公式サイトより

ザイン）だけでも、どうにかしたいな。公民館って入り口からして、なんか自分がいる場所じゃない感があるんですよ。それにしても、僕、ずっと考えているんですけど、本当にちょうどいいのないなあ。

――ないから、作るんですよ。

磯辺　そうですね。今日、みなさんとお話しして、東京だからこそ、夜の居場所の選択肢は必要だと実感しました。あと、夜に「遊ぶ」というイメージを持っていたんですけど、「いる」ことがカギだというのは大きな発見でした。

田中　結局、飲まない東京って、お酒の排除ではなく、東京の優しさの実装だと思うんですよ。東京の優しさって、夜中だけど、一人だけど、とにかくそこに存在するっていうことを肯定してくれるということだと思う。ビジネスであっても行政サービスであってもいいんだけど、夜の公民館的なものが住宅地と商業地域の狭間みたいなところにポッとあるということは、本当に大事なことだと思う。なぜって、オンラインでいつもつながるようになったこともあるし、私たちの暮らし方って、昔以上に24時間オンにしておかざるをえない生活になってるじゃないですか。

そうやって夜遅くまで起きていると、急に一人になりたくなったり、家にいられなくなったり、変な気分になったりするじゃないですか。そんなときに、一時的にオンラインから離れて、実の身体を置いておける場所の選択肢は、絶対あったほうがいいんじゃないかなと思います。そうやって「早く寝なさい」とか言われないことが、田舎にはない東京の優しさじゃないですか。

磯辺　「東京の優しさの実装」、すごくいいキーワードですね！　とてもしっくりきました。

藤井　私は公民館的に「家を開く」ということをずっとやりたいと思っていて、先日、ご近所の**真鶴出版**［15］さんと三島の「やまのピアノ音楽教室」の先生にご協力いただいて、自宅で子どものリトミック教室を開いたんです。自宅の古民家が公民館になるから「公民家」と名づけて。ちょうど、そんな取り組みをスタートさせたところで、東京ではありませんけど、ローカル版の夜の図書館、夜の公民館を個人的に小さく始めるのもありかもと思いました。

ふつう二拠点生活って言うと、ふだんは都会で働いて週末は田舎で暮らす人が大半だと思うんですけど。それとは逆に、ふだん田舎で暮らして、あえて週末はアクティブに東京に繰り出すくらいの感覚が今楽しいです。で、どっちにも受け入れてくれる夜の居場所がある。田舎の優しさと、東京の優しさのいいとこ取り。そんなイメージを持ちつつ、行き来できる拠点として、「夜の図書館」が発展しても面白そうです。

――僕はちょっと前から真剣にコミュニティスペースを作ることを考えていて……この飲まない東京プロジェクトも実はそれと連動しているわけなのですが、今日の座談会で、この二つのプロジェクトは合流していくという予感がより強まりました。本日は本当にありがとうございました。

KEYWORD 15

真鶴出版

2015年4月、海外を拠点に活動していた川口瞬氏と來住友美氏が真鶴に移住し設立。「真鶴」の魅力をウェブ記事や本などで発信しつつ、「泊まれる出版社」としてゲストハウスを運営。築約60年の民家をリノベーションした宿泊施設兼事務所で1日1組を受け入れている。特徴は宿泊者には「町歩き」をつけていること。町内を案内して、暮らしているからこそ知る町とそこに住む人々の魅力を伝えている。

2018年、空き家を改修し「旅と移住の間」をコンセプトとした「2号店」をオープン。短期滞在の旅行者だけでなく、中長期の滞在の受け入れ、真鶴への移住を検討している人たちの拠点にもなっている。

写真提供：真鶴出版

磯辺陽介（いそべ・ようすけ）
祭り好きが高じ、祭りが仕事にできる場を求め、デベロッパーを志し、2009年に東京急行電鉄株式会社（現・東急株式会社）入社。渋谷エリアのシティブランディング、オフィスビル運営・マーケティングを経て、現在は大田区との公民連携プロジェクト「池上エリアリノベーションプロジェクト」に従事。まちづくりにおける企画・PR・コミュニティ領域が専門。資本⇔個人、都市政策⇔自治活動などマクロとミクロを往復しながら都市の在り方を模索中。

藤井明香（ふじい・さやか）
一級建築士、インテリアデザイナー。旧姓の宮戸明香名義で、修士論文「築地市場仲卸店舗群の構成と変容」で再活性化し続ける疑似都市的な機構を研究。ほか向島国際ワークショップに「町と路地と週末トーキョーの家」出展。現職竹中工務店設計部。3年前に神奈川県真鶴町に移住後、本姓の藤井明香名義でプライベート活動を始める。風の谷プロジェクト、地域コミュニティ支援、親子イベント企画など。最近は自邸を開くことに興味がある。

田中元子（たなか・もとこ）
株式会社グランドレベル代表取締役社長、喫茶ランドリーオーナー。建築に関する執筆、企画編集の傍ら「けんちく体操」、「アーバンキャンプ」、「パーソナル屋台」などさまざまな活動を展開。著書に『マイパブリックとグランドレベル』など。2016年「1階づくりはまちづくり」という考え方をもとに、株式会社グランドレベル設立、空間づくり、まちづくりを全国で手がける。2018年墨田区千歳にて「喫茶ランドリー」をオープン。

妄想設計

「飲まない東京カフェ」計画

「飲まない東京」プロジェクトの目指す究極の目標――それは「飲まない」東京の夜の楽しみ方を体現する施設を実際に「つくる」こと。

カフェのような、図書館のような、コワーキングスペースのようなそんな夢の場所を、PLANETS CLUBのメンバー、そして建築家の本瀬あゆみさんと一緒に考えてみました。こんな場所が都内のどこかにあって、それが夜通し開いていると(もちろん、昼間も開いています)それだけで街がやさしく、豊かになる。そんな場所をいつか本当に作れたらいいなと思っています。

設計・イラスト=本瀬あゆみ
文=モノノメ編集部
企画=PLANETS CLUB

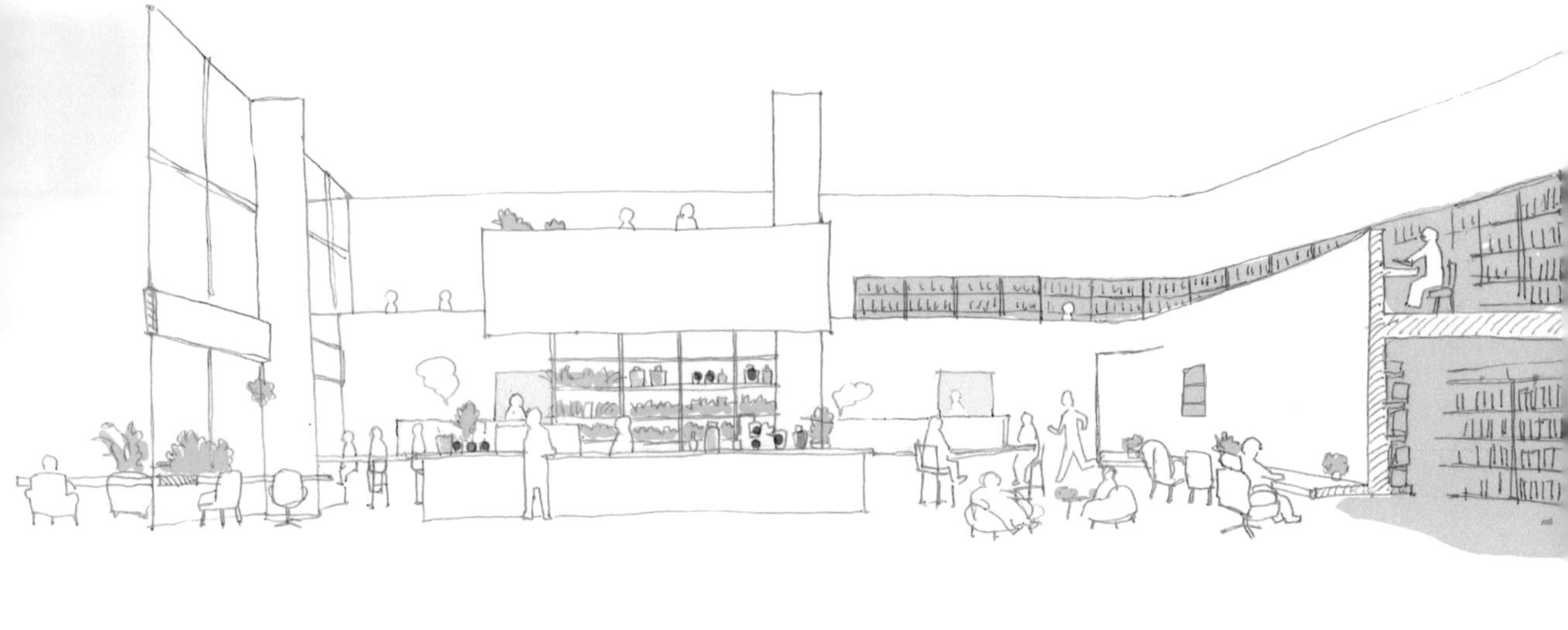

「飲まない東京」プロジェクトの理想の詰まった場所を実際につくってみよう――そう考えた僕たちは、読者のオンラインコミュニティ(PLANETS CLUB)の有志と一緒にこの4月から密かに「飲まない東京カフェ(仮)」の計画について議論を重ねてきました。そして、この「モノノメ」創刊号に中間発表的な図面を発表します。設計を担当してくれたのはPLANETS CLUBのメンバーでもある建築家の本瀬あゆみさん。本瀬さんは東京と富山を往復しながら、夫であり同じく建築家の齋田武亨さんと二人で建築を通じたこれからの暮らしのかたち――たとえば働き方や子育てなどの――をテーマにさまざまなプロジェクトにかかわっています。今回はそんな本瀬さんに、おそらくは既存のビルの1階に入ることを想定した「カフェ兼図書館兼コワーキングスペース」でかつ「夜通し開いているもの」などという無茶な想定でデザインをお願いしてみました。結論から述べると、まだ検討中のものとはいえ、かなり素敵なものに仕上がったのではないかと思います。ここではそんな僕たちの「飲まない東京カフェ(仮)」計画がどのような議論を経てどのように進化していったかを、本瀬さんのスケッチを眺めながら追いかけてみたいと思います。

宇野から本瀬さんに出した最初のオファーのポイントはまず「路面店であること」です。これはその施設があることで「街」が変わるものをつくるためには、「通り」との境界線が曖昧になっている空間であることが外せないと考えた結果です。「雑居ビルの5階」ではなかなか街を変えられません。そして当然「飲まない東京」なので「24時間営業で夜間も開いていること」です。終電を逃したあとも朝まで過ごすことができる「飲まない」ことが前提の女性や若い人も入りやすい場所が一つあるだけで、その街はぐっとやさしく、開かれたものになると考えたからです。そして、私設図書館としての機能があること。出版社のつくる場所なので、やっぱり本は置きたい。そしてこの「モノノメ」という雑誌がそうであるように、予め検索してある目的のもの「ではない」ものごとに出会える場所がいいと考えました。もちろんノンアルコールの、おいしい飲み物がたくさんそろっていることは大前提です。

そして、何度かミーティングを重ねて提出された本瀬さんの初期イメージがこのページの図版です。立地は池袋や高田馬場など、都心だけれどあまりおしゃれじゃないターミナル駅のある場所を考えています。理由は街の多様性です。この二つの街は階級的にも、国籍的にも多様性がある。そして学校が多いので若い人も多い。そんな街の、駅から離れすぎない、でもメインストリートではない小さなビルの1階をイメージしています。

図1

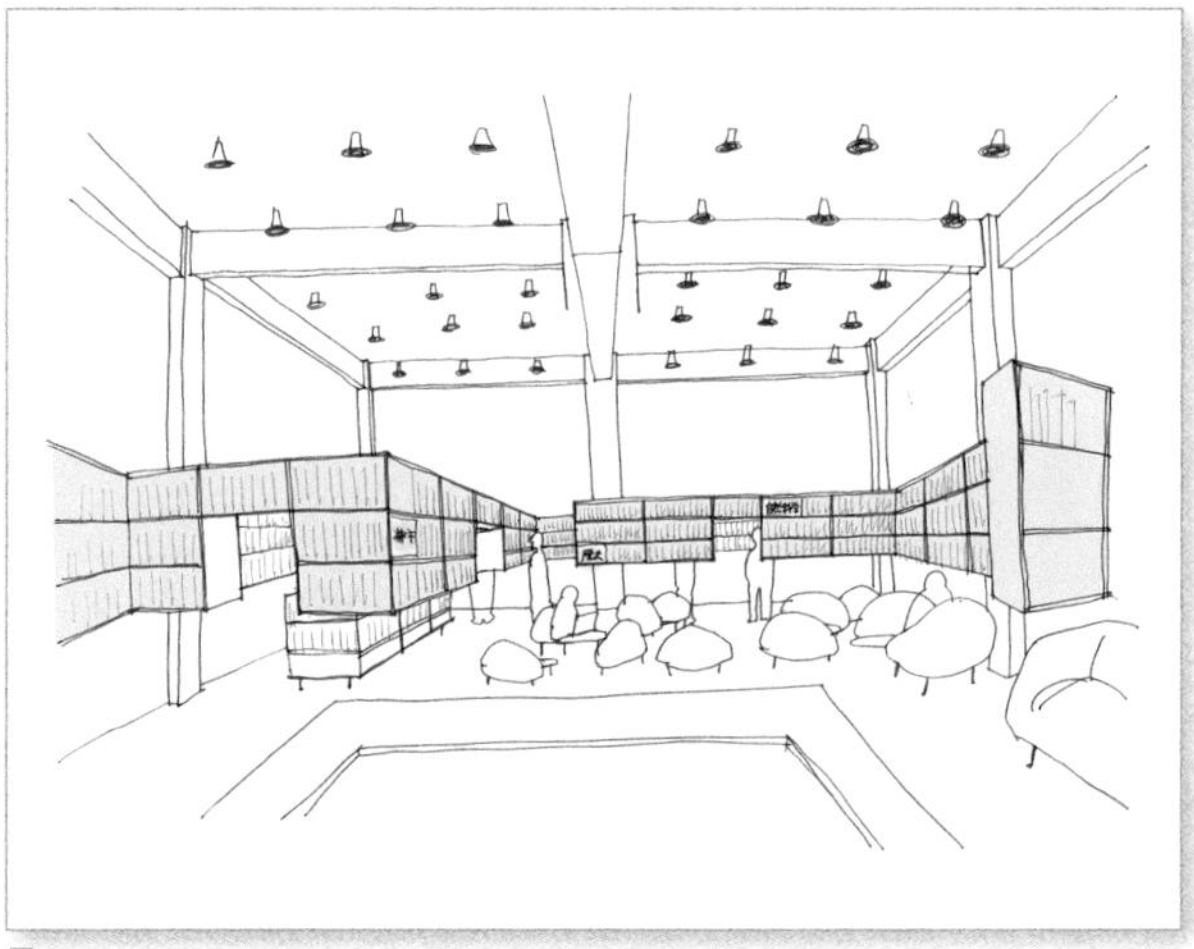
図2

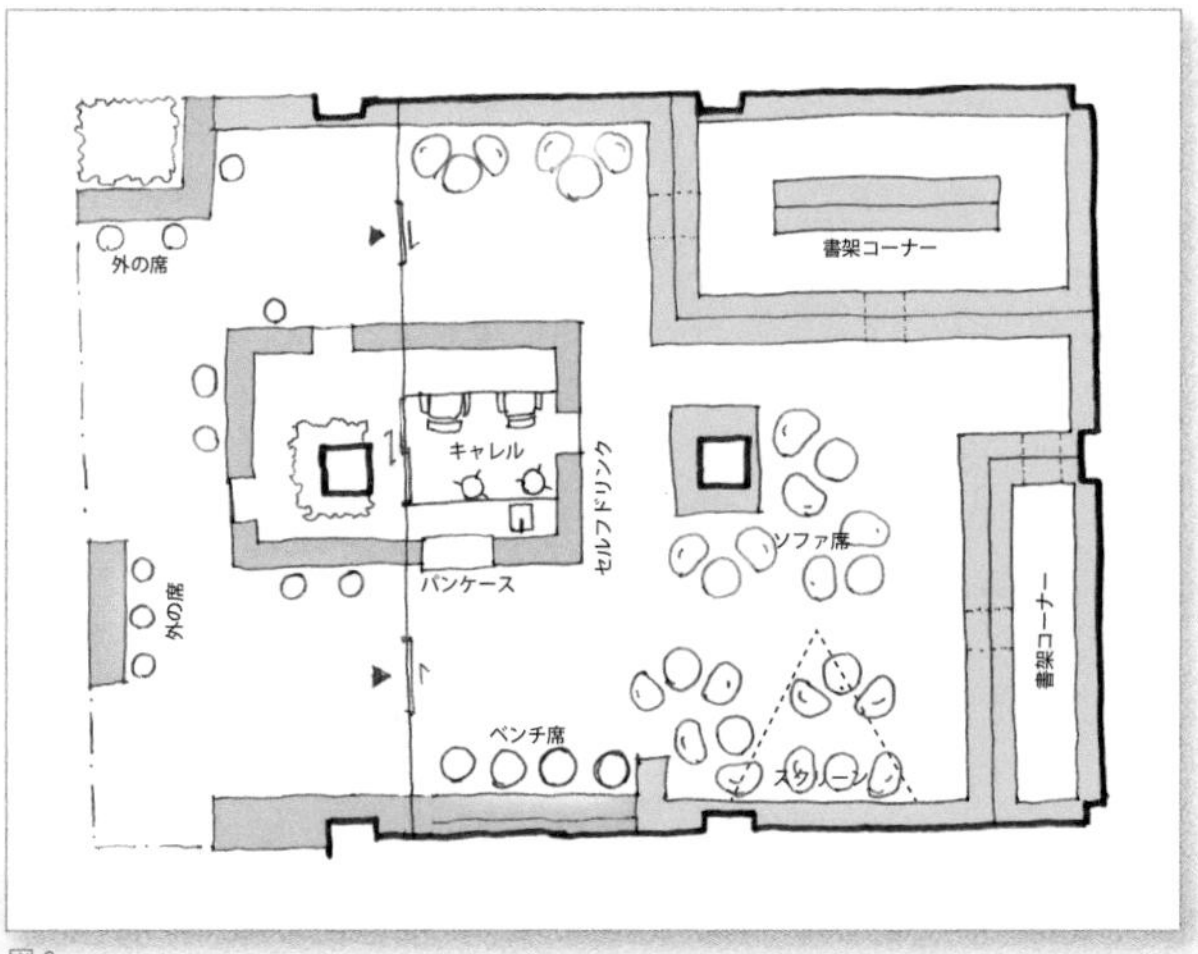

図3

本瀬さんの初期スケッチ。シンプルで落ち着いていて、お洒落なカフェやファミレスを想起させないもの。優しさの表現として控え目に木やファブリックを使いつつ、モルタルやガラス、ステンレスなどがメインになるイメージ。本の入れ替わりがリアルでも分かるような、かつレイアウトを変更しやすい本棚の設えもポイントです。

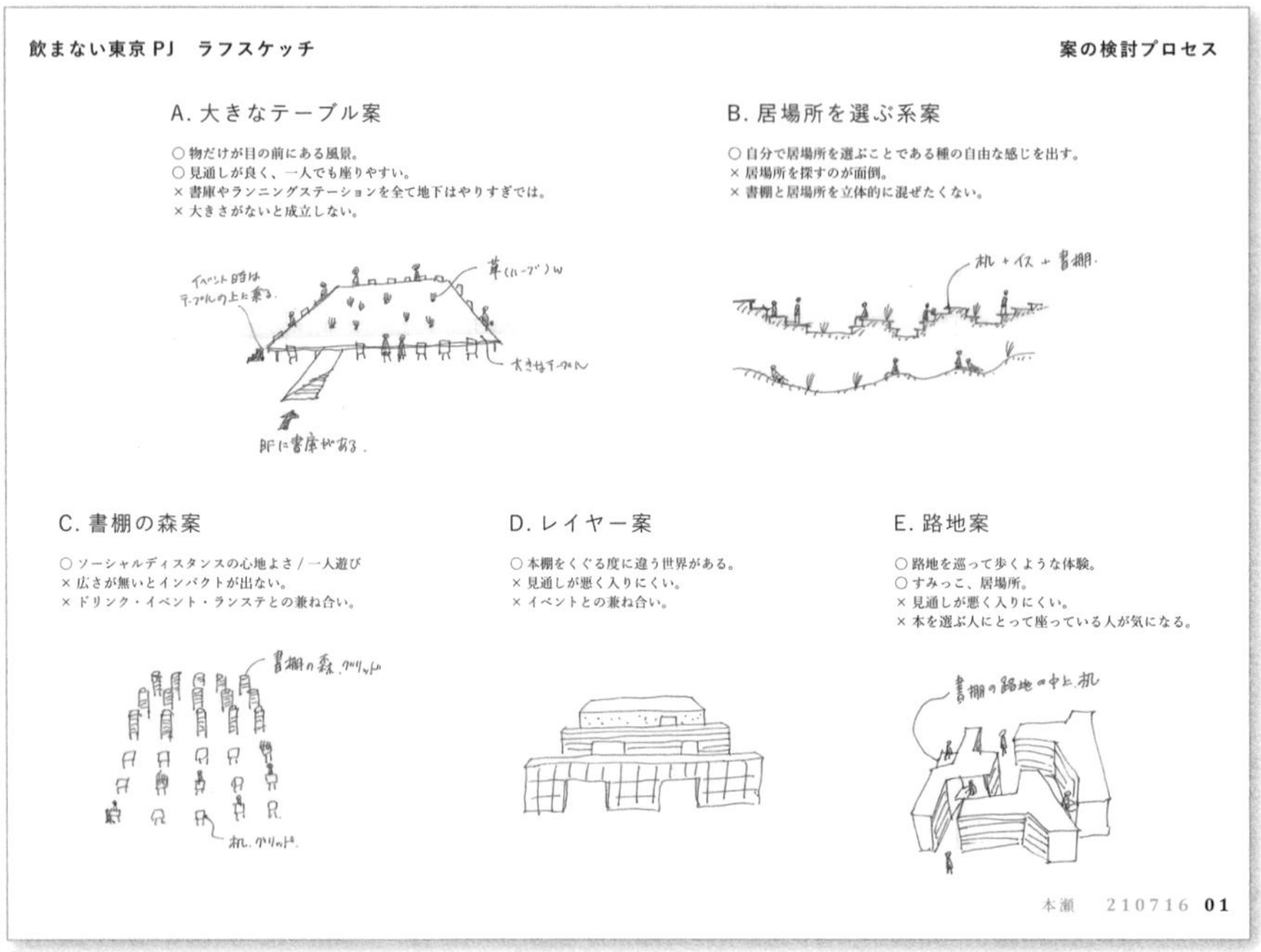

図1

空間設計のポイントは二つ。「目当ての本」だけではない本にどう出会わせるか、そして「一人」でも滞在しやすい空間をいかに作り上げるかです。後者は言い換えればいかにSNSの相互監視の中で現代人が他人の視線を忘れて一人で過ごせる空間にするかです。しかし他の人も（かかわらないけれど）側にいて寂しくない。それでいて常連たちがコミュニティを作って入りづらくならない。そんな場所を建築的なアプローチで作れないか、と試行錯誤していきました。

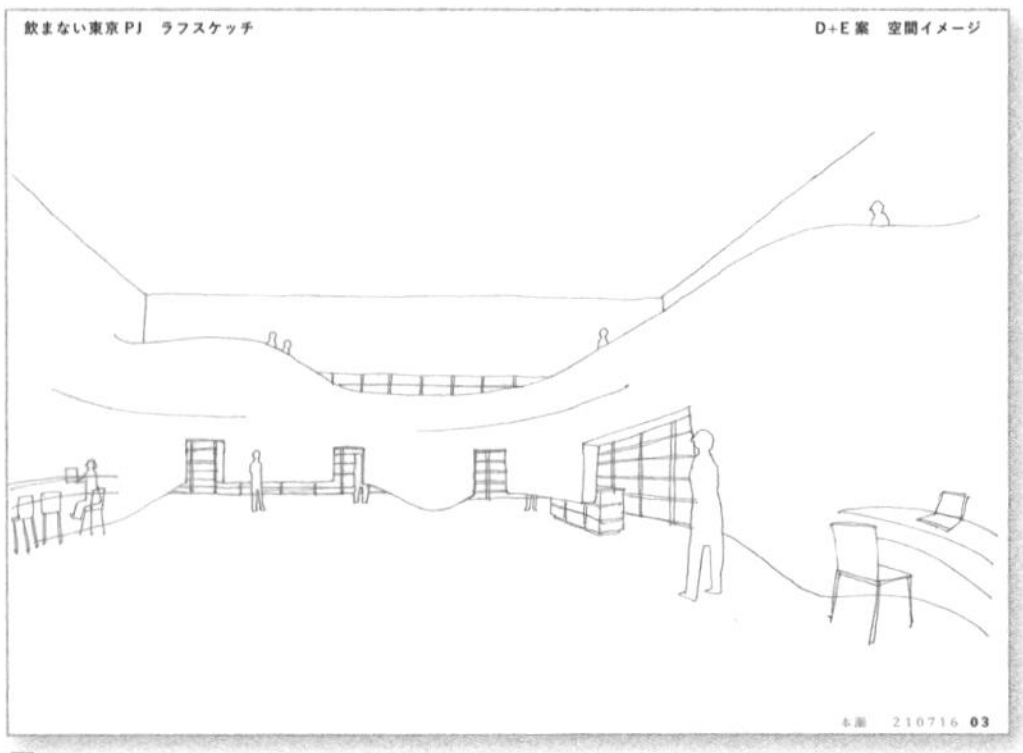

図2

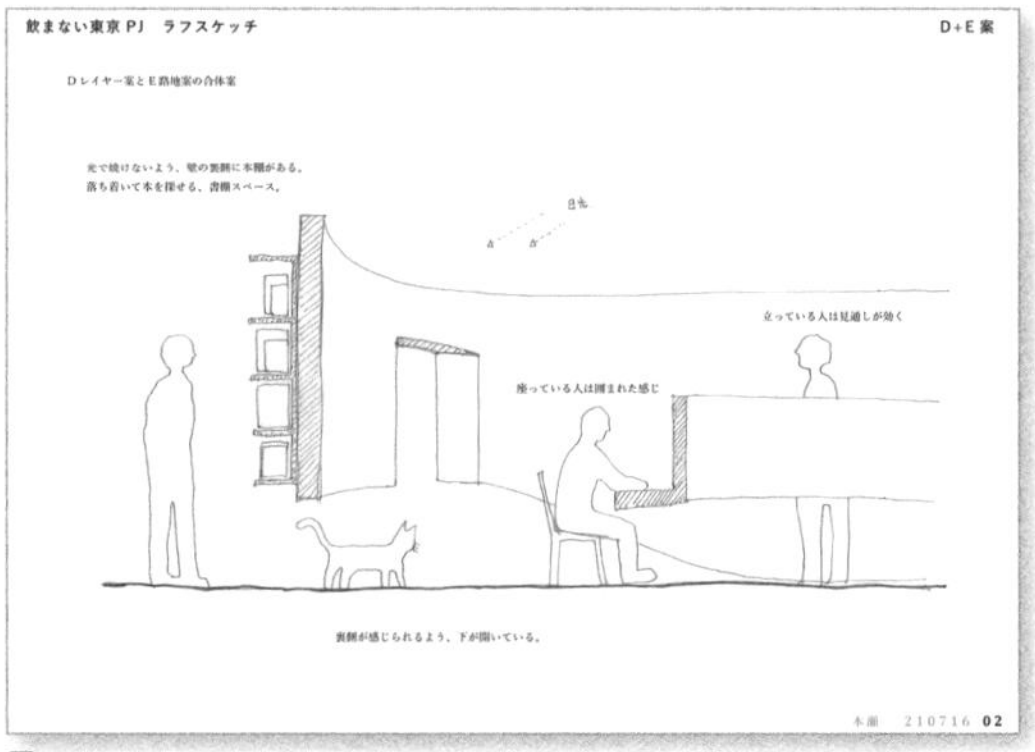

図3

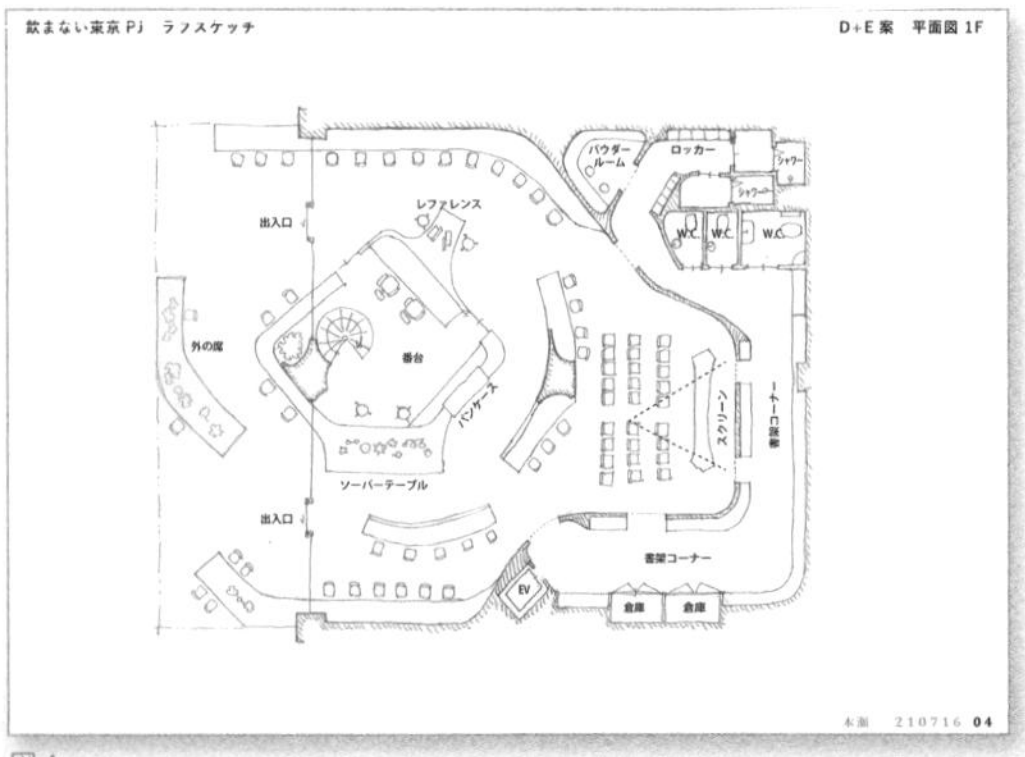

図4

もう一つのポイントは「本棚」です。インターネットの発達した現代において本屋や図書館の役割は「そこにある本を持って帰ることができること」ではなくて、新しい本に、それも自分が知らなかった本に「偶然」出会わせることです。そのために効果的な本棚の機能や配置パターンをいくつも考えました。また、この施設の本棚は訪れた人たちだけでなく世界中のどこからでもウェブカメラで遠隔から見ることのできるものを想定しています。これはインターネットの「動員」力をポジティブに使う知恵です。

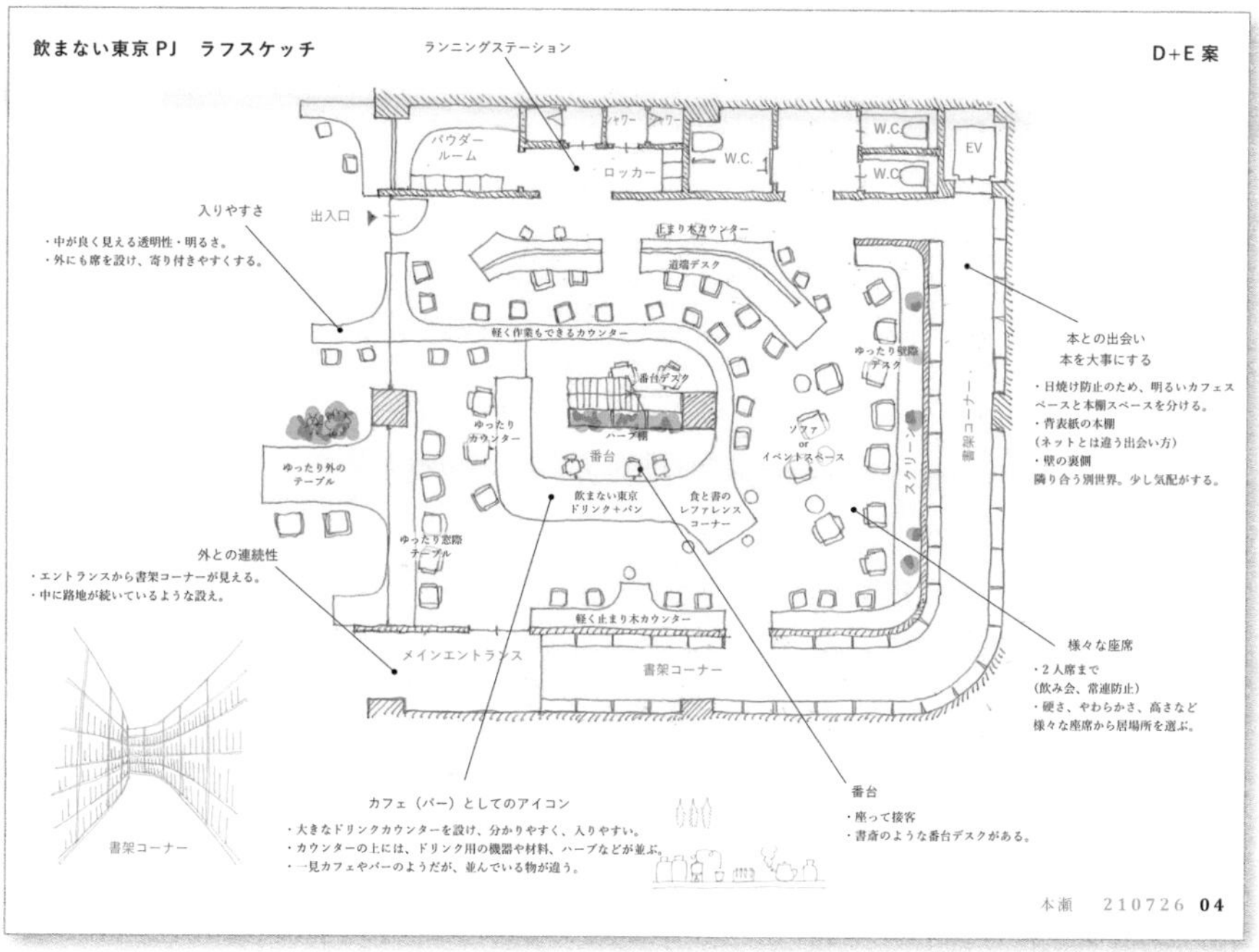

「ランニングステーションが欲しい」とか「100人規模のイベントをしたい」など、宇野の無茶な要求に本瀬さんが全力で応えた結果、異様に大規模化した案。でも、楽しそうでしょ？

カフェ兼コワーキングスペースとしてどんなものにしたらいいのか。最初に考えたのは、まず「常連がコミュニティ化して入りづらい空気をつくらない」ことです。人とかかわらなくても、コミュニティの一員でなくても「ここにいていい」と思えること。それがいちばん大事なことだという考えが背景にあります。だからここには、二人席までしかつくらないことにしました。三人以上いると、どうしても線が面になり、コミュニティが生まれてしまうからです。そしてもう一つ考えたのはここが「働く場所」であることです。ここは訪れた人が仕事をする場所でもあり、そしてスタッフが給仕や司書の仕事をしている場所でもある。だからスタッフにとってまず気持ちよく仕事ができることを考えました。内部では「番台」と呼んでいるエリアがそれです。「番台」はこの施設の特等席です。スタッフがいい環境で仕事をしていて、その環境を訪れた人がシェアできる。そんな場所にすることで、日々の「働く」という行為をできるだけ好きになれるようにする。仕事終わりにスイッチをオフにして居酒屋へ……といった昭和的なワークスタイル「ではない」新しいモデルを提示することが「飲まない東京」のコンセプトなので、これも外せないと考えました。

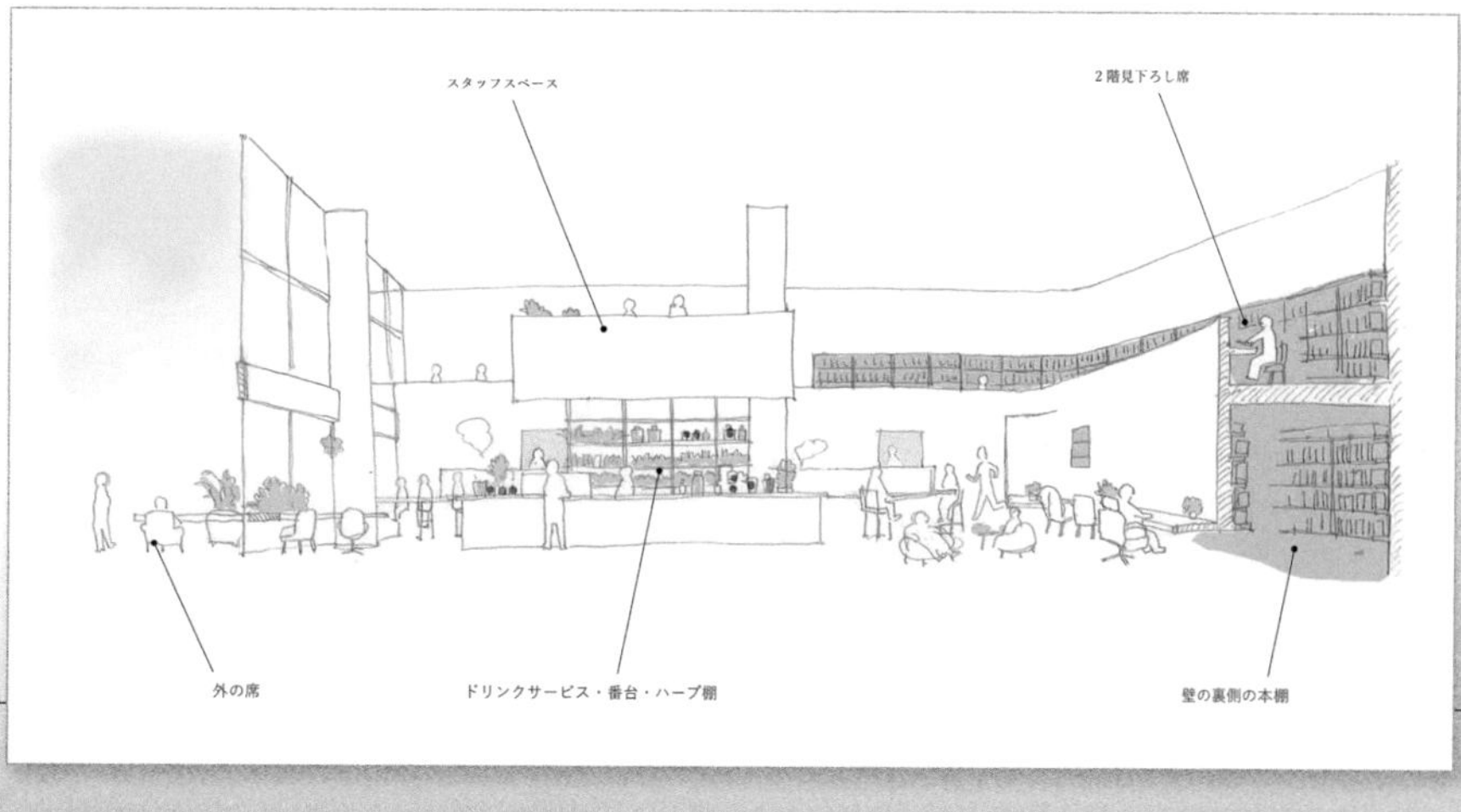

空間を「閉じない」ために通りとの連続性を感じさせる外の席、ドリンクに使われるハーブや夜に咲く花が植えられている「番台」周りなど、本瀬さんが細部にメッセージを込めている。

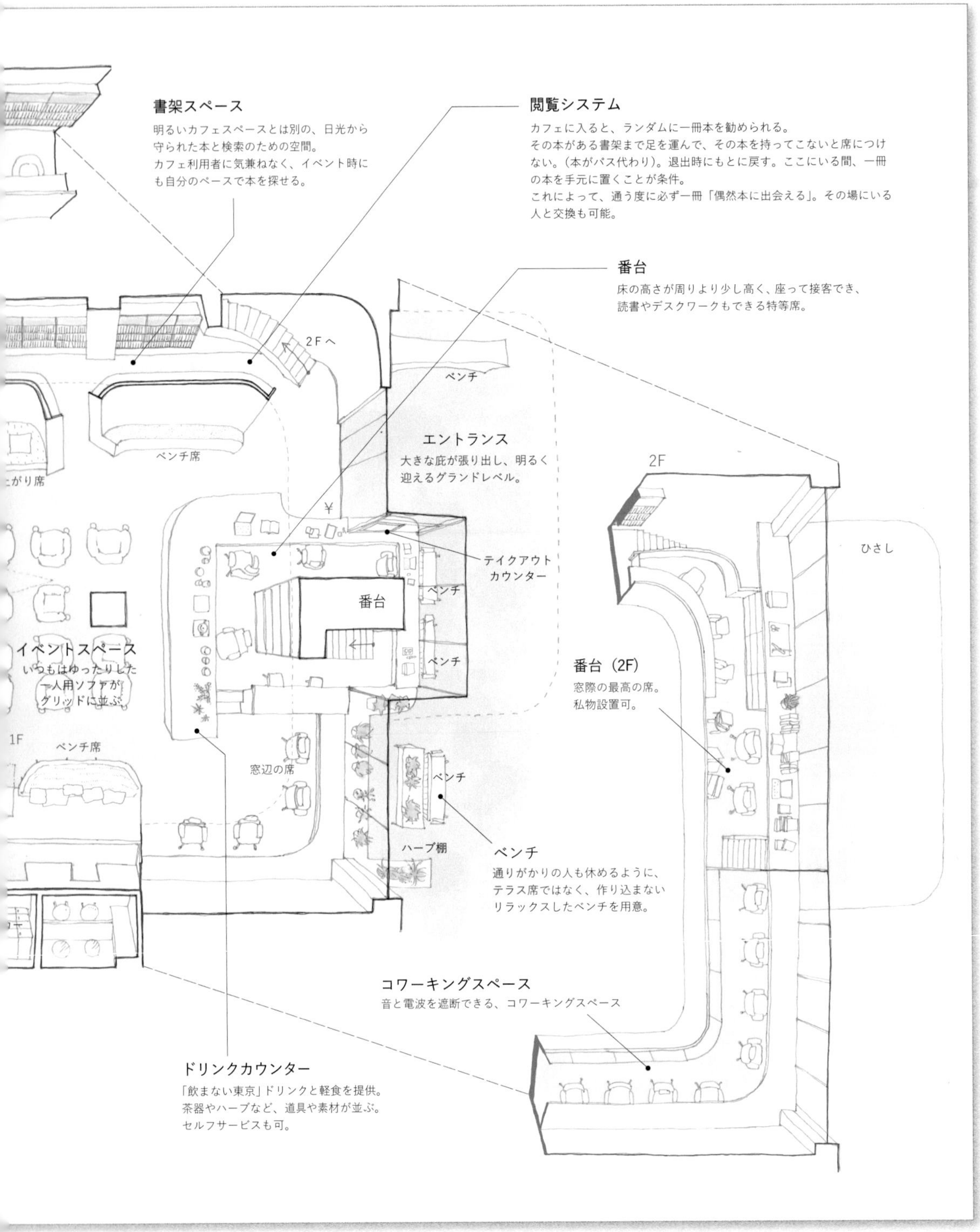
書架スペース
明るいカフェスペースとは別の、日光から守られた本と検索のための空間。
カフェ利用者に気兼ねなく、イベント時にも自分のペースで本を探せる。
閲覧システム
カフェに入ると、ランダムに一冊本を勧められる。
その本がある書架まで足を運んで、その本を持ってこないと席につけない。（本がパス代わり）。退出時にもとに戻す。ここにいる間、一冊の本を手元に置くことが条件。
これによって、通う度に必ず一冊「偶然本に出会える」。その場にいる人と交換も可能。
番台
床の高さが周りより少し高く、座って接客でき、読書やデスクワークもできる特等席。
2Fへ
ベンチ
ベンチ席
がり席
エントランス
大きな庇が張り出し、明るく迎えるグランドレベル。
2F
ひさし
テイクアウトカウンター
番台
ベンチ
ベンチ
イベントスペース
いつもはゆったりした一人用ソファがグリッドに並ぶ
番台（2F）
窓際の最高の席。
私物設置可。
1F
ベンチ席
窓辺の席
ベンチ
ハーブ棚
ベンチ
通りがかりの人も休めるように、テラス席ではなく、作り込まないリラックスしたベンチを用意。
コワーキングスペース
音と電波を遮断できる、コワーキングスペース
ドリンクカウンター
「飲まない東京」ドリンクと軽食を提供。
茶器やハーブなど、道具や素材が並ぶ。
セルフサービスも可。

そして現時点（8月上旬）での「飲まない東京カフェ」の設計図が右の図です。それは都心の、でも親しみやすい学生や外国人の多い街の、駅から少しだけ離れた場所にあって、少し古いビルの1階にあります。夜でも明るくて、店内が覗けて、軒先にまではみ出たテーブルでは基本的には一人で来ている人がお茶を飲んだり、仕事をしたりしている。少し大きなカフェの外見をしているのだけど、本がたくさん並んでいて、なんだか面白そうな感じがする。中に入ると、カウンター（番台）からコーヒーやハーブの匂いがする。そこでは給仕や司書のスタッフが、お客さんと同じように広い机でドリンクを飲みながら仕事をしている。こんな場所で働けたらいいな、と思いながらドリンクを注文して席につく——そんなイメージの空間です。

この段階で考えたアイデアが、入場したときに「本が1冊貸し出される」という仕組みです。席につくときチケット代わりに書架から1冊、本を持ってくるというルールを定めました。そしてその本は完全にランダムに選ばれます。つまり、入場するたびに1冊、自分が特に読みたいとも考えていない本の情報を指定され、その本を探す過程で書架を歩き回るわけです。もちろん、読まなくてもいいし、他の人と交換してもいい。しかし、その本がパス代わりになって施設を利用できる……。ちょっとおせっかいかもしれないけれど、これくらいの中距離のアプローチなら面白がってもらえるのではないか……なんてことも考えています。

このアイデアはまだまだ検討中のもので、これからも議論を重ねてアップデートしていく予定です。ただ、根底にある都市への考え方はたぶん、変わらないと思います。人間同士が（SNSのように）直接つながるのではなく、飲み物や本という「もの」を通じて間接的につながる。コミュニティのメンバーシップはないけれど、その場にいられるパーミッションがある。お互いがお互いを視界に収めているけれど、気には留めない。でも確実にその場を共有し、その場をいい状態に保ちたいと全員が思っている。いや、自然と思える。そんな場に——まるで理想の「都市」を体現したような空間に——できたらいいなと思っています。

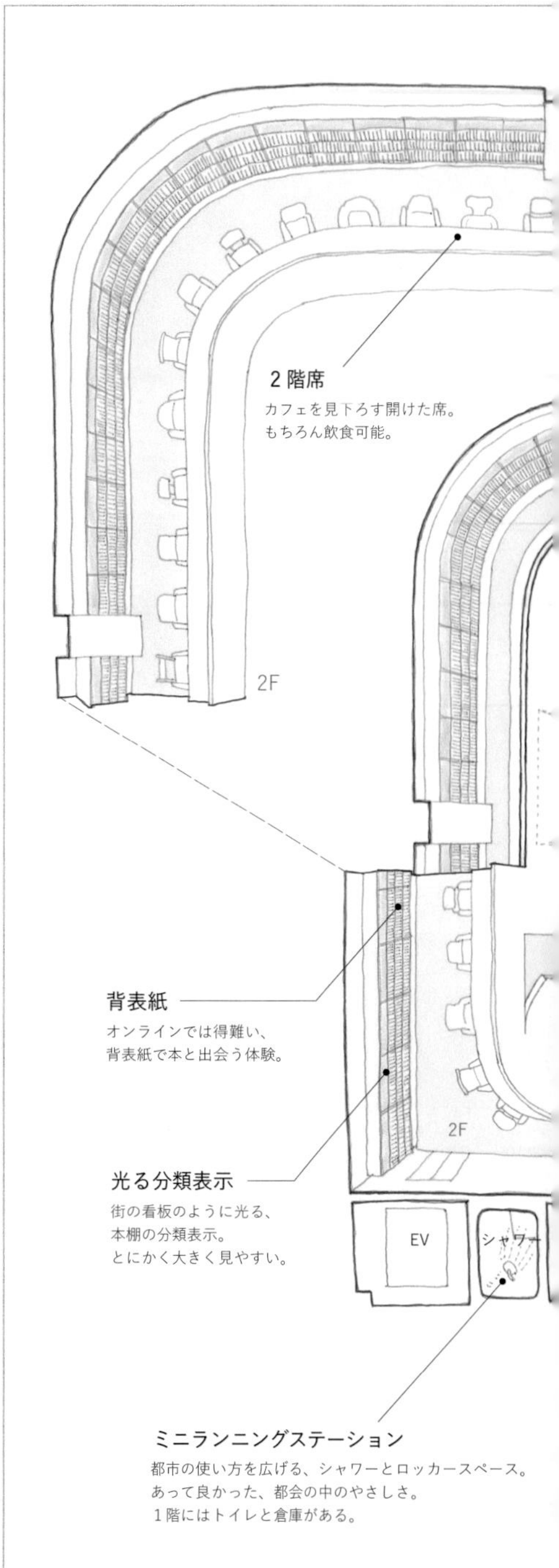
2階席
カフェを見下ろす開けた席。
もちろん飲食可能。
2F
背表紙
オンラインでは得難い、
背表紙で本と出会う体験。
2F
光る分類表示
街の看板のように光る、
本棚の分類表示。
とにかく大きく見やすい。
EV
ミニランニングステーション
都市の使い方を広げる、シャワーとロッカースペース。
あって良かった、都会の中のやさしさ。
1階にはトイレと倉庫がある。

想定面積は150㎡で、3LDKのマンションを二つつなげたくらいの大きさです。読書や仕事に集中するために電波が遮断される部屋を設けたりもしてみました。

本瀬あゆみ（もとせ・あゆみ）
1980年生まれ、青森県出身。東京と富山を拠点とする本瀬齋田建築設計事務所を主宰。消滅集落のオーベルジュや、畑の中のこども園など、様々な建築に携わる傍ら、東京藝術大学などで非常勤講師を務める。

特別座談会

オルタナティブ・オリンピック・プロジェクト再考――

TOKYO2020はどうあるべきだったか

宇野常寛×岡島礼奈×乙武洋匡×門脇耕三

6年前の2015年、この雑誌の前身となる媒体で発表された
「もう一つの東京2020」を提案するオルタナティブ・オリンピック・プロジェクト――
「笑えない喜劇」として二度目の東京オリンピックが強行された2021年、
当時のメンバー+αが再集結し、スポーツを、都市を、そしてこの国を問い直す。

構成・注釈＝杉本健太郎

2015年のオルタナティブ・オリンピックを振り返る

宇野　僕は6年前の2015年に自分の発行する雑誌『PLANETS』の vol.9 [01]（以下『P9』）をまるまる一冊「オルタナティブ・オリンピック・プロジェクト」と題して、2020年の東京オリンピックについて取り上げました。東京に誘致が決定したのが2013年で、僕は誘致そのものに反対の立場でしたが、批判するなら「自分たちならこうする」という代案をぶつけなければいけないと思っていました。背景には、オリンピックの誘致そのものに対する違和感はもちろん、既存のマスメディアに対するカウンターカルチャーとして生まれながらも、当時すでにマスメディア以上に建設的な提案よりも動員のゲームでの勝利を目的に優先されるインターネットの言論空間に対しての反発がありました。なので「……ではない」という否定ではなく「……である」という肯定の言葉を用いて、広く日本から世界に問題提起しようと考えて『P9』プロジェクトチームを組みました。この『P9』にはここにいる乙武さんや門脇さんをはじめとして、チームラボの猪子寿之さんやゲーム研究者の井上明人さん、社会学者の南後由和さんなど、アーティストからアカデミシャンまで多種多様な人が集まって、約1年半をかけて作り上げた渾身の1冊でした。そこで、今回は6年前に僕らが考えていた、オルタナティブ・オリンピック・プロジェクトについて振り返るところから始めたいと思います。この6年で僕らの考えも変わっているところもあるでしょう。そこを再検証したうえで、2020年東京オリンピックはどうあるべきだったのかという議論をもう一度してみたいです。

※この座談会は、2021年6月15日に開催されたトークイベント「渋谷セカンドステージ vol.23　2度めの東京五輪はどうあるべきだったか」の内容をもとに再構成したものです。

乙武　6年前に出したのは早すぎましたね。時代が我々に追いついてなかった（笑）。
宇野　エンブレムや競技場問題など、東京オリンピックが炎上するたびに、ちょっとずつ売れていったんですけどね（笑）。
乙武　オリンピックに批判的な声も出ていた1〜2年後に出していたら全然違っていたかもしれない。2015年前半まではオリンピック礼賛ムードでしたから。だからこそ、あのタイミングで僕や猪子さんが話したことが、どれくらい実現されて、どれくらい実現されなかったのかを検証したいですね。さらに2021年の今、新たにアイデアを出すとしたらどんなことがあるのか。
門脇　僕は『P9』で都市開発パートを担当したのですが、宇野さんたちと都内を駆け回って、いろいろな街を尋ねました。多摩ニュータウンで宇野さんが蚊に刺されてブーブー言っていたことをよく覚えています。もう青春の思い出です（笑）。
宇野　今回は外部からの新たな目線が欲しいので、『P9』には参加していない方もお呼びしました。
岡島　はい。みなさんの青春メモリアルを女性目線から冷静に見ていこうと思います（笑）。
宇野　では、まず『P9』で提案したオルタナティブ・オリンピック・プロジェクトとはどんなものだったのかということを簡単に僕から説明します。各論に入る前にまず猪子さんと乙武さんと僕の3人で議論したこのプロジェクトのコンセプトについてお話しします。前提として今回のオリンピックにはそもそもコンセプトがない。**1964年の東京オリンピック**［02］は戦後復興から高度成長のためのインフラ整備というテーマがあったのだけど、2020は本当に何もない。高度成長期へのノスタルジィと、国威発揚のぼんやりとした期待、そして関係者たちのビジネスチャンスへの下心くらいしか、本当にないままに招致してしまっている。まずコンセプトを立てなければいけないということで、僕らが掲げたのは多様な人々が「バラバラのままつながる」というビジョンです。近代オリンピックは20世紀を通して国威発揚に利用された中央集権的な国民国家の時代を象徴するものです。そのオリンピックを、多様で、分散的で、寛容な21世紀的なビジョンを示すものに作り変える。バラバラなものを無理やりつなげるための国威発揚イベントとしてのオリンピックから、バラバラなものがバラバラのままつながる新たなオリンピックにしようということを考えました。
　なのでまず最初のAパートでは、猪子さんが開会式や競技中継を見るだけの映画的、テレビ的なものではなく、**インターネット的な市民参加できるようにするアイデア**［03］を出しました。街頭で市民がインスタレーションに参加できたり、競技中継をホログラムを使って街頭で行ったりする。そして、次のパートでは乙武さんが以前から提唱しているオリンピックとパラリンピックの融合を実現するための計画を提唱しています。井上さんや落合陽一さん、サイボーグ技術者の稲見昌彦さ

岡島礼奈（おかじま・れな）
東京大学大学院理学系研究科天文学専攻にて博士号（理学）を取得。卒業後、ゴールドマン・サックス証券へ入社。2009年から人工流れ星の研究を開始し、2011年9月に株式会社ALEを設立。現在、代表取締役社長／CEO。「科学を社会につなぎ宇宙を文化圏にする」を会社のMissionに掲げる。宇宙エンターテインメント、大気データの取得、宇宙デブリ防止装置の開発を通じ、科学と人類の持続的発展への貢献を目指す。

乙武洋匡（おとたけ・ひろただ）
1976年、東京都出身。早稲田大学在学中に出版した『五体不満足』が600万部を超すベストセラーに。卒業後はスポーツライターとして活躍。その後、小学校教諭、東京都教育委員など歴任。最新作に「家族とは何か」「ふつうとは何か」を問いかける小説『ヒゲとナプキン』（小学館）がある。

んが知恵を出し合って、情報技術、サイボーグ技術、エンターテインメントの手法を用いて競技をゼロから考え直して、オリパラ融合型の新しいスポーツを新しく提案しています。オリパラの融合自体が五体満足主義のカウンターになる。これからの新しい身体像、人間像の雛形になっていくといいと考えたわけです。このとき、実際にパラアスリートの方や最新の義肢もかなり取材しています。

続くBパートでは、東京の都市開発について扱いました。オリンピックは都市改造の歴史でもあるわけですが、では、東京というメガシティがどう変わっていくべきなのか。ここを中心になって考えてくれたのが門脇さんと南後さんです。オリンピックの歴史と都市開発の歴史、実際に行われている東京の開発を調べて動線や交通網を明らかにしました。そのうえで僕らが考えたのが、**「東京5分割計画」**[04]です。東京をカラーごとに五つのエリアに分けて、それぞれに合った都市開発計画を提案しようという試みです。例えば湾岸は特区にして規制緩和の特区にします。都心区は職住近接の現役世代が住んで働ける街にしていく。東区の旧市街エリアは高齢者と低所得者が多いので、福祉がどうやって介入していくのかを中心に考えました。西区は今は瀟洒な住宅街ですが、この先空き家が増える。どんどん年を取っていく日本の戦後中流の象徴みたいな街なので、この「隙間」を用いてどう文化的に豊かにしていくのかを考えました。そして、多摩地区は「多摩県」として独立する。

ちなみにCパートは連動した文化施策の構想で、クール・ジャパン的な独りよがりをどう脱却するかということを考えました。そしてDパートがなんというか、もうシャレになっていないのだけれど「オリンピック破壊計画」で……。

岡島 私は全体的にこのプロジェクトに触れて、それまでオリンピック＝スポーツの祭典としか思っていなかったのですが、「そういうふうに見ているんだ」という新鮮な驚きがありました。都市計画はオリンピック抜きにしても非常に重要な提案だと思いますし、それから猪子さんのインタラクティブな開会式はソーシャルディスタンスが必要ななか、各家庭からVRで開会式に参加できるかもしれない。これは2021年のコロナ禍にぴったりだと思うものもあって、あとは笑えないのですが、Dパートのオリンピック破壊計画は新型コロナによって半分実現してしまいましたね……。

宇野 伝染病を流行らせるというのは流石に思いつかなかったですね。

「オリンピックはやらないけど パラリンピックはやる」

乙武 僕はいま振り返ると率直に「悔しい」の一言に尽きます。オリパラについてはこの6年間、宇野さんと何度も対談してきました。その中で僕が印象に残っているのが、宇野さんの「うっかり呼んじゃったオリンピックのダメージコントロール」という言い方です。まさに「うっかり」なん

門脇耕三（かどわき・こうぞう）
1977年神奈川県生まれ。2001年東京都立大学大学院修士課程修了。東京都立大学助手、首都大学東京助教などを経て現職。現在、明治大学出版会編集委員長、東京藝術大学非常勤講師を兼務。専門は建築構法、構法計画、建築設計。効率的にデザインされた近代都市と近代建築が、人口減少期を迎えて変わりゆく姿を、建築思想の領域から考察。建築の物的なエレメントへのまなざしに根ざした、独自の建築論も組み立てている。著書に『シェアの思想／または愛と制度と空間の関係』（LIXIL出版、2015）、建築作品に《門脇邸》（2018）など。
https://www.kkad.org/

宇野常寛（うの・つねひろ）
320ページ参照

ですよ。1964年のオリンピックには「戦後復興」「インフラ整備」という裏テーマがありました。むしろそちらが表テーマと言ってもいいくらいです。一方、2020年は何のためのオリンピックなのか。実はこれは招致の段階からみんな思っていたことなんですよ。だから、世界的な視点で物事を見られる人は、「わざわざ東京で2回目をやるより、初の中東開催ということで、イスタンブールでやらせてあげたほうがいいんじゃない」と言っている人もいたんです。でも、幸か不幸か2020年は東京に決まってしまった。

じゃあ、「せっかくやるなら何をするべきなのか」ということを考えることにスイッチした。1964年が高速道路や新幹線などのハードウェア整備だったならば、2020年はソフトをアップデートする。「多様性」を日本社会に実装することかなと思いました。だからこそ僕はオリンピックよりも**パラリンピック**［05］の重要性が高まる大会になるべきだと思っていました。オリンピックとパラリンピックの垣根がなくなり、融合すれば、日本は新しい段階に行けると思って、この6年ずっと発信してきたんです。ところが蓋を開けてみたらオリパラの融合は進まないどころか議論もされない。

このコロナ禍において「本当にオリンピックやるの？」ということは語られるけど、「パラリンピックやるの？」とは誰も言わないんです。東京オリンピック・パラリンピック競技大会組織委員会はIOC（国際オリンピック委員会）とIPC（国際パラリンピック委員会）とそれぞれ個別契約をしているので、正確にはオリパラは別の大会です。だから「オリンピックはやるけどパラリンピックはやらない」「オリンピックはやらないけどパラリンピックはやる」という議論はもっと出てきていいはずなんです。この6年、僕はずっと多様性を日本社会に根付かせるために努力してきたし、その契機となるのが2020年オリパラなんだと思ってきた。しかし、ここに至って何も進んでこなかったという事実を突きつけられて、自分の力不足も含めてやっぱり悔しいです。

宇野　パラリンピックだけなら、かなり規模は小さくて済みますね。

乙武　オリンピック関係者の入国をいかに減らすかという議論がありますが、パラリンピックはそもそもオリンピックの半分程度の規模です。関係者の入国もはるかに少ない。規模が小さいので感染が広がっていくリスクも低い。だから、「オリンピックはやめて、パラリンピックだけやろう」という案が出てきてもおかしくないはずなんです。

門脇　『P9』の議論はいま聞いても新しいし十分通用します。逆に言えば、6年間それだけ世の中が進んでこなかったということです。これは悲しいですね。乙武さんが当時「拡張身体的なオリンピック」と言っていましたが、これはどういうことかというと、そのうちパラリンピックの記録がオリンピックの記録を抜くだろう予測を受けて、それをポジティブに捉えようということですよね。生身の肉体より最新の義肢で拡張した身体

KEYWORD 01

PLANETS vol.9：東京2020 オルタナティブ・オリンピック・プロジェクト

「PLANETS」は宇野常寛の責任編集で不定期に刊行している批評誌。2015年刊行の第9号では「東京2020オルタナティブ・オリンピック・プロジェクト」と題した特集を行い、2020年の東京オリンピック・パラリンピックについて、自分たちなりの代替案を考案し、あるべき新時代の大会と東京の都市計画の姿を示した。【Aパート：Alternatives編】オルタナティブ・オリンピック／パラリンピック・プロジェクト、【Bパート：Blueprint編】東京ブループリント都市開発から考える国土とライフスタイルの未来、【Cパート：Cultural Festival編】2020年の夏休み 世界を大いに盛り上げるための裏五輪＝サブカル文化祭、【Dパート：Destruction編】セキュリティ・シミュレーション「オリンピック破壊計画」の4パートで構成。主な参加者は、猪子寿之、乙武洋匡、井上明人、門脇耕三、南後由和、吉田尚記など。

を持つパラアスリートの方が優れた記録を出せる。オリパラが融合した新たなスポーツ競争が生まれる。ワクワクします。しかし、こうした話が『P9』以外ではまったく語られていない。その状況が6年経った今でも続いているというのは、ある意味我々の敗北です。

僕が担当したBパートについて言うと、みなさん忘れているかもしれませんが、2020年のオリンピックは「お金をかけないコンパクトなものにする」という触れ込みで招致したんです。1964年のオリンピックのときに都心は開発しているから、そのときのレガシーを使って競技を行う。一方で、今回は開発が進んでいない湾岸エリアを重点的に開発しましょうと。そこから着想を得て、僕たちは「1964年が統合のオリンピックなら、2020年は分断のオリンピックにしよう」と言う青写真を描きました。それが東京を5分割するというアイデアにつながっていきます。トランプ政権が成立したのが2017年の年初ですから、その2年ぐらい前に僕たちは積極的な分断を促そうという提案をしていた。これは非常に先見的だったし、「レガシーとしての東京」と「先進的な東京」を分けて、それぞれに適した都市政策を行うという提案は、あり得る東京の未来像だったと思っています。

ただ、2021年になってもここまで「日本人は国民として一枚岩で、同質であるべきだ」という強迫観念のようなものが、亡霊のようにまとわりついていることは予想できませんでした。出る杭は打つ、違いを許さない。まさに多様性がないというか、多様であることを認めない。**新国立競技場のザハ・ハディド案**[06]が潰されたのはその象徴だと思います。旧・新二つの東京が競うようにして東京を高めていくというやり方は早すぎたし、そういう前向きな議論はまだ日本では無理なんだと痛感しました。

宇野 『P9』の表紙にはザハ案の競技場をレゴで作ったものが載っています。ザハ案は幻の新国立競技場になったわけですが、『P9』では実現した。実はこの表紙からオルタナティブ・オリンピックが始まっているんですよ。

乙武 ザハ案が潰されたことについては、本当にこの国の物事は空気で決定されていくんだと痛感しましたね。ザハ案は「予算がかかりすぎる」とメディアからケチをつけられて没にされた。代わりに隈研吾さんが駆り出されましたが、とにかく予算を削ることが金科玉条とされて、競技場の冷房システムまで排除されたんです。車椅子ユーザーの中でも脊椎損傷とか頸椎損傷の方は体温調節機能が健常者に比べて非常に弱いんです。高温多湿な場所に長時間いると体温が一気に上がって危ない状態になるんですよ。だから競技場の空調は彼らにとって、まさに安心、安全に観戦するには必要不可欠なものだったんです。そういう必要なものまで削られてしまった。はっきり言って空調システムなんて全体の予算からしたらごくわずかなものですよね。でも、あの頃はとにかく何でもいいから予算を削ることしか考えていなかっ

KEYWORD 02

東京オリンピック1964

1964年の東京オリンピックは日本が戦後復興したことを国際的に示し、先進国への仲間入りを果たしたことをアピールするシンボルとなった。また同時に社会インフラの整備の「錦の御旗」として機能し、開催地の東京では競技施設のみならず、首都高速道路、ホテルなどが整備。東京、名古屋、大阪を結ぶ東海道新幹線もこの年に開業し、現在に至るまでの日本の骨格となっている。

また、同大会は「メディアとしてのオリンピック」が発展する契機ともなった。撮影機器から衛星中継に必要とされる一連の機器を国産で開発し、初めてライブ映像を世界に配信することに成功。一部をカラーで放送するとともに、当時大多数であった白黒テレビの視聴者用にも高い解像度の映像が届けられるよう技術的配慮が図られた。今日では当たり前となっている「スロー再生」の技術なども初めて使用され、日本の技術を世界にアピールする機会となり、テレビで五輪を鑑賞するというスタイルを確立した。

た。金のことしか考えていないですよね。実際に空調、冷房を省いたら会場にいる人がどうなるのかということは考えていない。暑さに弱い人もいるんだという想像ができない。これも多様性から逆行しています。

門脇　開閉できる屋根もなくしたんですよね。これも予算を削れと言う世の中の空気を読んだだけの選択でした。そもそもスポーツイベントをやらないときは、屋根をかけてコンサートなどの文化イベントをやって採算を取りましょうと言っていたんです。ところが、目先のコストを削るために将来的な利益もなくした、屋根なし新国立競技場が出来上がりました。オリンピックが終わった後どうするつもりなんでしょう？ 本当に悔しいです。

岡島　お二人の悔しさがよくわかりました。どんどん理想から離れたオリパラになっていったんですね。乙武さんの話を聞いて、性転換したトランスジェンダーの方が重量挙げですごい記録を出したニュース[*1]を思い出しました。これも多様性、新たなオリパラじゃないかなと。個人的に私は拡張パラリンピックにすごく興味があります。自分が宇宙系の会社を経営しているので、人類の進化についていろいろ考えるからです。正直、五体満足な人のオリンピックの先には人類の進化をあまり感じない。でも、拡張パラリンピックには人類の進化や文明の進化をすごく感じる。絶対こっちの方が面白いです。

乙武　ちょっとオリンピックから離れるんですが、岡島さんに聞きたいことがあります。今、地球上でなにか活動を行うとき、あきらかに何もかもが健常者向けにできている。私には不利だしできないことが多いですよね。でも、宇宙では逆に手足が邪魔になって、健常者より私のほうが有利な場面が出てきますか？

岡島　絶対あると思います。無重力では脚はただの飾りです（笑）。無重力空間で一番適切な人類の身体ってまだわかってないんです。宇宙でオリンピックをやったらどうなるか面白そうです。

乙武　なんでこんなことを聞いたかというと、「地球から宇宙に場面を変えたら有利不利がひっくり返るかもしれない」くらいの価値の転換ができるかどうかが大事だと思うんです。本当は2020年でそういう価値転倒を見せたかった。それがオリパラの融合であり、「自分たちより劣ると思っていた人たちが設定を変えるだけでこんな見え方もするんだ」ということを示す絶好のチャンスだったんです。だからいま僕は宇宙って面白いなと思っている。もう2020年オリパラでは価値転倒が絶対できそうもないから、「宇宙だと障害者のほうがイケてるじゃん」みたいな話を実現したいです。

拡張身体の先にあるオリパラの融合

宇野　乙武さんから「オリパラを融合させたい」というお題をもらって、井上さん、稲見さんが知恵を絞った結果、彼らが辿り着いたのは厳密には人間の「純粋な身体」は定義できないということ

KEYWORD 03

参加型オリンピック計画

『PLANETS vol.9』誌面より

『P9』Aパートで猪子寿之率いるチームラボが提示したオリンピック案のテーマは「参加型・体感型」だ。2008年の北京大会開会式はスタジアムで豪華絢爛にアトラクションが展開する「舞台型」であり、これは現地のスタジアムにいる観客に最適化されていた。一方、2012年のロンドン大会開会式は前撮りの映像やCGを挟み込む「映画型」であり、これはテレビ中継で見ている人に最適化されていた。猪子は両者を劇場型・映画型の最高峰とした上で、東京はさらにその先を行くべきだと提案した。

具体的には、街中に常設されたデジタルアートが連動する劇場やテレビを超えた「ネットワーク型開会式」、ランナーの持つ聖火が近くを通過すると参加者の持つ聖火デバイスやスマホのアプリに灯りがつき次々に広がっていく「デジタル聖火リレー」、アスリートの肉体を間近で体感する「ホログラフィック競技中継」等、競技場だけでなく街全体を誰もが参加・体感可能な会場に変貌させる。

です。眼鏡や水着の性能差の問題はもちろん、食べているものまで同じではないといけなくなる。そもそも身体とは「人間＋道具」、正確には道具を含む環境であるということを前提に考えるしかないという結論です。

この前提を元に、たとえば井上さんは、**なるべく多様な身体を持っている人たちでチームを編成したほうが有利で戦術の幅が出る団体競技を考案した[07]**。これは『P9』の中でもかなりラディカルな提案でした。近代スポーツそのものを根底から問い直していますからね。人間はみんな同じ規格に沿っているからフェアな競争ができるんだという一つの原理を否定しているんです。そのほうが絶対に面白いし豊かなんだというビジョンをうまく出せたと思っています。

乙武 僕は2018年から**「OTOTAKE PROJECT」[08]**という義足で歩く挑戦をしているんです。義足で歩いている方っていうのはそんなに珍しくないと思うんですが、それって片足だけないとか、両足義足だとしても膝はあるっていう方たちですよね。両膝ともない人が義足で歩くのはこれまで不可能だと言われてきたんです。それほど人間が歩いていく上で膝が果たしている機能は大きい。

でも、ソニーコンピュータサイエンス研究所の遠藤謙さんという義足エンジニアの方が、初めて人間の膝の機能を果たすモーターを開発したんです。そのモーターを組み込んだロボット義足を開発したので、「はたしてその義足を使って両膝がない人間が歩くことができるようになるか」というプロジェクトに、僕が被験者として参加しているんです。

遠藤さんはMIT（マサチューセッツ工科大学）でロボット工学を学んできたんですけど、そこにヒュー・ハー*2という教授がいるんです。ヒューさんは凍傷で足を失って義足を使って生活しているんですけど、健常者にこんなことを言うそうなんです。「お前らの足って年々衰えていくんだろ？俺の足は年々進化していくんだぜ」って（笑）。でも、これは冗談とは言えないですよね。

実際、遠藤さんも「ヒュー・ハーイズム」を受け継いでいて、僕に会ったときに僕の両手両足のない身体をまじまじと見て、「乙武さんの身体ってテクノロジーを詰め込める余白がいっぱいありますね」って言ったんですよ。これには度肝を抜かれました（笑）。

これまでいろんな人に会ってきましたけど、僕の身体のことはみなさん欠損や障害と表現するし、僕自身そう捉えてきたわけです。それが遠藤さんにはテクノロジーを詰め込める余白に見える。可能性の塊に見えるわけです。障害者は健常者に肉体的に劣る存在ではなくて、テクノロジーで補えば、健常者より豊かで優れた肉体性を獲得できる可能性を秘めた人たちという捉え方なんです。実際に僕も義足をつけて歩いたという体験を経たからこそ、パラリンピックの持つ可能性は僕が思っていた以上にあるんだと、この数年ますます感じるようになりました。

KEYWORD 04

東京5分割計画

『P9』Bパートで提案した、意思決定主体としては大きくなりすぎたメガシティ東京を文化・地域特性に合わせて適切なサイズに分割する構想。

東京湾に接するエリアは「湾岸特区」とし、規制緩和と先進技術の実験が行われる「日本のシンガポール」を目指す。千代田、中央、港区などの中央エリアは「都心区」とし、日本的クリエイティブ・クラスの職遊住隣接空間に。江戸川、葛飾、台東区などのイーストサイドは「東区」とし、古くから東京に住む旧住民と新住民、外国人がモザイク状に共存する「新しいパトリオティズム」を育む空間に。杉並、世田谷、中野区などのウエストサイドは「西区」とし、成熟した住宅街が弱者を受け入れる「新しいリベラル」の母胎とする。そして23区との格差が指摘されていた市町村部は「多摩県」として東京都から独立。むしろ「48番目の県」として、豊かな自然環境と快適な暮らしの調和など、東京にはない魅力を打ち出すことを目指す。

『PLANETS vol.9』誌面より

「技術の文化の祭典」という夢が失われた2020年

門脇　オリンピックに関する文化についても話しておきたいです。この夏はオリンピックに連動してさまざまな文化イベントがあるのですが、まったく盛り上がっていない。この状況に関しても非常に寂しいものを感じています。辞退者続出の聖火リレー、責任者不在の開会式。ソフトパワーの発信にも失敗しています。

宇野　『P9』メンバーで言うと、猪子さん率いるチームラボに声がかからなかったのが象徴的だと思うんです。世界的にも評価の高い最先端のデジタルアートを生み出しているチームラボの名前がオリンピック関連のイベント検討会で挙がらなかったとは思えない。でも、結局お鉢はまわってこなかった。そして、彼がいま何をやっているかというと、お台場や豊洲にあるような**チームラボ専用展示会場**[09]を上海やシンガポールといった世界中の都市に築いている。彼はオリンピックや国家といった大きなものに頼らず、自分の理想を自分で実現していくと決意したんだと思います。

　実は僕も同じような気持ちになっていて、あの頃はオリンピックに対して建設的な提案をすることで世界にメッセージを出そうと考えていたけれど、どちらかと言えば今は自分の身体とどう向き合うかということに興味が移っているんです。たとえば、次の『P10』では「走る」ことに注目して取り上げています。『P9』で味わったオリンピックに対する敗北感はあったと思うのだけれど、それ以上にみんながそれぞれのこのプロジェクトの成果を抱えて自分の現場に戻っていったんだと思っています。それが乙武さんにとっては義足プロジェクトで、門脇さんにとっては**ヴェネチア・ビエンナーレ**[10]なのだと思う。日本の中枢をハックして成し遂げるということだけが方法だとは、誰も最初から思っていなかったところは確実にあって、本来のゲリラ戦に戻っていったという側面もあると思います。

岡島　私は2020年に東京でオリンピックをやると決まったとき、ワクワクしたんです。そのときはまだ自分たちの衛星は打ち上げていなかったんですが、「オリンピックの開会式で流れ星を流したい！」と思って、事業計画を書いたんですよ。数年前までは周りのスタートアップの人たちにも、「この技術をオリンピックでやってみたいんだよね」みたいなワクワク感があったんです。でも時が経つに連れて、いろいろな問題が出てきて、その対応もグダグダ。「あれ？　このオリンピック、関わったらまずいかも」みたいな空気ができちゃった感じがします。数年前まであった「新しい技術を見せる場としてのオリンピック」という期待感がなくなったのは寂しいです。

門脇　2020年のオリンピックは「東京ってこんなにカッコいいことができるんだ」ということを発信するチャンスだったはずじゃないですか。宇野さんが『P9』で僕らの世代を集めたの

KEYWORD 05

パラリンピック

オリンピック終了後に開催される世界最高峰の障害者スポーツ大会。パラリンピックの基礎は1948年にイギリスのストーク・マンデビル病院の医師ルードヴィッヒ・グッドマンが開催した、戦争で負傷した車椅子を使う兵士たちのためのスポーツ大会である。1960年にISMGC（国際ストーク・マンデビル大会委員会）が創設され、オリンピックのある年はその開催国で大会を開くという方針を定めた。この方針に則って開催されたローマ大会が第1回パラリンピックとされる。64年の東京大会は車椅子使用者だけでなく、すべての障害者が参加できる「国際身体障害者スポーツ大会」となった。パラリンピックはこの時に日本人が考えた愛称で、1988年のソウル大会で正式名称となる。翌89年にはIPC（国際パラリンピック委員会）が設立され統一的な競技スポーツ大会としての推進体制が整い、さらに2000年のシドニー大会期間中に現在のオリンピックとの連続開催スタイルが確立した。

FocusDzign/Shutterstock

は、30～40代が主役になって新しい東京のビジョンを出すんだ、出せるんだということを示すためだったと思ってるんです。

乙武　僕は教育に携わる人間でもあるので、去年から新型コロナでステイホームになって、日本の子供たちがいかにしんどい状況にあったかを見てきたんです。先進国のほとんどがオンライン教育に切り替わって、きちんとした学習ができる状態にあったにも関わらず、日本は「対面で通うか、休校か」の二者択一なんです。オンライン教育は先進的な私立の本当にごく一部でしか行っていない。ほとんどの学校はオンライン対応できず、子供たちが教育を受けられなくなってしまった。パンデミックが起こらなかったとしても、「オンライン教育があったほうが子供の学びにとっていいよね」という議論があれば、国が予算を付けて、教員のリテラシーも上がっていたはずなんです。そうすれば、パンデミックになっても慌てることなく、すんなりオンライン教育に移行できた。

なぜここで教育の話を挟み込んだかというと、まさに猪子さんが6年前に提案した開会式案が進められていれば、コロナ禍でも問題なく開会式ができたからです。人と人がリアルに触れ合うことなく自宅から参加できて、みんなで盛り上がれたはずなんですよ。だけど、現実にはこれまでの開会式の責任者は昭和型で1964年の延長線上でしか考えていなかった。パンデミックが起こる前から、門脇さんがおっしゃったように、「東京ってこんなカッコいいことができるんだぜ」という構えで「猪子的なもの」を準備していれば、「東京はパンデミックにも負けないすごいものを見せられる！」と提案できたのに。コロナ禍だからこそ猪子案の先見性が光るし、僕らの提案が届かなかったのは悔しいですね。

宇野　猪子さんは『P9』の開会式演出案を応用した作品のアイデアを去年発表しています。スマホやYouTubeを使った、ステイホームでも自宅で楽しめる参加型のデジタルアートです。[*3] これはそのまま無観客開催の開会式に使えそうなものなのだけれど……こういうものが議論のテーブルにものらないのがつらいですね。

オルタナティブ1「ゆるいオリンピック2・0」

宇野　ここで、あえていま、もう一度オルタナティブ・オリンピックを提案するとしたらどうかという話をしたいんですが。

門脇　僕は「ゆるいオリンピック2・0」を提唱したいと思います。いまオリンピックはアマチュアスポーツの中の世界最高峰を決めるということで、非常にハイレベルな戦いが行われています。ただ、ハイレベルな戦いが行われているがゆえにテレビ放映権の高騰など、商業主義と結びつく元にもなっている。だから、むしろ公園の傍らで競技が行われてるような、そんな「ゆるさ」がいいんじゃないかなと思ったんです。「ゆるい」というのがネガティブではなく、新しくていいことなんだという思いをこめて「2・0」です。

KEYWORD 06

ザハ・ハディドと新国立競技場

ザハ・ハディドはイラク生まれのイギリス人建築家。建築界で権威ある米プリツカー賞を2004年に女性では初めて受賞。2012年に行われた国立競技場建て替えに関する国際コンペで、ザハのデザインが最優秀賞に選出された。流線型で未来的なデザインは東京でのオリンピック開催招致に一役買ったとも言われている。橋梁のような「キールアーチ」が特徴だったが、当初1300億円とされた総工費が実際は3000億円以上（最終的に事業主体の日本スポーツ振興センターが提出した修正案は2520億円）に膨らむことが発覚。巨額の費用やデザインに対し批判の声が上がり、ザハ本人へのバッシングも過熱した。15年には安倍晋三首相（当時）が建築費の高さを理由に白紙撤回を表明。ザハはその約半年後に心臓発作でこの世を去った。

後に第三者からなる検証委員会は、文部科学省や事業主体による意思決定システムやプロジェクト管理、国民への説明不足などに問題があったとしている。

実はこれは『P9』での提案に引きつけて言うと、レガシー的東京と新しい東京の融合のイメージなんです。一方で、現実の方に目を向けるならば、もう2020年東京オリンピックがグダグダなのはしょうがないと受け入れざるを得ないと思っています。むしろいかにグダグダだったか歴史に残ってほしいと思う。

宇野　わかります。最高にグダグダなものを見せつけられることによって、ようやく日本人は目覚めるんじゃないかという気がしています。

門脇　僕もその路線しかないだろうと思っています。最悪の状況が歴史の1ページに刻まれたら、そこから出発するしかないじゃないですか。昭和の巨大なレガシーから出発する。「ゆるいオリンピック2・0」はその昭和的な古い身体と新しいテクノロジー的な身体が融合したイメージです。ちょっと飛躍しますが、神楽坂の歴史ある路地裏に新しくて素敵なお店が潜んでいるといったような、古さと新しさが同居しているイメージですね。

宇野　6年前に『P9』を作ったときは、まだみんな技術大国としての日本を心のどこかで信じてたと思うんです。でも今は無邪気にそれが信じられなくなっていますよね。だからテクノロジーそのものの革新ではなくて、テクノロジーの使い方で勝負していくしかないような気がします。

乙武　僕も賛成です。ロボット研究者の吉藤オリィ（吉藤健太朗）さんが開発した「OriHime」[*4]という分身ロボットがいるんですけど、そのロボットが給仕をしてくれるカフェが日本橋にあるんです。

この分身ロボットを誰が操作してるのかと言うと、障害や病気によって家から出ることができない方や寝たきりの方がパソコン操作で操ってるんです。それでコーヒーを出したり、注文を取ったりしている。身体はロボットだけど、そこには確かに人間の意思が介在しているんですね。

僕は寝たきりの方が働くことができて給料までもらえるっていうことに感動したんですけど、それ以上にオリィさんが「OriHime って決してハイテクじゃないんですよ。これってラジコンの延長線上の技術だから、どちらかといえばローテクなんです」とおっしゃっていることに感銘を受けました。「大事なのは今ある技術でもっとこんなことができるんじゃないの？　っていう発想の転換なんですよね」とおっしゃっていて、まさにその通りだなと。アイデアがあれば今ある技術で新しいことはできるんですよ。

宇野　ローテクなんだけど使い方がエレガントであるということですね。技術をいかにエレガントに使うかというのは人類的な課題だと思います。そのビジョンをオリンピックで突きつけられていたら面白かったでしょうね。

岡島　ローテクとハイテクが融合した東京の「ゆるいオリンピック」って本当に見てみたいです。記録に残るグダグダが逆に楽しみになってきました。テクノロジーの話に関して言うと、生身の身体同士の争いよりも、テクノロジーで人体をどれだけ拡張できるかという方向に進んだほうが絶対

KEYWORD 07

拡張パラリンピック計画

アレクサンダー大王時代の Lion baiting（ストラダヌス画）

『P9』Aパートのオルタナティブ・パラリンピック構想として、ゲーム研究者の井上明人は「クラス別に公平に競技を行う」発想を捨てさり、「総得点方式」で団体戦を行う競技レギュレーションを設計した。車椅子バスケットボールでは、チーム全体の障害のレベル数値の合計が14を超えてはならないというルールを採っている。その結果、一つのチーム内に重度の障害者もいれば中度の障害者もおり、多様な身体の人々が競い合っている。この延長線上に、障害者、健常者、高齢者、若者、サイボーグ、男性、女性など、さまざまな人々が同じ土俵で競うことが合理的になる仕組みを導入するのが、提案の骨子である。

こうしてパラリンピックとオリンピックという区分けそのものを解体し、近代スポーツが排した身体の多様性を取り戻す。多様な身体が一堂に会して競う場は、夢想どころか、人類の歴史においてはアレクサンダー大王の時代から続いてきた主流の発想への回帰とも言えるのである。

面白い気がします。そういう意味でテクノロジーの余白がある人のほうが逆に強いということになっていくんでしょうね。そういうふうにオリンピックが方針転換してもいいんじゃないでしょうか。そのほうが科学技術も発展して、人間とテクノロジーのよりよい関係が築けると思います。

乙武 それはパラリンピックの世界ではもう常識なんですよ。今までは世界一の戦いを見たかったらオリンピックだった。でも、あと5~10年のうちに義肢をつけたパラアスリートのほうが健常者の記録をいろんな競技で上回るでしょう。すでに走り幅跳びではそれが起きている。5~10年後には世界一ハイレベルな戦いを見たいならパラリンピックを見ろということになるんです。

岡島 今の義肢ってあくまで生身の模写に近いと思うんです。いっそ人体のデザインから離れたもの、たとえば羽をつけちゃうとか、ロケットエンジンをつけちゃうとか、そういう方向で展開できると面白い気がしませんか?

宇野 まさにそういう「パラリンピックから**サイバーオリンピック**【11】**へ**」ということを稲見さんや井上さんが主張しているんです。そこで注意したのは「我々はリベラルで多様性に理解のある正しい人たちだからパラアスリートを持ち上げてるんだ」という文脈じゃないようにすること。「コブラは片腕がサイコガンだからカッコいいんだ」というスタンスでいこうと決めたんです。それが新しい欲望の発見につながることを大事にしました。オリパラが融合した多様な身体を用いるサイバーオリンピックには新しい快楽があるということをもっと広めたいです。

オルタナティブ2 「2032年東京オリンピック」

乙武 これまで「悔しい」って何度か言ってきましたけど、正直に言うと「恥ずかしい」んです。はっきり言ってここでいま僕が言っていることは負け犬の遠吠えだからです。6年前に1970年代後半生まれの40代中盤メンバーがコンセプチュアルな本を出した。40代中盤と言えば、2020年にオリパラが開催されるころは働き盛りで脂がのってる世代だねと。この世代でイケてる案を作って俺らで社会を動かしてこうぜってノリノリだったわけです。

結果はどうだったか? 実際のオリパラでは少しも取り上げられず、僕らが提示したビジョンは何も実現することなく今を迎えているわけです。僕らが忌み嫌ってきた〝オジサン〟たちに完膚なきまでに叩きのめされた。「こんなこと考えていたけど、なにも実現できませんでした」っていう反省会ですよね。

僕がお三方と意見が違うのは、2020年は歴史的なグダグダな大会だと諦めて、そこから再出発するしかないという点です。僕はまだ諦められない。それが「2032年東京オリンピック」です。現状夏季大会は24年パリ、28年ロスまで決まっているわけですが、「悪い! 32年やらしてくれよ!」って国際社会に頭を下げたらやらせて

KEYWORD 08

OTOTAKE PROJECT

exiii design「190111 乙武洋匡の義足プロジェクトクラウドファンディングのお知らせ」より

2018年11月に発表された義足プロジェクト。技術者、研究者、デザイナー、理学療法士、義肢装具士などが参加し、乙武のロボット義足による二足歩行を実現するべく発足した。発起人はソニーコンピュータサイエンス研究所に所属しながら株式会社Xiborgを設立し、義足の開発に取り組んでいる遠藤謙。一般的な義足はバネやダンパーなどの受動的なもののみで作られているが、遠藤はそれまで困難だとされていた「人間の膝を再現するモーターの開発」に成功。この技術を「乙武がロボット義足で歩く」ことで世の中にアピールしたいと考えた。

しかし乙武は両脚大腿部以下の両膝がなく、そもそも「脚で歩く」という感覚がない。肉体的、心理的、技術的なハードルが立ち塞がるなか、四肢がない障害者がどうすればうまく二足歩行できるのか。歩行距離を伸ばすチャレンジを続けている(※2019年夏時点で20メートル)。その様子は『四肢奮迅』(乙武洋匡著、講談社)にまとめられている。

くれると思うんですよ（編註：本座談会収録後の２０２１年７月22日、32年夏季大会の開催地はオーストラリアのブリスベンに決定した）。

宇野　「世界のために20年（21年）は止めるから32年開催させてくれよ」というのは同情が集まりそうですね。

乙武　あと11年あったら、今度こそ僕らが社会を動かせるだろうし、今回の悔しさをバネに死ぬ気でこれから権力を取りにいくと思う。もう一度チャンスをもらって11年後に向けて僕らのアイデアを実現させていくという提案です。

宇野　乙武さんがそう言うなら……もうこりごりだと思っていたけれど、32年に向けてオルタナティブ・オリンピック・プロジェクト2を出すしかないですね。

乙武　ここでひとつ大事なのは、11年後に僕らが老害になってはいけないっていうことです。11年かけて権力を持てたけど、下の世代でもっとイケてる奴らが出てきたら、ちゃんとそいつらに「お前らに任せるわ」と言える度量を持てるかどうかですね。

オルタナティブ3
「オリンピックを平和に破壊する」

宇野　僕は「オリンピックを平和に破壊する」というのを今度こそやってみたい。今更ですけど、僕はオルタナティブとか言っておきながら、個人的にはそもそも招致段階から基本的に反対派です。だから『P9』には「オリンピック破壊計画」が冗談半分の企画で載っている。次に考えるなら具体的には通信と放送を、つまり情報を遮断したい。オリンピックそのものは無事に開催されていて、政府もIOCもドヤ顔をしているし、もちろんアスリートのみなさんは全力で戦っている。ただし、その間東京の上空には黄色い飛行船が三つ飛んでいて、そこには軍事用のECMポッドが搭載されていて、電波妨害によって一切テレビなどでは中継されない。さら地下ケーブルの類もじゃんじゃん爆破して、インターネットも潰す。要するに世界中に「つながらない時間」を演出するんです。オリンピックは世界中の人が同じものを見て一つになるものなのだけど、今はそんなものはなくても人々が同期しすぎている。ポピュリズムやフェイクニュースやデマが止まらないのも人々が情報技術の濫用で同期しすぎているせいなのは明らかです。コロナ禍でも人々は孤独になっていないですよね。むしろ常時接続でスマートフォンの画面ばかりを眺めて同期して、みんなで同じ話題で一喜一憂している。こういう不健全な状態を破壊したい。だから一瞬でいいからそれを破壊して、人間を強制的に孤独にしたい。一人一人がバラバラに、孤独に世界に向き合う時間を演出したい。もちろん、元ネタは**あのアニメ**［12］です。

　僕はオリンピックが開催されている時間をむしろまったくつながらない時間にしてしまうことが、実は世界に対してもっとも建設的なメッセージになるんじゃないかと考えています。それがで

KEYWORD **09**

「チームラボボーダレス」と「チームラボプラネッツ」

　現在、東京都内ではお台場で「森ビルデジタルアート ミュージアム：エプソン チームラボボーダレス」、豊洲で「チームラボプラネッツ TOKYO DMM」が開催されている。チームラボボーダレスは、境界のないアート群による「地図のないミュージアム」である。1万㎡の複雑で立体的な世界をさまよい、探索し、他者と共に新しい世界を創り、発見していくことをコンセプトとして設計された。各展示作品は、部屋から出て移動し、他の作品とコミュニケーションし、影響を受け合い、時に混ざり合う。そのような作品群によって連続的につながっていく一つの世界がチームラボボーダレスである。

　対して、チームラボプラネッツのコンセプトは「Body Immersive」。アートによって、人間と自然、そして自分と世界との新しい関係を模索する「超巨大没入空間」である。裸足で歩き、膝まで水に浸かって一体化する作品が特徴。

　どちらも２０２２年までの会期を予定。

「チームラボボーダレス」東京お台場 © チームラボ

きたらオリンピックをやる意味はあると思います。

乙武　今年このままオリパラが開催されるなら、僕は自然にオリンピックは破壊されていくと思っているんですよ。日本は止めたいけど、止められない。止めたら多額の賠償金というリスクがあって止められない。この状況を見た他の国々、他の都市が今後オリンピックとどういう距離を取るかと言うと、「いやいや、あんなリスクは背負えないよ」って当然思うわけですよね。28年ロス以降に手を挙げる国、都市はどんどん減っていくでしょう。そうやって自然にオリンピックはなくなっていく気がします。

岡島　実際、21年のオリンピックが終わる頃には、新しいパンデミックの波が来そうですよね。

乙武　僕が一番恐れているのは、このままオリンピックは強行開催する、海外から数万人の関係者がやってくる、そこで、いろんな変異株が持ち込まれて第五波が広がる。１ヶ月後のパラリンピックの頃には感染拡大がとんでもないことになって、「ごめん、パラリンピックは中止」というシナリオ。「パラリンピックの放映権料はそんなに高くないから、みんな困らないよね、じゃあここは中止ってことで」みたいなシナリオは最悪だけど、ありえるなと思っちゃうんです。

宇野　僕が『Ｐ９』を6年前に作ったときの反省は、２０２０年の東京オリンピックだけじゃなくて、オリンピックという１００年以上続く文化そのものを問い直す部分が甘かったことです。ＩＯＣの問題に踏み込めなかった。だから、いまもう一回作るとしたら、「人類にとってオリンピックって本当に必要ですか？　必要だとしたらどんなオリンピックですか？」ということを問い直したいです。

乙武　ＪＯＣ元理事の山口香さんが本当に的を射た発言をしています。オリンピックはそもそも古代アテネで戦争していた国々がいったん休戦して、この期間だけは平和を作り上げようということで始まった平和の祭典であると。じゃあ、いま平和を築いていこうというときに何が一番大事なのか。それは対話である。その対話というものを政府もＩＯＣも拒否し、「やると決めたらやるんだ！」という強権的な態度をとっている。これはオリンピックの理念と最もかけ離れたもので、開催する資格も意義もないと言っているんです。

宇野　もう一つ抜け落ちている視点があります。そもそも２０２０年のオリンピックは震災からの復興がテーマでしたよね。ところが新型コロナウイルスの流行で震災復興が完全に過去のものになってしまった。２０１５年はまだ日本社会は震災復興モードで、30代の若い世代が新しい日本を作っていくんだという流れがあったんです。『Ｐ９』はその流れの中でできた雑誌です。東京でのオリンピックは諦めるけれど、パラリンピックは岩手、宮城、福島の東北三県で開催するなんてことができたら、今回も少しは意義があった。

岡島　３・１１からちょうど10年目の年にずれこんだことも何か運命的なものを感じます。

KEYWORD **10**

第17回ヴェネチア・ビエンナーレ国際建築展 日本館

ヴェネチア・ビエンナーレは、ヴェネチアの市内各所を会場に2年に一度開催される国際芸術祭。１８９５年に美術展が開かれて以来の歴史をもち、現在は建築展、音楽祭、映画祭、演劇祭などの独立部門がある。参加各国は自国パビリオンで事前選出したキュレーターの設定テーマをもとに作品を展開する。

門脇は、コロナ禍で延期された第17回ヴェネチア・ビエンナーレ国際建築展（２０２１年5月22日〜11月21日）の日本館キュレーターを務めている。展示テーマは「ふるまいの連鎖：エレメントの軌跡」。建築展では、一般的に建物そのものを展示することができないため、代わりに模型や図面やドローイングを展示することが多い。しかし、門脇らは日本に建っていたごく当たり前の木造住宅を部材レベルで解体し、ヴェネチアまで運んで異なるものに再構築する過程そのものを展示内容とすることで、戦後日本建築の来歴を来場者たちに体感可能なものにするという前代未聞の試みを行った。

第17回ヴェネチア・ビエンナーレ日本館公式サイトより

日本のOSを体育からスポーツへ転換せよ

乙武　僕は20代の頃、スポーツライターとして活動していたので、スポーツとは何かということには向き合ってきたつもりです。そこで今回招致が決まってから、2020年東京オリパラのレガシーとして、「日本の体育をスポーツに転換しよう」とずっと言ってきたんです。そもそも体育が嫌いという人はたくさんいると思う。体育とスポーツって日本では同義で語られることが多いんですけど、まったく似て非なるものです。体育はもともとドイツで兵隊を訓練するためのシステムとして編み出された、上から下に命令してやらせる上意下達の文化です。

一方、スポーツは語源を辿っていくと、「余暇を楽しむ」とか「日常から離れる」という意味で、釣りとか狩猟とか社交ダンスとかなんです。こうやって真逆の概念なのに、日本では長らく「スポーツの日」であるべきものが「体育の日」と呼ばれ、「国民スポーツ大会」であるべきものが「国民体育大会」と呼ばれてきた。

ルールだって上から押し付けられたものじゃなくて自分たちで考え直していいんです。今まで健常者しかできなかったけど、こういうルールにしたら障害者だって加われるよねとか、性別関係なく楽しめるようになるよねとか。そういうふうに自分たちで能動的にルールを変えて楽しめる人を増やしていこうというのが本来のスポーツだと思います。いまこの社会や国を動かしているのは体育の発想なので、そこからスポーツの発想に転換できれば世の中は大きく変わると思います。オリパラの開催だけでなく、日本というシステムを書き換えるんです。

宇野　オリンピックって大半の人にとって、一方的に見るだけのものですよね。だからこそ僕らは6年前、人々が参加できるオリンピックを考えた。あれから10年が経ってたしかに誰もが新しいかたちで社会に関わるようになった。しかしその結果、民主主義は麻痺し、フェイクニュースが拡散し、オリンピックについてもまともに議論すらできなくなってしまった。20世紀に戻って「よき観客であれ」と啓蒙するのも、消費させられるだけの主体を再生産するだけなので愚かなのは明白で、やはり今とは違うかたちでの「観るだけではなく、参加する」オリンピックが必要なのだと思います。

最後に、今日の議論のまとめをみなさん一言お願いします。

乙武　今日は負け犬の遠吠えを吐き出し尽くしました。でも、これでは終われないので、今回のオリパラの落とし前はどこかでつけないといけないと思っています。この悔しさを忘れずに、ここから何ができるのか日々自分に問うていきたいです。

岡島　我々は就職氷河期世代ですが、社会的に割を食ってきた世代として、頑張って権力をとって、ちゃんと世の中をポジティブに変えていかないといけないなと思いました。新型コロナ以降のお粗末な政治の舵取りのせいで、また私たちのように

KEYWORD 11

「超人オリンピック」と「サイバスロン」

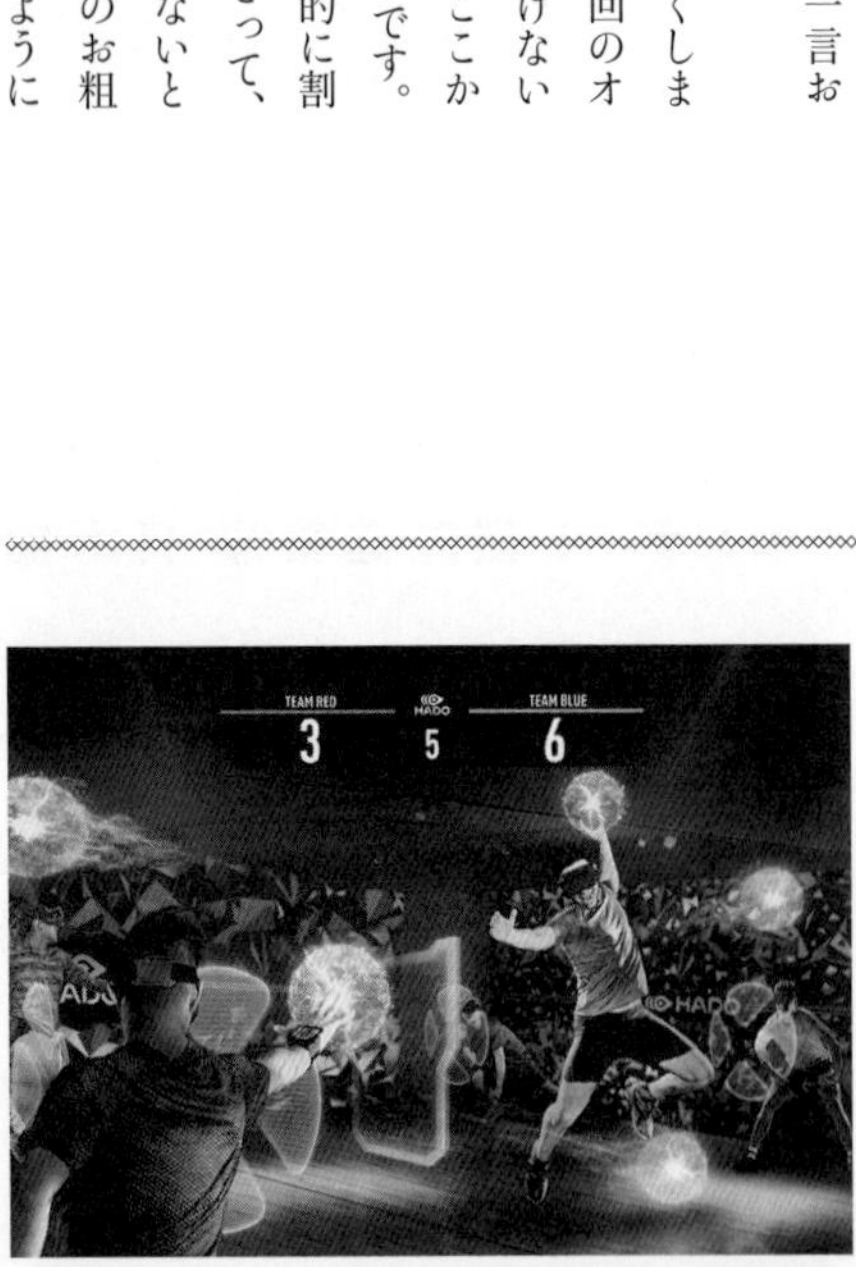

「超人スポーツ」の一つである、株式会社 meleap 開発の「HADO」。

テクノロジーの応用によって従来のオリンピックやパラリンピックを融合し、誰もが同じ土俵で競う拡張パラリンピック、いわば「超人オリンピック」の試みが進行中だ。テクノロジーの発展は「五体満足な身体」という近代的な人間観を前提としてきた近代スポーツの概念を塗り替えつつある。人間の身体は眼鏡から義手、サプリメントの摂取に至るまで、どこまで「生身」なのかが曖昧になっている。そうした問題意識のもと、人間拡張工学を研究する稲見昌彦らは2015年に「超人スポーツ協会」を設立し、現代のテクノロジーを活かした新たなスポーツ競技の発明と普及を推進している。

さらに「先端科学と障害のある人たちが力を合わせて競う大会を通じて、新しい技術の開発を加速すると同時に、社会的な障壁を取り除くことを目指す」ことを謳った国際競技大会「サイバスロン」が2016年にスイスのチューリヒで開催。第2回大会は2020年11月、オンラインで世界をつないで開催された。

割を食う世代が生まれてはいけないと思います。

門脇　サッカーには手を使えないという不条理なルールがありますが、そのルールによってゲームがエキサイティングになっています。これから拡張身体を持つ多様な人々が競技に参加するためにどうルールをアップデートするのか、国家規模で2032年に向けて考えたいです。

宇野　『P9』の反省をもう一つ挙げると、都市のあり方そのものを変えていくことをもっと考えても良かったと思っています。実際にこのままではやっていけないような地方都市が各地にたくさんあるわけです。今年は3・11から10年のタイミングですけど、多くの被災地は、震災復興を新たな土建行政の利権を貪るビジネスチャンスとしか捉えなかった。ひたすら復興予算で箱物を作って、見た目だけのトリクルダウンで経済を回そうとした、しかしできなかったという自治体が圧倒的に多いわけです。いわば瀕死の患者に何リットルも輸血してかたちだけ延命させている状態なんです。これって未来がないですよね。オリンピックも同じです。ジャブジャブ金を輸血して延命させている。2032年に向けて新たなオルタナティブ・オリンピック・プロジェクトを作るとしたら、オリンピックという存在自体をガラッと変えてしまうとか、都市という存在自体をガラッと変えてしまうとか、そういった提案がしてみたいと思いました。絶望せず、2032年に向けて再出発しましょう。

＊1　トランスジェンダーであることを公表した初のオリンピアン、ニュージーランドの重量挙げ選手ローレル・ハバード。2017年の世界選手権90キロ超級で銀メダルを獲得し、東京五輪では女子87キロ超級に出場した。以前は男性として競技に臨んでいたが、2013年に性別適合手術を受け、女性に性転換した。IOCは、2004年5月のストックホルム合意を通じてトランスジェンダーの選手のオリンピック出場資格を認め、2015年には男性ホルモンが一定値未満であれば大会への出場が可能とした。ハバードの出場はトランスジェンダーの権利として支持する声も上がる一方、元男性の選手が女性と競うのは不公平ではと疑問視する声もあった。

＊2　アメリカの生物物理学者。登山家。17歳の時に登山事故で凍傷を負い両脚の膝から下を失うも、地元の機械工場でゴムと金属、木材で登山用にカスタムした義足を作成してロッククライミングを行うようになり、両脚切断前よりも登山のテクニックが向上。「ロッククライミング仲間の中には、わたしが得たような『不当な優位性』を得るために、自分の足を切り落としたいと言う人までいました」と語り、障害者が健常者を上回る能力を獲得できることを体現した。その後、MITメディアラボでエクストリーム・バイオニクス・センターを設立。生体機械工学や再生機能の観点から、脳や身体の機能障害を修復するための基礎研究を推進している。

＊3　2020年8月6日に公開されたチームラボの作品『フラワーズ ボミング ホーム』。この作品では、自分が描いた花と、世界中の人々が描いた花々が一つの作品となって、YouTube Live上でリアルタイムに生成され、鑑賞できる。新型コロナウイルスによって世界中が分断していくなか、家に閉じこもっていなければならないときであっても、世界中のテレビの中に自分や世界の人々が描いた花が咲き渡る。アートを家で鑑賞し、アートに家から参加し、アートで世界とつながっていく新たなプロジェクトとして企画された。

＊4　「ロボットと人ではなく、人と人をつなぐロボット」をコンセプトに、吉藤オリィ率いるオリィ研究所が開発した遠隔操作型の分身ロボットシリーズ。インターネットを通じての操作でテレワークや遠隔体験が可能。ロボット本体は移動することができないが、内蔵されているカメラやマイク、スピーカーによって周囲の人とのコミュニケーションが可能。傍らにはタブレットがセットされており、そこに操作者（パイロット）のプロフィールや顔写真を映し出すことができる。2021年6月に日本橋にオープンした「分身ロボットカフェ DAWN ver. β」では、障害や病気などさまざまな事情で外出不能な全国のパイロットが操作するOriHimeシリーズが給仕を行う。

KEYWORD 12

機動警察パトレイバー2 the Movie

押井守監督のアニメーション映画『機動警察パトレイバー2 the Movie』（1993年）のこと。東京でのテロを描いたポリティカル・フィクションで、ガスの散布、通信網の遮断、橋を落とすことでの地域の孤立などが描かれている。人々はテレビ、ラジオ、電話、ネットなど一切の通信手段を断たれ、情報を得られないまま孤立。首謀者である柘植行人の意図は、こうしてコミュニケーションを破壊することで、この国の人々に内省を促すことにあった。

「情報を中断し混乱させる。それが手段ではなく、目的だったんですよ。これはクーデターを偽装したテロに過ぎない。それもある種の思想を実現するための確信犯の犯行だ。戦争状況を作り出すこと。いや、首都を舞台に戦争という時間を演出すること。犯人の狙いはこの一点にある」――これは劇中で解説される柘植の動機だが、この「犯人」を「監督（押井守）」に置き換えると、ほぼこの映画のコンセプトが浮かび上がる。

〔連載〕

世界文学の制作

序章　小説における並列処理

福嶋亮大

1　心と言葉

われわれは小説について何かを言ったり考えたりするとき、ふつう二つの領域に拠りどころを求める。一つは心であり、もう一つは言葉である。作者にとって、小説は心で書くものであり、かつ言葉で書くものである。そして、読者は小説の登場人物から心らしきものを読みとり、かつ小説を言葉の集合として読むのである。

小説が公表され、そこから理論や批評や感想が生じるとき、それらのコミュニケーションが心的領域か言語的領域と関連しないことはほとんどない。しかも、この二つの領域は平行しており、小説についての語りがいずれか一方に完全に還元されることは、ありそうにない。ここから言えるのは、小説という装置が一種の並列処理《パラレリズム》を内包しているということである。心的なものと言語的なものはパラレルな二つの領域である。この異質な二つの焦点をもち、しかもそのいずれも優位に立つことのない楕円形の地平を形作ったところに、小説の特性がある。

もっとも、この両者のうち、二〇世紀の文芸理論の関心が言語のほうにより強く向けられたことも確かである。文学を言語に向かって純粋化するのは、モダニズムの洗礼を受けた作家や評論家の夢であった。例えば、吉本隆明の一九六〇年代の主著『言語にとって美とはなにか』の序文にはこう記されていた。

「わたしは、文学は言語でつくった芸術だという、それだけではたれも不服をとなえることができない地点から出発し、現在まで流布されてきた文学の理論を、体験や欲求の意味しかもたないものとして疑問符のなかにたたきこむことにした。〔…〕もんだいは文学が言語の芸術だという前提から、現在提出されているもんだいを再提出し、論じられている課題を具体的に語り、さてどんなおつりがあがるかという点にある。[*1]」

福嶋亮大（ふくしま・りょうた）
1981年生。文芸からサブカルチャーまで、東アジアの近世からポストモダンを横断する多角的な批評を試みている。著書に『復興文化論』（サントリー学芸賞受賞作）『厄介な遺産』（やまなし文学賞受賞作）『辺境の思想』（共著）『神話が考える』『ウルトラマンと戦後サブカルチャーの風景』『百年の批評』がある。

ここには文学を原理・原則から考えようとする態度があるが、にもかかわらず文学を「言語でつくった芸術」という一点に収束させていくと、もう一つの焦点を逸してしまうように私には思える。そもそも、吉本自身、心的なものに狙いをつけた言語使用のあり方に注目していた。吉本は「指示表出」と「自己表出」を区別しつつ、このうち後者の自己表出という概念によって、言語（日本語）がいかに自己意識を先鋭にしたかを、歴史的に説明しようとした。

ただ、言語的なものと心的なものの関係は、そうたやすく解きほぐせるものではない。両者が密接に関わっているのは明らかだが、にもかかわらず、言語にとって心は（あるいは心にとって言語は）異質なもの、つまり消化＝同化しきれない何ものかである。特に小説について論じるとき、言語に集中すると、それだけでは処理できない残余として心が浮かび上がってくるし、逆もまた然りである。小説に一方向から光を当てようとすると、必ずその影が現れて、分析者の整合性を脅かすことになる。それゆえ、われわれには小説の内包するパラレリズムを――心と言語の二重らせん構造を――できる限り尊重するような態度が必要なのである。

2　絵画と小説

小説という現象にアプローチするには、いくつかの問いの立て方が考えられる。例えば、小説はどのように生まれ、どこに向かっているのか。これは発生論的な問いである。あるいは、小説の力、人間を触発するその力の源泉はどこにあるのか。これは美学的な問いである。

私はこれらの問いにもいずれ取り組もうと思う。ただ、先回りして言えば、これらの基礎的な問いに対して研究者や批評家のあいだでコンセンサスはとれていないし、誰もが納得する答えを導き出すのは今後も無理だろう。小説の始まりや仕組みを究明しようとするとき、われわれは必ず理論化しきれないあいまいなものにぶつかる。言い換えれば、小説には根源的・理論的な態度を座礁させるものが含まれており、あえて言えばそれこそが小説の根源なのである。

しかし、そうは言っても、私はあいまいさに居直るつもりはない。私は以下、未熟な試行に留まることは承知の上で、小説の特性を測る物差しをいくつか示してみたい。

ここで美術の理論、特にモダニズムの理論を比較対象として導入しよう。カントの批判哲学を継承した批評家のクレメント・グリーンバーグは、絵画のモダニズムの根拠を、支持体の「平面性」に求めた。

> 「絵画芸術がモダニズムの下で自らを批判し限定づけていく過程で、最も基本的なものとして残ったのは、支持体に不可避の平面性を強調することであった。平面性だけが、その芸術にとって独自のものであり独占的なものだったのである。〔…〕平面性、二次元性は、絵画が他の芸術と分かち合っ

ていない唯一の条件だったので、それゆえモダニズムの絵画は、他には何もしなかったと言えるほど平面性へと向かったのである[*2]」

グリーンバーグによれば、演劇とも彫刻とも区別される、絵画にのみ独占されている固有の条件とはその平面性（二次元性）であり、モダニストの画家たちはこの条件を積極的に引き受けることで、絵画をそれ自体として——他の何ものにも依存しないジャンルとして——自律させようとした。モダニズムとは絵画自身による自己発見＝自己証明の試みであり、一種の独立宣言である。モダニズムのプログラムが完遂されれば、絵画は外部の教師に教わらなくても、ただ内的な規則と手順に基づいて、ジャンルに固有の価値を築けるようになるだろう。そして、この独立したジャンルは、道徳や政治のような外部の基準に従属することなく、その専門領域の諸問題を（ちょうど科学と同じように）自己批判＝自己修正しながら探究できるようになるだろう……。

グリーンバーグによるモダニズムの定義は、その後さまざまな批判も受けている。ただ、ここで問題にしたいのは、このような明快な議論がそもそも小説ではできないということである。絵画のモダニズムは内容（何が描かれるか）ではなく、絵画を産出する平面性の形式を際立たせたが、小説で同じことをやるのは無理である。二〇世紀のロシア・フォルマリズムや構造主義の努力にもかかわらず、小説において何が「形式」なのかを厳密に見定めることは容易ではない。小説の形式の問題はナラティヴ（語り方）の問題にある程度置き換えられてきたが、それによってすべての小説について形式と内容が峻別できるわけでもない。グリーンバーグ自身、そのことを問題にしている。

「一九世紀中葉以降、ある芸術は、多少なりとも、他の芸術よりも根本的にメディウムの革新を強く求めてきた。いま、散文小説のメディウムが質を維持するのに刷新兼革新を比較的必要としなかったということに注目すべきである。〔…〕文学において何がメディウムで、何がそうでないのかを区別することは、いずれにせよ甚だ学的で、アレクサンドリアニズム的であり、実際の文学経験からかけ離れすぎていて、労を取るわけにはいかない。[*3]」

グリーンバーグによれば、モダニズム絵画は支持体や素材というメディウム（媒体）に固有の性質、つまりメディウム・スペシフィックな属性を戦略上の基盤としたが、それが可能であったのは「絵画のメディウムが他と比べて容易に孤立できた」からである。逆に、文学においては形式と内容、メディウムとそうでないものとの区別は厳密には立てられそうにない。グリーンバーグが述べた通り、文学を論じるのに「メディウムそれ自体という概念」そのものが「狭すぎる」。だとすれば、小説の特性を考えるには、恐らくメディウムとは別のモデルが必要なのである。

3 メディウムとフィールド

小説の言葉は、日常的な言語使用の場から得られる。比喩的に言えば、小説の胃袋は強くない。小説家がどれだけ努力しても、日常言語を制作プロセスのなかで完全に消化=同化し、芸術言語へと変換することはできない。

例えば、西洋音楽は十二平均律という数理的にコード化されたイディオムをもち、それが無数の楽曲を生み出してきた。しかし、小説はそのような精錬されたイディオムをもたない。小説にできるのはせいぜい、日常言語に磨きをかけたり、その配置を変えたりする程度のことである。このような仕事の質が、小説史における「俗語化」および「翻訳」の重要性を際立たせる。俗語化においては、話し言葉の領分が小説に吸収され、その結果としてイディオムに変異が生じる。翻訳においては、複数の言語体系が衝突し、その結果としてイディオムに変異が生じる。ちょうどウイルスが国境を超えて感染するうちにヴァリアント(変異株)を生み出すように、小説のイディオムも俗語化や翻訳を通じて変異するのである。

ここから言えるのは、小説の言葉が、自分以外の何ものかになろうとする自己超越の運動を潜在させていることである。俗語化がいわば下向きの超越だとしたら、翻訳はいわば横向きの超越である。しかも、この捨て身の変異=超越にはデザイナーがおらず、ランダムな揺らぎを含んでいるため、小説の言葉はときに滑稽で、洗練されていないものになる(いわゆる「翻訳文体」とは、まさに洗練を欠いたぎこちない文章を指す)。しかし、このような強張りは自己超越の副反応であり、それを解消することはできない。

小説家は、自分以外の何ものかになろうとする衝動を含む言葉を「作品」として個体化する。絵画がいわば「窓」のように、イメージを切り抜《カットアウト》いて提示するのに対して(ここからグリーンバーグの言うメディウムの孤立性が生まれる)、小説は日常言語のなかに割り込《カットイン》んでそこを占拠する。日常言語を広大な菜園にたとえるとしたら、小説はそこに立てられた「畝」のようなものである。

菜園と畝のあいだには厳密な境界はない。小説は日常言語の菜園の一角をかすめとって制作される。そして、その畝で育った作物=言葉が、今度は菜園の一部である読者の言語使用のコンテクストに働きかけるのである。小説の言葉は、日常言語とのあいだで流入と流出を繰り返しており、しかもこの言語ゲームの全体を統御するデザイナーはいない。強いて言えば、この流入と流出の運動は《生活》の歴史のなかで起こるのである。

このような言語的運動体については、メディウムのモデルではなく《場》(フィールド)のモデルから考えるのが、より適しているのではないだろうか。なぜなら、菜園のなかに畝を立てることは、他から孤立したメディウムを設置することではなく、環境の形状やその土壌の成分の分布を変

＊1 吉本隆明『言語にとって美とはなにか』(2001年、KADOKAWA)

＊2 C・グリーンバーグ/藤枝晃雄編訳『グリーンバーグ批評選集』「モダニズムの絵画」(2005年、勁草書房)

＊3 C・グリーンバーグ/藤枝晃雄編訳『グリーンバーグ批評選集』「モダニズムの絵画」(2005年、勁草書房)「ミディアム」という訳語は「メディウム」に変更した。

えることに近いからである。絵画のメディウムは《生活》を遮断して恒常性を保とうとするが、小説の場はむしろ《生活》の変化にさらされ、デザイナーなしに変異していく。小説家が言葉の庭師だとしたら、小説の文体は錯綜したフィールドを操作するための作庭の技術であり、言語的運動体の制御と深く関わるものである。文体の問題は、たんに審美的な観点から判断することはできない。ただ、この点について今は簡単に触れるに留める。

4　心的なものと小説

私はここまで、小説に心的なものと言語的なものという二つの焦点があるという前提から、言語的現象としての小説の制作を、自然言語のなかにフィールドを組織する運動として説明した。では、心的なものと小説はいったいどのように関連しているのだろうか。

この問いは、簡単に答えようと思えば簡単に答えられる。心的現象を欲求、意図、期待、喜怒哀楽などの集まりと考えるならば、小説に豊富な心的現象が書き込まれていることは明らかである。それは小説史の核心と深く関わっている。英文学者のイアン・ウォットは、デフォーやリチャードソンのような近代の小説家が、デカルトやジョン・ロックの哲学とも共振しつつ「リアリズム」の基準を変えたと主張した。[*4] すなわち、中世のスコラ哲学においては普遍性こそが実在的であり、感覚的な認知は偶発的なエラーにすぎなかったのに対して、新興勢力である小説《ノヴェル》は、うつろいやすく、それゆえに新奇《ノヴェル》な心的現象こそが実在的なものだと捉え直したのである。

ただ、私はもう一歩踏み込んだ問いを提出してみたい。すなわち、小説は登場人物の新奇な心的現象を集積するだけではなく、それ自体として心のあり方を模倣しようとする傾向をもつのではないか。ジェームズ・ジョイスやヴァージニア・ウルフら二〇世紀のモダニストは「意識の流れ」という実験的な手法によって、小説を心のあり方と似せようとしたが、小説には確かにこのような模倣へと作家を誘惑する一面があるのではないか。だとしたら、心のあり方をモデルにして、小説のあり方を記述することも、ある程度までは可能なのではないか。

むろん、小説を一種の心的装置として考察するというのは、途方もない企てである。そもそも、心と言おうが意識と言おうが、その実体についてわれわれが共通の合意を得ることは不可能である。われわれが語れるのは、せいぜい心や意識についての近似的な「たとえ話」にすぎない。どれだけ科学的な分析が進展しようと、その成果を表現するのにメタファーから完全に逃れることはできそうにない。[*5] それは心や意識があらゆる理解を超越するほどに深遠であるから、ではない。心や意識は恐らく、いわく言い難い内なる「X」の実体が熟知される前に、早まって登場してしまった用語だからである。

しかし、われわれは当面これらの用語を使い続けることにして、記述を進めよう。小説という装置と心という装置がもし部分的にでも重なりあうとしたら、それはどういう点においてだろうか。

5　虚無と炸裂

心や意識についての哲学的内省を深めたのはフッサールの現象学である。フッサールによれば、意識は何ものかについての意識である。意識は常に何らかの対象（ノエマ）に向けられており、このような特徴が「志向性」と呼ばれる。この定義をさらに極端に進めると、意識はたえず自分以外のものへと脱走しているという点で「開かれ」の性質をもち、意識の場には意識以外の何かがひしめきあっているということにもなる。

奇妙なことに、フッサールを読んでも、意識そのものが何なのかは結局分からない。意識はそれ自体としては何ものでもないが、留保なく他に向かって開かれたもの、外を志向するものとして存在する。しかも、フッサールにとって、意識の存在は絶対的であり、たとえ世界が崩壊したとしても、その存在が損なわれることはない。そこから、フッサールは一種のSF的な見解へと到る。彼は身体をもたない意識、さらには魂《ゼーレ》すらもたない意識を想定するが[*6]それは意識の存在が絶対的であることの帰結である。

さらに、意識の作用は志向性のみならず産出性を備えている。フッサールは「志向的構成」という言い方によって、それを言い表した。とはいえ、それは意識が対象を――ひいては世界を――好き勝手に「構成」できるということではない。フッサールは再帰的な語り方をしている。すなわち、意識が対象を構成するのではなく、対象が意識において自らを構成するのである。フッサールが構成のあり方を超越論的に記述するのに、生長や生のようなたとえを好んだのは、そのことを裏打ちする。[*7]意識の対象は、意識を場として、ある規則性のもとで生長する。

ここで思い出したいのは、フッサールの志向性の概念をかなり自由に再解釈した、若きサルトルの見解である。サルトルは意識の志向性が「己を逃れる運動」あるいは「己の外への滑り出し」であることを強調し、そのありさまを以下のたとえ話によって語っていた。

「もしも――これは不可能な仮定だが――あなたが意識というものの《なかに》入ったとしたならば、あなたは渦にまかれて、外部へ、樹木のそばに、埃だらけのさなかに、投げ出されるだろう。けだし、意識には《内部》というものはないからだ。意識は、それ自身の外部以外の何ものでもなく、意識を一つの意識として構成するのは、この絶対的な脱走であり、実体であることのこの拒絶だからだ。[*8]」

サルトルの考えでは、それまでのフランス哲学は認識による同化＝消化の思想で満足していた。外界の事物は認識によって咀嚼され、理解の網の目のなかに安全に組み込まれた。それに対して、フッサールの志向性の哲学は「物を意識のなかに解消することは不可能」だと告げる。なぜなら、

＊4　イアン・ワット／藤田永祐 訳『小説の勃興』（1999年、南雲堂）

＊5　例えば、近年の脳科学ではカール・フリストンの難解な「自由エネルギー原理」が注目を集めている。私は当然、それについて専門的なことは何も言えないが、ヘルムホルツに由来する「自由エネルギー」という用語それ自体は熱力学的な隠喩である（乾敏郎＋阪口豊『脳の大統一理論』参照）。フリストンは数学的モデルを駆使して、環境を予測する脳の確率論的処理のプロセスを説明するが、それによって隠喩（たとえ話）が根絶されるわけではない。

＊6　エトムント・フッサール／渡辺二郎 訳『イデーン I-I』（1979年、みすず書房）

＊7　F・フェルマン／木田元 訳『現象学と表現主義』（1994年、講談社）

＊8　「フッサール現象学の根本的理念」『シチュアシオン1』所収（1965年、人文書院）

意識そのものは「虚無」であり、そこにはただ自己から逃走して事物に向かっていく、激しい超越の運動があるだけだからだ。サルトルはこの志向性の特徴に「炸裂」や「脱走」という文学的なイメージを割り当てた。それ自体は虚無である意識においてはたえず爆発が起こり、それ自身の外へ、外へと向かおうとする脱自の運動が引き起こされているのである。[*9]

サルトルの見解は厳密な哲学というよりはレトリックに傾いたものに思えるが、意識に「炸裂」や「脱走」と評されるにふさわしい特性があるのも確かではないだろうか。そもそも、意識のステータスは、常時同じままで保たれるわけではない。例えば、今私はコーヒーを飲みながら思念をたどりつつキーボードを操作しているが、このような意識作用（ノエシス）は長続きしない。意識は外に向かってアクセスするが、その回線そのものは太くないので、いわば接続不良が頻発するだろう。意識のステータスは二度と戻ってこない。

あるいは、私の一歳三ヵ月の息子はしょっちゅう「指差し」をする。しかも、ひとしきり何かを熱心に指さした後、何の未練もなく、まったく別の対象に関心を移すのである。そこでは、意識の志向性が身体的動作にダイレクトに変換されているように見える。あるいは身体的動作が志向性をより強化しているようにも思える。むろん、幼児の心のなかで何が起こっているのかは誰にも分からないが、サルトルの言う「炸裂」に近いことが起こっていると類推することも、あながち無茶ではないだろう。

6 小説と超越

では、この志向性を備えた意識に対して、小説はどのような関係をもつのか。サルトルはフッサールの現象学の再解釈に続いて、フォークナーやジャン・ジュネのような同時代の作家を分析している。例えば、彼の長大なジュネ論には次のような文章がある。

「犯罪人は、優雅にして恐るべき仮象《みかけ》にすぎないことはすでに述べたとおりである。だが仮象は、仮象をとらえ定着する意識を要求する。見物人がいないと仮象は消えてなくなるのだ。かくて世界の秘密は、急にジュネの意識のなかに移る。意識こそ本質的なものとなるのだ。しかしそのためには、彼はまずバレー団から追放されねばならないだろう。〔…〕卑賤になること、それはデカルトの懐疑や、フッサールの判断中止《エポケー》と同じような方法的回心だ。」[*10]

サルトルによれば、ジュネの小説の根源には仮象（appearance）を定着させる意識がある。サルトルはここで「意識が対象を構成する」というモデルに引きずられているけれども、フッサールを尊重するならば、ジュネ的意識において仮象それ自体がおのれを構成していく、と言い換えられるだろう。サルトルはここで、仮象を生長させるジュネ的意識の環境を「卑賤さ」の獲得と結びつけていた。

今後改めて説明するつもりだが、このような小説論はすでに古びて見向きもされなくなったものである。ジャック・デリダのエクリチュール論の追随者ならば、ここに「現前の形而上学」の罠を認めて、一蹴するに違いない。しかし、フッサールやサルトルのような意識の記述法は、たとえさまざまな欠陥があったとしても、小説のあり方についての記述にはそれなりに役立つように思える。

例えば、過去の意識作用（ノエシス）をそっくりそのまま再現できるような新人類が現れたとしたら、どうだろうか。あるいは、われわれの意識の能力が変化して、仮象を「像」として安定的に定着できるようになったとしたら、どうだろうか。さらに、意識における対象の構成がもし無時間で（＝生長の時間なしに）達成されるのだとしたら、どうだろうか。これらの条件を揃えた新人類は、果たして小説を書いたり、物語る意志をもったりするだろうか。たぶんそうはならないだろう。私には、心（意識）のあり方は小説の成立する前提条件になっていると思える。

意識のステータスがたえず更新されるからこそ、仮象を定着させる特殊なエネルギーが要求される。小説は恐らく進化の偶然によって、そのようなエネルギーの源泉として存在するようになった。より正確に言えば、そのような存在であることの期待を背負うようになった。その要因は、イアン・ウォットが言うように、近代小説のリアリズムが個人の内なる経験を領土化したからであり、しかもその試みが新たな読者層を組織したからである。

意識は留保なく外を、自分以外の何かを志向するが、それ自体としては虚無である。小説もまた外を名指し物語るとはいえ、それ自体は言葉の集合である。絵画や音楽とは根本的に異なることだが、小説は自分（言葉）以外の何かを指し示そうとする、強固な自己超越の動機を備えている。絵画は線や色彩であること、音楽は音であることに自足できるが、小説は言葉であることに甘んじてはいられない。サルトルのたとえ話を借りるならば、小説は言葉の内部に入ってきた読者をその外へ――登場人物の感情へ、樹木や砂漠へ、人物たちの対話へ――弾き出し続ける渦なのである。それはどこか、周囲をひっきりなしに指差しする幼児の運動を思わせる。

しかし、それでいて、小説は依然として自らが言葉であることと訣別できない。繰り返せば、小説の言葉は、それ自体が自己超越（変異）の運動を抱え込んでいる。しかも、小説には言葉以外の何かになりかわろうとする、もう一つの超越の衝動も取り憑いているのである。小説における並列処理は、この二重の超越と関わっている。

＊9 サルトルは意識の場のもつ荒々しさをかなり誇張的に言い表したが、意識にはある程度の安定性も保たれている。われわれはふつう目の前のリモコンやコップにびっくりしたり、その使い道に悩んだり、障害や困難を感じたりはしない。それは、環境にあわせて意識が高速でチューニングされるからである。そう考えると、身体や環境を捨象して、意識のレベルだけで留まっているのは不十分ということになるだろう。ハイデガーはすでに意識に留まることの不十分さに気づいており、志向性を「意識」ではなく「ふるまい」に求めた。詳しくは、ヒューバート・ドレイファス『世界内存在』参照。

＊10 サルトル／白井浩司・平井啓之訳『聖ジュネ（上）』（1971年、新潮文庫）

論考

生きる意味への応答

――民藝と〈ムジナの庭〉をめぐって

鞍田崇

はじめに

先日、ある本の取材で、こんな質問を受けた。

「コロナ禍で民藝についての考えが変わったことはありますか。」

それに対して、こう答えた。

「コロナ禍では、以前よりも『民藝』印がブランド的機能を果たすようになっているのを危惧しています。」

いまにして振りかえれば、やや強い言い方だったようにも思う。ただ、ともすると、民藝がそういうものとしてしか理解されなくなりつつあるのではないか。「そういうもの」というのは、伝統的で、地方色があり、自然素材で手仕事になる生活道具といった、ステレオタイプ化された「物」たちのこと。もちろん、物があっての民藝だ。だけれども、物につきないのもまた民藝である。にもかかわらず、近ごろはもっぱら前者ばかりが取り上げられる。物には「かたち」がある。「かたち」は人を縛る。物につきない、つまりすでにでき上がった「かたち」に縛られない、自由なまなざし

鞍田崇（くらた・たかし）
哲学者。1970年兵庫県生まれ。京都大学大学院人間・環境学研究科修了。現在、明治大学理工学部准教授。近年は、ローカルスタンダードとインティマシーという視点から、現代社会の思想状況を問う。著作に『民藝のインティマシー 「いとおしさ」をデザインする』（明治大学出版会 2015）など。民藝「案内人」としてNHK-Eテレ「趣味どきっ！私の好きな民藝」にも出演（2018年放送）。

もまた民藝ならではであったはずなのに、それが発揮されないまま、既存の「かたち」――それを「民藝」印と呼んでみたわけだが――にがんじがらめになってしまう。そうして、本来なら、民藝の触発を受けて新たに見出されるべきはずの物が見出されず、新たにつながるべきはずの人たちがつながらない。そうした事態がいたずらに放置されているのではないか。そう危惧する。

と、なんだか周囲に対する不平不満を並べるような書きっぷりになったけれども、ここまで書いてハタと思いいたった。いやいや、それはほかでもない自分の仕事ではなかったか、と。まさしく。哲学という立場から、物があっての民藝における物につきない側面（それは逆に、物につきない民藝ならではの物の「かたち」と表裏一体でもあるのだが）、その現代的意義を問うてきたわけなのだから。

じつは先の取材では、冒頭のやり取りのまえに、まずこんな問いかけがあった。

「いまなぜ民藝に注目しているのか、考えをお聞かせください。」

それに対しては、こう答えていた。

「おおげさなことを言えば、生きる意味を再確認させてくれるからです。」

本当のところ、最も危惧すべきは、生きる意味への問いかけに対する応答、とりわけ民藝を手がかりとして探っていたはずのそれが、ほかでもない自分自身のなかで聞こえなくなりつつあることと言うべきなんだろう。そうなった一因にはやはりコロナ禍があるのかもしれない。かつては、物づくりにいそしみながらたくましく生きる人々との出会いを求め、各地を訪ね歩くことを通して「いまなぜ民藝か」をめぐる考えを深めてきたのに、それがまるでできない状況がずっと続いているのだから。

気がつくと、生きる意味への応答はますます色褪せていくばかりの日々である。であればこそ、いただいたこの機会に、そうした応答をささやかながらもあらためて試みてみようと思う。それがこの論考の目的である。

生の哲学としての民藝

「生の哲学」（Lebensphilosophie）という哲学史上の潮流がある。十九世紀から二十世紀初頭にかけて、ショーペンハウアーやニーチェをはじめ主としてドイツの哲学者に端を発し、フランスのベルクソンやアメリカのウィリアム・ジェームズら、ひろく欧米各地の哲学において現われた哲学的動向とされる。生の哲学は、特定の主義主張のもとに集った学派ではなかった。むしろ、産業革命以後、効率化・合理化が進む近代社会において、個々人の存在が画一的に管理され、主体性が剥奪されてゆくなかで、ときに不合理きわまりない側面すらもつ、生々しいまでの生の実感の回復を希求する社会的気運に応じた、同時多発的な哲学的リアクションだった。

ただ、少し俯瞰して考えれば、生の哲学は上述の時代だけに限定される過去の歴史的トピックではない。メルロ＝ポンティ、アレント、フーコー、ドゥルーズ、アガンベンといった二十世紀後半以降の哲学においても生は重要な論点だった。他方、生の哲学は狭義の哲学のなかだけの動向でもない。ニーチェとほぼ同時代を生きたウィリアム・モリスによるアーツ&クラフツ運動を嚆矢とする一連のデザインシーンの展開は、産業化・都市化の暴走に抗い「生活」の豊かさを真摯に見つめ直せばこそのものであった。デザインだけではない。民俗学や人類学、労働運動や社会運動、精神医療や福祉活動、自然保護や帰農・地方移住など、近代社会が盲信する合理性や効率性からこぼれ落ちていったものたちを救い上げようとする様々な試みは、ひとしく生の哲学と同根のものと言えるのではないだろうか。当の生の実感はといえば、時代を経るごとに一層希薄になり、昨年来のコロナ禍によって大きな揺さぶりを受けてきたことは言うまでもない。とするなら、近代以降現代にいたるまで、時々の社会状況や価値観の変化に添いつつ、様々なジャンルにおいて、生の哲学のバリエーションが試みられてきたと見ることもできるだろう。

　百年前に遡る民藝運動もまた、そんなバリエーションのひとつだ。そうして、そんな民藝に対する近年の共感の高まりもまた、根底においては、現代ならではの生の哲学の胎動のひとつと考えることができる。この間、僕は著作や講演でくりかえし「いまなぜ民藝か」という問いを掲げてきた。その意図は、民藝に寄せられる共感の内実を明らかにすることを通して、これからの社会の道筋を探ることにあったのだが、それはまた、現代社会に生きる人たちが求める生の実感、その現代ならではの「かたち」を探ることでもあった。先の取材で「生きる意味」に言及したのも、もちろんそういう背景のもとでのことである。

　「民藝」という言葉は、一九二五年に哲学者の柳宗悦らによって、「雑器」や「下手物《げてもの》」に代わるものとして考案された造語である。歴史的にも世間的にも顧みられることなく、「雑」や「下手」という扱いに甘んじていた生活道具のうちに、現代的意義がひそむことを確信すればこその命名でもあった。彼らにとって民藝とは「最も自然な健全な、それ故最も生命に充ちると信ずるもの」（『日本民藝美術館設立趣意書』、一九二六）であり、そこに「活ける生命の美が見える」（柳宗悦「何を『下手もの』から学び得るか」、一九二八）ことへの喜びが、彼らの確信をより堅固なものとしていった。このように、その草創期より民藝をめぐる言説において、「生」は重要なキーワードだった。彼らのこうしたまなざしの裏面には、生の充実から乖離していく同時代の動向に対する批判的な理解があった。そうした状況を克服するすべを、日々あたりまえのものとして使われる身近な道具のありように求めたところが民藝ならではの創意だった。そのことが端的に示されたのは、「用」をめぐる議論においてである。結論を先取っていえば、用とは生のことにほかならない。一般に、「民藝とは何か」と問えば必ずと言ってよいほど「用の美」というフレーズで説明され、その目するところは、「実用性」「機能性」といったふうに解されている。だが、民藝が注目した用はそうしたものに留まるものではなかった。

「だが私は注意深く言ひ添へておきませう。茲に用と云ふのは、單に物への用のみではないのです。それは同時に心への用ともならねばなりません。ものは只使ふのではなく、目に見、手に觸れて使ふのです。若し心に逆らふならば、如何に用をそぐでせう。丁度あの食物がきたなく盛られる時、食慾を減じ從つて營養をも減ずるのと同じなのです。用とは單に物的な謂のみではないのです。若し功利的な義でのみ解するなら、私達は形を選ばず色を用ゐず模樣をも棄てゝいゝでせう。だがかゝるものを眞の用と呼ぶことは出來ないのです。心に仕へない時、物にも半仕《なかば》へてゐないのだと知らねばなりません。なぜなら物心の二は常に結ばれてゐるからです。模樣も形も色も皆用のなくてならぬ一部なのです。美もこゝでは用なのです。用を助ける意味に於て美の價値が增してきます」

　柳宗悦『民藝とは何か』、一九四一

たとえば、器を例にとるなら、機能性という「物への用」はもちろんとして、色や形、模様などの美的要素、すなわち「心への用」を兼ね備えたものでもある。物への用と心への用、両者があいまって、器の用をなしている。だが、用をめぐっては、さらに重要なポイントがある。物と心の二つの用は、いわば表層的な分類にすぎない。それに対し、いわば「用そのもの」とも言うべき、より深いレベルからこの問題を見とおすまなざしを、民藝はもっていた。柳宗悦ははっきりとこう言う。「用」とは「生活」そのもののことである、と。

「或はここで『用』といふ言葉を『生活』といふ言葉に置き換へる方が更によいかも知れぬ。生活は物心の生活である。凡ての工藝は生活工藝でなければならぬ。從つて生活の幅や廣さや深さは、やがて用ゐる品物にもそれに適ふ幅や廣さや深さを求めてくる。生活と工藝とは分つことが出來ぬ。一體となつてこそ完き生活がある。」

柳宗悦「用と美」、一九四一

まず「生活」、つまり生そのものを見とおせばこそ、用という事象が解きわけられることにもなったと言うべきだろう。それが民藝の創意の要点だった。そうした視点に立てばこそでもあるのだろう、民藝ゆかりの面々は、そろってこうも言う。民藝は作られるのではなく、生まれるのだ、と。たとえば、柳宗悦は、「『井戸』は生れた器であつて、作られた器ではない」(『喜左衛門井戸』を見る」、一九三一)と言い、柳宗理は、「本当の美は生まれるもので、つくり出すものではない」(『デザイン 柳宗理の作品と考え』、一九八三)と言う。「私の仕事が、作ったものというより、少しでも多く生れたものと呼べるようなものになってほしい」(「一瞬プラス六十年」、一九七三)と、晩年の濱田庄司は願った。河井寛次郎は、意図せずともそんな物づくりがあたりまえのこととしていとなまれた人々の生活を、小編「部落の總體」において称揚する。

「どんな農家でも――どんなにみずぼらしくつても――これは眞當の住居だといふ氣がする。安心するに足る家だといふ氣がする。喜んで生命を託するに足る氣がする。永遠な住居だといふ氣がする。これこそ日本の姿だといふ氣がする。小さいなら小さいまゝで、大きいなら大きいまゝで、どれもこれも土地の上に建つたといふよりは、土地の中から生え上つたと言ひたい。どんな家も遊んでゐるような家は一軒もない。〔…〕人々は始め自分達の好き勝手を持つてこゝに這入つて來たのに相違ない。そして殖えるにしてもそんなにして殖えたに相違なく、その自分勝手な振舞の組合せが現在この村の姿なのに相違ない。その好きずつぽうの綜合がどうしてこんなになつたのか、自分はこの驚くべき設計者の顏に當面せざるを得ない。しかし村の人達は村の美について勿論氣付いてゐる譯ではない。それどころか、何處の村でも大抵の場合、さういふ事には無關心である。」

河井寛次郎「部落の總體」、一九四四

「部落」というのは、河井が住まいした京都市の南、京都府相楽郡精華町の植田部落のことである。戦中の灯火管制のもとで窯が焚けない日々がつづくなか、河井はこの部落に立ち寄った。つくる営みへの渇望が、部落に満ちる生命力の痕跡を見出させたのかもしれない。「どれもこれも土地の上に建つたといふよりは、土地の中から生え上つた」という指摘からは、周囲に繋る樹木と同じく、あたかも大地に根を張って存在するかのように、ムクムクとした藁屋根の家々が寡黙ながらも生の息吹を湛えて佇む姿が連想される。彼の目はそうした集落の様子に釘付けになる。「いつの間にか身體中が眼だけにされてしまふのであった」。そうして、すさまじく感動する。「この村は始めから終ひ迄自分を魔法にかけてしまつた」。感動のあまり「化物のやうな喜び」に打ち震えながら。読んでいる自分まで、震えてくるようですらある。

弱さへのまなざし

では、生を見とおすところに本領を発揮した民藝的まなざしは、二十一世紀のいま、どのような意義を有するのだろうか。

プロダクトデザイナーの深澤直人は、二〇一二年に日本民藝館館長に就任した直後、日本民藝館の収蔵品をあらためて瞥見して言う。「こんなに凄いのかと興奮しました。感動しすぎて〝ああ、いいなあ〟とそんな言葉しか出てこない」と。それはまさしく、かつて河井が部落の家並みに感じ取った生の息吹に対する反応と同質のものではなかったろうか。つづく説明は、その機微を知るにあたっておおいに参考となる。

「民藝は生活道具で、道具はまず使い勝手のよさがあり、そこに美しさが揃って合格だという感じがある。でも、僕は、ここにあるものを見て、その上に立ちのぼる何かを強く感じたんです。」

「深澤さん、民藝はデザインですか？」
『Casa BRUTUS vol.154』、二〇一三

「使い勝手のよさ」は物への用、「美しさ」は心への用と考えてよいだろう。「〝ああ、いいなあ〟とそんな言葉しか出てこない」と、深澤に感動をうながすのは、それらを超えて「その上にたちのぼる何か」である。この「何か」こそ、民藝が「用」の一字に託したもの、すなわち生の息吹を湛えるものではないか。深澤はさらにつづけてこう述べている。「何かとは、愛着、えも言われぬ魅力。カッコよさやクールさは一切なく、あったかいものでした」と。ここからただちに連想される、民藝について語った柳宗悦の言葉がある。

「吾々に近づけば近づく程その美は温い。日々共に暮す身であるから、離れ難いのが性情である。高く位するのではなく、近く親しむのである。かくて「親しさ」が工藝の美の本質である。器を識る者は、必ずそれに手を觸れるではないか。兩手にそれを抱き上げるではないか。親しめば親しむ程、側を離さないではないか。あの茶人達は如何に温かさと親しさとを以て、それを唇に當てたであらう。器にも亦かゝる主を離さじとする風情が見える。その美が深ければ深い程、私達との隔りは少ない。よき器は愛を誘ふ。」

柳宗悦「工藝の美」、一九二七

深澤にとっても柳にとっても、民藝は、よそよそしいものではなく、本質的に親しさや近しさを有するものである。遠巻きに眺めるものではなく、おのずと「手を触れ」、「抱き上げ」たくすらなるような「あったかいもの」、温もりをそなえたものである。この温もりは、ただ器のそれではなく、それを介して蘇る生の温もりではなかったか。しかも、そこにたちのぼる温もりは、特別な、たぐいまれな、喝采を浴びるような生のそれではない。

「私は朝鮮の藝術よりも、より親しげな美しさを持つ作品を、他に知る場合がない。それは情の美しさが産んだ藝術である。『親しさ』Intimacy そのものが、その美の本質だと私は想ふ。」

柳宗悦「朝鮮の友に贈る書」、一九二〇

柳がはじめて器物に惹かれ、しかも親しさのもとに受けとめたのは、植民地化され、日本社会にあって蔑まれていた朝鮮半島のそれとの出会いからだった。世間からの評価とは無縁と思われる世界に、柳は「『親しさ』Intimacy」を見出した。なぜか。朝鮮の歴史と現状に、深い悲しみという、普遍的な生の真理を痛感したから、だ。自分もまた悲しい存在である。貧富貴賤の違いなく、ひとしく生は悲しさを免れえない。ありのままの生を前にして、派手な意匠でその悲しみを糊塗するのではなく、悲しさをそのままに受けとめ寄りそう健気さ。そこにはじめて宿る温もりを、柳は器物をはじめとする「朝鮮の藝術」に見てとった。その体験は、数年後に民藝という言葉の創出をうながす大きな背景ともなった。

「そこ［朝鮮］では自然すらも寂しげに見える。峰は細く樹はまばらに花はあせてゐる。地は乾き、ものは潤ほされず、室は暗く、人は少ない。藝術に心を託す時、彼等は何事を訴へ得たであらう。音に強い調もなく、色に樂しい光もない。只感情に溢れ涙に充ちる心がある。現はされた美は哀傷の美である。悲みのみが悲みを慰めてくれる。悲しき美が彼等の親しげな友であつた。藝術にのみ彼等は心を打ち明ける事が出來る。」

柳宗悦「朝鮮の美術」、一九二二

一世紀を経て、現代社会を生きる僕たちにとって、生をとりまく状況はますますよそよそしい。さもあたりまえのように、人生に勝ち負けがあるかのように言われ、できないことは悪いこと、敷かれたレールから落伍すれば、まるで無意味な存在になりさがったかのように見なされる。ここへきてあらためて民藝に寄せられる関心が高まっているのは、こうした社会状況と決して無縁ではない。

インテリアデザイナーの内田繁による「弱さのデザイン」という試みは、直接民藝に関わりはしないが、現代社会における生を取り巻く状況をふまえ、あらためて日常的な物のあり方に目を向けていったものとして注目に値する。「弱さのデザイン―ウィーク・モダニティ」と題された文章の冒頭で、内田はまず次のように述べている。「弱さのデザインとは、けっして『かたち』だけの問題ではありません。むしろ、かたちから離れたところにこそ弱さは潜んでいます」、と。さらに内田は、この百年にわたる生の疎外の本質を、「強さ」の肥大化として切開する。

「あえて『弱さ』という概念を持ちだしたのは、二十世紀は『弱さ』を克服し、強さ、強い社会に向かった時代だったのではないかと考えたからです。そして、その強さは、二十世紀後半になると、構築的で規範的、固定的で自由度の少ない状況を生み出しました。デザインをとり巻く生活文化も、資本主義社会の経済優先主義にとり込まれ、合理主義的効率化を通じ、企業利益と強固に結びついたものになりました。

近代合理主義の基本構造は、資本主義社会を目指すものでした。資本主義は、私的利潤の自由かつ無限な追求です。つまり企業の利益を優先し、そのこと自体を社会常識としたわけです。多くのものはそうした構造から生まれ、人間生活を優先するものではありません。そうした理念の下敷きが近代合理主義なのです。近代合理主義の理念をルイス・マンフォードは、科学技術を背景とした『力、速度、標準化、大量生産、定量化、組織化、制度、画一性、規則正しさ、制御』などによるすべての構築としました。これは弱さを含んだ人間そのものからは、およそかけ離れた理念です。

このように二十世紀は『弱さ』の克服によって肥大していったわけです。『弱さ』とは、合理的でないもの、目に見えないもの、手に触れられないもの、あいまいなもの、不定形なものなど、近代合理主義の枠から外れるものであり、それらの抹殺によって、近代はその『強さ』を実現したのです。

しかし、人間はそう強いものではありません。うつろいやすく、気まぐれで、傷つきやすく、脆《もろ》いものです。そうした人間をとり巻く世界は、近代の合理性とは整合しきれないものです。」

内田繁『普通のデザイン―日常に宿る美のかたち』、二〇〇七

強さへとひた走り肥大した産業社会に呑み込まれていったのは、もちろん「デザインをとり巻く生活文化」だけではない。何よりも僕たち自身がそうだ。弱さを見すえる内田のまなざしが捉えるのは、最終的には「人間そのもの」である。そもそも「人間はそう強いものでは」ない。「うつろいやすく、気まぐれで、傷つきやすく、脆いもの」、弱いものである。また、内田はこうも言う。「ここでいう『弱さ』は、強さと対比的なものではありません。『弱さ』とは、存在それ自体がはらんでいるピアニッシモなイメージそのもののことです」、と。ただ弱いのではなく、ピアニッシモ、つまりあらん限り弱く、はかない。

この数十年にかぎっても、たびたび甚大な災害を経てきたなかで、現代社会はきわめて脆弱なもので、その安全も「神話」でしかないことが露呈されてきた。しかも、目下のコロナ禍によって、本来であれば守られるべきはずの弱く小さな存在が、むしろないがしろにされる現実を、僕たちはくりかえし目の当たりにしてきた。であればこそ、いまあらためて寄りそうべきは、「合理的でないもの、目に見えないもの、手に触れられないもの、あいまいなもの、不定形なもの」たち、すなわちそうした弱さを本質とするありのままの生でなければならない。二十一世紀のいま、生への民藝的まなざしに注目する意義は、こうした弱さをないがしろにせず、そこへと確実にアクセスすることにある。弱さを弱さのままに、その悲しさをあくまで悲しさとして。

〈ムジナの庭〉という試み

現代社会において、民藝的なまなざしは、もちろん物の新たな発見に資するものでもあるだろうけれども、生にひそむ弱さを救い上げるものとして、新たな人とのつながりに寄与するものでもあるのではないだろうか。

「純真な心の流れに逆らわない物の精神について思えば、自分の仕事柄、知的障がいを持つ人々の純真さに重なってしまう。それは民藝における知を誇らない無心、従順性、繰り返しと継続性、素朴で素直であるという条件に合致する。」

福森伸『ありのままがあるところ』、二〇一九

そう述べる福森伸は、早くより、民藝と福祉との接点を見出したひとりだ。彼が施設長をつとめる知的障害者支援施設〈しょうぶ学園〉（鹿児島市）では、日々の活動の中心にアートや音楽、手仕事をすえており、そこから生みだされる表現の「純真さ」が多くの人の共感をあつめている。

福祉は遠い世界の話ではない。心疲れた多くの

人たちがいる。不安定な雇用環境のなかで、将来の展望が描けない人たち、家族関係のもつれから、本来安心して自分を委ねることができるはずの家庭で心を開くことができない人たち、学校にも仕事場にも、この社会のどこにも居場所を得られぬ人たちがいる。なかには、それでもなんとか、人の手を借りずに苦境を脱しようとするあまり、孤立してしまう人たちさえいる。そうした現状を顧みたとき、民藝的なまなざしの実践的展開のひとつとして福祉、とりわけ心の問題へのアプローチをあげることができる、いやあげるべきだと思うのだ。

その思いをさらに強めることになったきっかけのひとつに、フランスの精神科医、ジャン・ウリが注目した「コレクティフ（collectif）」というコンセプトとの出会いがある。そこに民藝を介した生きる意味への応答と通底するもの、しかも現代社会において求められるその「かたち」を見出したように思ったのである。

コレクティフの同義語としてフランス語にはほかに「グループ（groupe）」があるけれども、あるべき集団の姿を表す際にウリが用いたのはコレクティフだった。これらは、もともとサルトルの用語だった。コレクティフの例として、サルトルは、停留所でバスを待っている人々の群れをあげる。社会運動を志向した彼からすると、そんなふうに単に群れ集っただけの状態では不十分と考えられ、共通の目的へと組織化された集団としてのグループという概念が創出された。端的に言えば、集団としての「強さ」を有するグループが理想とされたわけだ。ところが、ウリはこれを逆転する。コレクティフでいい、いや、それこそが求められるべき、人々の集い方の姿ではないか、と。彼が開設した精神科クリニック、ラ・ボルド病院は、その具体的実践の場でもあった。

「ウリにおいて collectif とは、何らかの集団において、その構成員である個々人が、自分の独自性を保ちながらしかも全体に関わっていて、全体の動きに無理に従わされているということがないという状態のことを意味しています。しかしそんなことは本当に可能なのでしょうか。例えば、病院や学校の食事はどうでしょう。月曜日のお昼は何、火曜日のお昼は何、というようにはじめからメニューが決まっているはずです。それに従うしかありません——カロリーや衛生など、それなりの理由もありますが。ただもし、来月のメニューを病院や学校にいる人全員、つまり患者・医師・看護師・事務の人など、あるいは先生や生徒や用務員さんなどが集まって決めたとしたらどうでしょう。なかなかできそうなことではありませんが、はじめに書きましたようにラ・ボルド病院ではそれが実行されています。というよりも、治療行為の重要な一環として、そして日常的なこととして——こうしたことを、ウリは les moindres des choses（ほんのちょっとしたこと）と呼んでいました——、食事メニュー決定のためのディスカッションが行われているのです。」

多賀茂「はじめに」
（ジャン・ウリ『コレクティフ』、二〇一七）

新たな精神療法として注目される「オープン・ダイアローグ」や「当事者研究」がそうであるように、個々人の独自性を損なわない治癒のあり方を重視する姿勢は、近年精神医療の世界で共通して顕著になりつつある。それらのなかであえてウリのコレクティフに共感する理由は、どこまでも「日常的なこととして」取り組まれた点にある。共感のあまり、コレクティフを「たまたま」と言い換えてはどうかと考えている。バス停に居合わせた人々の群れは「たまたま」形成されたものだろう。サルトルはその偶発性や皮相性を揶揄するように「もっとも表面的でもっとも日常的」と言っているが（『弁証法的理性批判 I』、一九六二）、それでいいと思うのだ。キーワードは「ほんのちょっとしたこと」。取るに足りない、気にもかけない。日常とはそんな事柄の集積だ。何かを顧みようとすると、つい目に留まりやすい側面や性格、何か特別な存在を求めがちな僕らのまなざしは、おうおうにして、この「ほんのちょっとしたこと」を見逃してしまう。コレクティフをめぐるウリの議論は、まさにこの見逃しをセーブする作法を論じるものと見ることができるだろう。

と同時に、そこにバス停があるという点にも注目したい。「たまたま」の実現の要には、物の存在がある。たまたまそこにあるもの。たまたまなんだけど、それがそこにあるからこそ、人が集い、何かが始まる――それはもしかすると、枯渇した生の実感を、ささやかながらもいまよりも与えてくれる――きっかけとなるもの。そうした物のありようを見いだすまなざしは、先述したような弱さを本質とする生に向けられる民藝的なまなざしと重なるのではないだろうか。

二〇二一年春に開設された福祉施設〈ムジナの庭〉(東京・小金井市)が目ざすものは、こうした「たまたま」な存在にほかならない。

メインテーマは「何歳からでもリスタートできる社会へ」。取り組むのは、「就労継続支援」と呼ばれる福祉サービスである。発達障害や知的障害、精神疾患や難病のある人など、様々な事情により生活や就労に困難を抱える人が、働く準備をしたり、訓練や仕事を行いながら、「心身のバランスを取り戻し、仲間や応援団を増やして次のステップへ進みやすくする」ことを目的としている。

そうした目的を実現するために、〈ムジナの庭〉では、いくつか柱となる仕事を用意している。特に大切にされているのは、文字通り「庭」の手入れをはじめ、植物にまつわる仕事である。「はけ」と呼ばれる崖状の林地帯や武蔵野公園など、雑木林が広がるかつての武蔵野の風景を留めたエリアに施設を設けたのもそのためである。だが、通所者に対し、そうした仕事を強制することはしない。訪ねてくる人たちには、それぞれに得意不得意や好き嫌いがある。それらに柔軟に応じること、個々人に対してはもとより、日によって異なるメンバー構成にも配慮して、決してあらかじめ設定した枠組みに当てはめるようなことはしないことが何よりも重視されている。「みんなといてもいいし、一人で過ごしてもいい」(「BRUTUS no.945」、二〇二一)。まさしくコレクティフ的な場であることが目ざされているわけだが、それゆえ何をするところなのか、あいまいで、わかりにくいと言われることもある。しかしながら、このわかりにくさこそが肝要なのだと思う。わかりやすさは、暗黙のうちに一義的な強制力をともない、閉鎖的な雰囲気をまといかねない。そうではなく、求められているのは、たえず偶発的なできごとにオープンであること。〈ムジナの庭〉という名称は、施設近くにある「ムジナ坂」にちなむものだが、ムジナ(アナグマ)の掘った巣穴に、タヌキやキツネがいつの間にか棲み着いているように、「それぞれが得意なことで活躍しながら、ともに暮らしていける場を作りたい」という想いが込められてもいる。

〈ムジナの庭〉のこうしたスタンスを支えてくれているのが、施設の建物である。築四十年になるこの二階建ての建物は、もともと建築家の伊東豊雄が設計し、「小金井の家」と呼ばれた住宅だった。とはいえ、低コストで手がけられたという事情もあったためだろうか、誰もが足を止めて注視するような特徴ある外観を呈しているわけではない。目立たず、むしろ通りすぎかねないほどである。しかしそのおかげで、樹齢三百年になるケヤキやムクノキが鬱蒼と茂る寺院に隣接した立地の空気感を損なうことなく、周囲の環境に溶け込むように佇む。建物内部にいても、玄関からの吹き抜けや上階の三方をめぐるように配された窓のせいか、強く隔離されているという気配はまるでなく、反対にじつに開放的でやさしく包み込まれているような感覚になる。福祉施設として活用するにあたって改修を手がけた o+h は、そうした元の空間の特性を的確に読み解いた上で、建物を新しく蘇らせた。二階内部を区切る袖壁に新たに施された開口部は、その象徴とも言える。壁の向こうにソッと身を潜めることもできるが、決して隔絶されるわけではない。その絶妙さにより、建物に宿されていた「透明性や軽さ」(「新建築 住宅特集 no.422」、二〇二一)が引き立つことにもなった。以前にもまして、風が流れ、音が響き、光が抜ける。たまたまそこにある、そのさりげなさとともに。

「時間や季節によって景色や風の音が異なり、鳥の声も光の色も緩やかに移り変わっていく。ここにいるだけで、そのことがわかるんです。自然のやさしさを感じる空間では、目の前にあることに没頭できる。今の日本では、社会や家庭で苦しい思いをしてきた人が、安心して休息できる場所があまりにも少ないし、人は未来や過去のことを考えてしまうから不安になるんです。私が思い描いていたのは、とにかく思考をストップさせて現在に集中できる場所。生活することそのものが心のケアになる場を作りたかったんです」

「やさしい、建築。」
「BRUTUS no.945」、二〇二一

言いそびれたが、〈ムジナの庭〉を運営するAtelier Michaux(アトリエ ミショー)の主宰者は鞍田愛希子、僕の妻である。引用は、彼女のコメントだ。植木屋や花屋での勤務を経て、既存のアプローチとは異なる植物との関わりの提案を模索するうち、彼女は植物(特にその香り)が人の心に作用する働きに注目し、みずから福祉施設を立ち上げるにいたった。身内だからといって、別に申し合わせたわけではないが、先のコメントを読んだとき、僕は自分が民藝に託してきたものとピタリ重なるように感じ、民藝と福祉の交流に希望を見出した気がした。そこにはきっと、現代ならではの生きる意味への応答の「かたち」がある。

二〇二〇年春、コロナ禍による自粛生活を送るなかで、しばしば二人で三鷹の自宅周辺を散歩した。道中、理想とする福祉施設の姿について、語り合うこともあった気がする。「小金井の家」とはそんな日々の散歩の途中に出会った。それこそ、たまたま。

論考

創造社会における創造の美

柳宗悦とクリストファー・アレグザンダーを手がかりとして

井庭 崇

本稿では、「民藝《みんげい》」運動を展開した宗教哲学者柳宗悦《やなぎむねよし》（一八八九〜一九六一）と、「パターン・ランゲージ」を提唱した建築家クリストファー・アレグザンダー（一九三六〜）の美についての論を手がかりに、これからの社会における創造の美について論じていきたい。東洋と西洋の二〇世紀の「新しい古典」とも言える両者の思想の現代的な意義をつかみ直すため、彼らの言葉を多く引用し、読者とともにともにそれを味わいながら、考察を進めていきたいと思う。

すでに始まっている創造社会

私は、ここ一〇〇年の変化を、各時代を象徴する三つのCで捉えている。三つのCとは、Consumption（消費）、Communication（コミュニケーション）、Creation（創造）である。それぞれの社会の名称としては、「消費社会」、「情報社会」、「創造社会」ということになる（図1）。

まず、Consumption の時代である「消費社会」は、物やサービスを消費するということに人々の主な関心があり、「どれだけ消費できているか」が生活・人生の「豊かさ」を象徴した時代であった。その後到来したのが、Communication の時代である「情報社会」であり、それは一九九〇年代半ば以降、インターネットや携帯電話の普及によって爆発的に広がった。情報社会では、人々の関心がコミュニケーションやその基盤となる人間関係に移り、「どれだけ良い関係性やコミュニケーションができているか」が豊かさを象徴するようになった時代である。

そして、すでに始まっていて、これから本格化していくと思われるのが、「創造社会」（Creative Society）である。[*1]「創造社会」は、「創造」「つくる」ということが人々の関心や生活の中心的な営みになる時代である。創造社会においては、人々は、自分（たち）に必要なもの・つくりたいものを自分（たち）でつくるようになり、「どれだけ自分（たち）でつくれているか」が生活・人生における「豊かさ」を象徴することになる。消費やコミュニケーションは、「つくる」という文脈に取り込まれて価値を発揮するようになるのである。

創造社会においてあまねく行われるようになる「つくる」というのは、「ものづくり」や芸術活動に限ったことではない。そこには、仕組みやコミュニティ、やり方やあり方、暮らし方や生き方をつくることも含まれている。情報社会において、対人関係、生活、仕事、ビジネス、行政、経営、教育など、あらゆることが「情報化」されてきたように、社会の「創造化」も、ありとあらゆる分野・領域に及ぶことになる。つまり、創造社会では、生活のあり方が変わり、ビジネスのあり方が変わり、教育のあり方が変わるのである。ありとあらゆるものが「つくる」対象になることは、すなわち、自分たちの未来を自分たちでつくるということも意味している。

これからの創造社会においては、一人ひとりが創造性を磨き、発揮しながら生きていく。創造的であることを一部の職種や天才に任せるのではなく、誰もが創造的に「つくる」ことに参加するのである。しかも、私の考える理想の創造社会は、自然との関わりを深めたナチュラルな社会であり、人々がナチュラルにクリエイティブに生きる社会である（図2）。

ここで言う「自然（ネイチャー）」とは、（突き詰めると表裏一体となる）二つの意味を持っている。一つには、森林や海山などの「外なる自然」のことを意味しており、もう一つは、素の自分らしさと自由度をもっていきいきと生きるという「内なる自然」の意味である。これらは別ものではなく、相互に関係しており、理想的な状態では、調和的に重なり合って、ひとつの「自然（ナチュラル）に生きる」ということに収斂する。

この二つの「自然（ネイチャー）」が分離してしまっていることが、現代の諸問題の根源にあると、私は考えている（図3）。「外なる自然」と「内なる自然」のつながり抜きに、どんなに人工的に別の手をつくしても、限界があるだろう。それゆえ、これら二つの意味の「自然（ネイチャー）」——「外なる自然」と「内なる自然」——がうまく重なり合うような未来が、創造社会では目指される。

実は、本稿で後に見ていくように、その意味での「自然（ナチュラル）に」ということは、「創造的（クリエイティブ）」であるということにも重なる。一人ひとり創造的に生きるということは、誰かがつくった（社会的に与えられた）「人工的」な人生ではなく、その人らしく（「内なる自然」の意味での）自然な人生を生きるということにほかならない。そして、そのような自然な人生は、人工的な環境のなかではなく、深く美しい自然（「外なる自然」）の秩序との触れ合いのなかでこそ可能なのだ。

このように人びとがいろいろな物事をつくるようになると、世の中はどのようになるのだろうか？　私は以前、とある会合で、そのような社会に対して「個人の欲望にまみれたゴミのようなものをたくさん生み出して、世界を醜いもので溢れさせるのか」と厳しく批判する人に遭遇したこと

井庭崇（いば・たかし）
1974年生まれ。慶應義塾大学総合政策学部教授。博士（政策・メディア）。慶應義塾大学クリエイティブ・ラーニング・ラボ代表、株式会社クリエイティブシフト代表、パターン・ランゲージの国際学術機関 The Hillside Group 理事、および、一般社団法人みつかる＋わかる理事。専門は、創造実践学、創造の哲学、未来社会学。著書に、『クリエイティブ・ラーニング—創造社会の学びと教育』、『パターン・ランゲージ—創造的な未来をつくるための言語』、『社会システム理論—不透明な社会を捉える知の技法』、『プレゼンテーション・パターン』（慶應義塾大学出版会）、『対話のことば』、『旅のことば—認知症とともによりよく生きるためのヒント』、『園づくりのことば』（丸善出版）、『プロジェクト・デザイン・パターン』、『おもてなしデザイン・パターン』（翔泳社）、『複雑系入門』（NTT 出版）等。NHK Eテレ「スーパープレゼンテーション」では初期にレギュラー解説者を担当。

＊1　創造社会について詳しくは、井庭・古川園「創造社会を支えるメディアとしてのパターン・ランゲージ」、井庭 崇 編著『クリエイティブ・ラーニング』、および、Iba "Sociological Perspective of the Creative Society" を参照。

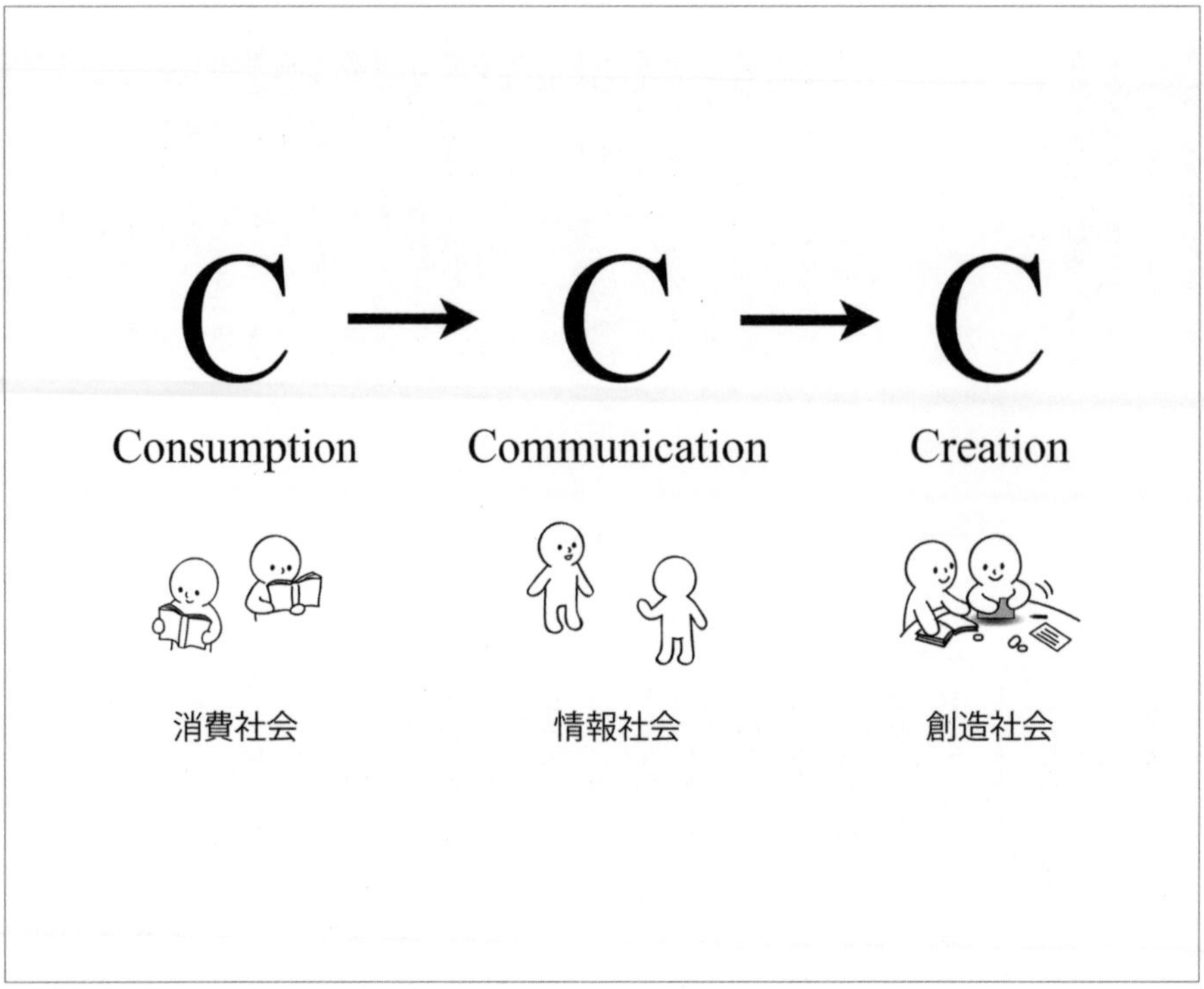

図1　三つのCで象徴される、ここ一〇〇年の時代の変化

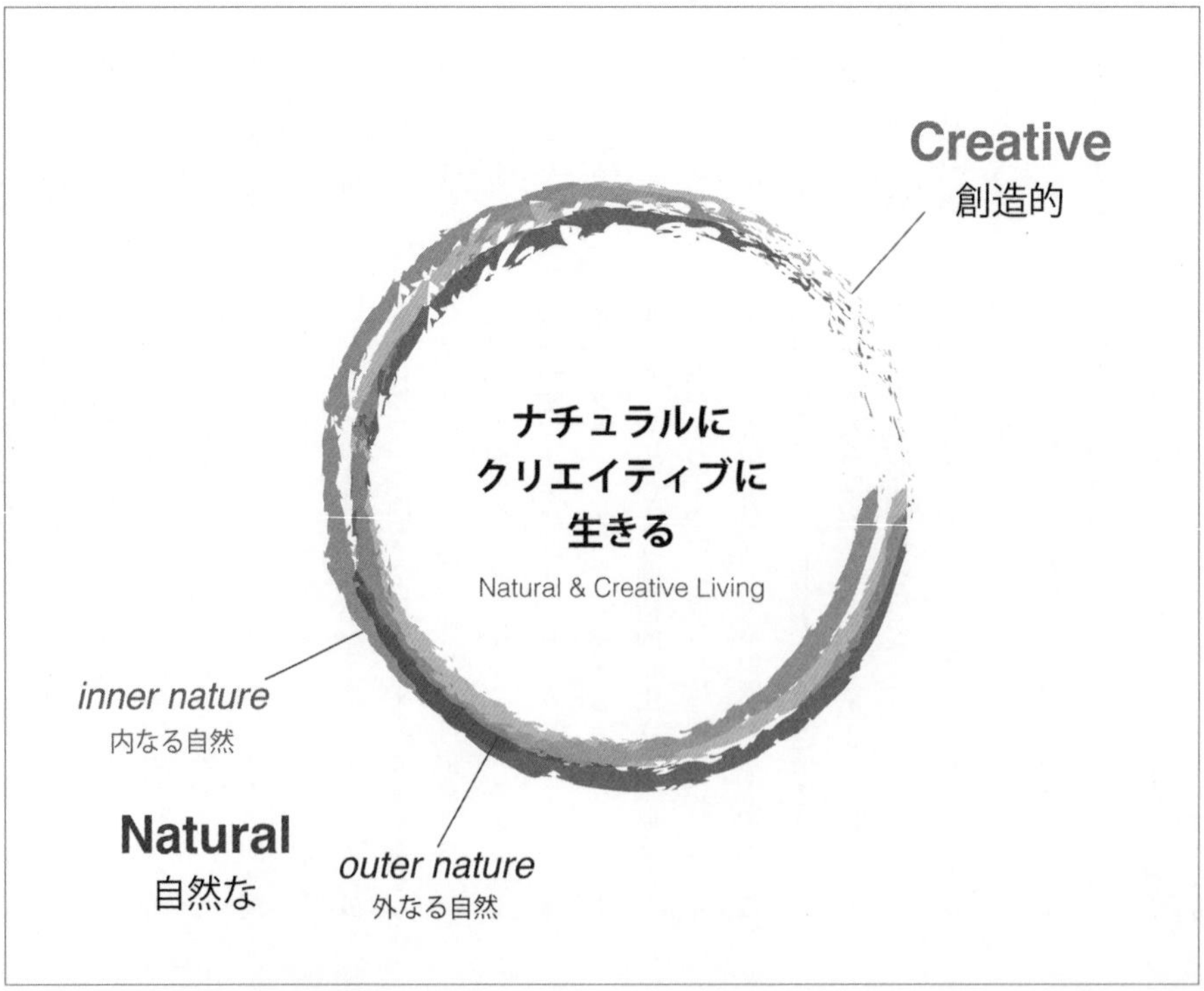

図2　ナチュラルにクリエイティブに生きる

がある。その発言をした方は、大企業の経営に携わってきた産業界の年配の方だった。

私もそこにいた他のメンバーも、むしろ、大量生産して大量廃棄をもたらすこれまでの産業のあり方に対して、必要なものを必要な数だけ使われる状況に合ったかたちで生産するという未来の素晴らしさに魅せられていたため、この発言はかなり衝撃的なものだった。

しかし、同時にこうも思った。私たちが創造社会をイメージするとき、たしかに、コンピュータやインターネットの黎明期のような、先進的でエシカルな人たちが活動している理想的な状態をイメージしていたかもしれない、と。[*2] それでも、そういう少し特殊な理想状態を経るからこそ、常識のリフレームが可能になり、社会がアップグレードされていくのだということを、私たちは情報社会への移行で目の当たりにしてきた。それゆえ、そのようなステージは必要なのだと思う。

むしろ気になるのは、「欲望にまみれたゴミのようなものをたくさん生み出して、世界を醜いもので溢れさせる」ことをしてきたのは、これまでの社会の方ではなかったのか。そのような時代への反省から、一人ひとりが創造的に生きる創造社会のヴィジョンが生まれてきたのだ。――このような様々な思いが私のなかで渦巻いたが、そのときは、はっきりとした返答ができず、何年もの間、私にとって大きな「宿題」となっていた。

創造社会では、はたして本当にそんなことが起きてしまうのだろうか？ たしかにそういう可能性はあるかもしれないが、そうでない未来もまた同様にあり得るだろう。それでは、その分岐点はどこにあるのか。どうしたら、醜いものがたくさん生み出されるような社会ではなく、善いもの・美しいものが生み出される創造社会になり得るのだろうか。

本稿では、その問題に対して、ひとつの答えを示したいと思う。そのために、独自の観点で美を追い求めた柳宗悦とクリストファー・アレグザンダーの思想を改めて紐解き、それを受け継ぎ、創造社会における創造の美についての考えを深め育てていきたい。

創造社会論の先行者としての柳宗悦とクリストファー・アレグザンダー

民衆がつくるものにこそ美しさが宿るということを主張した人に、十九世紀後半から二〇世紀半ばに生きた柳宗悦と、二〇世紀半ばから活動してきたクリストファー・アレグザンダーがいる。これまで比較検討されることがなかったこの二人の著作を改めて読み比べてみると、その根本的な思想が驚くほど似通っていることがわかる。実際、アレグザンダーは著書のなかで、柳のことや彼の著作について何度か言及しており、思想的に近いということを自ら示してもいる。[*3]

本稿では、柳とアレグザンダーを一つの思想圏を構成する重要な要素だと捉え、彼らがそれぞれの領域、すなわち、工藝と建築において見出した美の原理の共通点と差異を捉え直すことで、これ

*2 ここで「エシカル」と言っているのは、他者のことも踏まえ、利己的ではない行動をとる格好良さのことである。それは、他者のために「利他的になろう」という意識というよりは、「利己的なのは格好悪い（ダサい、イケてない）」という感覚によるもので、そのようなバランス・調和を大切にする哲学・美学・倫理に基づいて行動することを指している。コンピュータやインターネットの初期の頃は、そういう人たちがネット・コミュニティの文化をつくっていたのだ。

*3 アレグザンダーが柳に言及しているからといって、彼の主張が柳由来であるとは限らない。アレグザンダー自身がもともと考えていたことと同様の主張が、柳の著作にあることを後から発見したということもあり得るからだ。いずれにしても、本稿の関心は思想の形成史や文献学的な探究にあるわけではないので、アレグザンダーの考えが柳の影響を受けて形成されたものなのか、もともと彼が持っていたものなのかという問題は、二次的な問題である。

現代社会の根本問題

- 人工的な環境・制度の行き過ぎ
- 解決しないままの問題群
- 感性と価値の疎外
- 新しいタイプの貧困（つくる経験の貧困）

▼

ナチュラルな創造社会

- ＊自然とともに人間的に生きる
- ＊自分たちでよりよくする自己変革的な社会
- ＊善と美への眼差しと共有
- ＊未来をともにつくるための連帯・共有・継承

図3　現代社会の根本問題と、ナチュラルな創造社会

からの創造社会における創造の美を考えるための土台としたい。

以下では、まず、柳とアレグザンダーが現状の何に憤り、美について何を見いだしたのかという共通点を見ていく。主に取り上げるのは、柳については一九二七年から連載した論文をまとめた『工藝の道』と一九四一年に出版された『民藝とは何か』、アレグザンダーについては一九六四年に出版された『形の合成に関するノート』、一九七九年の『時を超えた建設の道』、および二〇〇三年の『ザ・ネイチャー・オブ・オーダー』である。その上で、未来に向けてのそれぞれのアプローチについて見ていき、最後に、私なりの創造社会のヴィジョンへと論を進めていきたい。

現代における美の喪失

宗教哲学者の柳宗悦は、現代では本当の美が失われてしまったということを憂いた。

「近世は驚くべき雑多な美を産みました。そうして何か変ったものを求める結果、ついには極端な異常なものに美を見出そうとしました。そうしてしばしば病的なものに陥りました。」[*4]

そして、「その醜さが今や世を暗くしている」[*5]のだと嘆いた。このような状況に対して、「人類はもう一度美を常態に戻さねばならない」[*6]と考えた。こうして、「私達のすべてはこの世を美しくする任務がある」[*7]と言い、「どうしたら美の国を将来することができるか」[*8]と問い、民藝の論と普及に取り組んだ。

建築家のクリストファー・アレグザンダーは、建築というものが、自然と同様に、私たち人間が住む重要な環境をつくっているため、それらを自然な美しい秩序になるようにつくっていくことがきわめて重要だと考えた。彼は、現代の建築や建築家に対して、厳しい批判の眼を向ける。それは単なる他者批判ではなく、自分も携わる建築という営みへの自己反省であったと言えるだろう。『ザ・ネイチャー・オブ・オーダー』で彼は、現代の建築に対する痛切な批判・反省を表明している。

「私たちは建設という行為を通して、日々絶え間なくこの世界に物理的秩序をつくり続けています。過去5000年の間に、人類は建物を山のように築き上げました。数え切れないほどの建物、住宅、街路、さらには都市を世界中につくり続けてきました。この世界は、私たちのうみ出した秩序によって埋め尽くされています。しかし、これほど大掛かりに秩序をうみ出してきたにもかかわらず、『秩序』という言葉が何を意味するのか、ほとんどわかっていないのです。」[*9]

アレグザンダーは強い憤りを顕にして、現状の問題を指摘する。

「私は、同世代の建築家が建て続けているような、見栄えだけの建物をつくることには全く興味はありません。多くの場合、彼

ら建築家たちは、『本当の美』をつくることを放棄しています。さらに付け加えるなら、そこそこに理想はわかっているふりをしていながら、適当につくり上げているともいえます。[*10]」

「20世紀は地球上の現代社会のかなり多くの人々が前例のない集団的精神病にかかっていた時代であったと私は思っています。それは、生命に反した非常識なイメージに支配された全く空虚な建築形態をつくり出していたからです。世界中の都市でつくられた『醜さ』と『不毛さ』と『傲慢さ』が地球上の何もかもを圧倒してきたのです。それは20世紀の建築、街路、駐車場など何もかもです。[*11]」

「多くの場合、建築家は20世紀の機械的仕組みの一部としてその役割を傍観し納得してきたのです。多くの場合、建築家はさらに事態を悪化させてきました。彼らの思い上がりから商業開発に余計な手を加えてきたのです。多くの建築家はデザイナー志向の建築様式として新しいレベルの、建築に関する不条理な考え方をでっち上げ、ほとんど取り柄のない醜く無意味なデザインを氾濫させ、地球全体を汚染してきたのです。[*12]」

　なんと手厳しい批判であろうか。しかし、そこにもともとあった自然環境を破壊し、人工物に置き換えている現状や、それによって町や暮らしの質感がどんどん失われているという日常的な実感を、実に鋭く指摘していると私には思われる。このような状況に対して、アレグザンダーは生涯を懸けて闘ってきたのである。彼は、自らのスタンスについて、次のように述べる。

「このような困難に対して建築家は何らかの理由でそれに挑戦することをほとんど諦めてしまっていたのです。しかし、私は諦めるつもりはありません。私は決してまあまあ良いものという程度で妥協することはしませんでした。20世紀の建築家が押しつけてきたような、いわゆる『良い建築』というほとんど馬鹿げた考えに同調する気もありません。私は『本物』をつくることができるようになりたかったのです。そのためには、『本物』とは何なのかを知らなければなりませんでした。それは、単に知的好奇心ではなく、ただ、自分自身で実際につくることができるようになりたい、という欲求からくるものでした。[*13]」

　ここで述べられているように、アレグザンダーは、単に環境思想・哲学について「考える人」ではなく、自ら「つくる人」であったし、つくるプロセスをいかに変革するかに取り組んだ建築家・建築思想家であった。

「私は哲学者としてキャリアを積んできたわけではありませんし、哲学や物事の本質について書き記したいという特別な思いがあるわけでもありません。そういうことは、

＊4 柳『民藝とは何か』p.128
＊5 柳『工藝の道』p.80
＊6 柳『民藝とは何か』p.128
＊7 同右p.93
＊8 同右p.93
＊9 アレグザンダー『ザ・ネイチャー・オブ・オーダー』p.1
＊10 同右p.2
＊11 同右p.6
＊12 同右p.6
＊13 同右p.2

私の領分ではありません。私が興味を持っている質問は、『どうやったら美しい建物が建てられるか』という一点です。しかも私は『本当の美』というものにしか興味を持っていません。[*14]」

物事の本質を観取しようという哲学的眼差しを持ちながら、認識・理解にとどまらず、創造の実践にまで寄与しなければならないと考える徹底さが、アレグザンダーを従来の思想家・哲学者と大きく異なるものにしている差異である。だからこそ、創造社会について考えるための重要な知的基盤となり得るのだと、私は考えている。

美の不変の原理

それでは、どういうものが柳やアレグザンダーの言う美を持つものなのだろう。柳は、民衆的工藝すなわち「民藝」を、アレグザンダーは、近代以前につくられた建物や都市、空間に美を見出す。柳は、中世紀の工藝に注目する。

「一度眼がルネサンス以前に遡《さかのぼ》る時、美への見方に一動揺が来ないであろうか。何故ならあの驚くべきゴシック時代では、どこまでも美が実際と交わっているからである。〔…〕同じようにあの優秀な六朝《りくちょう》や推《すい》古《こ》の仏教藝術はむしろ工藝と呼ぶべきではないか。[*15]」

アレグザンダーも、「12世紀や15世紀のヨーロッパや他のあらゆる文化圏の長い歴史の中で建てられてきた建築は、本物の美しさを持っています[*16]」と考えており、次のような例を挙げている。

「アルハンブラ宮殿、どこかのこぢんまりしたゴシック教会堂、ニューイングランドの古い民家、アルプス丘陵の村落、大昔の禅寺、山の清流ぞいの腰掛、青と黄色のタイルを敷きつめた中庭など。これらに共通するものは何であろうか。そこには美や秩序や調和がある――そう、そのすべてが備わっている。だが、とりわけ心をうたれるのは、そのすべてが生命にあふれていることである。[*17]」

他にも、「アフリカやインドや日本などの村落建設」「イスラムのモスク、中世の修道院、日本の寺院などの偉大な宗教建築」「イギリスの田舎町の素朴な腰掛けや中庭やアーケード、ノルウェーやオーストリアの山小屋、城や宮殿の防壁上部の瓦、中世イタリアの橋、ピサの大聖堂など[*18]」を、美しい質感のある場だと語っている。

このような例を見て、柳もアレグザンダーも、懐古主義的に「昔に戻ろう」と言っていると勘違いされることがしばしばある。しかし、実際にはそうではない。本人たちも、その点については明確に否定している。彼らが美しいとするものが、昔ながらのものにしか見出すことができないだけなのだ。

だからこそ彼らは、過去の良いものに潜む本質を見極め、それを活かして、これからの未来においても実現できるようにしようとしているのである。柳は言う、「古えに帰れとは、過去に帰るのではなく永遠に帰れとの義である。時間の世界を云うのではなく、超時間の世界を指すのである」[*19]、と。

「時代を前に戻そうとする企ては常に錯誤である。古作品への愛は、過去そのものへの愛ではない。過去のものがよいと云うのは、過去のものだからと云うのではない。美しさがあるから過去を省みるまでである。(…)それ故『中世紀に帰れ』ということは、『永遠さに帰れ』という意味である。永遠の世界が中世紀に最も豊かに含まれているという意味である。時代を後《うしろ》に戻すためではなく、現代を永遠性に結ぼうとするからである。」[*20]

「古作品を凝視せよ、そこには永劫《えいごう》の美が潜む。されば未来をも貫く法則をそこに見出すであろう。もし来るべき時代に正しき作を産もうとするなら、過去の美しい作に潜む不変の法則、すなわち美しさをして可能ならしめたその原理を学ばねばならぬ。」[*21]

「真の復興は復古ではなく発展でなければなりません」[*22]と述べているように、柳はそのことをはっきりと自覚している。そして、普遍的に良いものは時間を超える、つまり永劫《えいごう》、永遠と言えるものなのだというわけだ。

アレグザンダーも、彼の主著の一つが『時を超えた建設の道』(The Timeless Way of Building)であり、「時を超えた」や「永遠」ということを強調していることは、注目に値する。これは、一〇〇年持つ住宅というような強度やサステナビリティの話をしているのではなく、本質的で根源的な原理であるから、「時を超える」という意味なのだ。

アレグザンダー自身、自分が良いと思う建築物が昔のものばかりであることから、「当初、自分が実は保守的な心情の持ち主で、無意識のうちに過去を再生しようとしているのではないかと疑ったほどである」[*23]と回顧している。しかし、そうではないのだ。

「確かに、歴史上の多くの建築様式が何らかの質を共有している——だがそれは、建物が古いからではなく、人間がくり返し建築の根源的な奥義を手に入れようとした努力の結果である。」[*24]

このように、柳もアレグザンダーも、昔のものに美の本質を見出し、どうしたらこれからの未来においても実現できるのかを考えたのである。

民衆による無心、自然、他力

それでは、そのような美は、どのようにつくられたものなのであろうか。そして、どうしてそれは現代においては生み出すことができなくなってしまったのだろうか。柳とアレグザンダーはともに、生み出されるプロセスに目を向ける。そして、つくり手が「無心」「無我」につくり、自然な生

*14 アレグザンダー『ザ・ネイチャー・オブ・オーダー』p.2
*15 柳『工藝の道』p.23
*16 アレグザンダー『ザ・ネイチャー・オブ・オーダー』p.2
*17 アレグザンダー『時を超えた建設の道』p.8
*18 同右p.9
*19 柳『工藝の道』p.63
*20 同右p.62
*21 同右p.63
*22 柳『民藝とは何か』p.52
*23 アレグザンダー『時を超えた建設の道』p.427
*24 同右p.428

成のプロセスに委ねるつくり方に注目する。まず、柳の説明から見ていくことにしよう。

「民藝美の一つの著しい特質はそこに個性癖が見えない点である。ものそれ自身が美しいので、作者の特殊な個性が美しいのではない。あのペルシャの絨毯《じゅうたん》を見られよ、何の某《なにがし》が作ったかを問うことなくしてその美を感じる。そうしてそれは仕事に携わるどのペルシャ人も作り得たのである。しかも分業によって多くの者が合作したのである。[*25]」

「よき古作品を見られよ、いかに自然であり素直であるかを。どこにも作り物という感じがないではないか。美には生れる美のみあって、作らるる美はないであろう。よしあろうとも永く保つことはできぬ。よき美には自然への忠実な従順がある。自然に従うものは、自然の愛を受ける。小さな自我を棄てる時、自然の大我《たいが》に活きるのである。[*26]」

民藝が民衆による無心の作であるという点を、柳は強調する。「器に見られる美は無心《むしん》の美である」[*27]と。無心とは、意図や作為がない状態のことである。これに対し、現在、美が失われているのは、つくり手の自我が出過ぎているからだ、と柳は考えた。

「民衆から転じて個人作家に来る時、そこに見出される著しい特質は、無心から意識への推移である。没我《ぼつが》より個性への傾向である。[*28]」

「意識は作為であり加工である。技巧はその反映である。[*29]」

「天才の作には時として誤謬がある。有限な自我に立つからである。[*30]」

柳は、美しい民藝品は、個人の作ではなく、伝統のなかで無名の民衆・職人たちによってつくられたものであることを強調する。

「過去の作を見られよ。個人個人の作ではなく、それは統一ある一時代の作なのです。結ばれる一民族の作なのです。[*31]」

「個人的美術家が現れる以前の中世時代においては絵画も彫刻も音楽も個人的なものではありませんでした。〔…〕個人的なものより超個人的なものにもっと大きなもっと深い美があるでしょう。[*32]」

「吾々に仕えるあの数多くの器は、名も知れぬ民衆の労作である。〔…〕多くはある時代のある片田舎の、ほとんど眼に一丁字《いっていじ》もなき人々の製作であった。村の老いた者も若き者も、また男も女も子供さえも、共に携わった仕事である。[*33]」

このように、柳が民藝に見出したような美は、人為的につくられるのではなく、無心の状態で、自然に委ねられて生み出されるのである。

「今日美術と呼ばれるものは皆 Homo-centric『人間中心』の所産である」[*34]が、「工藝はこれに対し Natura-centric『自然中心』の所産である」[*35]と、柳は言う。「無心とは自然に任ずる意」[*36]なのである。

「自然の守護を受けずして工藝の美はあり得ない。器は作るというよりもむしろ与えらるるというべきである。美の驚異を司るものは、あの材料が含む造化の妙である。それに与《あずか》る私たちの力とてはいかにわずかなものに過ぎぬであろう。〔…〕美は人為の作業ではなく、自然からの恩寵《おんちょう》である。」[*37]

「彼らに許された無造作な自然な心が、彼らを大きな世界へと誘ってくれた。そうしてそれらをすら識らなかったことが、ついに彼らを救いに導いた。知もなき者であったから、彼らは自然を素直に受けた。それ故自然も自然の叡智を以て、彼らを終りまで守護した。」[*38]

要は、人為的な考えで、自然がなすことを阻害しないことが大切だということだ。それゆえ、自分が何かをつくり出そうと力《りき》むのではなく、とても無心にその生成に関わるということになる。この「無心」という言葉が、仏教に通じていると気づく人もいるだろう。宗教哲学者であった柳は、まさにその点に、民藝の美が可能となる原理を見ているのだ。民藝の美の背後には、宗教による民衆の救いと同じ原理が働いていると、柳は考えた。

「信の法則と美の法則とに変りはない。教えは『無心《むしん》』とか『無想《むそう》』とかの深さを説くが、美においてもまた同じである。無想の美に優る美はあり得ない。高き工藝の美は無心の美である。多く工夫せられ多く作為せられた器が、無心の器に優る美を示し得たことはかつてなく今もなく永えにないであろう。」[*39]

「民衆の名もなき作が偉大であるのは、そこに超個人の美があるからである。宗教において『大我』と云い『超我』と云い、『没我』と云い『忘我《ぼうが》』と云い、また『我空《がくう》』と云う。すべてのこの理想を追う種々なる言い現しである。」[*40]

柳は、このことを親鸞の言う「他力《たりき》」の観点で理解し、説明している。

「自らでは力弱い彼らであるから、この不思議を演ずるのは、彼ら以上の何ものかでなければならぬ。この匿《かく》れた背後の力を見究めることが私の求めであった。私は彼らを守護するものが自然の叡智であり、相愛の制度であるのを見た。無心な自然への帰《き》依《え》や、結合せられた衆生《しゅじょう》の心がそこに見える。その美は他力美《たりきび》である。」[*41]

「私は仏教で言い慣らされた言葉を借りて、かかる福音を『他力道《たりきどう》』と呼ぼう。私は実に可能なる工藝の輝かしい未来を、かかる『他力道』に見出そうとするのである。」[*42]

ここまで、柳の言う民藝の美がどのように生み出されるのかということを見てきたが、アレグザンダーも、まったく同じ原理――無心・無我な状態での自然のプロセスによる生成――に着目する。今度は、アレグザンダーの述べていることを見てみよう。

＊25 柳『工藝の道』p.234
＊26 同右 p.49
＊27 同右 p.46
＊28 同右 p.164
＊29 同右 p.135
＊30 柳『民藝とは何か』p.63
＊31 同右 p.81
＊32 同右 p.121
＊33 柳『工藝の道』p.42-43
＊34 同右 p.23
＊35 同右 p.24
＊36 同右 p.88
＊37 同右 p.84
＊38 同右 p.47-48
＊39 同右 p.87
＊40 同右 p.196
＊41 同右 p.7
＊42 同右 p.157

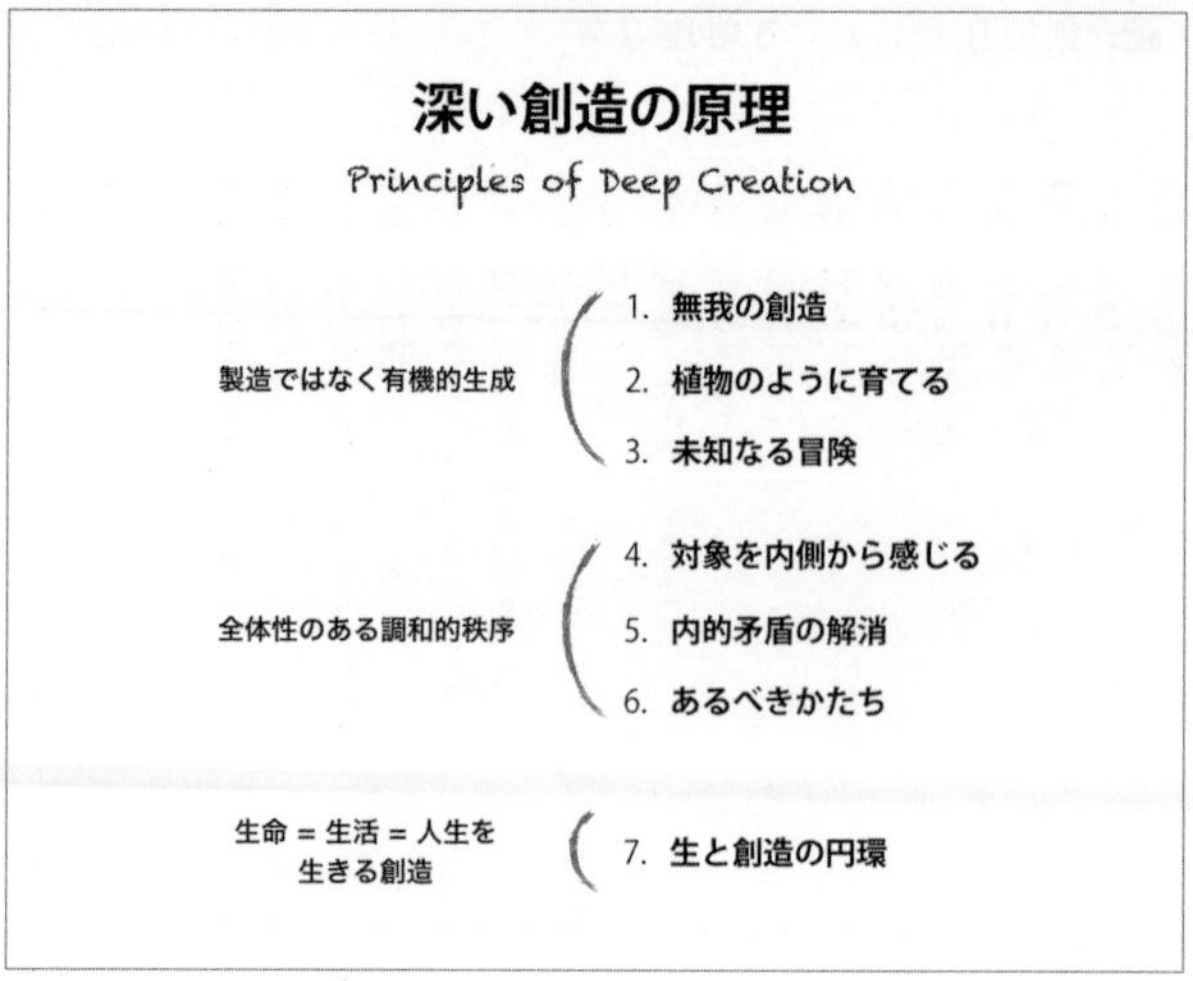

図4　深い創造の原理

無我の創造による深い美の生成

アレグザンダーは、生き生きとした自然な調和のある質を、「名づけ得ぬ質」（無名の質：quality without a name）と呼び、その生成原理について論じている。具体的に見ていこう。

「無名の質は人為的につくるものではなく、単にプロセスによって生成されるにすぎないということである。それは人びとの行為から、それもごく自然に湧き出てくるものであり、つくってつくれるものではない。発明したり、考案したり、設計するものではなく、それ自体の創造プロセスから自然に湧き出る時、無名の質が現われてくるのである。[*43]」

「ものをつくる時、そこには作り手の意図が含まれる。だが、ものが生成される場合は、自我の入り込まないルールによって自由に生成される。そのルールは情況の現実に作用し、自然にものを生み出していく…。[*44]」

「作り手の一彫りが美しく見えるのは、単にプロセスの成果物として具現する時——つまり、プロセス自体の力が作り手の堅苦しい意図にとって代わる時である。作り手が自分の意図を追い払い、あとはそのままプロセスにまかせるのである。[*45]」

しかしながら、現代では、建築家が意識で設計を考えるということが行われ、このようなプロセスは実現しないという。

「現代では、芸術作品とは、創造者が心に描く『創作物』だと考えられている。しかも、建物や町ですら——考案し、隅から隅まで構想し、設計する——『創作物』だと考えられているのである。[*46]」

「設計に当たって最初に必要なのが『イメージ』で、それによって全体に一貫性と秩序が確保される、と言う建築家がよくいる。だが、このような心構えでは、決して自然なものは作り出せない。[*47]」

「ある場所が見せかけだけで、生き生きとしていない場合、必ずといってよいほどその背後には主導者《マスターマインド》の存在がある。作り手の意図が強すぎて、本来の特性が出現する余地が生まれてこないのである。[*48]」

なぜ作り手が意識的につくると、うまくいかないのであろうか。

「以前は徐々に発展する幾世代もによってなされたことが、今は一個人によってなされようとしているからである。幾千年にもわたる重荷が一人の背に重くのしかかってきているのにもかかわらず、この重荷はまだ実質的に軽減されてはいない。[*49]」

「今日のデザイナーは、ますます〝芸術家〟としての地位、人の気を引く言葉、自己流の言いまわしそして直感などに頼っている。〔…〕その才知を駆使しても、彼は自分で組織せねばならない情報の複雑さに追いつけず、芸術的な個人性の中に自分の無能ぶりをひた隠す。明確に考えられたよく適合した形を発明する彼の能力が失われていくにつれて、直感と個人性のみが粗野に増長する。」[*50]

それゆえ、私たちは、つくりかたを根本的に変えなければならない。かつて人類がやっていたやり方を参考にしながら。「生き生きとした建物は、無我の状態で臨まない限りつくれない」[*51]と、アレグザンダーは言う。

「このような無我の建物をつくるには、意図的なイメージをすべて捨て去り、まず頭を空《くう》にして始めねばならない。〔…〕まず頭を無にして着手せねばならないのである。」[*52]

「このような場所の美しさ、心の琴線に触れる質、そこを生き生きとさせているものは、何よりもそれらが無頓着で無心だからこそ生まれてくるのである。この無心の境地は、本心から自己を捨て去らぬ限り生まれてこない。」[*53]

このように、つくり手は、無我の状態で臨むことで、自然に秩序が生まれてくることに伴走するのである。そうすれば、つくっているものが、自然とその全体性のなかから展開され、育ってくるという。それは植物の成長などと同じような事態なのだ。花は人為的にはつくることはできず、育てることしかできない、というように。「生物体システムの生命に不可欠な驚くべき複雑さは、上から直接的に作り出すことは不可能であり、ただ間接的に生成されるにすぎない」[*54]のである。

「生物を人為的につくることはできない。作為的な創造行為によって考案したり、創作者の青写真どおりに組み立てることはできない。創作者の頭のひらめきから生まれるにしては、それはあまりにも複雑かつ微妙である。何千億もの細胞の一つ一つが、個々の条件に完全に適合している――生物は『つくられる』のではなく、個々の細胞の時々刻々の漸進的な適応にまかせるようなプロセスによって生成されるにすぎない…。このようなプロセスが生物を作り出すのであり――また、そうでなければならない。生きているものを他の方法でつくることは不可能である。」[*55]

建物や町も同じなのだ、とアレグザンダーは言う。

「自然な建物にも同じことが要求される。建物を形づくるプロセスは、あらゆる窓台や柱を建物全体に正しく適応させられるような自律的なものでなければならない。〔…〕町も同様である。町の場合も、個々の建物や庭を形成するプロセスは、それぞれの独自の細部に適応できるような自律的なものでなければならない。」[*56]

「実は、町の創出や個々の建物の創出は基本的には一つの発生《ジェネティック》プロセスである。い

*43 アレグザンダー『時を超えた建設の道』p.133
*44 同右p.133-134
*45 同右p.134
*46 同右p.134
*47 同右p.437
*48 同右p.31
*49 アレグザンダー『形の合成に関するノート』p.4
*50 同右p.9
*51 アレグザンダー『時を超えた建設の道』p.435
*52 同右p.437
*53 同右p.435
*54 同右p.135
*55 同右p.135
*56 同右p.136

かに数多くの計画や設計をもってしても、このような発生プロセスに置き換えることはできない。しかも、いかに数多くの個人的才能をもってしても、このプロセスに置き換えられない。〔…〕私たちの建物や町を創出するのは発生プロセスであり、とりわけこのプロセスは健全でなければならない」[*57]

そして、そのように自然に生み出すということは、特別なことではなく、ごく平凡なことなのだ、とアレグザンダーは述べている。この点でも、柳の考えにかなり重なっていると言える。

「最終的にどこまで自然で自由で全一的な建物ができるかは、自分自身がどこまで平凡で自然になれるかにかかっているのである。[*58]」

いま見てきたような無心・無我の状態でつくる、ということは、日常的な創造の理解からは離れているが、この二人だけが主張しているようなものではない。多くの小説家や芸術家が自らの創作体験について語っているものである。このように、意図や作為のコントロールを手放してつくることを、私は「無我の創造」(egoless creation)と呼んでいる。無我の創造は、「深い創造」(deep creation)の最も重要な特徴であり、私の提唱する「深い創造の原理」(図4)においても、第一原理に位置付けられている(「深い創造の原理」については、私が取り組んでいる「創造の哲学」において、今後もさらに探究し深めていきたいと考えている)。[*59]

これまで見てきたように、柳やアレグザンダーが目指している美は、日常的に私たちが意識・言及するような、造りの綺麗さやきらびやかさという表層よりも深いレベルの美である。そこで、本稿では、そのような美を、「深い美」(deep beauty)と呼ぶことにしたい。「深い美」は、「深い実感」(deep feeling)[*60]を頼りに「深い創造」(deep creation)によってつくられるのである。

用の美と親しさ・愛

柳がその価値を見出し広めた「民藝」(Folk-craft)は、「民衆が日々用いる工藝品」[*61]のことであった。それは、「日常の生活と切り離せないもの」[*62]であり、「不断《ふだん》使いにするもの、誰でも日々用いるもの、毎日の衣食住に直接必要な品々」[*63]である。そのため、それは、普段使うという「用」に即したものであって、そこに「用の美」がある。柳はそのことを強調した。「その美は用たることから発する」[*64]のであり、そこから離れて着飾ったりはしない。それは「奉仕の美」であり、よく働く「健康の美」[*65]だというわけである。

「用に即さずば工藝の美はあり得ない。これが工藝に潜む不動の法則である。[*66]」

「用とは奉仕なのです。仕える者は着飾ってはいられません。単純な装いこそ相応《ふさ》わしいのです。自からひかえめがちな、静《しずか》な素朴な姿に活きています。人々は呼んでかかる美を『渋さ』と云うのです。奉仕する日々の器でありますから、自然丈夫でなければなりません。繊弱では何の用にも立たないからです。〔…〕用はものを健全にさせる力でもあるのです。」[*67]

「錯雑を去り華美を棄て、すべての無駄をはぶいて、なくてはならぬもののみ残ったもの、それが民藝品の形であり色であり模様なのです。『なくてならぬもの』、これこそ美の基礎であると云えないでしょうか。」[*68]

しかし、それは単に、生活行為の上の「機能」的な面だけではない。心への用というものも含まれている。

「ここに用というのは、単に物への用のみではないのです。それは同時に心への用ともならねばなりません。ものはただ使うのではなく、目に見、手に触れて使うのです。もし心に逆らうならば、いかに用をそぐでしょう。ちょうどあの食物がきたなく盛られる時、食慾を減じ、したがって営養《えいよう》をも減ずるのと同じなのです。用とは単に物的な謂のみではないのです。〔…〕模様も形も色も皆用のなくてならぬ一部なのです。美もここでは用なのです。用を助ける意味において美の価値が増してきます。」[*69]

しかも、民藝の品々は使っているうちにますます美しくなっていくという。これも、「用の美」であるがゆえの特徴である。

「用が生命であるため、用を果す時、器は一層美しくなってきます。作り立ての器より、使い古したものはさらに美しいではありませんか。『手ずれ』とか『使いこみ』とかが、器に味いを添えてきます。〔…〕その美には奉仕の歴史が読まれるのです。なすべき仕事をなしたその功が積まれているのです。私達がその美を語り合うのは、よく用いられたその生涯の美を語っているのです。」[*70]

このように、普段から用いて使い込んでいく品々であるから、そのものに対して愛着が湧く。それらと親しく、親しさや愛着が育まれる。柳は、「工藝美の特質は『親しさ』の美である」[*71]と言い、「器物は日々共に暮す性質をもつ故、自（おのず）から親しさの美が要求される」[*72]のだと述べた。

「吾々に近づけば近づくほどその美は温かい。日々共に暮す身であるから、離れがたいのが性情である。高く位するのではなく、近く親しむのである。かくて『親しさ』が工藝の美の心情である。器を識る者は、必ずそれに手を触れるではないか。両手にそれを抱き上げるではないか。親しめば親しむほど、側を離さないではないか。」[*73]

「親しさがその風情であるから、誰が愛着を感ぜずにおられよう。器を有《も》つことと器を愛することは同じ意味である。愛なくば有たないのだとも云えるであろう。」[*74]

民藝の現代的意義を論じた鞍田崇は、著書『民

＊57 アレグザンダー『時を超えた建設の道』p.196-197
＊58 同右 p.439
＊59 「無我の創造」について詳しくは、井庭 崇 編著『クリエイティブ・ラーニング』、井庭 崇「パターン・ランゲージによる無我の創造のメカニズム」、および Iba & Yoshikawa "Illuminating Egoless Creation with Theories of Autopoietic Systems" を、「深い創造の原理」については、井庭 崇「クリエイティブ・ラーニング、井庭 崇「村上春樹の深い創造」、Iba & Adachi "The Principles of Deep Creation" を参照。
＊60 アレグザンダーは『ザ・ネイチャー・オブ・オーダー』において、deep feeling（深い実感、深い感情、ディープ・フィーリング）の重要性を論じている。このことは、美を直観することを重視する柳にも通じるところである。
＊61 柳『民藝とは何か』p.21
＊62 同右 p.21
＊63 同右 p.21
＊64 柳『工藝の道』p.229
＊65 同右 p.34
＊66 同右 p.37
＊67 柳『民藝とは何か』p.68
＊68 同右 p.69
＊69 同右 p.66-67
＊70 同右 p.70
＊71 柳『工藝の道』p.230
＊72 同右 p.230
＊73 同右 p.37-38

藝のインティマシー』において、民藝を現代に活かすときには、「いとおしさ」（インティマシー）[75]こそが注目に値するのではないかと指摘している。そして、「民藝を経由して、『いとおしさ』をデザインする営みを盛り上げていくというか、促していく道筋ができるのであれば、民藝の可能性はまだまだある」[76]と言う。実は、アレグザンダーも住宅について、愛と情感について次のように語ったことがある。

「現代社会では、家が美しいものであり、かつ愛されるべきものであるという考えがほとんど忘れ去られています。世界中のどこでも、住宅を建てるという仕事は物と数字に支配された厳格なビジネスになっており、人間性を失った技術や官僚に対するむなしい闘いでしかありません。そこでは人間的な情感などほとんど忘れ去られています。外観を積極的に考えている住宅にも、やはり美はありません。」[77]

翻って創造社会とは、単に何かを「つくる」という社会ではなく、自分（たち）が必要なものを自分（たち）でつくる社会である。それは、絶えず日常の用の文脈に位置付けられており、育てられ、手直しされ、修理され、長く親しみと愛着を持って使われるものをつくるのである。そこには、新しい時代の「用の美」があるだろう。創造社会における人々の創造は、柳の民藝やアレグザンダーの言う深い美を生むようなプロセスによってつくられなければならないし、そうであるからこそ、新しい時代の可能性があるのである。

しかしながら、柳やアレグザンダーが嘆いているように、深い美が花開いた時代とは異なり、現代社会ではそのような美が育まれる土壌が失われてしまっている。それゆえ、創造社会になれば、そのような自然な生成のプロセスが復活する、ということを私たちは楽観的に信じるわけにはいかない。それでは、果たして、私たちにはどのような可能性があるのだろうか？　この点についても、そのことについて生涯をかけて考えた柳とアレグザンダーの到達点を確認し、そこから私たちなりのアプローチを紡いでいきたいと思う。

無意識の時代から意識の時代へ

かつては、無意識に行われていたことが、時代が進み、意識の時代になったことで失われてしまった。柳もアレグザンダーも、意識の時代への移行が美の喪失を起こしてしまったと考えている。「今は意識の時代であり、反省の時代」であり、「何ものも観察せられ吟味せられる」[78]時代なのである。

「かかる時代は過ぎて今は意識の世に変った。知識の超過が、いかに工藝の美を殺しているであろう。知る者はしばしば信仰を見失ったではないか。高ぶる知は、美の世界においても一つの罪である。知を養うことに悪はない。だが最も高き知は、いかにその知が自然の大智の前に力なきかを知るその知であろう。高ぶる智慧は幼き智慧だと云えないであろうか。多くの者は救いを自然の御手《みて》に委ねようとはしない。そうして自らの力において、自然の御業《みわざ》を奪おうとしている。作られたものに美が薄いのは、心が自然に叛《そむ》いた報いである。意識の作為や、智慧の加工が、美の敵であることを悟らねばならぬ。[*79]」

このように意識の時代に入った以上、意識的になるのをやめて過去に戻るということは、非現実的である。すでに見たように、柳もそれは十分に承知している。それでは、以前のように自然に美を生み出すためにはどうしたらよいのか？　柳は、民衆の手に「つくる」ことを取り戻す必要があると考えた。しかし、民衆が「つくる」というだけでは、民藝の美を取り戻すことはできない。なぜなら、昔は、民衆が「つくる」ことを伝統が支えていたからである。

「工藝の美は伝統の美である。作者自らの力によるものではない。自らに立つ者は貧しさと虚しさとに敗れるであろう。よき作を守護するものは。長い長い歴史の背景である。今日まで積み重ねられた伝統の力である。そこにはあの驚くべき幾億年の自然の経過が潜み、そうして幾百代の人間の労作の堆積があるのである。[*80]」

そのような伝統はいかにして維持されていたのだろうか。伝統を支えるものとして柳が注目するのは、中世において「ギルド」と呼ばれた協団の存在である。

「偉大な工藝時代を省みる時、そこには二つの力の相互の補佐があった。一つは工匠 Craftsman としての民衆、一つは彼らを導く師匠 Master-artisan である。特にこの結合は中世紀代のギルドにおいて表示せられた。道が失われた今日私は切にこの組織の復興を欲する。[*81]」

「処の東西を問わず、よき工藝が栄えたところには、常に協団の制度があったのです。あるいはこれをギルド Guild と呼び慣わし、また組合とも呼んできました。それは一種の自治体であって、共通の目的を支持する相愛の団体でした。主我に立つ個人の世界ではなく、結ばれたる人間の社会なのです。〔…〕信用は彼等の商業的道徳だったのです。信用され得る誠実な品、使用に堪え得る健実な品、この精神から器の有《も》つ健康な美が生れていました。[*82]」

柳曰く、「近代では『個性の実現』ということが各人の生活のモットーであった。しかし過去においても将来においても協団的生活においては『結合する人間性の実現』ということが目的[*83]」であった。これから民藝の美を社会に取り戻していくには、このギルドに倣って、結合主義の協団を組織していくことが重要だと、柳は力説する。「協団こそは将来の人類の理念[*84]」なのであり、「個性の競争にではなく個性の協力にこそ未来の理念を感じる[*85]」のだ、と。

＊74 柳『工藝の道』p.39
＊75 鞍田『民藝のインティマシー』p.8
＊76 同右p.176
＊77 アレグザンダー『パタン・ランゲージによる住宅の生産』p.22
＊78 柳『工藝の道』p.131
＊79 同右p.48
＊80 同右p.91
＊81 同右p.180-181
＊82 柳『民藝とは何か』p.78-79
＊83 柳『工藝の道』p.250-251
＊84 柳『民藝とは何か』p.83
＊85 柳『工藝の道』p.190

「ギルド社会主義はしばしば中世主義と呼ばれる。しかしそれは復古主義を意味するのではなく、中世紀に最も新しい形の社会主義を見出しているのである。そこには秩序の社会がある。今の人々が失ったその社会がある。[*86]」

柳は、民藝の美を取り戻すためには「社会組織の改革」[*87]が必要であり、「制度を新しく建て直す必要」[*88]があると言い、中世紀のギルドに着目するが、それを具体的にどのように今の時代に合うかたちで実現していけばよいのかというところまでは、（私の知る限りでは）論じていない。意識の時代に、無意識の時代にあったようなギルドが組織できるのか、そしてそれがうまく機能するのかということは、踏み込んで検討はなされていないように思う。

そしてもう一つ、解決しなければならないことがある。柳は、民衆たちが美しいものを生み出すことができるようになるのは、同じようなものを大量につくることで熟達するからだと考えていた。

「彼らは多く作らねばならぬ。〔…〕かかる反復は拙《つたな》き者にも、技術の完成を与える。長い労力の後には、どの職人とてもそれぞれに名工である。その味なき繰り返しにおいて、彼らは彼の技術すら越えた高い域に進む。[*89]」

しかし、私たちが目指す創造社会は、単に職人的民衆による大量生産ではなく、自分に必要なものを自分でつくるという、一つもしくは少数をつくることが想定されている。そうだとするならば、人々はいかにして美しいものをつくれるようになるのか、という何らかの方法が必要になる。これらの問題を解決し、創造社会における創造の美を実現するためには、アレグザンダーの提唱した「パターン・ランゲージ」という方法が鍵を握っていると、私は考えている。

まずギルドは閉じた組織であったが、パターン・ランゲージはコミュニケーション・メディアとして、開かれた社会のなかで機能する。またパターン・ランゲージは、何十年もの経験によって初めて得られるような経験則を早く的確に修得することを支援する。伝統の内実である価値とやり方をともに共有・継承できるメディアとしてのパターン・ランゲージ――これこそが、柳の思いを受け継ぎ、創造社会に美をもたらす切り札であるのだ。ここからは、アレグザンダーの分析とパターン・ランゲージという方法について、さらに見ていくことにしたい。

無意識の時代から意識の時代へ

アレグザンダーも、無意識の時代から意識の時代への変化を見ている。彼はそれを、「自覚していない」「無自覚な」(unselfconscious) 文化と、「自覚している」(selfconscious) 文化と呼んでいる。[*90]無自覚な文化とは、「形をつくることが形式化されない、模倣と修正を通じて学ばれる文化」[*91]である。

「無自覚な文化では、建築とかデザインなどそれ自体についての考えはほとんどない。[*92]」

「無自覚な文化の中では、同じ形が繰り返してつくられる。形をつくることを学ぶために、人々は一つの身近で具体的な型の反復を覚えるだけでよい。[*93]」

「そこでは分業化が非常に限られており、何によらず専門化はまれであって、建築家は存在せず、各人が自分の家を建てる。〔…〕自覚的になることもなしに、伝統的な型を反復するのは、それが唯一彼らに考えられるものだからである。[*94]」

これに対して、アレグザンダーの言う自覚している文化とは、「形をつくることが、明確な規則によって学問的に教えられる文化」[*95]である。

「自覚している文化の中では、新しい目的が常に起こる。形をつくる人々は、まったく新しい問題か、そうでなくとも古い問題の修正を絶え間なく処理することを求められる。このような状況では、古いものの型を模倣するだけでは不十分である。それゆえ人々は、要求に従って進化や修正をすることができるようになり、そこには、なぜ、どのようにして、物が形を得るかという観念が当然導入される。[*96]」

問題は、一見すると自覚的な文化の方が良さそうなのに、無自覚の時代の方が質の良いもの・美しいものがつくられていたという点にある。それはいったいなぜなのだろうか？　それは、「一方の形をつくるプロセスが良く、もう一方が悪い、ということである」[*97]と、アレグザンダーは考えた。こうして、本論文の前半に見てきたような自然な生成プロセスの話につながるのである。

「大体のところ私は、無自覚なプロセスは、動的平衡（homeostatic）の構造を持つがゆえに、変化の中にあってすらも、一貫して良く適合する形を生産するのだと主張したい。また、自覚している文化では、そのプロセスにおける動的平衡の構造が故障しているので、コンテクストに適合できない形の生産が起こるだけではなく、おあつらえ向きになっている、と言いたい。[*98]」

そして、「我々の文明の中では、無自覚な文化の中で働いているのがみられた適応と選択のプロセスは、きれいに消えてしまった」[*99]というのが、アレグザンダーの分析である。さて、このような状況において、私たちは何ができるのだろうか？　すでに確認したように、無自覚な時代に戻ろうと言っているわけではない。そうではなく、私たちは前に進まなければならない。現在の問題と過去の良さを両方知った上で、その先の未来へと進んでいくことが重要だ。

経験則を言語化するパターン・ランゲージ

そこで、アレグザンダーが提唱した「パターン・

＊86　柳『工藝の道』p.196
＊87　同右 p.248
＊88　同右 p.249
＊89　同右 p.52
＊90　アレグザンダー『形の合成に関するノート』p.26
＊91　同右 p.30
＊92　同右 p.27
＊93　同右 p.29
＊94　同右 p.27-28
＊95　同右 p.30
＊96　同右 p.29
＊97　同右 p.30
＊98　同右 p.31
＊99　同右 p.48

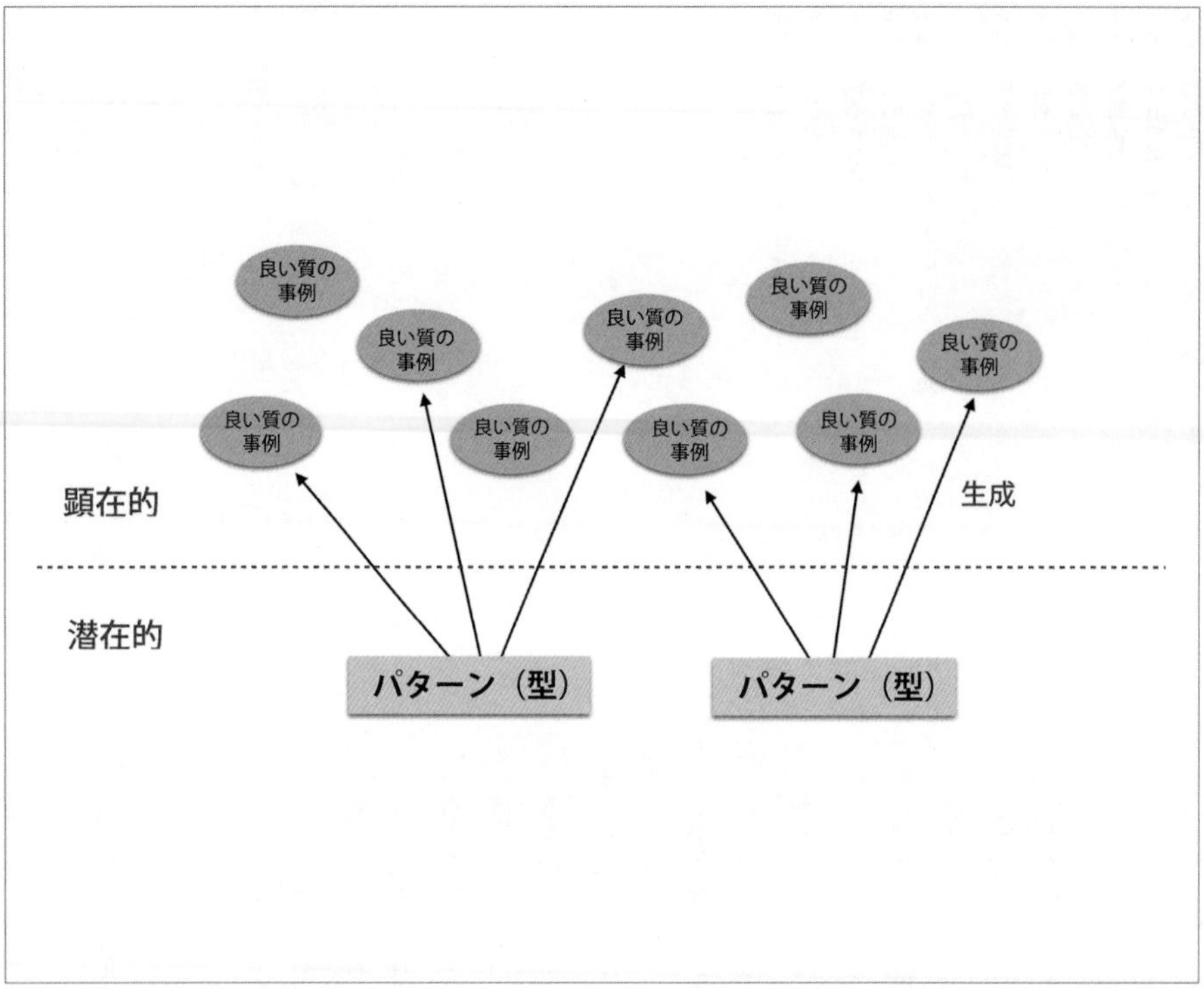

図5　良質の結果を生み出すパターン（型）

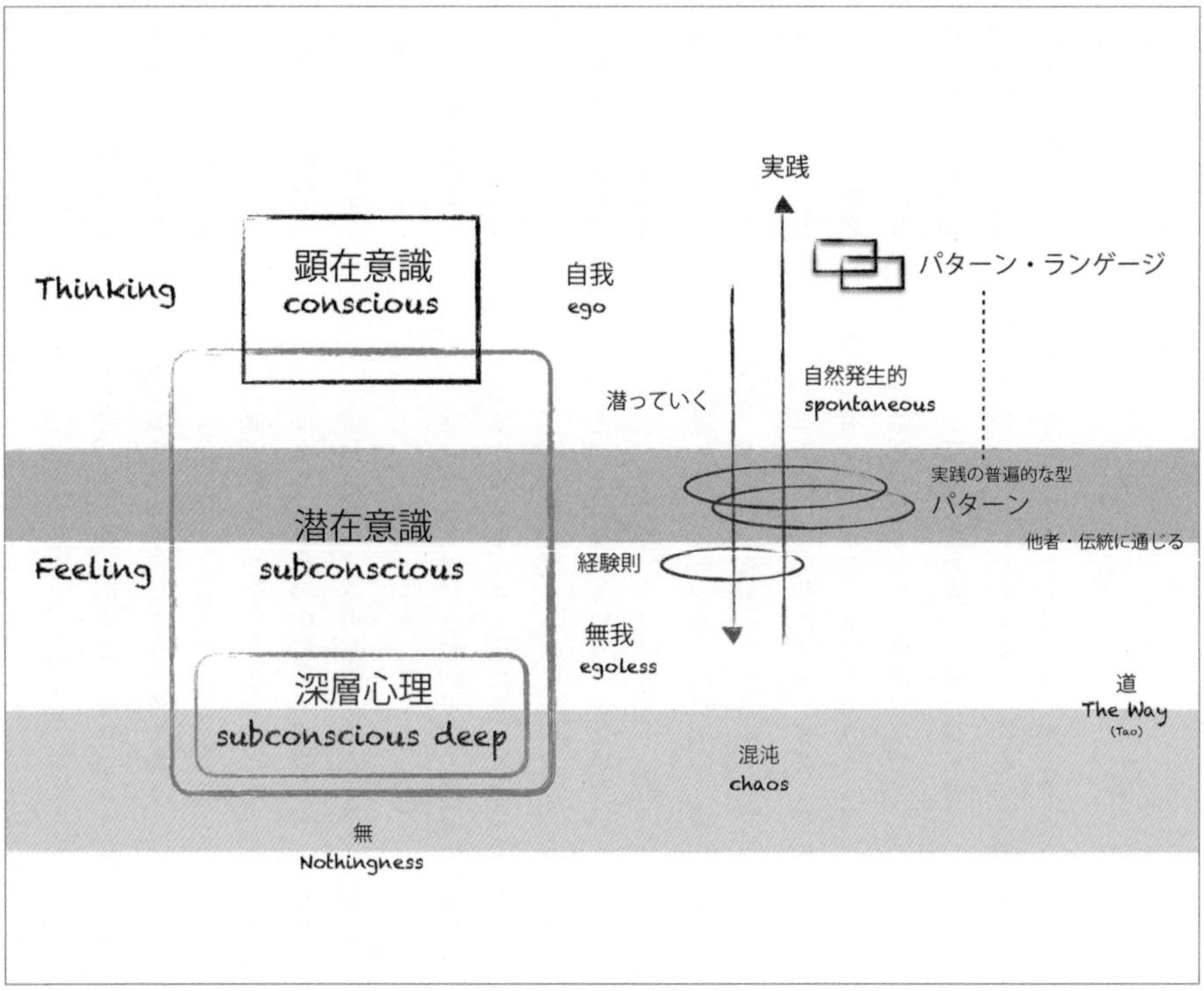

図6　深い創造におけるパターン・ランゲージの作用

ランゲージ」が重要になってくる。パターン・ランゲージとは、良質の結果を繰り返し生み出していくための設計・実践の言語である。それは、ある領域において、良質の結果を生むやり方の「型」(pattern) を抽出して（図5）、概念・言葉にして体系化し、共通「言語」(language) として用いることができるようにしたものだ。[*100]

パターン・ランゲージは経験則を言語化したものだ、という言い方もできる。何かをつくるときに私たちが頼っている経験則について、アレグザンダーは次のように語っている。

「設計行為に直面する時、わざわざ白紙から考え出すような暇な人間はいない。設計の必要に迫られたら、すみやかに行動せねばならない。そして、迅速に行動する唯一の方法は、自分の頭に蓄積されたさまざまな経験則に頼ることである。要するに、私たち一人一人の頭の中には、慎ましいものであれ高尚なものであれ、おびただしい数の経験則が織り込まれており、行動の時がくれば何をすべきかを教えてくれるのである。どんな設計行為をするにせよ、望み得ることと言えば、たかだか自分の収集した経験則を自分の知る限りの最善の方法で用いるにすぎないのである。」[*101]

経験則というものは、個人のなかで形成され、その人が暗黙的に活かすものであるが、それを記述し、名づけ、言語のようなネットワークの体系としてまとめあげたものが、パターン・ランゲージである。

昔は、伝統として、経験のなかでそれらが共有されてきた。師弟関係やギルドにおいて、言語化されないまま、ともに経験を重ねるなかで暗黙的に共有されてきたのである。シャルトルやノートルダムの大聖堂、アルハンブラ宮殿、カイルワンのモスク、日本の民家、ブルネレスキのドームなど、歴史上のあらゆる偉大な建物は、このような暗黙的な経験則の共有によって多くの人たちによってつくられたと、アレグザンダーは言う。そして、農夫たちが家をつくるときも同様に、その地域に継承されてきた暗黙的な経験則が用いられていた。これが無自覚な時代におけるつくり方であった。

アレグザンダーは、自覚の時代の新しいあり方として、暗黙的な経験則を言語化して共有するという道を拓いた。これが、パターン・ランゲージである。それは、自覚の時代において、あえて意識的な言語メディアを用いることで、無自覚な時代の良さであった無意識を自然に機能させ、深い美（名づけ得ぬ質）を生み出そうというパラドキシカルな試みなのである。そして、経験則が言語化されれば、個人を超えて、他者と、またコミュニティや社会的に明示的に共有することが可能となるのだ。

「あらゆる創造行為はランゲージに依存する。ランゲージに頼るのは何も伝統的社会を構成する創造行為だけではなく、すべての創造行為がパタン・ランゲージに依存し

*100 パターン・ランゲージの実例については、アレグザンダー『パタン・ランゲージ』を、私たちの創造実践に関するパターン・ランゲージは、井庭＋井庭研究室『プレゼンテーション・パターン』、井庭・梶原『プロジェクト・デザイン・パターン』、井庭・中川『おもてなしデザイン・パターン』、井庭・長井『対話のことば』、井庭・岡田編著『旅のことば』などを参照のこと。

*101 アレグザンダー『時を超えた建設の道』p.168-169

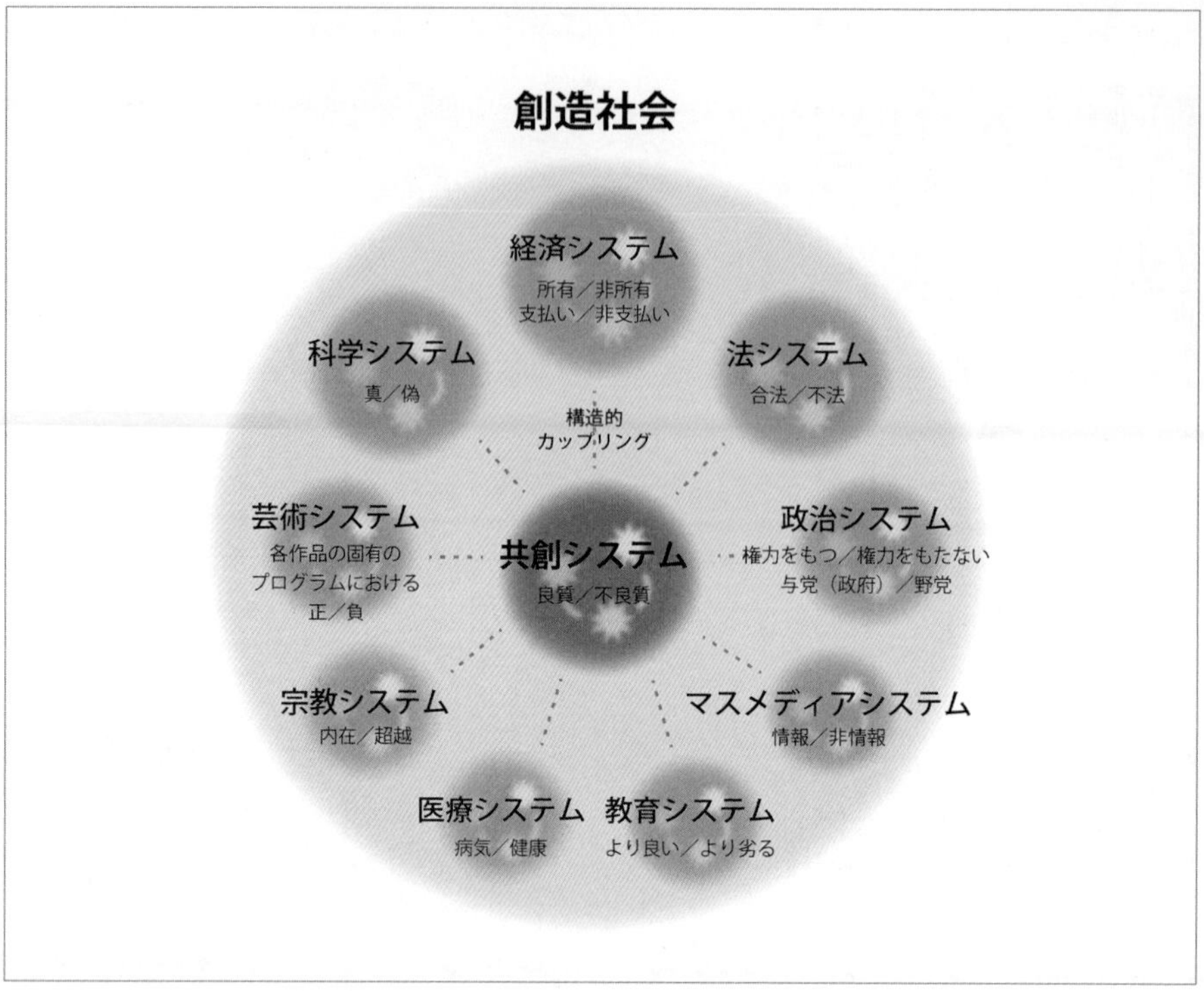

図7　機能分化社会の観点での創造社会像

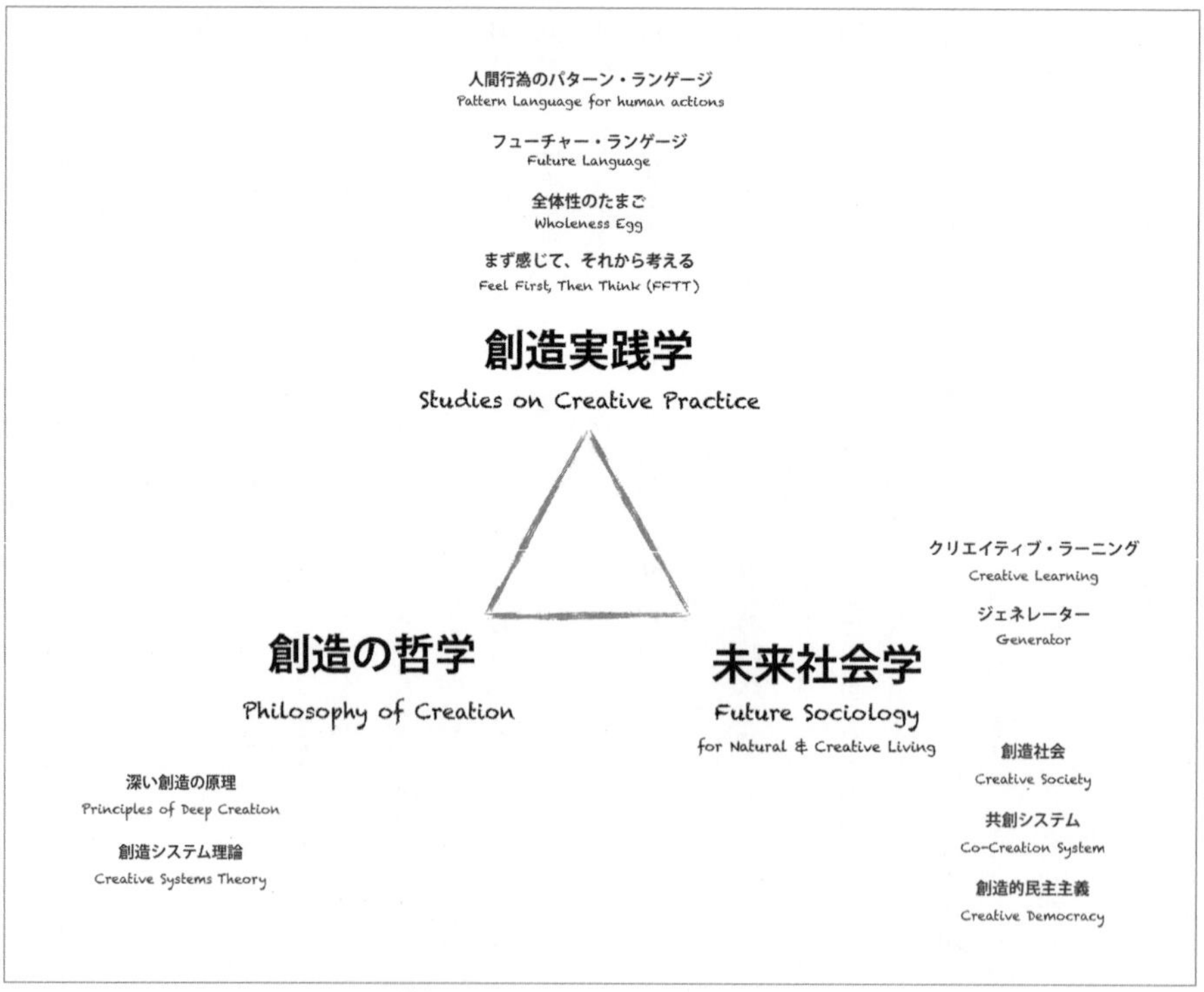

図8　ナチュラルな創造社会に向けた新しい学問をつくる

ている。」[*102]

これは、個々の建物に対して寄与するだけではない。その言語化されたパターン・ランゲージこそが、町を整合的・調和的に育てていくのである。

「私たちが見いだしたのは一種のコードであり、時には生物体に作用する遺伝情報と同じように建物や町に作用する。」[*103]

「パタン・ランゲージは、町という流れを永続させ、その構造を維持し、つねに生き生きと保つための装置である。」[*104]

そして、このパターン・ランゲージこそが、本稿の前半で論じた無心・無我の創造を可能にする。

「あなたの頭は一つの媒体である。そこでパタンと現実世界との間の創造の火花をちらすことができる。あなた自身は、この創造の火花の単なる媒体にすぎず、その発生源ではない。」[*105]

「いったん肩の力を抜き、自分が媒体になったつもりで、自分を通してその場のさまざまな力を作用させてみれば、何の助けも借りず、ランゲージがほとんどすべての作業を行い、建物が自力で形成されることが分かるのである。これが、空《くう》であることの要点である。自由で無我な人間は、まず空でのぞみ、その空からランゲージが必要な形態を生成するがままにさせておく。」[*106]

そして、このようにつくったものこそが、自然なものであり、美をもつものになる。

「パタン・ランゲージを正しく用いれば、自然の一部になるような場所をつくることができる。」[*107]

「私たちのすべてがこのように平凡で、私たちのあらゆる行為が必要以外の何物も残さないとすれば――ちょうど風の吹き抜ける草原のように、安らかで、野生のままで、生き生きとした、無限の多様性を備えた町や建物をつくることができる。」[*108]

パターン・ランゲージは、単に何かのつくり方ややり方を共有するための手段ではない。それは、いま見てきたような「無我の創造」による、物事の自然な生成プロセスを支える（図6）ための、きわめて重要なメディアなのである（このパターン・ランゲージの意義や可能性に関する研究は、私が構築中の「創造実践学」において研究を進めている）。

創造社会の共創システムと共創ギルド

このようなパターン・ランゲージが各領域でつくられるとすると、それはどのような社会的な機能を果たすだろうか。最後に、社会学者ニクラス・ルーマンの機能分化した近代社会の観点から、創造社会とパターン・ランゲージの関係を示して、本稿を締め括りたいと思う。

ルーマンは、同じ種類のコミュニケーションの連鎖は、ひとつのシステムを形成し、ダイナミックな安定性をもつに至ることがあると考えた。[*109] そのように形成されたシステムは、社会において固

＊102 アレグザンダー『時を超えた建設の道』p.171
＊103 同右p.158
＊104 同右p.291
＊105 アレグザンダー『時を超えた建設の道』p.319
＊106 同右p.438
＊107 同右p.300
＊108 同右p.445
＊109 ニクラス・ルーマンによる近代社会の機能分化についての論は、『エコロジーのコミュニケーション』および『社会の社会〈＊2〉』が詳しい。また、私も『社会システム理論』の序章で概説しているので、参照してほしい。

有の機能を担うことから、社会の「機能システム」と呼ばれる。近代社会では、経済システム、法システム、科学システム、政治システム、宗教システム、芸術システム、教育システム、マスメディアシステムなどの機能システムが、それぞれの論理で自律的に作動している。

　それぞれの機能システムには、シンプルで強力な「コード」があり、それによってコミュニケーションの生成・連鎖が組織化されている。そのシステムに属するコミュニケーションは、必ずそのコードに従ったコミュニケーションとなる。

　このようなルーマンの機能システムの観点で見たときに、創造社会はどのように語ることができるのだろうか。創造社会とは、「共創システム」（Co-Creation System）という機能システムが機能分化し作動する社会だと、私は考えている（図7）。

　このわかりやすいイメージが、Wikipedia の記事作成のコラボレーションや、Linux などのオープンソースのソフトウェア開発であろう。この例が示すように、メンバーシップのある限定された組織内の閉じた創造ではなく、不特定多数が自由に出入りして参加するという、社会的に開かれた状態での共創が社会のなかで生じ、自律的に動いていくのである。

　この「共創システム」という機能システムのコードは、「良質／不良質」ではないかと思われる。深い美が宿る良い質に向かって、開かれたコラボレーションが起きるということである。そして、その良し悪しの基準を与えるとともに、コミュニケーションの言語となるのが、パターン・ランゲージなのである。パターン・ランゲージは、共創システムが社会的に開かれた状態でも安定して作動することの蓋然性を高めるメディアなのである。

　すでに触れたように、柳は、深い美を生み出す伝統の共有・継承を担う組織として「ギルド」に着目した。中世紀のギルドが機能したのは、柳によれば次の理由によっていた。

「共通の目的の許に、同胞愛の力によって結合せられた相互補助の団体である。団体であるから、それを可能ならしめる秩序が固く保持せられた。秩序は道徳なくしてはあり得ない。この道徳性が特に工藝ギルドにおいては製作に誠実さを保証した。質であるとか工程であるとか価値であるとかに不正を許さなかった。」[*110]

　つまり組織内でのそのような拘束力が伝統の維持を可能としたというわけである。しかし、組織で機能したこのような拘束力は、社会においてはそのままでは機能しない。そこで、共創システムのなかのギルドは、中世のギルドとは異なるかたちのものになると考えられる。それは、不特定多数が出入りする自由度がありながら、伝統を共有・継承し、人々が創造の美を実現することを可能とするようなものになるだろう。そのような共創システムにおける新しいギルドを、私は「共創ギルド」と名づけたいと思う。

　共創ギルドは、構成員を抱え込んで拘束力を発揮させるような組織として機能するのではなく、一人ひとりが自ら創造に取り組むとともに、創造の美についての社会的啓蒙を進める「ジェネレーター」[*111]たちによる、ゆるやかな結合主義のオープン・コミュニティになると考えられる。そのような共創ギルドで、実践とコミュニケーションを支えるメディアが、パターン・ランゲージなのである（このような創造社会のヴィジョンの内実は、私は今後、「未来社会学」の研究のなかで深め、探究していきたいと考えている）。

創造社会へのマニフェスト

　本稿では、柳とアレグザンダーの美の原理を踏まえ、それを過去のものとするのではなく、これからの未来への手がかりとして、いささか大胆に論じてきた。人々が自分（たち）に必要なもの・つくりたいものを自分（たち）でつくるようになる「創造社会」においては、共創ギルドとパターン・ランゲージが人々の創造活動を支えるようになる。それにより、無心・無我の状態で自然なプロセスで「つくる」という「深い創造」が可能となり、その結果、「深い美」が生み出されることになる。それは、工業的製造とは異なる農業的育成としての創造の復興であり、自我の欲や利益の最大化を追求してきた時代から、よりナチュラルで共創的な時代への移行を意味する。

　本稿で論じてきたことは、単なる未来予測ではなく、これから私自身、そのような未来をつくっていくつもりであるという、一種のマニフェストだと思っていただきたい。柳もアレグザンダーも、まさに、そのようなマニフェストを掲げて、それぞれ自分の天命を全うする人生を送った。私も、その思いと生き方を自分なりに受け継ぎ、未来に向かって歩みを進めていきたいと思う（図8）。

　本稿の執筆へのお声がけをいただいた、「遅いインターネット」を掲げる宇野常寛さんと、さらには、このヴィジョンに共鳴する方々とともに、これからのナチュラルでクリエイティブな創造社会を共創していくことができれば幸いである。

＊110 柳『工藝の道』p.249

＊111 ジェネレーターとは、生成的な流れを促しながらともに「つくる」ことに参加する新しいあり方のことである。創造社会の教育においては、ティーチャーでもファシリテーターでもなく、ともに創造に取り組むジェネレーターが重要となる。詳しくは、井庭編著『クリエイティブ・ラーニング』を参照のこと。

【参考文献】
井庭 崇「パターン・ランゲージによる無我の創造のメカニズム―オートポイエーシスのシステム理論による理解」7th Asian Conference on Pattern Languages of Programs (AsianPLoP2018), 2018
井庭 崇「クリエイティブ・ラーニング―創造社会の学びと教育」２０２０年度「台湾日本語教育研究」国際シンポジウム、２０２０年11月
井庭 崇「村上春樹の深い創造―日常から逸脱した世界はいかにして生まれるのか」２０２１年第10回村上春樹国際シンポジウム、２０２１年6月
井庭 崇＋井庭研究室『プレゼンテーション・パターン―創造を誘発する表現のヒント』（慶應義塾大学出版会、２０１３）
井庭 崇／岡田 誠 編著、井庭崇研究室、認知症フレンドリージャパン・イニシアチブ『旅のことば―認知症とともによりよく生きるためのヒント』（丸善出版、２０１５）
井庭 崇／梶原 文生『プロジェクト・デザイン・パターン』（翔泳社、２０１６）
井庭 崇 編著／鈴木 寛／岩瀬 直樹／今井 むつみ／市川 力『クリエイティブ・ラーニング―創造社会の学びと教育』（慶應義塾大学出版会、２０１９）
井庭 崇／中川 敬文『おもてなしデザイン・パターン』（翔泳社、２０１９）
井庭 崇／長井 雅史『対話のことば―オープンダイアローグに学ぶ問題解消のための対話の心得』（丸善出版、２０１８）
井庭 崇 編著、中埜 博／江渡 浩一郎／中西 泰人／竹中 平蔵／羽生田 栄一『パターン・ランゲージ―創造的な未来をつくるための言語』（慶應義塾大学出版会、２０１３）
井庭 崇／古川園 智樹「創造社会を支えるメディアとしてのパターン・ランゲージ」『情報管理』Vol.55, No. 12, 2013, pp.865-873
井庭 崇 編著／宮台 真司／熊坂 賢次／公文 俊平『社会システム理論―不透明な社会を捉える知の技法』（慶應義塾大学出版会、２０１１）
Takashi Iba & Sae Adachi, "The Principles of Deep Creation", 28th Conference on Pattern Languages of Programs (PLoP2021), 2021
Takashi Iba & Ayaka Yoshikawa, "Illuminating Egoless Creation with Theories of Autopoietic Systems", in Pursuit of Pattern Languages for Societal Change. A comprehensive perspective of current pattern research and practice, Richard Sickinger, Peter Baumgartner, Tina Gruber-Muecke (Eds.), Krems, 2018
鞍田 崇『民藝のインティマシー―「いとおしさ」をデザインする』（明治大学出版会、２０１５）
クリストファー・アレグザンダー『時を超えた建設の道』平田翰那 訳（鹿島出版会、１９９３）
クリストファー・アレグザンダー『ザ・ネイチャー・オブ・オーダー 建築の美学と世界の本質―生命の現象』中埜博 監訳（鹿島出版会、２０１３）
クリストファー・アレグザンダー『形の合成に関するノート／都市はツリーではない』稲葉 武司／押野見 邦英 訳（鹿島出版会、２０１３）
クリストファー・アレグザンダー他『パタン・ランゲージ―環境設計の手引』平田翰那 訳（鹿島出版会、１９８４）
クリストファー・アレグザンダー他『パタン・ランゲージによる住宅の生産』中埜博 監訳（鹿島出版会、２０１３）
柳 宗悦『工藝の道』（講談社、２００５）
柳 宗悦『民藝とは何か』（講談社、２００６）
ニクラス・ルーマン『エコロジーのコミュニケーション―現代社会はエコロジーの危機に対応できるか?』庄司 信 訳（新泉社、２００７）
ニクラス・ルーマン『社会の社会〈2〉』馬場 靖雄／赤堀 三郎／菅原 謙／高橋 徹 訳（法政大学出版局、２００９）

エッセイ

身体というフロンティア

最上和子

私のしている舞踏は自分の外側に動きの形をつくるのではなく、まず最初に自分の身体の内部と徹底的に向き合う。世界にはバレエ、日舞、フラメンコ、伝統芸能、民族舞踊などたくさんの舞踊があるが、そのどれとも違い、方向が逆になっている。それは踊りをする前に内部を見出すという大きな課題があるからだ。

身体の「内部」とはどういうことか。私の行っている基本の稽古に「床稽古」というのがある。身体の力を抜いて一〇分間床に横たわり、一〇分かけて立ち上がり、次に一〇分歩く。一行程三〇分のこの稽古で身体と意識状態に驚くべき変化が起こる（起こらない場合もあるが）。

まず身体の力を抜くのが難しい。抜いたつもりになっているだけという場合がほとんどだ。力を抜いて横たわるとは、無防備に自分を投げ出すと

画像提供：ドーム映像作品「HIRUKO」

最上和子（もがみ・かずこ）
OL・看護師を経て舞踏家になる。身体の内部から踊る原初的な舞踏を模索。現代におけるダイレクトな霊性の探求が活動のメインである。稽古場主宰のほか、公演・イベント・ワークショップなど多数。映像作品『HIRUKO』、『double』に主演。著作に『身体のリアル』（押井守との共著、角川書店、2017年）、『私の身体史』（kindle版）がある。

いうこと。社会的な武装を解くということなのだ。力を抜くためにはそれなりの仕掛けが必要だが、ここでは割愛する。

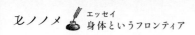

そしてある程度力を抜いて横たわると、床ははじめは固い冷たい物質で身体のあちこちにコツンコツンとぶつかっている。しだいに互いに溶け合い、どちらが床なのか自分の身体なのか境目が消えていく。身体が床の下まで沈んでいく。場合によっては身体が暗闇に浮いたように感じられたり、深い水底にいるように感じられたり、自分の身体の輪郭が消えていったり、人によって時によって実に様々な体験をする。感覚が鋭敏になり皮膚が空気を感じる。背中の細かい筋肉が動くのがわかる。心臓の鼓動が感じられる。肋骨が波打つ。関節のわずかな動きが新鮮に驚きを持って感じられる。まるで自分ではない深海の生物のようにあちこちがピクピクと動く。震える。流れる。呼吸は止まったように静かになり、かと思えば、海鳴りのようになる。身体がたくさんのことを語りかけてくる。心地よく体が溶けるに従って、身体はだんだん水を吸い込んだ海綿のように重くなり、寝返りすらなかなか打てない。身体と床が磁石でくっついているかのようだ。

合図とともに次にゆっくりと一〇分かけて立ち上がる。横たわっているときの力が抜けた状態を維持しながら、最小限の筋力で立ち上がる。横たわっている間に重くなった身体は容易には動かない。まるでクラゲかアメーバが立ち上がろうとしているかのように困難だ。自分の身体を自分でうまく制御できなくなっている。脳がふだんほど機能しない。私はこれをとりあえず「重力につかまる」と呼んでいる。普段は脳が先行して身体をコントロールしているのに、このときは身体が主導になり脳は出しゃばるのをやめて引っ込んでしまう。どうしたら立ち上がれるのかがわからない。立てない、立てないと思う。そうすると身体が考え始める。どうしたら立てるかなと。赤ん坊が初めて立つときにも似ている。赤ん坊は頭で考えてから立つわけではない。身体が試行錯誤するのだ。カッコよく立つ必要はない。のたうちまわっても這いつくばっても、どんなにぶざまでも見た目はどうでも良い。大抵の人は四つん這いになりカラダを引き摺りながらようやく立つ。生まれたばかりの子馬が膝をガクガクさせて立ち上がるような動きになる人もいる。窓枠につかまりながらやっと立つ人がいる。途中まで立ち上がりかけて再びくずおれて床に転がる人もいる。床に貼りついたままついに最後まで立てない人がいる。ようやく立ち上がったときは、初めて人類が二本足で立ったときのようでもあり、水の中から陸に這い上がった生物のようでもあり、あたりの景色がすっかり変わっている。ただ立っていることの感動。新鮮さ。ほとんどの人は身体をグラグラさせながらやっと立っている。数人の人達がその人固有のギリギリの姿で立っている様子は、言葉にはできないほど感動的で美しい。合図によって次は「歩く」。なかなか最初の一歩が出ない。身体がつんのめったり、そっくり返ったりして倒れそうになる。海の底の海藻のように揺れている。歩きながら泣き出す人もいる。その涙はヒステリックなものではなく自己憐憫でも個人的な悲しみでもなく、泉が湧き出すようにどこまでも静かで清らかだ。これを個人の喜怒哀楽を離れた純粋感情と私は呼んでいる。稽古場の空気は一変して神聖さを帯びてくる。毎回私はそれを見るたびに胸が震える。深い海の底で行われる生命誕生の静かな儀式のようだ、と言った人がいる。見ながら泣く人もいる。人間はこんなに美しいのかと。ここでいったい何が起こっているのかと、私はずっと考え続けている。この稽古法は長い時間をかけて淘汰されて出来てきたもので、単純な稽古法ではあるが、やればやるほど奥深い。

ただ立つこと、歩くことがこんなに難しいとは。そのようにして出会う世界はなんと見慣れぬ不思議なものか。まるでまぼろしの中にいるようだ。そして赤児のようにようやく立ち上がった人間の無垢な美しさは、古い殻を脱ぎ捨てて内部から新しい命を誕生させる昆虫の羽化の姿にも似ている。一人ひとりの人間が個別でありながらともにひとつの場を形成するさまは、何度見ても感動的だ。年齢もプロポーションも一切関係ない。頭の禿げたおじさんだろうと痩せこけたお婆さんだろうと、誰もが美しい。これは決してきれいごとではない。それは名前も年齢も職業も社会性の全てが消えて立ち上がる、名もなきひとりの新しい人間だ。

身体の内部とは何か？　重力につかまるとはどういうことか？　そこではいったい何が起こっているのか？

身体にはたくさんの層があり、それが複雑に絡まりあっていて一筋縄にはいかないものだが、ここではごく単純化して「重力」という一点にしぼって、そのことの意味合いについて述べてみたい。

大雑把に言って身体にはふたつの方向性がある。ひとつは外的身体。これは私たちがふだん身体と言っているもので、例えば健康とか容姿とか、仕事をしているとき、家庭生活を営んでいるとき、社会の中で一定の役割をしているときの、それに伴う身体の形や動作や習慣などを指し、これを社会的身体という。もう一方は内的なもの。これは伝統的には瞑想とか内観と言われてきたもの。あるいは芸術を生み出す母胎のようなもの。前者は目に見える身体、後者は見えない身体と言ってもよい。私の舞踏はこの内的な領域から形を作っていく。

人間は外的な世界に物量として文明を築いてきた。もちろんその裏には内的な領域の力が強く働いていたことだろう。時代が下るに従って資本主義の発展やインターネットの登場があり、目に見える量的な領域にばかり関心が向かい、次第に世界は一元的な価値観による閉じた空間になってきたように、私には思われる。その過程で無視され排除されてきたのが「身体」、とりわけ内的身体だ。今では人は健康や容姿やスポーツのような目に見えるものだけを身体と思いがちだ。内的な見えない身体を呼び出すためにまずは蓋をはずさなくてはならない。そのために私達は床に横たわり自分の身体をただ感じ取ることから始める。意識は徐々に内側に向かっていく。そうすると今まで気づかれていなかった重力すなわち「地球からの呼び声」が聴こえてくる。意識の持ち方が先なのか重力が先なのか、それはニワトリとタマゴのようにどちらとも言えない。ただひたすら身体は重く意識はモーローとしてくる。そしてついには立てなくなる。人は往々にして重力を憎みがちだ。自由な飛翔を阻むあのイカロスの神話のように。だがどうしたって人は重力には勝てない。空を飛ぶ鳥も羽を休める場所が必要だし、死ねば地に落ちる。重力に対抗したり無視したりしているうちは、人は真に自由にはなれない。実際に重力につかまってみると実に気持がいい。とても温かくゆったりとしており、ふるさとに帰って温泉に浸かっているかのよう。重力と関わるためにはまず重力を知らなくてはならない。重力のかかったこの思うようにならない身体と根気よくつき合うことで、人は末梢神経の痙攣のような束の間の自由ではなく、地球という大地に抱かれたおおらかで信頼に満ちた自由を手に入れられるのだと、私は信じている。重力は逆らう相手ではなく睦みあう相手だ。単純に言えば、重力につかまればつかまるほど社会的な自我は後退し、無意識世界や内在世界の強度が台頭してくる。頭ではなく身体が考える。気張って立つのではなくゆったりと柔らかく立つ。歩く。そうすることでトゲトゲした自意識は退いていく。自由とは大上段な外的なものではなく、内的な、あるかなきかの微細な領域にある。重力と仲良くなると日常生活が以前とは違って見えてくる。実際には、身体には重力だけではない多くの要素があるのだが、ここではひとつに焦点を絞ってみた。

　身体に取り組むこと、舞踏することの素晴らしさ。それはここに述べたような過程を言葉の上だけでなく、実際に具体的に自分の身をもってダイレクトに体験できることだ。ともすると見過ごされてしまいそうなささやかな体験でありながら手応えは確固としている。神は細部に宿りたもう、という言葉そのままに、注意深く見出した微細こそが宇宙大につながる。微細を入口として入っていく身体の内部は、深く広大な未踏の大地だ。私はこの大地を開拓し耕し、新鮮な果実のように新しい人間を実らせたい。最後に私の口癖をひとつ。

「身体は人間に残された最後の土地」

穴

創作

浅生　鴨

浅生鴨（あそう・かも）
1971年、神戸市生まれ。たいていのことは苦手。さまざまな業界・職種を転々としたのち、現在は主に執筆活動に注力している。主な著書に『アグニオン』『猫たちの色メガネ』『どこでもない場所』『だから僕は、ググらない』、さまざまな媒体に書いた原稿を自身でまとめた『雑文御免』『うっかり失敬』などがある。座右の銘は「棚からぼた餅」。

イラスト＝久保田寛子

まもなく昼の休憩が終わる時間だったせいか、食堂にはもうほとんど人は残っておらず、点けっぱなしのテレビから漏れ出す音の粒が、煤けた壁に跳ね返って部屋全体に薄く広がっていた。

修平は定食セットを乗せたトレーを受けとったあと、給湯器で注いだ茶といっしょにテーブルに置いた。

ここの定食セットはむやみに量があるので若手には人気だが、修平にはやや多すぎていつも何かを残す羽目になる。それでも修平は定食以外のメニューを頼む気にはなれなかった。それほど深い理由があるわけではない。ただ食堂の前に飾られているサンプルがひどく古びていて、食欲をそそらないからだ。

もう何年もずっと同じサンプルが飾られたままだが、工場内にある食堂だから客を増やす努力をする必要がない。メニューの中身さえわかればサンプルとしての役目は果たせるし、たぶんみんなもそれでいいのだろう。ここに変化は必要ないのだ。

食事を終えるころに、ようやく茶が冷めてちょうどいい温度になる。修平は茶を口に含みつつ何気なくテレビに意識を向けた。自宅にテレビはないので、ここで食事を摂るときだけ目にするテレビ番組は、十数年時間が止まっているように思われた。修平が子供のころに見ていた番組に出ていたタレントたちが、今も同じような役割で出演している。

修平は視線を画面にやったままゆっくりと茶を飲み込んだ。

グホ。茶葉のかすが喉に引っかかり、激しくむせた。異物を取り除こうとする体の反応は強引で、その咳には痛みが伴う。急ぎ残りの茶を飲んで咳の原因を洗い流した。

そうして、ひと息ついてから再びテレビを見た。

入れ歯を洗浄する薬剤の広告のあと、この野菜の汁を飲めば健康を保ったまま長生きができますよ、と壮年の男性タレントが力強く語った。初めて聞く名前の野菜だった。こういうものには、だいたい聞いたことのない野菜から抽出された聞いたことのない成分が含まれているが、たぶん味はどれも同じようなものに違いない。

そのあと、緊急速報に似たリズムと安っぽいシンセサイザーの音を混ぜた音楽が鳴り響き、スーツ姿の男性が大写しになった。これがアナウンサーなのかタレントなのか、修平には区別がつかなかった。

「さて、今回の戦争が始まってから明日でちょうど八十年になるわけですが、なかなか先が見通せません。そこで今日は有識者のみなさんにお集まりいただき、徹底的に」司会者がそこまで言ったところで修平は隣のテーブルに置かれていたリモコンに手を伸ばし、テレビを消した。消したとたん、それまで自分を縛りつけていたものから解放された気がした。

うんざりだ。何もかも。

食堂にはもう修平しか残っておらず、テレビを消したことに怒る者はいない。もともと誰も見ていないのだ。ただ点いているだけ。修平は静かに立ち上がった。プラスチックのトレーを返却口に返す。厨房の奥からはカチャカチャとした忙しない金属音が聞こえた。

「ごちそうさま」

「あ、どうもぉ」

いつものおばさんがいつもと同じ笑顔を見せた。

食堂の出口まで進んだところで、ふと中を振り返る。大きな窓から差す鈍い光が食堂の半分だけをぼんやりと照らしていた。

ピン。急に頭蓋骨の内側に高周波が共鳴して、修平は耳の奥に微かな痛みを覚えた。どうやら新しく食堂に入ってきた誰かがテレビを点けたらしい。ずっと点いているときには、あるいはずっと消えているときにはまるで気づかないのに、点いたり消えたりするとその変化だけははっきりとわかる。何だってそうなのだ。実際に変化が起きるまでは誰も現状に気づかない。

「ふう」修平は静かにため息をついた。

「戻るか」

そう独り言ちてから大きく伸びをする。

正直に言えば戻りたくはなかった。

工場には換気用の窓しかなく、陰鬱とした蛍光ランプの光の下で作業を続けなければならない。あの灰色の空間に長居したくはないが、それが修平の仕事だからしかたがない。だがチャンスさえあれば。そう思ってから修平は独りで苦笑いした。チャンスなど来る筈もないのに。

ふと、さっきのテレビ番組が頭をよぎった。

テレビの中の司会者は妙に嬉しそうだった。ああいう人たちがどれほど徹底的に話し合ってもものごとは変わらない。ただ討論をしたという事実が残るだけで、工場に窓が増えることもない。そもそも現場で働く修平たちがいなければ、彼らは話し合うことさえできないのに、なぜかその討論の中に修平たちの話は登場しない。テレビ局のスタッフたちが集めてきた架空の現実をモニターで眺めながら、ありもしない未来を語る。たぶんその未来は自分たちでも信じていないのだろう。

　食堂を出ると、目の前にはすっかり錆びついたトタンに覆われた巨大な建屋が二十四軒、中央路を挟んで左右に十二軒ずつ等間隔に並んでいる。建屋はどれもほとんど同じ大きさだし、造りも似たようなものだったが、外側のトタンの色がそれぞれ違っていた。

　右側の手前から三つ目の青色の建屋に修平は所属している。色によって作業内容が異なっているのだが、工員たちは自分の所属する建屋以外でどんな作業が行われているのかを知らないまま働いていた。もっとも特に秘密になっているわけではない。ただ興味がないだけだ。みんな自分の仕事にさえ関心がないのに、他人の仕事に興味が湧く筈もなかった。

　食堂の入り口にあるわずか七、八段程度の短い階段の下には、これまた酷く錆びた一斗缶がさりげなく置かれていて、数人の工員がその周りでタバコを吸っている。誰かが冗談を言ったのだろう。一斉に笑い声が上がった。

　修平は中央路の一番奥を見た。ちょうど大きな鉄の引き門が開かれて大型トラックが出て行くところだった。トラックのさらに向こう側には、ただ曇り空が広がっている。街には工場の建屋より高い建物は一つも存在しない。修平には、街の上を覆った墨色の曇り空がそのままゆっくりと降りて来て、やがて街を包んでしまうように感じられた。

　初夏の爽やかさは微塵もなく、苛立たしいほど緩く吹く風が、遠く海から鬱陶しい湿り気を運んでいた。

　今の戦争が始まってから八十年。今年三十六になる井草修平は、物心がついたときからずっと戦争が続いているから、もちろん戦争のない世界など知らない。戦前の記憶が残っている年寄りたちも残り僅かだ。その年寄りが亡くなってしまう前に平和だった時代の体験を記録に残そうとしている者たちもいるらしいが、修平には関わりのないことだった。戦争は永久に終わらず、未来はきっと今日と同じままなのだ。

　タバコを吸う工員たちと遠くの空をしばらく交互に見やったあと、修平はゆっくりと階段を下り始めた。

　ちょうど四段目から三段目に降りた瞬間、いきなり修平の目に強い光が刺さった。眩しさに視覚が麻痺してよろめいたが、手すりに掴まって何とか転ばず足を踏ん張ることができた。

「なんだ、今のは」

　修平はまだ残像の残る目を細めて静かに辺りを見回したが、いったいどこからその強い光が差したのかはわからなかった。

「おい、どうしたよ」不意に頭の後ろから聞き覚えのある声がした。

「田沼か」修平は振り返りながら言った。

　階段の上に立っていたのは予想通り田沼清彦で、でっぷりとした大きな体が、階段を見上げた修平の視野を完全に覆い尽くしていた。

「お前、今、ふらふらしていたぞ」

「なんだか急に眩しくなって」

「誰かが鏡で悪戯でもしたんじゃねえのか」

　のっそりと階段を下りてきた田沼はなぜか嬉しそうな声を出した。

「冗談じゃないよ。転んでケガしたら終わりじゃないか」

「ああ、終わりだな。終わり」

　隣に立った田沼はゲラゲラ笑って修平の背中を二度叩いた。

　二人は並んで階段を下りていく。下り切る前に、田沼はポケットからタバコを取り出しマッチで火を点けた。階段下の一斗缶に向かってマッチの燃え殻を投げたが、軽すぎる燃え殻は風の抵抗を受けて、ほとんど田沼の足元から離れずその場に落ちた。

「そう。終わりなんだよ」落ちたマッチを見て田沼がぽつりと言う。

　それまでタバコを吸っていた工員たちが、一斗缶に近づく二人になんとなくあやふやな会釈をして一人、また一人とその場を離れ始めた。そのほとんどは二人よりも年嵩の工員なのだが、職位は二人のほうが上だからか、妙な遠慮があって、いつも修平はどこかに居心地の悪さを感じていた。

　修平もタバコを採り出そうとポケットを弄ったが、見つからなかった。

「あ、オレ、タバコを食堂に忘れてきたみたいだわ」

　修平が階段の上に首を向けてそう言うと、田沼は黙ってタバコを一本取り出し、マッチ箱といっしょに修平に渡した。マッチを擦ると仄かな燐の香りが鼻の奥にツンと届いた。

「で、お前のところは今何やってんだ？」田沼が聞いた。修平とは同期だが建屋が違うので、お互いに何をやっているのかは、こうして話さない限りわからない。

「今も何も、ずっと単調な作業の繰り返しだよ」

「そうかぁ。うちも同じだよ」

　何がおかしいのか、田沼の口端が僅かに持ち上がった。

　修平の建屋で行われている作業は穴と呼ばれている。文字通り穴を空ける作業で、毎朝建屋に届く大量のポリイミド樹脂板の、あらかじめ決められた位置に一定の大きさで穴を空けるのだが、これが何のための穴かはわからないし、穴を空けた樹脂版が何に使われるのかも知らされていなかった。

　もっとも修平自身が実際に穴を空けるわけではなく、工作機械を使う工員たちの管理が主な役目だ。どこかから運び込まれた一枚の板が、やがて穴の空いた一枚の板に変わってどこかへ送り出される。その繰り返しだ。

「少しは変化が欲しいよな。さすがに飽きてくるよ」

「変化って?」田沼は首をくいと捻った。

「いや、ずっとこれが続くんだろうなあと思うとさ」

　修平は遠くの曇り空を眺めながら、ぼわと白い煙を吐き出した。初めは小さな塊だった煙がゆっくりと広がって、やがて消えていくと、目の前には元通りの曇り空が残った。

「そういうもんだろ。戦時中なんだぞ」

「だよなあ」

　修平は腰を曲げ、吸い終わったタバコを一斗缶の縁に押しつけて火を消した。

　今は戦時中だから。子供のころからずっとそう言われてきた。何をするときにも、あるいは何かを禁じられるときにも常に戦時中という言葉が使われる。

「それでは、戦時中でなければどうなんですか?」

　これまで、その問いにまともに答えてくれた大人は一人もいなかった。戦時中であることだけが繰り返し語られ、戦争が終わった先のことなど誰も想像しない。

　近くの建屋から工作機械の動く重い音と、金属片の削られる高い音が同時に鳴りはじめた。午後の作業が始まったのだ。

「金曜あたり、真藏にでも呑みに行くか。しっぽりとじゃなくてズッポリとさ。だははは」

　田沼は大声で笑うと修平の背中をまた二度叩いた。なぜ二度叩くのかわからないが、この男はいつも二度叩くのだ。

「じゃまたな」

　そう言って歩き出した田沼は、こちらを振り返ることもなく背中越しに軽く手を振った。

　修平も建屋へ戻ろうとして、ふと足を留めた。そのまま体の向きを一八〇度変えると、階段を上がって食堂へ向かう。

　午後の作業が始まったので、もう誰も食堂には残っていなかった。おばさんがテーブルを布巾で丁寧に拭いている。片手に持ったスプレーで噴いているのは消毒液なのだろう。スプレーから霧が撒かれるとテーブルに水滴がつく。その水滴を素早く布巾で拭き取っていく。リズミカルな一連の動きは工場の中で行われている作業によく似ていた。

「あら、どうしたの」修平に気づいたおばさんが手を止めた。

「タバコを忘れたみたいで」

「ああ、タバコね。あったわよ。あれじゃないの、ほらあそこ」

　おばさんは食器返却口のそばにある小さな台を指差した。形が崩れて角の丸くなったタバコの箱が無造作に置かれていた。

「ああ、あれです。ありがとうございます」

　タバコを上着のポケットに入れて食堂を出た修平は、さっきと同じように階段の上に立ち、中央路の奥を見やった。もうトラックはいない。鉄門の奥に広がる曇り空は、より一層どんよりと色を濃くして、今にも降りてくる気配を見せていた。修平は首をひねった。こんなに曇っているのに、さっきの光はどこから来たのだろう。鏡を使って誰かが悪戯をしたにせよ、そもそも反射させる光がない。

　どこから光が差したのかを確認するように、修平は視線を細かく動かしながらゆっくりと階段を下り始めたが、特に気にかかるものはなかった。五段目を下り、四段目に乗り、四段目から三段目へそっと足を運ぶ。さっきはここで眩しくなったのだ。右足のつま先が踏面に触れた。

　その瞬間。

「あっ」再び目に強い光が刺さって、修平は思わず正面から顔を背け、腕で目を覆った。顔のすぐ前で何台ものストロボが炊かれたかのように、ただ眩しくなっただけでなく、顔全体に熱を感じた。背中から首筋にかけてゾクゾクするような電気が流れ、全身にぶわと鳥肌が立った。

　ややあって、顔の前から腕をのけて薄く目を開けたが、光はもうどこにもなかった。修平は顎に力を入れると口をへの字に曲げて腕を組んだ。もともと細い目と薄い唇が、まるで刃物で顔に刻まれた線のようになる。

　そのまましばらく考え込んだあと、修平は後ろ向きのまま、三段目の踏面に置いた右足を持ち上げて四段目に戻した。体がぐいと引き上げられて視線が高くなる。そうしてから、再び右足を静かに三段目に降ろした。強い光を浴びても平気でいられるよう目は細くしたままだ。

　バチッ。

　足が踏面についた瞬間、視界が目映い光の塊に包まれ、同時に放電ノイズにも似た大きな破裂音が聞こえた。修平は驚いて目を大きく開いたが、次の瞬間にはもう元に戻っていた。

　修平は呆然とした顔つきになった。

「光が差したんじゃない」そう言った口元は緩んで半開きになったままだ。

　誰かが鏡を使って悪戯をしたのではなかった。目の前に広がる街そのものが光ったのだ。いや、街だけではない。工場の建屋も中央路も曇り空さえもが激しい光を放ち、それらが一体となって世界全体を真っ白な光で包んだのだった。

　もう一度階段を上がり、四段目から三段目に足を降ろす。

　バチッ。

　何度やっても同じだった。三段目の踏面に右足のつま先が着いた瞬間だけ、世界が目映い光に包まれ、そのたびに腰の底から脳天に向かって痺れるような快感が走る。

「何だこれ」

　わけがわからなかった。ここで起きている現象は修平の理解力を完全に超えていた。半ば意地になった修平は、あれこれ試してみるが、世界が光る現象は三段目以外では起こらず、また、たとえ三段目でも、左足を先に降ろすとやはり起こらなかった。

　そうやって何度も試しているうちに光っている時間が少しずつ長くなっていることに修平は気づいた。最初はわずか一瞬の出来事だったのに、今は一秒近くに延びている。もっと長くなるんじゃないのか。修平は夢中で階段の上り下りを繰り返した。

「はあぁ」

　やがて修平は長く大きな息を吐いた。全身が痺れたようにぐったりと疲れている。階段の上り下りで足を酷使したせいもあるが、もっと体の奥深いところにずっしりとした重さを感じていた。たぶん息を止めて水に潜るのと同じことなのだろう。慣れればもっと長くあの状態のままでいられるのかもしれない。

　それにしても。

「なんでオレはこんなことに夢中になっているんだろ」つい苦笑が漏れた。どうやら相当興奮していたらしい。心臓が激しく動悸を打っていた。もう何も考えられない。

　ぼうっとした頭で見上げた空は、さっきよりもさらに雲の色が濃くなっていて、いつ雨が降り出してもおかしくなかった。

　三週間あまりが経った。修平はあの日以来、昼食後に例の階段で光を確かめるのが日課になっている。あのあといろいろな時間帯で試した結果、光は午後一時前後にしか現れないことがわかっている。もちろん午後一時でも光の見えない日はあったが、たいていは世界を包み込む目映い光に視界が覆われ、そのたびに修平は鳥肌の立つような快感を覚えた。

　相変わらず何が起きているのかはわからないままで、それでも毎日繰り返しているうちに、修平は次第に光の中に長く留まるコツを掴み始めていた。具体的な言葉にすることは難しいが、光に逆らわず受け入れようとする精神状態を保ち続ければいい。何も考えず、ただ光を受け入れるのだ。何かに驚いたり怯えたり疑問を感じたりすると、その瞬間にあの恍惚感とともに光は消え去り、元のどんよりとした灰色の雲が広がる空を呆然と見つめることになる。光の中にいながら、どこまで平常心を保てるか、それが重要だった。

　昼休みが終わり、午後の作業が始まったことを確認してから修平は食堂前の階段上に立った。人の通らないタイミングになるように、ここのところ、わざと昼食の時間を遅めにしている。

　最近は二十秒ほど光の中にいることができた。さすがに二十秒もいればだんだんと目が慣れてきて、すぐ近くで何か動くものが見えた気がしたところで昨日は光が消えたのだった。

「よし」心を無の状態にして階段をゆっくりと下りる。四段目で一度両足を揃えて止まり、大きく深呼吸をした。体の力を抜いて、三段目に右足をトンと乗せる。

　バチッ。

　大きな空電ノイズ音とともに現れた目映い光が、修平の視界を覆った。

　いつだったか浮き板に乗って、仰向けでぽっかりと海に浮かんだまま太陽の光を浴びていた、あの真夏の気だるさと心地よさに似ていた。全身を貫く痺れるような恍惚感。泳ぎ疲れた体が眠りを欲し、光と熱でジリジリと肌を焼きながら微睡みの中で次第に過去と現在が混じり合っていく感覚。懐かしさが胸の奥にこみ上げてくる。いつまでも続く夏の日々。

「うえっ」

　不意に修平は吐き気を覚えた。光の中に小さな黒い点が現れ、周りの光を吸い込むようにしながらどんどん広がっていく。修平は後ずさろうとしたが、まったく体が動かせなかった。大きな一枚の黒い膜が修平を包み込んでいく。

　黒い膜の中は水で満たされていた。うっかり飲み込んだ水は苦く塩辛かった。息ができない。いつまでも続くと思っていた微睡みは一瞬にして恐怖に変わり、苦い水と深い闇が修平を包み込み、どこまでも支配しようとする。

　すっかり忘れていた。

　ただ楽しかっただけではなかった。あの夏、修平は溺れたのだ。浮き板に乗って漂っているだけに飽きた修平は、板の上に立ち上がろうとして、そのまま海に落ちたのだった。

　どのようにして助けられたのかは覚えていない。気がついたときには砂浜に横たわり、見知らぬ若者たちに囲まれていた。その隙間からおろおろと泣く母親の姿が見えた。

「こいつがボードに乗っているだけにしておけば、こんな騒ぎにはならなかったんだ」

　父親の厳しい口調に母はいっそう狼狽える。

「誰か一人でも余計なことをすると大勢に迷惑がかかるんだ。覚えておけ」

　そう吐き捨てると、父はくるりと体の向きを変えて、さっさとその場を離れて行った。

　修平は砂地に横たわったまま、ぼんやりと空を見上げた。太陽が眩しかった。やがてその光が広がり、修平を包み込んでいた黒い膜を溶かし始めた。


　いつしか目の前で何かが動いていた。小さな影のようなものが、ゆらゆらと左右に揺れつつ次第に大きくなっていく。大きくなるにつれて、ぼやけていた輪郭がだんだんと露わになった。

　それは人影だった。揺れながら大きくなっているのではなく、一歩ずつこちらへ近づいているのだ。僅かに瞼を動かして薄目になると、目映い光の中で焦点が合い、やがてその顔がはっきりと見えてきた。

　女性だ。後ろから差す光のせいで細かなところまでは見えないが、女性であることは確かだった。修平はぼんやりと思考を巡らせた。動揺してはいけない。焦ってもいけない。疑問を持ってもいけない。そこにあるものをあるがままに受け入れるのだ。

　一メートルほどの距離まで近づいてから、女性は微笑んだ。どこか困ったような笑みだった。

　修平はまじまじと女性を見つめた。修平たちと同じ工場の作業服を着ているが、胸元にネームプレートはない。細く小柄だが病的に痩せているわけではなく、むしろ肌の色はとても健康的に見える。

「こんにちは」と挨拶をしようとしたが、修平の喉からはヒュッと奇妙な音が漏れただけで声を出せなかった。

　彼女はゆっくりと祈るように両手を胸の前で組み、そうして静かな水を湛えた二つの瞳で修平の目をじっと覗き込んだ。綺麗な瞳だと修平は思った。

　彼女の小さな口がそっと開いて何かを囁いたが聞き取れない。

　今なんて言った？

　頭に疑問が浮かんだ瞬間、世界を包んでいる光がふっと消えそうになった。慌てるな、落ち着くんだ。修平はできるだけ息を長く吐いて平常心を保とうとする。やがて消えかけた光が元に戻った。

　女性は修平の耳元に口を寄せてもう一度囁いた。声が耳に触れて背中に恍惚感が走る。

「開けて」彼女はそう言った。


「主任」突然、柔らかな鈴に似た声に呼ばれて修平は我に返った。

　見ると階段の下から右下麻衣子が怪訝な顔つきをしてこちらを見上げている。

「ちょっといいですか」どこか戸惑っているような声だった。

　右下は今年の研修生で、今は修平の建屋で工作機械の使い方を学んでいるところだった。高校を出てすぐこの工場に配属された新人は、まだ殆ど汚れの無い作業服に身を包み、長めの髪をまとめて収めた制帽をきちんと正面に被っている。

「おお、なんだ」

　いつから右下はそこにいたのだろうか。きっとおかしなことをやっていると思われたに違いない。修平は二、三度目を瞬かせてから笑顔をつくったが、それが引き攣った笑みになっていることは鏡を見なくてもわかった。

「確認をお願いできますか」

「確認って？」

「穴の」

「ああ、穴の。そうだったな」

　修平はわかったわかったと頷き、早足で階段を下りる。

「今すぐ戻るよ」

「はーい」

　中央路に立って横に並ぶと右下は意外に背が高く、小柄な修平とあまり丈が変わらなかった。

「大丈夫ですか？」

「何が」

「汗がすごいですよ」

　右下にそう言われて気がついた。修平はシャワーでも浴びたかのように全身にぴっしょりと汗を掻いていた。額から流れ出た汗が顎の先に溜まって、ぽたぽたと滴を落としている。

「飲みますか？」

右下が小さなポシェットから赤い水筒を取り出した。この子はいつも水筒を持ち歩いている。

「いや、事務室に戻って飲むよ。ありがとう」

建屋の中では、ポリイミド樹脂の板を数枚持った三人の研修生が、事務机の前に並んでいた。右下麻衣子、加賀美エマ、岸本卓也。三人とも高校を出てここへ配属されたのだが、最終的に工員になるかどうかはまだ決まっていない。いろいろな職場を回って研修を受けたあと、それぞれの適正に応じて配属が決まるのだ。どうやって各自の適正を見極めているのかはわからないが、やがて役所から配属先の通知が届くことになる。そして研修先と配属先にはあまり関係がない。

修平自身も研修を受けたのは大手の法律事務所で、三年近く法律家の実務をあれこれ学んだあとで、ようやく通知が届いた。たいていの者は研修が始まって二ヵ月ほどで配属が決まるのに、なぜそんなに時間がかかったのかも、なぜここに工員として配属されたのかもわからないままだったし、修平も知ろうとは思わなかった。

「戦時中ってのは、そういうものだから」おそらくお決まりのセリフが戻ってくるだけだろう。聞いたところでしかたがないのだ。この八十年間、誰もが諦めに包まれている。

修平が彼らに与えた課題は板の四隅に決められた大きさの穴を空ける作業だった。慣れた工員ならば何の苦もなくできるが、初心者にはコンマ一ミリ以下の精度で位置や大きさを合わせるのが、意外に難しい。だが、それが穴の基本だ。

「上手くできたかい」

椅子に腰を下ろしたまま、修平はノギスを手にして新人たちを見上げた。蛍光灯の白々しい光が真上から注いで、三人の顔に深い影を落としている。

ゴゴーンゴゴーン。

新しい工作機械が動き出したらしい。それまで動いていた機械の立てる音に混ざり合って、やがて複雑にうねった一定のリズムを作り始めた。

「私のはこれです」

右下が自分の板を数枚、トンと音を立てて揃えてから机の上に置いた。五〇センチ四方の正方形の板の四隅には穴が空いている。

「いやちょっと待てよ」

修平は目を剥いた。確かに穴は空いているものの、正円ではなくハート型の穴になっていた。

「えーっと、これは？」

「ハートです」

慌てて板をめくると、二枚目は四隅にハート型の穴が空いているだけでなく、中央にも大きなハート型の穴が空いていた。うえっ。もう一枚めくった修平は思わず咽の奥で妙な音を鳴らした。三枚目には小さな丸穴を並べて模様が描かれている。

「どういうこと？」修平は擦れた声を出した。

「工具箱に抜き型があったし。っていうか、このほうが、かわいいかなって思ったんですよ。ねー」

右下が隣にいる加賀美エマに顔を向けた。メイクは派手だが同じく研修中の新人だ。

「だよねー」にっこり笑って頷いた加賀美も自分の板を見せる。

加賀美の板はもっと派手だった。様々な形の穴が縦横無尽に空けられ、何かのキャラクターのようなものが描かれている上、油性ペンで文字らしきものまで書き込まれている。

「これはいったい」修平は呆然とした表情で加賀美に目をやった。

「あ、主任から見たら逆ですね」加賀美は手を伸ばして板を一八〇度回転させた。小さな穴だけを使って、流行のキャラクターが器用に描かれている。

「ほら、クマたんです。かわいくないですか？　で、これは私のサイン。サインもかわいくないですか？」

「まあ、かわいいと言えばかわいいけどさ」

「えー、だったら私もクマたん描けばよかった」右下が拗ねた口調になる。

「いや、違うだろう。あーもう、そういうことじゃないんだよ」修平は両手で頭を何度か掻きむしった。

「岸本君は？」

「僕のはこれです」

岸本の見せた板は規定通り、四隅に正円が空けられていた。もはやいちいち細かく測りはしなかったが、どうやら穴の大きさも正確そうだった。

「これだよ、ほらこれ。これが正解だろ。なんでこうしないんだよ」

修平は岸本の板を持ち上げてあとの二人に見せる。

「だってかわいくないしー」右下が言う。

「あと、なんか、つまんないしー」加賀美が付け加えた。

「あのさ、だからそういうことじゃないんだよ。これは仕事だからね。決められた通りに穴を空ける。趣味でやってるんじゃないんだからさ」

三人が口を閉じる。頭を深く下げ、上目遣いにこちらを見る加賀美の目が僅かに潤んでいた。修平としては叱っているつもりはないのだが、どうしても叱る口調になってしまう。

　単調な作業の繰り返しはつまらない。何でもいいから変化が欲しい。その気持ちは修平にも痛いほどわかる。しかし修平は主任なのだ。ここで譲るわけにはいかない。修平は机の下で両手をぐいと組み合わせた。

　不意に右下がポシェットから水筒を取り出した。何も言わずにキャップを捻って口をつけると、水が喉を通る音がゴクッとはっきりと聞こえた。

　四人の頭上では蛍光灯が小さくジジジと音を立てている。

「どうしてハートじゃダメなんですか?」水筒をしまったあと、右下がぽつりと聞いた。妙に尖らせた口は親に言い返す子供のそれだった。

「え?」不意に背中を錐で突かれた気がした。修平の鼻の奥深いところで、何かが焦げるいやな匂いが広がっていく。

「ハートだったら何か困ることがあるんですか?」

「いや、それはわかんないけどさ」

　丸円でなければ、何か困ることがあるのだろうか。修平は机の下で組んでいた手を解き、そっと額に当てた。額はじっとりと湿っていて妙に冷たかった。

「なんでわかんないんですか?」

「知る必要がないからだよ」

「でも、何のための穴とか、なんで丸じゃないとダメとかわかったほうが、ちゃんと空けようって思うじゃないですか」

「そういう理由はいらないんだよ。決められた通りにやるのが仕事なんだから」

「もしかしたら、ハートとかでもいいかもしれないじゃないですか」

「あのさ、今は戦時中なんだぞ」そう言ってから修平はハッと息をのんだ。まさか自分がこの言葉を口にするとは思わなかった。

　新人たちの体があきらかに強張ったのがわかった。戦時中。誰もが子供のころから言われ続けている呪文。思考を止めるリセットボタン。

　工作機械のうねるリズムと蛍光灯のノイズがしばらくの間、事務机の周囲を覆った沈黙の隙間を埋めていた。

「僕たちの空けた穴は何に使われるんでしょう?」

　ややあって岸本が聞いた。修平に反抗するような気配はなく、単なる好奇心で聞いているようだった。

「じつはオレも知らないんだ」

「えー、知らないんですか。主任は知りたくないんですか」右下の目が丸くなる。

　修平は答えなかった。自分のやっていることにどんな意味があるのか、知ったところで何も変わりはしないのだ。

「私は知りたいです」右下はきっぱりと言った。

「私もー」

「だって必要ないだろ。やるべきことは決まってるんだから」

　与えられた役目を言われた通りにこなしていればそれでいい。そうやって毎日を繰り返していれば、余計なことを考える必要はないし、面倒も起きない。

「僕も知りたいです」

「なんでだよ」

「モチベです」岸本の瞳の奥にある種の真剣さが浮かんでいた。

「モチベ?」

「そうそうそう、モチベだよねー」右下が嬉しそうな顔になった。

「ねー」真っ赤な口紅を塗った口を大きく開いて加賀美も同意する。

「モチベかあ」修平は困惑した。

「あのう、作業の終わった部材は運び出されますよね」

「ああ」

「次はどこへ行くんですか」

「えーっと、ちょっと待ってくれ」

　修平は机の端からファイルを取り上げてパラパラと開いた。これまで、ここでの作業を終えた部材が、どこへ運ばれて行くかなんて気にもしたことがなかった。与えられた指示書の通りに加工して配送チームに引き渡すまでがここの役割なのだから、知ってもしかたのないことだ。そうやって最初から無意識のうちに気にしないようにしていたのだ。だが、一度気になると抑えられなくなる。小学生のころのあの気分が蘇ってくる。

「このあとはだな」

　部材の配送ルートを指でたどる。

「へえ、十一番なのか。左奥にある黄色の建屋だよ」

　修平はファイルの最後に掲載されている名簿一覧を確認した。やっぱりそうだ。十一番は田沼の所属する建屋だった。ここでの作業は田沼に引き継がれていたのか。それぞれまるで違う仕事をしているのかと思っていたが、意外なところで繋がっているのだなと修平は妙に感心した。

「そこに行って、次はどんな作業をするのか見てもいいですか」聞いたのは岸本だ。

「それ、必要なのか?」修平は三人を交互に見やった。

「はい。何をするのかがわかったら、たぶん僕らのやる気も変わります」

「そうですよ。次はこういう作業とかだから、ちゃんと空けなきゃとかって思いますよぉ」

　修平は椅子に深く掛け直し、ファイルを元の位置に戻してから、スマホを手に取った。

　しばらく考えてからスマホを置き直し、机の端に置かれた大きな電話機に手を伸ばして受話器を持ち上げた。かつては真っ白だった筈の電話機は、誰も気づかないうちに少しずつ変色して、今ではすっかり黄色くなっていた。建屋と建屋を直接つなぐこの専用回線を、修平は今まで一度も使ったことがない。修平は受話器を耳に当て、電話機に並ぶ三十個のボタンの中から、十一と書かれたラベルのボタンを押した。

「はい、十一号の田沼です」野太い声が聞こえた。

「やあ、田沼。井草だ」

「おお、なんだよ井草か。どうした。これで架けてくるなんて、びっくりしたぞ」

「あのさ、うちの研修生をそっちの建屋へ見学にやってもいいかな」

　新人たちはじっとしたまま耳をそばだてている。

「十一号に?　ここは本当につまらんぞ。見るものなんてないよ」

「どこだってつまらないのは同じだよ」修平は噴き出しそうになった。

「まあ、そうだな。こっちはいつでもいいぞ。好きなときに来てくれ」

「ありがとう。じゃあ今週どこかで伺うよ」

　受話器を置き、修平は研修生たちを見上げた。三人とも隠し切れない笑みが顔に浮かんでいる。他の建屋の見学に行ける。単調な日々の繰り返しの中に、いつもと違うできごとが起きる。それだけで嬉しいのだろう。

「オレもいっしょに行くよ」修平は言った。


　一日の作業が終わり、動くものが何もなくなった深夜の工場は、廃墟に似た薄気味悪さをまとっている。汚れた窓から差し込む、鈍く金属色をした月明かりが工作機械の影を床にぼんやりと落とし、暗い室内をよりいっそう陰鬱なものにしていた。昼間の鼓動が止まったそれは、いつか再生を約束された死体のように、ただ永遠の静謐を保ち続けようとしている。

　だが、もしも今この場に居合わせた者がいたとすれば、修平の事務机の上に微かな光の粒が浮かんでいることに気づいただろう。

　小さな光はふわりと空中を漂い、一瞬激しく明るさを増したあと、夜の粒子の中へゆっくりと溶け込んでいった。やがてまた一つ、また一つと光が浮かび上がり、先ほどと同じように煌めきを残して消えていく。昼の明るさの中では誰も気づくことのないこの儚い光は、それでも廃墟の闇の中では一瞬の輝きをはっきりと見せていた。

　修平の机に置かれたポリイミド樹脂板は、今日の昼間に研修生たちが加工したもので、正しい穴を空けられなかった板は、片付けられることもなくそのまま放置されていた。

　光の粒はその板から浮かび上がっていた。岩の隙間から水が染み出し、いずれは水滴となって水音を立てるように、板の穴から光がじわじわと漏れ出し一つの粒となって浮かび上がる。

　夜の間、光の粒が絶えることはなかった。板の裏側から押し出され、浮かび上がり、消えていく。ただそれが繰り返され、やがて登った太陽の明るさの中で誰にも見えなくなった。


　見学に行くと言っておきながら、何も手をつけないうちに二日が経っていた。あっという間に一日が終わり、あの階段にも行けずじまいだ。こんなふうにして繰り返しの日々は永遠に続いていくのだろう。

　何だかんだと雑用に追われて、修平が帰宅したときにはもうすっかり陽が落ちきっていた。今さら外へ出かけるのも億劫なので、修平は買い置きの袋麺を取り出し、袋に書かれた量の半分ほどの水を鍋に張った。

　安アパートの一階はたいして風通しが良いわけではないが、それでも夜になって湿度が下がったせいか、窓を開ければそれなりに心地のよい空気が室内の熱気を押し出してくれる。

「暑いなあ」口にしてもしかたがないことを修平はわざわざ口にした。言ったところで何かが変わるわけでもないのに。

　湯が沸いたところで麺を放り込むと、麺が水分を吸ってふやけ始めるが、もともと半分ほどの水量なので、麺が程よくほぐれるころには湯はほとんど吸われて空になり、柔らかな麺だけがズグズグと鍋の中で泡を立てていた。

　修平は笊《ざる》に麺をあけると水道の水で洗い始めた。そうしてもう一度鍋に水を張って、今度はスープの小袋の中身をぜんぶ入れ、再びコンロの火をつける。

　袋の書かれた通りに茹でるのではなく、麺とスープを別々につくるのが修平のやりかただった。それだけでも少しは調理をした気になれた。

　ラーメンをすすりながらタブレットでメールを確認し、ネットニュースを眺める。これといって気になる話題は何もなかった。どのニュースサイトを訪れても、ページの先頭には戦時中と表示されているが、これは修平にとっては当たり前の表示で、少なくとも修平の記憶にある限り、戦時中と書かれていないニュースサイトを見たことは一度もなかった。

幼いころから戦時中と聞かされていたが、勝っているのか負けているのかもわからず、それどころか、いったいどこと戦争をしているのかさえ、はっきりと教えられたことはなかった。八十年も続いているのに戦争へ行ったことがある者に出会ったこともない。それでも戦時中だと言われている以上、やっぱりどこかと戦争をしているのだ。

小学生のころに、何度か戦争について調べようとしたこともあったが、検索サイトでは何も表示されず、図書館でも関連図書は閲覧禁止になっていて、結局のところ、どこと戦争をしているかは今でもわからないままだ。そうして、あの夏の日から修平は戦争について調べることをやめた。

戦時中なのだから。そういうものなのだから。

貧相な食事を終えたあと、修平は食器をテーブルに残したまま流し台へ運ぶこともせず、倒れ込むようにしてそのままベッドに転がった。一杯になった腹をさすりながら、何を考えるでもなくぼうっとしているうちに、窓の外から虫の音が聞こえていることに気づいた。あれは何という虫だったっけ。小学生のころはずいぶんといろんな虫を捕まえては水槽で飼っていたが、もうすっかり忘れてしまったなあ。

頭の上でダンと大きな音が鳴って部屋全体がぐわんと揺れた。二階の住人が帰ってきたのだろう。修平の住むアパートはプレハブ造りよりは多少ましだが、それでも薄い壁を通してお互いの会話や挙動は丸わかりで、プライバシーなど無いも同然だった。みんな同じように生きている。昨日と同じように明日を生きていく。それでいいのだ。

修平はハッと目を覚ました。

よほど疲れていたのか、いつの間にか眠ってしまっていたようだ。ぼんやりとした頭のまま、枕元に置いたスマホで時刻を確認する。もうまもなく消灯時間になるところだった。

二十二時以降は灯りを消さなくてはならない。別に法律で決まっているわけでもなく、国や役所から言われたわけでもないが、誰かの始めたルールはいつしか全国に広がって、今では誰もがそれに従っている。灯りをつけていても、たぶん何も起こりはしないのだろう。それでもみんなルールに従っていた。

ベッドからのそりと起き上がり、テーブルの上の食器を流し台へ運んでから、部屋の灯りを消した。小さな常備灯の仄暗い光が控えめに足元を照らしている。

そういえば、あの光。

修平は再びベッドに転がり、両手を頭の下に置いて天井を見つめた。

どうしてあの階段でだけ見えるのだろう。いくら考えてもわからなかった。さらにわからないのがあの女性だ。階段に立っている修平の正面から現れたということは、宙に浮いていなければならない。それとも何か台に乗っていたのだろうか。

目を閉じれば彼女の姿をはっきり思い出せた。修平たちと同じ作業服を着ていたから、工場で働いているのは間違いないが、彼女にはまるで見覚えがない。もちろん修平だって工場で働いている全員を知っているわけではないけれども、それでもあの静かな湖面に似た印象的な瞳を一度でも見かけていれば覚えている筈だった。

ふっと世界が静かになったような気がして修平は目を開けた。時計を見なくても二十二時になったのだとわかる。あらゆる場所の灯りが消され、光を失った隙間を夜と沈黙が埋めていく。はっきりと世界が変化したとわかるこの瞬間が修平は好きだった。

一瞬、窓の外が明るくなった。どうやら誰かがうっかり灯りをつけてしまったらしい。灯りは光を逃がすようにすぐに消え、再び夜が辺りを支配した。

コツン。何かが窓を叩いた。観音開きに開かれたままの窓に虫でもぶつかったのか。

修平は寝転んだまま窓に視線をやって、思わず息をのんだ。

あの女性だった。外は真っ暗なのに、なぜか修平にははっきりとその顔が見えた。自転車置き場に面した窓の外から、あの女性が例の瞳でこちらを見つめている。修平はベッドから飛び起き、窓へ駆け寄った。

「あの」どう声をかけていいかわからなかった。

「お会い、しましたよね」

彼女は黙ったままちょこんと首を傾ける。ゆったりとしたワンピースは白いのかもしれないが、暗がりの中では薄い灰色に見えた。

「食堂の前の階段で。ほら三段目で」

彼女はふっと柔らかな笑みを浮かべたが、やはり何も答えずにいる。

「どこの建屋に所属されているんですか？　どうしてあのとき光の中にいたんですか。いや、あの光はそもそもいったい何なんですか？　それに開けてってのはどういう意味なんですか？　この窓のことですか？　ドアか何かですか？」大きな声で矢継ぎ早に質問を浴びせてから、修平はようやく我に返った。外からでもわかりそうなほど心臓が激しく打っている。

「あ、すみません」慌てて頭を下げる。

　何がおかしいのか彼女はにっこりと笑った。

すぐ近くから聞こえていた虫の音がふっと消えた。

「まだよ」

　しばらくしてから彼女は言った。

「まだって、何がですか？」

「あなたとは、まだ会っていないのよ」

「え？」

「だって同じところにいないから」

「でも、工場で働いているんですよね？　オレと同じ工場ですよね？」

　修平が窓から身を乗り出すと彼女は半歩ほど後ろへ下がった。よく見ると彼女の周りには蛍のような微かな光がいくつも漂っていて、それが彼女の表情をはっきり見せているようだった。どこからかふんわりと甘い匂いがして、修平は急に耳元を綿毛でくすぐられたような気がした。

「そして、あなたはずっと同じところにいるから」

　彼女がそう言うと、風も吹いていないのに、いきなり窓が激しい勢いで閉まった。思わず体を反らして室内に引っ込んだ修平はそのまま床に尻餅をつく。痛みを堪えて立ち上がり、急いで窓を開けたが、そこにはもう元通りの暗い夜があるだけだった。


　修平の建屋とは違って、十一番の中は大小様々な作業ロボットが動き回っているだけで、ほとんど人の姿はなかった。

　ガッガーン、ブーン、ガンゴーン、ブブーン。

　モーターの動作音とロボットのタイヤが床に擦れる音だけが広い建屋の中に響いていて、その静けさがかえって不気味だった。


　壁際の階段を上がって中二階の事務室を覗き込むと、田沼がパソコンに向かったまま居眠りをしていた。気持ちよさそうに船を漕いでいるところを起こすのも悪いので、修平は部屋を出ると階段下で待っている研修生たちに向かって、上がって来なくていいと手を振った。

「田沼に紹介しようと思っていたんだけど、タイミングが悪かったな」

「えー、それじゃ見学できないんですかぁ」

「いや、許可は取っているんだし勝手に見るぶんにはいいだろう。何も触るなよ」

「はーい」

　右下と加賀美が口を揃える横で、岸本は黙ってしっかり頷いた。

　四人は建屋の側面にある搬出入口に立った。しばらく待っていると、キーキーという金属音とともにシャッターが上がり配送チームの姿が現れた。古く大きな荷車で運ばれて来たのは、当然のことながら修平たちの建屋で加工された板だった。

　数人いる配送チームのメンバーは、搬出入口でぼうっと立っている四人をちらりとも見ず、マーカーで示された所定の位置へ黙々とポリイミド樹脂板を積み重ねていく。あっというまに荷車は空になり、建屋の中に板の山がいくつか出来上がった。配送チームの一人が表情ひとつ変えずに、壁のホワイトボードに配送番号と時刻を書き込むとチームのメンバーとともに空の荷車を引いて去って行った。チームは最初から最後まで修平たちの存在に気づかないフリをし続け、一度もこちらを見ようとはしなかった。

　シャッターは上がるときと同じくキーキーと音を立てて下がった。シャッターが降り切ると、修平はなぜかホッとして安堵の吐息を漏らした。

　積み上げられた板はまぎれもなく修平の建屋で加工されたものだった。四隅に正円の穴が空けられている。きっちり検収してから配送チームに引き渡されるので、穴の位置にも大きさにも寸分の狂いもない。積み重ねた板の真上から穴を覗き込めば、きっと床が見えるだろう。もちろん十分な明るさがあればの話だが。

「あ」加賀美が指を差した。

　建屋の中央にぶら下がっている巨大なロボットが唸りを上げてゆっくりと動き始めていた。天井近くに取り付けられたレールが擦れた音を出す。板の近くまで来るとロボットは移動を止め、数本のアームを板に向けて伸ばした。油が切れているのか、奇妙な音を立てながら板を一枚掴み上げて工作台の上に移動させたあと、アームは先端を細かく左右に回転させて位置を正確に合わせ、ゆっくりと台の上に下ろした。ガチャリ。工作台の四方から固定装置が立ち上がり板を挟み込む。工作台が静かに沈み込んで全体が透明のカバーで覆われた。

「すごいな」修平は思わず声を出した。機械の完璧な連係プレー。修平の建屋では基本的に人間が作業をやっているので、こうした工業用ロボットが動いている様子はあまり見慣れていない。

　カバーの下では、先端に小さな箱のついた細長いアームが、板の四隅に空いた穴に固形物を注入し始めていた。さらに別のアームが穴の上に伸び、先端から激しい光を放ち出す。機械の金属的な音に混ざって、ジュウと何かが溶ける音が聞こえてきた。おそらく数百度を超える熱が加えられているに違いない。しばらくすると熱を加えられた固形物が穴の中でじんわりと広がり、穴の空けられていた場所に僅かな盛り上がりだけが残った。だが、その盛り上がりもサンダーで削り取られ、やがて継ぎ目ひとつない、きれいな一枚の板が仕上がった。

「主任、あれって埋めてませんか?」岸本が囁くように言う。

　確かに埋めていた。修平の建屋で空けた穴がそっくりそのまま埋められている。

　一連の作業が終わってカバーが外れると閉じ込められていた煙がふわりと宙に漂った。

「なんか臭いですよぉ」加賀美が顔をしかめる。

　化学樹脂の焦げた酸っぱい匂いが修平の鼻にも届いていた。

　作業の終わった板をアームが掴み上げ、マーカーで示された所定の位置へと運んでいく。

　四人は何かに釣られるように、板の置かれた場所へおずおずと足を進めた。

「穴がなくなってますよう」

「わかってるよ」修平は加賀美に頷いた。

　修平は板にそっと顔を近づけて目を細めたが、もはやどこに穴が空いていたのかさえわからなかった。運び込まれたときに空いていた穴は完全に塞がれ、修平の建屋で加工する前の状態に戻っている。完璧な作業だった。なんだか板に穴が空けられた事実そのものが消されているかのようだった。

「せっかく空けたのに、どうして埋めちゃうんですか」右下が怪訝な顔になった。

「あぶないです」加賀美が声を張り上げた。

　モーター音とともにアームが近づいて、次の板を下ろし始めようとしていた。慌てて後ずさった四人の前で、アームはぴったりと位置を合わせながら板を重ね置く。重なった板は、僅かなずれもなく初めからその厚みの板だったように見えた。

　どこかから運び込まれた一枚の穴の空いた板が、やがて穴の消えた一枚の板に変わってどこかへ送り出される。ここではその繰り返しが行われているのだ。

　どうして埋めちゃうんですか。右下の疑問は当然だった。それは修平だって知りたい。

「おお、井草。来てたのか」

　不意に響いた田沼の声に四人は振り返った。作業服のポケットに両手を突っ込んだ田沼が不思議そうな顔をしてこちらを見ている。

「見学だよ。言ったろ」

「ああ、研修生か」そういって三人に目をやる。

「こちら田沼清彦さんだ。オレの同期の中では一番でかくて太ってる」

「ちょっと待て。そういう紹介があるかよ。ひどいな」田沼が苦笑いする。

「田沼だ。何でも聞いてくれよ」そう言って研修生に向かって軽く手を上げた。

　研修生たちは不格好なお辞儀をしてからそれぞれ自分の名を名乗る。

「いいねえ、若いってのは。わははは」何がおかしいのか田沼は笑った。

「挨拶しようと事務所を覗いたんだけど、お前、寝てたからさ、起こすのも悪いと思って」

「いやあ、すまんすまん。ほら、ここはロボットだけだろ。放っておいても全部自動で作業が進むから、どうも最近すぐ寝ちゃうんだよ」

「あれは?」

　修平は建屋の中で忙しなく動き回っているロボットたちを指差した。壁から長く伸びたいくつかのロボットアームが規則正しい動きを繰り返し、その隙間を小型の自走ロボットがランプを点滅させながら走り抜けていく。

「ああ、あれは動いているだけなんだ。メインはこのでっかいアームだけだから」

「動いているだけ?」

「雰囲気だよ雰囲気。別に動かさなくてもいいんだけどさ、いろいろ動いていると仕事をしている感じがするだろう。やってる感っていうかさ、ほら、モチベだよ、モチベ」

　田沼はぐへへと下品な笑い方をして、修平の背中を大きく二度叩いた。かなり強く叩かれて、修平は背中をきゅっと丸めて何度か咳き込んだ。

「なあ、君たちだってモチベが欲しいだろ?」田沼はまた下品に笑った。

「あ、はい」研修生たちは戸惑った表情を見せつつも、なんとか愛想笑いを浮かべる。

　修平は背中の痛みを堪えつつ体を起こした。

「田沼、ここで作業した板はどこへ行くんだ?」

「なんで?」

　修平はさっきからずっとそれが気になっていた。修平の建屋で穴を空け、それをわざわざここで埋める。だったら最初から修平の建屋も田沼の建屋も飛ばして、次の作業をする建屋に搬入すればいい。どうして無駄な作業を二つも挟んでいるのかがまるでわからなかった。

　田沼は搬出入口の脇にぶら下がっているノートを手に取った。

「次はだな、えーっと、三番だな。あれ?」

　目をパチパチをしばたかせてから田沼は修平を見た。

「三番ってお前のところだったか」

修平の胃の底にキュッと冷たいものが流れた。研修生たちの顔にもあきらかに疑問の色が浮かんでいる。

「ああ、なんだよ。お前、自分のところに届く板がどうやって作られているのかを確認しに来たってわけか。わははは」田沼が笑った。

「違う」修平自身も驚くほど重く固い声が出た。

「三番では穴を空けているんだ。それがここに運び込まれている」

田沼はそれがどうしたのかといった顔つきで首を軽く左右に振る。

修平は体の横にだらりと下げていた拳を強く握りしめた。爪が食い込んで手のひらに鋭い痛みが走る。

「いいか。オレのところでは板に穴を空けているんだ。ところが、お前の建屋ではその穴を埋めて、またオレのところに戻しているんだよ」思わず声が荒くなった。

田沼がぽかんと口を開けたままになる。

ガッガーン、ブーン、ガンゴーン、ブブーン。

ロボットアームが淡々と板を積み上げていく。それぞれのアームは複雑に動いているように見えても、結局のところは同じ作業が繰り返されているだけだった。壁から伸びたアームも自走ロボットもすべて同じことを繰り返し続けているだけなのだ。

ガッガーン、ブーン、ガンゴーン、ブブーン。ガッガーン、ブーン、ガンゴーン、ブブーン。

機械の奏でる単調なリズムが、その場に永遠の繰り返しを刻み続ける。

「同じ板が、行ったり来たりしているだけ?」ややあって田沼が声を出した。妙に裏返った声だった。

「そういうこと」修平は鼻から息を吐いた。

「でもさ、指示されたとおりにやるのが俺たちの仕事だろ」田沼は自分の動揺を隠すかのように、指先で修平の胸をぐいと押した。巨漢に押されて田沼の細い体が倒れそうになる。

「オレたちの仕事」修平はフラつきながら田沼の言葉を繰り返した。

「あのう、それって何もしていないのと同じじゃないですか」右下が二人に割って入る。

「何でだ?」田沼が戸惑った表情のまま右下を見た。

「穴を空けて埋めるって、ただ元に戻しているだけですよね」

田沼はのっそりと腕を組み、しばらく何かを考えていたが、やがてニヤリと笑った。

「わかったぞ。わかった。だははは」

そう言って田沼が一歩前に足を進めると、体の大きさに気圧された右下たちはそのぶんだけ後ろに下がった。その横で、修平はじっと自分の足元を見つめている。

「ほら、ちゃんと作業が発生しているだろう。これは」田沼は、積み上げられたばかりのポリイミド樹脂板を指差した。「元の板のままじゃないんだからさ。板は穴の空いた板になって、穴のない板に戻るんだ。そこには二つの作業が加わっているだろ、ははは」

「全然わかんないですよぉ」加賀美の口が尖った。「だって、そんなのつまんないじゃないですかあ」

岸本も大きく頷いて同意する。

「でも、それじゃ何も変わっていませんよね」

「だよねー」

「ねー」

「いやもう、君らはごちゃごちゃ言うな。上からの指示にはちゃんと理由があるんだよ。俺たちにはわからないだけでさ」

研修生たちは不満そうな表情をしたが、それでも黙った。上司には刃向かえない。

じっと考え込んでいた修平がようやく顔を上げた。

「なあ、本当に理由なんてあるのかな」そう言ってまっすぐに田沼を見る。

「そりゃあ理由はきっとあるだろうよ、なにせ今は」

「戦時中だからか」今度ははっきりと声が出た。

「そうだよ、それそれ。ははは」

田沼は両手を叩き合わせて大きくパンと音を出したあと、ぐりぐりと手揉みを始める。指や手首がポキポキと音を立てた。

ガッガーン、ブーン、ガンゴーン、ブブーン。相変わらず機械は複雑で、かつ単調なリズムを繰り返している。

「同じことの繰り返し」修平の声が掠れた。

「田沼はそれでいいのか」

「いいよ。だってものごとがいちいち変わったら大変じゃないか。ここの仕事だって同じことさ。たぶん、ものごとを変えないために俺たちは作業しているんだよ」

修平は静かに目を閉じた。あのテレビと同じだ。誰だって実際に変化が起きるまでは現状に気づかない。

本当は変わりつつあっても、オレたちはそれに気づけないのだ。だから誰もが変わることを恐れ、ものごとを変えないための作業を繰り返す。

あなたはずっと同じところにいるから。

修平は閉じたときと同じように静かに目を開け、すっと田沼に視線を向ける。

「もしかしてさ、みんなが同じことを繰り返しているから終わらないんじゃないのかな」

「終わらない?」田沼が首をかしげた。

「戦争だよ。八十年も戦争が続いているのは、変えようとしないからじゃないのかな」

ガゴン、ゴン。ブーン。不意に機械のリズムが変わった。運び込まれた板をすべて加工し終えたロボットアームが元に位置に戻ってスリープモードに入ったのだ。機械の動きでさえ、ときには変化する。

「変えたらどうなる?」

修平はしばらく機械を見つめてから、ゆっくりと田沼に近づいた。

これまでは戦時中だからと自分を納得させてきたし、たとえ詳しいことは知らされなくても、少なくとも自分だって何かの役には立っていると修平は信じていた。だが、元々どこにもつながっていなかったのだ。閉じた世界の中でただ同じことを繰り返しているだけ。

お前たちは不要だ。世界からそう言われているような気がした。

だったら。

小柄な修平が田沼の巨体にじりじりと迫っていく。田沼の体が僅かに下がった。

「もしも変えられるなら、お前はどうする?」

「変えられないだろ、俺たちには。何をしたってどうせ何も変わりゃしないんだよ」田沼の目が冷ややかになった。何かを諦めたようにそっと肩をすくめる。

「いや、変えるんだよ」修平はきっぱりと言った。

オレだって世界にお前など不要だと言い放ってやる。この繰り返しを変えてやる。何が起きるかはわからないが、何もしないよりはましだ。

「どうやって」田沼の眉間にしわが寄る。

「この子たちだよ」修平は三人の研修生に顔を向けた。

「彼らが教えてくれた」

修平の計画を聞かされた田沼は、反対するかと思いきや、目を輝かせてからガハハと大声で笑った。

「おもしろそうだけど、それをやったら、どうなる?」

「たぶんここの機械が止まる」

「おお、いいねぇ。なにせ機械ってのはほら、完璧に動くからさ。俺だってけっこう退屈してたんだよ」田沼は嬉しそうに顎の辺りを手でひょろりと撫でた。

「機械がぶっ壊れたらしばらく休めそうだしな。わははは」

その口調には悪戯を企む子供の声音が含まれている。

「どうかな。すぐに止められて、他の人が割り当てられるだけかもしれない」

修平は冷静に答えた。

多くの人は、ものごとを変えないためなら何だってやるのだから。

「それでもオレはやりたいんだ」

研修生たちは妙に興奮した顔つきで二人のやりとりを見ている。

「お前もワルよのう。だはははは」田沼は大笑いしながら修平の背中を二度叩いた。

グホ。咽せる。

「あの、お水飲みますか?」右下がポシェットから赤い水筒を取り出した。

翌日の朝礼時、三番の建屋ではきちんと整列した工員たちの中に、ちょっとした動揺が広がった。

「おい、待ってくれ。好きに加工していいってどういう意味だよ」ベテラン工員の時津が困惑した口調で食ってかかる。

「みなさんがここで空けた穴は、次の建屋で埋められて、またここに戻ってくるだけなんです」

修平は昨日自分が十一番の建屋で見た光景を工員たちに話した。

「こんなことをやらされて悔しくないですか。オレたちは要らないって言われてるのも同然じゃないですか。だったら好きにすればいい」

若手工員の何人かが同意する小さな唸り声を上げたものの、それ以上は誰も何も聞いてこようとはしなかった。

「やりましょう」修平はそう言って無理に笑顔をつくって見せた。

だが、始業時間になっても年配の工員たちは一向に作業を始めようとはせず、それぞれの持ち場で不貞腐れた顔つきをして突っ立っているままだった。

「みなさんどうされたんですか」

「いったい何をすりゃいいんだよ」

「ワシらはこれまで指示書の通りにやってきたんだ。いきなり好きにしろったってよ、どうすりゃいいのかわからねえ」

工員たちの言葉に加賀美が噴き出した。

「こら、何がおかしいんだ」工員の一人が顔をくしゃくしゃにして加賀美に言う。

「だって、好きにしていいんですよぉ。楽しくないですかぁ?」真っ赤な口紅を塗った大きな口をさらに大きく開いて笑った。

「ねー。そうですよ。せっかくだから、かわいくしましょうよ。本村さんなら絶対にかわいいのつくれますよ」右下が大きく頷く。

「そうかな?」そう言われて本村がほんの少し照れくさそうな顔になった。

「はい。僕たちがお手伝いしますから」

「いいえ、結構よ。あなたたちは研修生なんだから出しゃばらないで」

そう言って岸本の言葉をぴしゃりと撥ね付けたのは、ベテランの黒木だ。

「あと、加賀美さん。あなた、そのメイクはやめなさいって言ってるでしょ」

以前から彼女は研修生に対して厳しい態度を取っているが、今日は特に機嫌が悪いようだった。

「そうだ。何がお手伝いだよ。お前らに何ができるってんだ」

研修生と工員たちのやりとりが次第に大声になっていくのを修平が黙って見ているところに、いちばん年嵩の工員がつかつかと大股でやってきた。赤く太い首に乗った頭は修平よりもかなり高い位置にある。

「何でしょうか、佐名田さん」

「いいから指示書を出せよ」佐名田は修平を見下ろすように睨みつけた。

彼に釣られたかのように、厳しい表情を顔に貼り付けた数人の工員が、修平を取り囲むように集まってくる。

「なあ、今日も指示書はあるんだろ。おかしなこと言ってないでさっさと指示書を配信してくれないかな」朝礼のときに食ってかかった時津が、何も表示されていないタブレット端末を修平の目の前に突きつけた。

「これに表示された作業をやるのが俺の仕事なんだ」

「だけど、その仕事は何にもつながってないんですよ。なかったことにされるんですよ」

「あんたバカかよ。俺たちがここで何年やってると思ってるんだ。そんなことはとっくに知ってるんだよ」佐名田はそう言って口端をぐにゃりと歪めた。

「余計なことはしなくていい。どうせ何も変わりはしないんだ」修平を馬鹿にするわけでもなく、何かを諦めているのでもない、一切の感情を消し去った声だった。

「でも、そうやって同じことを繰り返してきたから何も変わらなかったんですよね」

「変えてどうなる」唐突に言った。

「え?」

「今より良くなるのか。悪くなったらどうするんだ。あんた、責任とれるのか」

「そうよ。主任さん、そんな勝手なことしたら怒られるのは私たちでしょ。変なことになったらあなた責任とれるの?」黒木がヒステリックな声を上げる。

「それは」修平は言い淀んだ。どうなるかまでは考えていない。ただ変えたいだけなのだ。

「だから同じでいいんだよ。変える必要なんかない」

「でも無意味なことやっても、つまんないじゃないですかあ。ねー」加賀美が右下に顔を向けた。

「うん。だよねー」

「あのね、加賀美さん、右下さん。意味なんて求めちゃダメなのよ。あなたはまだ若いからわからないでしょうけど、一番困るのはものごとがどんどん変わることなの」

「そうだ。だからワシらは指示書の通りに作業する。それがワシらの仕事だ」

修平を取り囲んだ工員たちは、それぞれ固く腕を組んで口をつぐんだ。どうやら修平が今日の指示書を出さない限り、何もしないでいるつもりらしい。

修平はふうと溜息をついた。

これなんだ。これが原因なんだ。ものごとが変わらないのは、変えないからじゃない。変化に抵抗するからなのだ。けれども、それは動き続けるエスカレーターの上で後ろ向きに歩き続けるようなものだ。その無限のループがオレたちを昨日と同じ明日へ閉じ込めている。後ろ向きに歩くことを止めさえすれば、前へ進めるのにそうはしない。

もう一度、深く大きな溜息をつく。

「わかりました。今日の指示書を配信します」

修平はわざとたっぷり時間をかけて建屋の壁際へ移動し、棚に収められた組み込み式のパソコンを引っ張り出した。必要以上に大きな音を立てながらキーボードを手早く叩き、本社から届いているいくつかの指示書を表示させると、それらをまとめて削除する。

すぐ隣でモニターを覗き込んでいた岸本が息を飲んだが、修平は気にすることもなく新たなファイルの作成を始めた。指示書四十六号。ファイル名をつけて保存する。

作り終えたファイルをモニター上でさっと確認してから、修平は配信の設定をすると躊躇うことなくエンターキーを押した。

工員たちがそれぞれ持っている端末からピンと高い音が一斉に鳴り響く。

「指示書を送りました」

佐名田に向かって大きな声を出すと、彼は手元を見て満足そうに頷いた。

修平が新たに作成した指示書には具体的な作業内容など何も記されていなかった。

『指示書四六号。素材、ポリイミド樹脂板。素材サイズ、五〇センチ四方。数量、各人自由。作業内容、未加工素材の好きな位置に、好きな大きさで、好きな形の穴を空ける』

何も指示していないのに等しい指示書だ。それでも工員たちは手元に指示書が届いたことにホッと安堵の顔つきを見せ、それぞれの持ち場へ移動を始める。指示書のあることが重要で、書かれている内容は何だっていいのだ。

いつからオレたちはこうなったんだろう。修平は考えを巡らせたがわからなかった。子供のころからずっとそうだった気がする。

戦時中だから。そういうものだから。そういうことになっているから。

修平は建屋の隅にたって、作業に取りかかった工員たちをじっくりと見回した。最年長の工員と目が合うと、彼はニコリともせず目をそらした。明確な指示が出されていないので戸惑っているようではあったが、それでも素材の板をフライス盤に固定して作業を始めようとしている。そういうものだから。そう決まっているから。

本当に戦時中なのだろうかと修平は思った。誰かの言い出したことが、いつの間にか、そういうことになったんじゃないのか。そして、今を変えないための努力がその終焉を引き延ばしているじゃないのか。

あなたはずっと同じところにいるから。

修平は左右に激しく首を振った。

「主任、あれって配送チームに渡しちゃってもいいですか」

加工を終えた板の山を指差しながら不安そうに聞いたのは右下だった。

「いいぞ。もちろん」

「でも、本当に大丈夫なのかなあ」右下は目を伏せて口をキュッと曲げる。

「おいおい、どうしたんだよ」

「ちゃんと穴を空けていないと、上手く埋められないんじゃないかなって」

「だってそれが目的だろ」

「それはそうなんですけど。どうなっちゃうんですかね」

そう言いながら右下はいつも肩にかけているポシェットから水筒を取り出した。

どうなるのかは修平にもわからなかった。十一番の建屋にある工業ロボットはどんな穴が空いていても上手く埋めてしまうのかも知れないし、逆に何かエラーが起こって停止するかも知れない。けれども、どちらにしたところでたいした影響はないのだ。ここと十一番をただ往復している板の動きが止まるだけで、世界は何一つ変わらない。変えたくとも変えられない。

「とにかく君たちは好きなものをつくればいい」

「はい」

シャッターが上がって配送チームが入ってくると右下が何か声をかけたようだったが、誰もそれに反応した様子はなかった。歪な穴の空けられた板を配送チームは何一つ気にすることなく、あっさりと持ち去って行った。

「今、配送チームに渡したよ」田沼に連絡をする。

「こっちにはまだ昨日の板が残っているから、新しい作業が始まるのは一時間後くらいになりそうだな。どうだ、ワクワクするだろ」

「ああ」

「お楽しみがあるってのは、いいことだな」

修平には電話の向こうで田沼がニヤついているのが手に取るようにわかった。

配送チームに板を引き渡してから二時間近く経ったが、まだ何も起こらない。修平は時計を見ては電話に手を伸ばそうとして、そのたびに思いとどまった。きっと向こうには向こうの事情があるのだろう。午後になっても変化がないようなら、直接見に行けばいい。

まさかこちらの空けた穴を上手く埋めるために、田沼がロボットを調整しているんじゃないだろうな。一瞬、そんな疑いが頭をよぎったが、修平は両手で頬を軽く叩き、その疑いを振り払った。

規定通りの作業をしていなくとも休み時間はいつも通りやってくる。工員たちがいなくなってガランとした建屋の中で、修平は独り事務机でぼんやりと蛍光灯の光を浴びていた。このあといつ何が起きるかわからないのだ。この期待と不安の混ざった状態でのんびり昼食を取る気にはなれなかった。

修平は落ち着かない様子で立ち上がると、作業中の板をうろうろと見て回った。自由気ままに穴を空けているのは若手だけで、年配になればなるほど、ほんの少し位置をずらしたり、大きさを変えたりしているものの、いつもとたいして変わらない穴しか空けていなかった。

ふと奥を見やると岸本がポリイミド板を手にしてタレット旋盤とボール盤の間を何度も行き来してるのが目に入った。

「どうした？　昼メシは？」声をかけながら岸本に近づく。

「どんな穴にすればいいのかわからなくて」

「そんなに深く考え込むなよ。好きにすればいいんだからさ。見せてみろ」

渡された板には、昨日まで空けていた穴とほとんど同じ位置に、僅かに大きさの違う穴が空いているだけだった。年配の工員たちと変わらない。

「右下さんやエマちゃんは、どんどん穴を開けてるのに、僕は上手くできなくて」岸本は辛そうに小さな声を出した。

「エマちゃん?」

「あ、加賀美さんですっ」いきなり岸本の声が大きくなった。顔が真っ赤になっている。

「彼女たち、おもしろいよな。元気があるし」

　岸本の動揺には気づかないふりをして修平は明るく言った。

「ええ。そうですね」

　そう言ったきり岸本は黙り込んだ。修平が持った板をじっと見つめている。

「僕、ぜんぜん存在感ないですよね」しばらくして、小声でつぶやいた。

「なんだなんだ。急に何を言いだすんだ」

「この先どこに配属されるかわかりませんけど、たぶん僕はずっとこんな感じが続くんだろうなって思うとうんざりしちゃって」

「そういうことになっているから?」

「ええ」

　岸本が力なく頷く。

「だからこそ思い切ってさ、めちゃくちゃにするんだよ」

　修平は素材の積まれている山から未加工の板を一枚とりあげ、レーザー加工機に乗せてしっかりと固定してから蓋を閉じた。スイッチを入れてレーザー照射が始まると、制御端末には触れず、手動用のジョイスティックでヘッドを動かしていく。オレンジ色のガラス越しに激しい火花が散っているのが見える。やがて板の中心に直径三十センチほどの歪な形の穴が空いた。

「ほら」冷えるのを待ってから修平は板を取り出し、岸本に渡した。

「これって、なんだか歪んでいませんか」

「ははは。手動だからな。オレも岸本の気持ちはわかるよ。どうしても綺麗な丸い穴を空けたくなるんだろ」

　修平はちらりと壁に目をやった。灰色に塗られた壁にかかった時計はまもなく一時を指そうとしている。そろそろ階段へ向かわなければ。

「あ、そうかも。僕はマジメすぎるんですね」

「マジメってのはいいことだけどな。でも今日はもっと自由にやってみなよ。きっとできるからさ」

「はあ」

　まだどこか悩んでいる気配を見せている岸本を残して、修平は建屋を出た。建物の間から見える空は相変わらず曇っている上に、やけに蒸し暑くて、たいした距離でもないのに食堂前の階段に着くころには背中にじっとりと汗をかいていた。


　いつものように最上段に立ってから修平はゆっくりと階段を下り始めた。もう足元を見なくても体が覚えている。四段目から三段目へ。平常心を保ちながら右足をそっと下ろした。

　バンッ。

　いきなり世界が弾け、目の前が一瞬白く輝いた。ところがその光は長く続かず、たちまちどこかへ消え去り、あとには暗闇だけが残った。

　何だこれは。何なんだ。

　光に包まれた世界は見えず、あの恍惚感もなく、どちらを見ても真っ暗で、一切の光がない部屋に閉じ込められている。何も見えないのに、修平にはなぜか周囲の壁がどんどん迫ってくるように感じられた。

　慌てて足を踏み出した修平は、何かに躓いて体勢を崩した。膝がカクンと曲がって思わず前へつんのめる。

「あっ」

　今にも階段から転げ落ちるかと思ったが、なぜかそこに段差はなく修平の体はそのままふわりと柔らかな地面に受け止められた。暗くて何も見えないが、空気の抜けてふわふわになった緩いエアマットに乗っているかのようだった。

　修平はしばらく腹ばいのまま呆然としていたが、やがて見えない地面に両手をついてゆっくりと立ち上がった。体のどこにも痛みはなかった。

「誰か」声を出した。

　その声は何重にも反射して響き渡り、やがて細い糸となって遙か遠くへ消えていった。おそらくトンネルだなと修平は思った。入り口も出口もない、深く長い闇のトンネルにいる。

「誰かいませんか」

　もう一度声を張り上げたが、やはり何の反応もない。

　どうすればいいのかわからず、修平はその場に立ちつくした。暗闇に閉じ込められる恐怖が足元からゆっくりと上がってくる。全身に冷気が走り、口の中に苦みが広がった。巨大な手が体を掴み、闇の底へ引きずり込もうとしている。息ができなかった。何とか空気を吸い込もうと両手で胸を叩く。助けてくれ。助けてくれ。もう何もしないから。もうここには来ないから。余計なことはしないから。指示書を守るから。次第に意識が遠のいて、やがて自分の体がこのまま暗闇に溶け込んでいくような気がした。

「ぷふぅう」

　突然、呼吸が元に戻った。時間にすれば二分も経っていないのだろうが、修平には永遠の時が流れたように感じられた。

修平は体をくの字に曲げると、両膝に手を置いて上半身を支えた。足りなくなった息を取り戻すように背中を激しく上下させる。しばらくそうやっていると、ようやく呼吸が落ち着いてきた。それでも体の中心部には言いようのない恐怖が残っている。唇はまだガクガクと小刻みに震えたままだ。

ふっと甘い香りが鼻を刺激した。あの夜の彼女の香りだった。まだ荒い息を吐きながら、修平はぐるりと首を回してみたがやはり暗くて何も見えない。

「いるんですよね?」

落ち着いた声を出すつもりが修平の喉から出たのは自分でも驚くほどか細く怯えた声だった。

「ええ」

優しげな声が聞こえた。やっぱり彼女だ。

真っ暗なトンネルの中にぼんやりとシルエットが見えてきた。影の周りには小さな光の粒が漂っている。ほとんど気づかないほどの微かな光だったが、それでも彼女の姿を浮かび上がらせるには充分な明るさだった。

「ここは?」

彼女は何も答えず修平の手を取った。その小さな手は柔らかく、修平の不安を包み込むだけの、たっぷりとした湿り気と温もりがあった。彼女の手から体温が伝わってくると、修平は自分の体内に残っていた恐怖と冷気が次第に溶けていくのを感じた。

いきなり修平の目から涙がこぼれ落ちた。頬を伝った涙が口の中に流れ込むと、苦みを含んだ海水の味がした。あの夏が胃の底から噴き出して吐き気を覚える。どうしても涙が止まらず、やがて修平は激しく嗚咽した。

しばらく体を震わせながらしゃがみ込んで泣き続け、そうしてようやく涙が止まった。その間も彼女はしっかりと修平の手を握っていた。

修平はゆっくりと立ち上がり、薄暗い光の中で彼女の顔を見た。まだ目に涙が残っているせいか滲んで見える。

「行きましょう」

彼女は静かに頷いて、修平の手を引き始めた。

暗いトンネルには彼女の周りに漂う光しか存在していなかった。それが世界のすべてだった。ここには修平自身も存在していなかった。

いったいどれほど歩いたのか。気がつくとトンネルの遥か向こう側に小さな光が見えていることに修平は気づいた。

「あれは?」

「穴よ」

「穴?」

彼女は楽しそうにクスリと笑った。

二人は手をつないだまま、その小さな光の点に向かって暗がりの中を一歩ずつ足を進めていく。

あまりにも静かだった。薄いシルエットとして浮かび上がる彼女の輪郭以外にはほとんど何も見えず、二人の足音と息だけが耳に入ってくる。二人のほかに動くものはなく、空気でさえずっと同じところに留まり続けていた。こだまする二人の足音が幾重にも響き、不思議なリズムを奏で始める。いつどこで聞いたのかはわからないが、まちがいなく、このリズムは幼いころからずっと耳にしてきたものだった。

「ここはどこなんですか?」

修平がそう聞くと彼女は一度手を離したあと優しく指を絡めてきた。それまでどこかずれていたお互いの脈拍がぴったりと一致する。

「私の場所」

彼女は修平の耳元でそっと囁いた。あの恍惚感が背中をぞわと駆け巡り、修平は自分の顔がいきなり火照ったことに気づいた。きっと真っ赤になっているだろう。明るいところで彼女にこの顔を見られなくてよかったと思った。

手の届かないほど遥か遠くに感じていた光源は、それでも足を進めているうちにだんだんと近づいてきた。

彼女の言ったとおり、光の正体は穴だった。正確に言えば、トンネルの天井近くに小さな穴がいくつも空けられていて、そこから真っ白な光が差し込んでいた。一つ一つの穴は小さかったが、無数に空けられた穴から差し込む光が束になって、トンネルの中をぼんやりと照らしている。いくつもの光の筋が作り出す光景は、海底で見る太陽の光に似ていた。

「とても長い時間がかかったのよ」

「何に?」

彼女はその質問には答えず、トンネルの壁際へ修平を連れて行くと、壁に取り付けられた階段に顔を向けた。釣られて見上げると、古びた金属製のパイプと錆びた踏板でつくられた階段は、途中で何度も折り返しながらトンネルのかなり高いところまで伸びているようだったが、目を凝らしても最後がどうなっているのかは暗くてわからなかった。

「開けて」

彼女が言った。

「何を開ければいいんですか? オレにはぜんぜんわからない」

「どうして? だってあなたが望んだことでしょう?」

　彼女は目を丸くして肩を持ち上げる。彼女の周りに浮かんでいる光の粒が、体の動きに合わせてさらさらと流れ落ちる海辺の砂に見えた。

「オレが望んだこと?」

　繰り返される無意味な日々にほんの少しだけ変化が欲しかっただけだ。変えないための努力ではなく変えるための行動をしたかっただけだ。修平は彼女の目を見つめる。薄暗いトンネルの中でも、その静かな水を湛えた瞳の奥には優しさと哀しみが浮かんでいるのがわかった。

「そう」

　つないでいた手をそっと離すと、彼女はそのまま腕を伸ばして階段を差した。

「あなたのところへ」囁くように言って笑った。

　修平は小さく何度も頷いた。わけがわからないが、この階段を上れと言っているのだろう。

　壁際へ一歩足を進めると、修平は細い鉄パイプの手摺りをしっかりと握って、ゆっくり踏板に足を乗せた。踏板が微かに揺れてゴワンと鈍い金属の音がした。

「よし」

　初めの一歩さえ踏み出せばあとは同じことだ。ここへ来たときだって階段に乗っていたのだ。だったら帰るときにも階段を使うべきだろう。修平は彼女に向かって今度は大きく頷いた。

　理屈にならない理屈で自分を納得させながら階段を一歩ずつ上っていく。そういえば幼いころに住んでいたマンションの非常階段がこんな感じだったな。あの夏の日のあと、母親とオレは家を出たんだっけ。それとも父親が出て行ったんだっけ。光の筋の一本一本に触れるたびに、もともと曖昧だった修平の記憶がさらに朧気なものに変わっていく。

もうとっくに階段の数や何度折り返したのかを数えることはやめていた。

　やっと最上段に着くと踊り場には手摺りがなかった。ただ古びた金属の板が一枚、剥き出しのまま空中に飛び出している。その上はもうトンネルの天井で、ちょうど踊り場の端っこの真上に、回転式のハンドルが取り付けられたハッチがあった。きっとあれを開けるのだろう。

　修平は手摺りから手を離して踊り場に上がった。頼りになるものがなくなって思わず腰が引ける。修平は踊り場に両膝と両手をつき、這うように進み始めた。

　もうまもなく端に着くというあたりで顔を上げる。どうやらハッチは踊り場よりもほんの僅か先にあるようだった。あのハンドルを回すためには踊り場の端でつま先立ちになって手を伸ばさなければならない。考えるだけで心臓の鼓動が早くなる。

　修平は踊り場の端まで這ってから、金属板からそっと顔を覗かせた。修平の周りから伸びた何本もの光の筋がどこまでも大きく広がり、あの夏の花火になる。

「これを開けるんですよね」

　ですよねーー。ですよねーー。ですよねーー。

　複雑に反響した修平の声は、うねるような音の塊となってトンネルの奥へ消えていった。彼女からの返事はない。

　階段の真下には彼女がいる筈だったが、じっと目を凝らして見つめても小さな光の粒しか見えなかった。

　修平は這ったまま後ずさりをしてから、すっとその場に立ち上がった。膝が細かく震えている。ハンドルだけに視線を合わせて大きく深呼吸を繰り返した。平常心を保つんだ。慌てるな。驚くな。いつも階段でやっていたことじゃないか。

　時間をかけてたっぷりと息を吐き切り、ひと息に吸い込んだ。

「よし」

　両腕を前に持ち上げてそのまま一気に踊り場の端へ進み、ぐいと伸び上がった。同時に腕を思い切り伸ばす。思っていたよりもあっけなくハンドルに手がかかったことに修平はホッとした。

　しかし。

　これからこのハンドルを回さなければならないのだ。両手をハンドルにかけ、つま先立ちになった修平はギリギリのバランスで立っている。もしもハンドルを回してハッチがいきなり開いたら。開いたハッチのハンドルにぶら下がった状態を想像して修平の体は凍り付いた。ここから落ちればまちがいなく死ぬだろう。

　今この手に力を込めてハンドルを強く押せば、たぶん反動で踊り場に戻ることはできる。

　それで元通りになる。何もなかったことにできる。それでいいじゃないか。だいたいこのハッチを開けたらどうなるのか彼女は何も説明してくれていないのだ。

　誰か一人でも余計なことをすると大勢に迷惑がかかる。

　そう。開けたいやつが開ければいい。わざわざオレが苦労して開ける必要なんてない筈だ。どうせずっと閉じていたハッチなのだろう。このまま開かなくても同じことだ。何も変わらない。

　ザスッ。

　ギリギリのバランスに耐え切れなくなった靴底がいきなり滑った。

「うわあっ」悲鳴にも似た声を上げ、修平は必死でハンドルに捕まる。足が踊り場の金属板から離れ、宙に浮いた。両手でハンドルをしっかり握りしめ、修平は踊り場へちらと目をやる。

　遠かった。体を大きく振ってジャンプしてもあそこへ届くかどうかはわからない。

「誰か」首を上に向けたまま助けを呼んだが、どこまでもその声が反響するだけで、足下からは何の返事も帰ってこなかった。あの暗闇がまた修平の体をねっとりと包み始めた。こんどこそ永遠の闇の向こうへ修平を連れ去ろうとしている。

　こうなったらハッチを開けるしかない。

　ぶら下がったまま体を左右へ捻っているうちに、初めは固くて動かなかったハンドルが次第に少しずつ回り始めたが、すでに手は痺れていた。ただぶら下がっているだけではなく、体を激しく捻っているのだ。もう握力の限界だ。

　ガゴン。

　いきなりハッチが落ちるようにして開いた。その勢いで修平の手がハンドルから離れる。周囲から重力が消え、ゆっくりと落下を始めた次の瞬間、激しい金属音を立てて修平は踊り場に転がった。足と尻に痺れるような激痛が走る。あまりの痛みに声も出せないまま頭を抱えてうずくまった。

　ようやく痛みをやり過ごし、修平はそっと顔を上げた。

　どういう仕組みになっているのかはわからないが、いつのまにか踊り場がハッチの真下まで伸びていた。

　やがてトンネルの天井や壁に空いた小さな穴から伸びている光の筋がゆっくりと動き始めた。工事現場の巨大な照明が自動制御で動き出すように、光の筋はグルグルと何度も回転し、幾何学模様を描き、そして一斉にハッチを照らした。トンネルの中にあるすべての光がハッチに注がれ、目映いほど激しい光がハッチを白く輝かせ始める。

　ガラガラン。光の美しい動きにはまるで相応しくない不協和音を立てて、修平の目の前にハッチから金属製の梯子が降りてきた。

　あなたのところへ。

　目映い光の中、修平は躊躇うことなく梯子に手をかけた。

　十一番建屋で工業ロボットが何かを考え込み始めてから三十分近くが経とうとしていた。ポリイミド版を掴んだアームも制止したまま、まるで動き出す気配はない。

「やっぱり壊れちゃったんですよねえ」加賀美が口を尖らせた。もっとおもしろいことが起きる筈だったのに。そんな口調だった。

「壊れたらエラーメッセージが出る筈なんだけどなあ」

田沼は壁の制御モニターを確認しながら独り言のようにつぶやく。

「でも、完全に壊れたらエラーも出せませんよね」

「だよねー」岸本らしい冷静な指摘に加賀美は大袈裟に頷いてみせた。

「これまで壊れたときはどうしていたんですか?」

　水筒を口から離して右下が聞いた。

　田沼は部屋の隅に置かれたパイプ椅子を引き寄せて、どかっと座った。

「壊れたことは、ない。だから直したこともない」

　そう言ってなぜか得意げな顔で三人を見回す。

「ぶっ」右下が噴き出した。

「じゃあ、わかんないじゃないですかぁ」

「いやまあ、そう言うな。俺だって初めてなんだからさ」

　田沼は手にしていた孫の手で背中をガリガリと掻き始めた。加賀美と右下が鼻に皺を寄せて目を見合わせる。

「俺もさ、もっとロボットが暴走したり、火花が散ったり、そういうことを考えていたんだけどな。まさかただ考え込んじゃうだけとはなあ」

「何かが起きたら何もしない。そういう仕組みなんですね」岸本が感心したような声を出す。

「余計なことをしないように、な」

「えー、それって、なんか私たちっぽくない?」

「だよねー。余計なことはするなっていつも言われるもんね」

「せっかくかわいい穴を開けたのに、これで終わっちゃうなんてつまんないですよぉ」

　加賀美は不満を隠そうとしない。

「一回、リセットしてみるか」田沼が腕を組んだ。

「直るんですか?」

「わからん。やったことがないからな」

「田沼課長って、何もやったことないですよねー」

「バカを言うな。何もしないのが一番いいことなんだよ」

　研修生たちを諭すように優しく言う。

「主任を待ちますか?」岸本が聞いた。

「お昼に行ったまま戻ってこないんですよ」

「あいつ、ビビったな」田沼は呆れたように首を振った。

「そんなことありませんよ。僕にお手本を見せてくれたくらいですから」

「穴のか? あいつちゃんと加工もできるのか」田沼が目を丸くする。

「えー、主任のお手本、わたしも見たいなあ」

「かわいかった?」

「かわいくはなかったけど、変だった。曲がってたし」

岸本が笑いを堪えたような顔で言う。

「元々あいつは変なんだよ。いちおう同期だけど配属まで三年かかっているから俺より三つ年上だしな」

「えー、主任のほうが課長より若く見えますよぉ」

「おい、ちょっと待て。それはないだろ」田沼は怒った口調で椅子から腰を上げるフリをした。

「ひゃー、すみませんー」加賀美が頭の上で両手を合わせた。

　普段、田沼はこうやって若者たちと話す機会がないので楽しんでいるのだ。

「あのう」ポツリと言ったのは岸本だった。

「どうした?」

　三人は不思議そうに岸本を見る。岸本は建屋の向こう端を凝視していた。田沼は釣られるようにして岸本の視線の先に目をやる。

　壁際のロボットアームが青白い火花に包まれていた。

「おいっ」田沼が声を出して弾かれたように立ち上がる。

　さっきまでアームを包んでいただけの火花はたちまち激しくなって、今では床や壁にまで広がり始めている。アームの根元からパッと白い煙が上がった。何台かの自走式のロボットがぴたりと動きを止めたあと、勢いよく加速して走り出し、互いにぶつかって床に倒れた。その上から、空中に留まり続けるだけの力を失った巨大なロボットアームが落ちてくる。

　バチッ。田沼のすぐ後にある制御モニターが音を立てて消えた。床が小刻みに振動を始めている。

「ここから離れろっ」田沼が叫んだ。

「どうしたんですかぁ」

「わからんが、離れろ」

　田沼はそう言うと大きな体で三人の若者を抱えるようにして建屋の搬出入口へ走る。開けたままにしてあったシャッターをくぐり抜け、四人は一斉に中央路へ飛び出した。

　ドーン。爆発音とともに地面が大きく揺れて、勢いのついた四人はそのまま道に転がる。

「痛い」加賀美が悲鳴を上げた。

　ドーンッ。さっきよりも一段と大きな爆発音が響き渡り、建屋の壁がグニャリと歪んだのが四人にもはっきりと見えた。

　ガラガラ。建屋の中からは何かの崩れ落ちる音が聞こえ続けている。足をふらつかせながらもようやく立ち上がった四人は、呆然とした面持ちで十一番の建屋を眺めていた。

「危ないですよ」

　ぼんやりとしたまま建屋の方向へ歩き出そうとした田沼の肩を岸本がぐいと掴む。

　バン。頭上から大きな爆発音が響き、屋根の中央辺りが大きく爆ぜた。大量の埃や資材の破片が空中をひらひらと舞って紙吹雪を思わせる。

　いきなり屋根から何かが噴き出した。光だった。目の前が目映い光に包まれて、四人は思わず腕や手で目を覆った。たとえ遮っていても激しい光が差していることははっきりとわかる。しばらくそうやって目蓋越しに光を受け続けたあと、ようやく光が弱まったのを感じて四人とも静かに目を開けた。

「なんですかあれ」

　光の柱が建屋の天井を突き破り、どんよりと曇った灰色の空に向かってまっすぐに伸びていた。

「俺にもわからん」

　田沼は建屋に顔を向けた。もう何かが崩れ落ちるような音は聞こえない。搬出入口に向かって田沼がゆっくり歩き始めると、何の迷いもなく研修生たちもその後に続いた。

「君たちは外で待ってろ」

「いやです」

「ねー」

「ダメだ。何があるかわからないんだぞ」

「だから行きたいんじゃないですかぁ」加賀美がねだるような上目遣いになる。

　田沼はふんと鼻から強く息を吐いた。

「いいだろう。でも俺が逃げろと言ったらすぐに逃げろよ」

「はーい」

「はい」

　建屋の中はひどく散乱していた。棚に置かれていたものが床に転がっているだけでなく、天井のアームもポッキリと折れて床に落ちていた。壁から伸びている何本かのアームは火花を散らしながら回転を繰り返し、倒れた自走式ロボットは、どこにも触れていないタイヤを空中で回転させ、それでもどこかへ向かおうとしていた。

「あれですね」右下が指差した。天井を貫いて伸びる光の柱は、床にぽっかりと空いた穴から放たれていた。

　四人はゆっくりと穴に近づく。

　ガラガラン。不意に光が消え、穴の中で大きな金属音が鳴り響いた。四人は思わず後ずさりをするが、目は穴に釘付けになったままだ。

　やがて穴の淵に人間の手が現れ、続いて見慣れた顔がのぞいた。

「ふう」疲れた息を吐いたのは修平だった。

　穴から完全に出ると、修平は両手を擦り合わせから、ズボンについた埃を払うようにパンパンと尻や腿を何度か叩いた。

「えーっと」田沼は言葉を失っているようだった。

「え？　え？　どうして？　主任？」加賀美と右下も困惑の表情を浮かべている。

「で、機械は止まったのか？」建屋の中を見回して修平は平然と聞いた。

「ああ、止まった」田沼は聞かれるままに答えたが、建屋の中を見る限り、止まったというよりは壊れたという表現のほうが適切だった。

「あのう、その人は？」右下の視線が修平の背後へ向けられた。

　振り返ると、いつのまに穴から出てきたのか、静かな笑みを浮かべてあの女性が立っていた。明るい場所にいるからなのか、消えてしまったのかはわからないが、彼女の体の周りに漂っていた光の粒はもう見えなかった。

「ずいぶん長くかかったわね」彼女は肩をすくめた。

「八十年？」修平は首をかしげた。

「いいえ。それもあるけれど」そういって首を振る。

「同じところにいなかったから」

「うん」修平は頷いた。

　あの夏の日だ。

　今までずっと心の奥底にあった冷たく硬いものが、次第に消えていくのを修平は感じていた。

　ふいに穴から何かが飛び出し、ズサと大きな音を立てて建屋の床に転がった。リュックサックだった。すぐに穴の中から一人の男が現れてリュックを肩に担ぎ、修平に向かってグイッと親指を立てると、そのまま建屋から出て行った。また荷物が飛び出してきた。こんどはスーツケースだ。次に現れた女性はスーツケースのハンドルを伸ばし、ガラガラと引いていく。女性は一度立ち止まって修平に軽く頭を下げた。修平も頭を下げる。

　穴から次々に人が出て来ては、建屋の外へ去って行く。

「あの人たちは、どこへ？」修平は聞いた。

「自分の場所へ」

　彼女はニッコリと笑った。それは、これ以上ないと思えるほど美しい笑顔だった。


　ドーン。遠くから落雷の音が聞こえたとたん、激しい雨が降り出した。穴の空いた天井から大粒の雨が建屋の中へ降り注ぐ。

「出よう」修平が言った。

　とりあえず屋根のあるところへ行きたい。五人はずぶ濡れになりながら歩き始めた。搬出入口まで来たところで修平は一度立ち止まり、ふっと振り返った。

　建屋の中に降り注ぐ雨は、壁を伝い、機械の間を抜け、床に空いたあの大きな穴の中へどんどん流れ込んでいる。その場にしゃがみ込んだ修平は、指先を床の水に浸けてそれを舐めた。

「何やってんだ？」

　田沼が聞くが修平は何も答えなかった。

　思った通り、床に溜まった雨水はあのときの海水の味がした。

　ドーン。また低い音が鳴り響き、あたりを揺らした。

　それは落雷ではなかった。音が鳴るたびに、他の建屋から、遠く街の中から、山の向こう側から、次々に光の柱が空に向かって伸びていく。

　至る所で穴が空き始めているのだ。

　やがてサイレンの音が鳴り響き、防災無線が流れ出した。あちらこちらから同時に流れる防災無線は、互いに重なり合い、激しい雨の音にかき消され、何を伝えようとしているのかは聞き取ることができなかった。

　今、世界各地で数え切れないほどの光の柱が空へ向かって次々に立ち上っているのだろう。なぜか修平にはそれがはっきりとわかっていたし、それだけで充分だった。


　あれから二ヵ月が経った。

　各地に大きな穴が空いたことで、一度はたいへんな騒ぎになったものの、もうすっかり落ち着いていたいていのものは元通りになっている。

　公園のベンチに腰を下ろして修平はぼんやりとスマホを眺めていた。ここのところ特にやることがなかった。指示書を改編した責任を問われて休職処分を受けているところだし、研修生たちはそれぞれの配属先が決まって、もう工場にはいない。

　ネットのニュースによれば、各地の穴は順調に塞がれているが、あの建屋の床に空いた穴だけは、どうしても塞ぐことができずにいるらしい。様々な方法が試されているが、いくら塞いでもすぐにまた穴が空いてしまうのだという。最新の穴の写真を見た修平はニヤリと笑った。あの日、修平がレーザーで空けた歪な穴と同じ形をしている。そういうことなんだ。

　ニュースサイトやテレビでは、あの穴の正体や謎の光柱について、いつもと同じ論客たちがあれこれと好き勝手なコメントを出していたが、相も変わらずどれも的外れなものでしかなかった。それもしかたのないことだ。彼らは病気が流行れば病気の専門家になり、災害が起きれば災害の専門家になる。戦争について語ったあとは、芸能人の私生活について語る。いつもと同じコメントを出し、顰めっ面をしてみせる。ものごとを変えないために。自分たちが変わらないために。それには新しいことなど言ってはいけない。

　彼らは同じところにいないのだから。自分の場所にさえいないのだから。

　修平はポケットから小さな赤い水筒をとり出し、時間をかけて水を飲んだ。あれだけの騒ぎが起きたのに、世界はたいして何も変わっていない。目に見えた変化などないし、この先も戦争はずっと続くだろう。

　それでも。

　まちがいなくオレの世界は変わったのだ。

　食堂前の階段は改修されて、四段目から三段目へ下りても何も起こらなくなっている。

　彼女がどこに行ったのかもわからないままだ。それでも、オレたちはもう同じところにいるのだ。同じところにいさえすれば、きっとまた会えるだろう。

　修平はそっと水筒を覗き込んだ。底のほうに残っている水面はゆらゆらと僅かに波うち、あの瞳を思い出させた。

「ほうっ」大きく息を吐く。

　相変わらずの曇り空だったが、遠く海から届く風がゆっくりと雲を動かしていた。どこからか蚊取り線香の香りが漂っていた。

了

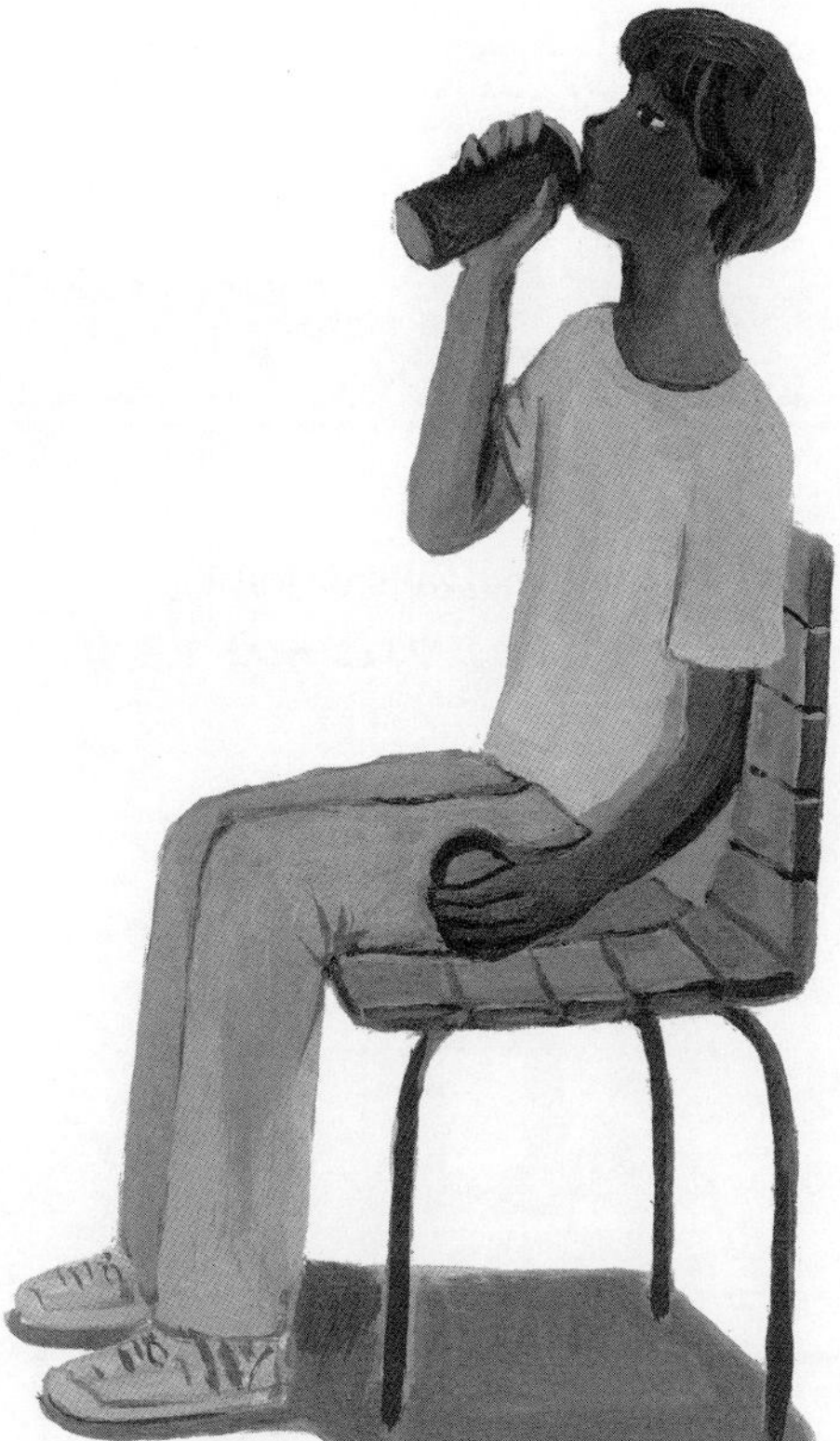

生徒に教えるのは教員だけじゃない。
誰もがスキルを伝える環境こそが学びの場。

角川ドワンゴ学園は学校とは社会に出るための準備期間だと位置付けています。
情報化、グローバル化した社会に出るための学びは日々、多様化しています。教員だけが教育の担い手ではありません。社会で活躍している全ての方々から学ぶことができれば、それは生徒にとって大きなチャンスときっかけになります。

PICKUP 03

＼メルカリ本社で社長へプレゼン／
「20年後の価値交換のサービス」を企画

株式会社メルカリの方々に、本格的なフィードバックをしてもらいました。

PICKUP 04

＼農水省に農業遺産のSDGs企画を提案／
『農業遺産のミライプロジェクト』

「エコプロ Online2020」の農水省オンラインブースで生徒が発表しました。

PICKUP 07

＼N中等部でもプロジェクトNが始まる！／
コマ撮りアニメーションを制作

これからのN中等部生の表現力に期待が持てる作品がたくさん誕生しました。

PICKUP 08

＼異能（Inno）vationにも挑戦／
授業から生まれたプロジェクトで受賞

チームでプロジェクトを進められたこと、挑戦と努力をした経験が今後の糧になりました。

2021年秋以降の予定

教育要素のある小学生向けゲームを企画・開発／防災グッズ企画・制作／ローカルSDGsへの挑戦／他校との合同プロジェクト学習　など

過去の協力企業

各省庁／アドビ株式会社／日本テレビ放送網株式会社／株式会社SCRAP／ソニー生命保険株式会社／株式会社 JTB／note株式会社／株式会社コルク／株式会社ジェイアール東日本都市開発　ほか多数

書評

失われた五千歩を求めて

レベッカ・ソルニット著
東辻賢治郎訳
『ウォークス』

小池真幸

iPhoneにデフォルトで入っているアプリに「ヘルスケア」というものがある。いわゆる健康管理を目的としたアプリで、睡眠時間や歩数、ひいては「ヘッドフォン音量の曝露量」なんて項目もあるから驚く。

とりわけ歩数については、気づけば膨大な量のデータが蓄積されている。私の場合、２０１５年から現在までおよそ7年分の歩数が記録されていたが、その推移を見ていると明白な変化に気づいた。２０１５年から２０１９年までの5年間は、多少のブレこそあれ、だいたい1日あたり平均1万歩前後で推移している。しかし、２０２０年と２０２１年は、平均５０００歩強。なんと半分近くまで減っているのだ。「２０２０年」という境目からお察しのとおり、この急変の原因はパンデミックだろう。多くの打ち合わせがオンライン化し、外出機会が減ったことに起因するのは明らかだ。

1日1万歩から、1日５０００歩への減少。1年に直すと約１８０万歩強の「歩く」を失ったことになる。これが心身の健康に何らかの影響を及ぼしていることはたしかだろう。しかし、それだけだろうか？　５０００歩の喪失は、単に「運動不足」で片付けられる問題なのか？　考えれば考えるほど、なんだか大変なものを失ってしまった気がしてきて、言いようもない不安に苛まれてきた。

歩くことで五感がひらかれる

一人でウンウンと頭を抱えていても、答えが出るはずがない。まずは、ともかくにも歩いてみることにした。あいにくの繁忙期で、遠くまで出かけている時間的余裕はない。住んでいる横浜からほど近く、歩いた実感を得られる場所はないだろうか。そう考えた結果、海を目指すことに決めた。ちょうど梅雨が明け、本格的な夏が訪れている。仕事の合間を縫って、手近な海で夏を感じるのも悪くないだろう。

というわけで、目的地はみなとみら

いに設定。自宅からの距離は約5km。歩くにはちょうどよい距離である。

普段はあまり使わない日傘を携える。万全の体制だ。遠足のような、やや浮き足立った気分で家を出る。歩き慣れた場所でも、移動ではなく歩くことそのものが目的になると、なぜか高揚感を覚えるから不思議なものだ。

しかし、家を出てものの数分と経たず、安直な気持ちで歩きはじめたことを後悔することになる。とにかく、暑い。耳を澄まさずとも聴こえてくるミンミンゼミとアブラゼミの大合唱も、いつも以上にボリュームが大きく感じられ、体力が蝕まれる。昼過ぎという時間帯に出てきたのは、完全に失敗だった。

それでも、日陰に入るとだいぶ涼しい。アイススケート場の前を通ると、さらに涼しげな心持ちになる。大げさに言えば、暑さや涼しさに対する、身体感覚が研ぎ澄まされている気がする。普段通る道を外れると、見たことのないスナックや美容室が、やたら存在感のあるものとして迫ってくる。高層マンションにまとわりつく入道雲からも、ありありとした立体感が伝わってきた。通りに面したファミリーマートの入店音も、店内の涼しさが思い起こされ、たしかな輪郭を持って聴こえる。焙煎店から漏れ出る珈琲の香り、ゴミ収集車から漂う腐臭も、心なしかいつもより鼻についた。

道中では、予想外の他者にも出会った。目の前に突如現れた、巨大なハチに対して、防衛本能が呼び覚まされる。自宅では滅多に味わうことのない感覚だ。道端に落ちている、パピコの殻とパンの耳の持ち主に思いを馳せる。普段なら素通りしてしまっていただろう。

暑さと喉の乾きが限界に近づいた頃、半月状のパシフィコ横浜、ランドマークタワーと、みなとみらいのシンボルが見えてくる。そうして何とか目的地にたどり着くことができた。人工的で、味気ないはずのみなとみらいの海辺も、いつもより気持ちよく思える。

約90分の短い旅だったが、少しだけ五感がひらかれた気がする。とりわけ視覚、聴覚、嗅覚。冷房の効いた自宅はもちろん、普段の「移動手段」としての徒歩でもここまでは鋭敏にならない。もしかしたら、「5000歩の喪失」によって、五感が鈍くなってしまっていたのかもしれない。

〈時間感覚の変容。研ぎ澄まされる感性。そして身体と風景の再発見。……ある若いドイツ人はこう書いた。「歩く経験では一歩一歩が思惟なのだ。自分から逃がれることはできない」〉。この文章は、1時間半のささやかな小旅行で得た感覚を、ものの見事に言語化してくれている。現代における巡礼の役割について論じたナンシー・フレイの言葉であるが、私がこの一節に出会ったのは、レベッカ・ソルニット『ウォークス――歩くことの精神史』(Wanderlust: A History of Walking)という書物を通じてのことだった。

哲学、政治、恋愛、宗教、格差……「歩く」から広がる地平

2017年に邦訳が刊行された『ウォークス』は、サンフランシスコ在住の著作家であるソルニットが、「歩く」というテーマに正面から向き合った大作だ。歩くことは、人類にとってどのような意味を持ってきたのか？古今東西のあらゆる文献を渉猟しながら、そしてソルニット自身が歩きながら、政治・経済から哲学・文学・歴史、さらには科学や宗教まで行き来し、歩行の精神史が紐解かれていく。

たとえば、歩くことは〈熟慮と創造〉に適した環境を生み出す。かの西田幾多郎や田辺元が「哲学の道」を歩きながら自らの思索を深めていったことは有名だが、哲学者はよく歩く。ソルニットも、ルソーやキェルケゴールといった、歩きながら考えた先達の思索をたどりながら、歩くことと考えることのかかわりに思考をめぐらせている。

歩くことはときに、政治的な行為に

なる。デモや蜂起、都市革命といった市民たちの政治的な意思表示の多くは、「歩く」ことで遂行される。ともに歩くことは、恋愛感情を深める媒にもなる。〈連れ立って行進することが集団の団結を強めるように、歩調をあわせて歩くというこの繊細な行為もまた、ふたりの人間を感情的にも身体的にも同調させてゆくのかもしれない〉。

また、多くの神社は鳥居をくぐってすぐに参拝、とはならず、参道を歩くプロセスが挟まれる。ソルニットも「巡礼」を例に、歩くことと宗教性のかかわりを考えている。巡礼、それはすなわち〈触れえぬ存在を求めて歩くこと〉。この営みがあってはじめて、〈形のない精神的な目的地へ、肉体の労役によって一歩ずつ具体的に向かうこと〉が可能になる。

ソルニットは、〝歩ける〟ことの自明性にも揺さぶりをかける。たとえば18世紀以前のイギリスでは、道路は整備されておらず劣悪な状態で、盗賊や追い剥ぎがはびこっていた。道路の状態や治安が改善したことで、ようやく歩くことがまともな移動手段として認められるようになったという。

それ以降、元来は上流階級の庭園という安全な場所だけに限って許されていた嗜好としての歩行が、新たに誕生した労働者階級による闘争とともに民主化していく。さらに公共空間を堂々と歩くことは、長い間男性の特権でもあった。19世紀のイギリスにおいては、女性が外を歩くことは〈性的な行動の証左〉とみなされ、罪に問われた。

「歩くことの精神」の現在形

私がコロナ禍になって失ったものは、1日5000歩分の健康だけではなかった。五感の鋭敏さ、さらには先人たちの闘争の末に獲得した、思索や創造の環境、政治や恋愛、宗教体験の機会までをも、失ってしまったのかもしれない。

ソルニットが明らかにした、「歩くことの精神」。彼女はこの精神が体現された営みとして、サンフランシスコやパリなど、都市における街歩きを肯定的に評価する。街を歩くことで、都市が持っている〈匿名性や多様性やつながりの可能性〉に身を浸すことができ、〈一歩身を引き、冷静に感覚を研ぎ澄ませた観察者の状態〉を実現できる。これらが、現代では失われつつあるとソルニットは憂い、その原因を急速に進展する郊外化に見出す。鉄道、そして自動車の普及により、とりわけ郊外住宅地において「歩く」ことは不要となりつつあり、〈日常生活の脱身体化〉が進行している。〈あの物思いを誘うかたちのない時間、そこに充溢する思惟や求愛や白昼夢や眼差しを喪失〉し、〈わたしたちの生は、高速化してゆく機械に歩調を合わせてきた〉のだと批判する。

本書は邦訳こそ2017年の刊行だが、原著は2000年の刊行である。まさに、社会学を中心に「郊外化」批判の議論が盛り上がっていた頃だ。1999年にジョージ・リッツァが『マクドナルド化する社会』を著し、国内でも1997年に宮台真司が『まぼろしの郊外』、2004年には三浦展が『ファスト風土化する日本』を刊行した。そうした時代背景に鑑みると、ソルニットが郊外化に強い危機感を抱いていたのは自然だろう。

それから20年あまり。2021年現在に本書を読む身として、私たちはソルニットの問題提起を、どのように受け止めたらよいのか。「歩くことの精神」は、今もなお失われつつあるのだろうか？

そこでキーワードになるのが、ソルニットが重点を置いている「身体感覚」だ。身体感覚は、技術のあり方に応じて変わっていく、相対的なものである。メガネやコンタクトは、それを日常的に使う人にとっては、もはや身体である。ロボット工学者の稲見昌彦は「自在化身体」をキーワードに、「心が自分の身体だと感じる範囲は肉体の枠を超えて拡がることができ、しかもそれは日常的にありふれた現象である」と指摘しているが、「身体」はいくらでも変わりうるのである。

実際、身体拡張のテクノロジーは、工学分野におけるホットな研究テーマの一つとなっている。稲見らによる『自在化身体論』で紹介されている事例を引くだけでも、ロボットアームを活用して、腕が4本に増えたかのように自由自在な作業を可能にするシステム、背後にある景色の映像を投影することで、人があたかも透明になったかのように見せる「光学迷彩」技術など、枚挙に暇がない。

こうした技術発展とそれに伴う身体感覚の変容を前提とすれば、ソルニットが批判した郊外住宅地のような場所でも、「歩くことの精神」を蘇らせることができるかもしれない。たとえば、十分なスペースがなくともVR空間上で「歩く」に等しい身体感覚を再現できるかもしれないし、コロナ禍において『あつまれ どうぶつの森』上で政治運動が展開されたように、サイバースペース上を歩くことで政治的意志を表明することも可能だろう。

私たちの多くが自明だと考えている、「歩く」という体験。その自明性に対して、ソルニットは、精神史を丁寧にたどっていくことで揺さぶりをかけた。そして、『ウォークス』刊行から20年経ったいま、「歩く」を支えてきた身体感覚までもが大きく変わっていく兆しが見えている。ソルニットが明らかにした「歩くことの精神」を、現代の技術環境にあわせて、いかにして再構築していくか。それこそが、私たちが20年前のソルニットから受け取った、大きな宿題といえるのではないだろうか――そんなことを考えながら、今日もまた5000歩を失ってしまった。せめて明日は、少し遠めのコンビニまで歩いてみよう。

〈参考文献〉
・『自在化身体論 ―超感覚・超身体・変身・分身・合体が織りなす人類の未来』稲見昌彦、北崎充晃、宮脇陽一著　エヌ・ティー・エス　2121年

『ウォークス　歩くことの精神史』
レベッカ・ソルニット著、東辻賢治郎訳
左右社　4950円　2017年

フェミニズムから環境問題、そして歴史や芸術まで、幅広いジャンルで執筆活動を行うレベッカ・ソルニットの代表作。歩くことが思考と文化、そして自己認識に深く結びついたものであることを紐解く一冊。

書評

台所に立って眺めると、世界の横顔が見えてくる

岡根谷実里著
『世界の台所探検 料理から暮らしと社会がみえる』

井本光俊

「暮らし」にまつわる本の紹介をさせてください。『世界の台所探検』（岡根谷実里著）という本です。サブタイトルには「料理から暮らしと社会がみえる」とあって、まさに「暮らしの本」ですね。著者が、アジア、ヨーロッパ、中南米、アフリカ、中東など世界各国の家庭の台所を訪ね、家庭料理の作り方を教わった紀行が綴られています。語り口は穏やか、写真もふんだんに全ページがカラーのA5判並製で、若い人が親しめるような装丁デザインになっています。世界のさまざまな国の興味深い家庭料理と暮らし模様を、楽しく知ることができる本です。

　今や日本にも世界各国の料理店が充実していて、さまざまな料理を食べることができます。けれど「家庭料理」

となると、どうでしょうか。そもそもどれが家庭料理なのかすら分からないことも多いですね。この本によれば、たとえばインドのナンやベトナムのフォーは、家庭料理ではないそうです。フォーなんて家庭料理の最たるもののように思っていましたが、この本の例えを借りれば「日本でラーメンをスープから家でつくったりしないように、フォーのスープは料理店でつくるカテゴリー」ということだそうです。家庭料理というのは、その定義からして表には見えてこないもので、だからこそ著者は実際に台所を訪れて教わるという、この台所探検のスタイルをとるわけです。インドネシアではココナッツオイル作りを教わり、オーストリアではチョコケーキ作りを教わる。インドの家庭ではスパイス使いを教わり、ヨルダンではモロヘイヤのスープ作りを教わる。そういった「台所探検」のなかで見えてくる暮らしを、著者は過度に驚いたり興奮したりすることなく、静かに綴っています。この筆致は、ハレの外食ではなくケの家庭料理が知りたいという台所探検の目的に適っているように思います。

　著者が目にした世界の台所は、まさに散文的な日常の場です。たとえばこの本に登場するタイのユースック村は、タイ北部の少数山岳民族アカ族の村です。この村では、人々はなんでも手作りするそうです。食事の材料は山から取ってくる野草で、たくさんの種類の野草それぞれの処理の仕方にアカ族は長けています。それを調理したり食べたりする台所道具も、自分たちで竹や藤づるなどから作り出します。もちろん調味料も手作りで、アカ族の家庭料理に欠かせない発酵調味料「アチィー」も自家製です。そんなアカ族の老人が著者にアカ料理の基本の味付けだと教えてくれたのが、アチィー、塩、にんにく、唐辛子、そして味の素だそうなんですね。著者が、なぜ味の素を入れるのかその老人に尋ねると〈「おいしくなるからだよ!」という屈託のない〉、まさに散文的な返事が返ってきたそうです。

　たとえばブルガリアはハーブの生産量がEUトップの国で、ブルガリアの家庭料理ではたくさんのハーブがふんだんに使われるそうです。あるとき、ポーランドの家庭の台所でハーブ使い上手から、さまざまなハーブ(生のハーブからドライ・ハーブまで)を使った料理を教わるのですが、そこで面白いのが、ハーブを使うのは〈料理をしない料理〉を作るためだというんですね。凝ったハーブ料理ももちろんあるんですが、家庭でハーブを使うのは、たとえばパンにハーブを振りかけるだけで朝食になるような、そんな料理とも言えない、それでいて美味しい食事をハーブによって作ることができるからってことなんです。つまり「料理をしない」ためにハーブを使っていうんですね。これもまた、日常の暮らしゆえだと思います。〈ここで教わったのは〝ぱらっとするだけで完成、料理をしないで料理を楽しむ日常の知恵〟だった〉と、著者はポーランドでの台所探検を締めています。

　あるいは、たとえば親から子へと世代を超えて100年前から伝わるレシピを教わる場面も本書には登場しますが、一方で、親から教わったレシピを簡略化して「私はクノールスープの素を入れちゃうの」という場面があったり、あるいは家族の料理上手に著者が「このレシピは母親譲りなのか」と尋ねると「本に書いてあった」と答えが返ってくる場面があったりと、とても平熱で散文的なんですね。そういった台所探検のなかで見えてくる暮らしを、著者はへんに驚いたり騒いだりすることなく、静かに綴っています。

　どうして著者は、散文的な日常のなかにある家庭料理を描こうと思ったのか。〈世界各地の台所を訪ねるようになり、「どんな珍しい料理があるの?」「その土地ならではの家庭料理って?」と期待されるようになっていた〉けれど、〈名物ならばレストランに行けばいい〉、台所や食卓での家族や友人との楽しい時間、〈これこそが家庭料理の魅力なのだと思う〉と著者は記しています。だから、この本には、もちろん今までなかなか見えてきづらかったさまざまな国の家庭料理が紹介されていて、それはたいへん興味深いのですが、それ以上に、台所でその料理を作る住人や隣人たちのやりとり、そして食卓を囲む家族や親戚、仲間たちの姿に描写を割いているのです。

　この本では、実際に著者が教わってきた13のレシピも掲載されていますが、メインは日常の暮らしの描写です。食材を手に入れ（ここからしてさまざまです。市場で買い出す、自分の農園から、配給を受ける、自然の恵みを採取する……）、台所（そう、台所もさまざま）で調理し、食卓（も、もちろん）で食べるという流れは、ほんとうに世界には多様な暮らしがあるのだと、読者のある種の好奇心を満たしてくれるでしょう。けれど、著者が丁寧に描くのは、その一連の過程で人々がどのように語らい、笑い、ときには喧嘩しながら、家庭料理がお腹のなかにおさまっていくかです。

　パレスチナ、家族が集まるイスラム教の休日の午後。揚げ野菜と鶏肉と米を大きな鍋に層状に重ねて炊き上げる「マクルーバ」という料理ができあがり、大広間の大テーブルで鍋をオープンするときに上がる家族の歓声。ブルガリアを代表する瓶詰保存食「リュテニツァ」。一年に一度、一家総出で大量の赤パプリカを仕込んで一年分のリュテニツァを作るときの、84歳の母親と娘の口喧嘩。この本には、そんな人と人が暮らす場面がよく登場します。さまざまな暮らしがありながらも、その人間のやりとりの様は、どこか自分たちに相通ずるものが感じられるのではないかと思います。遠い国の暮らしと、読者のいまここの暮らしが、どこかでつながるような文章です。

＊

　といったところが、この本の紹介なのですが、そんなふうに気楽に読めて、世界の人々のいろいろな暮らしが知れて、自分たちとどこか共通する人間の喜びや哀しみを感じることのできるこの本は、けれど、けっこう奇妙な本だと僕は思います。それが、この本に強烈に惹かれた部分です。そこを最後に説明させてください。

　というのは、いろいろな国に赴き、そこにある日常を淡々と描くこの本ですが、その旅先の選び方が、実は独特です。フランスとかアメリカとか中国とか、そんな「大ネタ」は登場しない。登場するのは、コソボや、スーダン、イスラエル、パレスチナといった、貧困であったり紛争であったり、それが掛け合わさっていたりと、社会的な問題を抱えたような国々が多い。普通に考えれば、社会派のノンフィクション作家が取材対象にするような国の、しかしそのような問題とは距離をとった日常の暮らしが、この本では描かれています。コソボでもパレスチナでも、それらの社会的な問題に対する説明は、あくまでも最小限です。たとえば、パレスチナで家庭料理を教わった台所は難民キャンプのなかにあるのですが、そこでの暮らしは、「難民キャンプ」という言葉のイメージとはかけ離れた日常的なものです。これもこの本で知ったことなのですが、パレスチナは周辺の地域から、「料理の美味しいところ」として知られているらしい。それは、いま日本でイメージするパレスチナとは、かなり違う姿なのではないでしょうか。

　この本のこういった奇妙な部分に対して、「日常を描くことで、現にある社会的な問題や被害から目を背けている」という批判はありうるのかもしれません。けれど、僕は違うと思う。この本のスタイルは、まさに社会的な問題へのアプローチを筆者が必死に試行錯誤した上で出てきたものなのだと思います。著者は社会に大きな問題があることを知らないわけでも、目を背けているわけでもない。そのことは、実はこの本のはじめの方に、〈台所への興味のきっかけ〉として書かれていました。プロフィールによれば、著者は東大の大学院で土木工学を学んでいたそうです。〈国際協力の道を志し、インフラを作る技術者として世界中を飛び回って働くこと〉を夢見ていたそうです。そんななか、著者は国連のインターンシップでケニアでのプロジェクトに参加することになり、農家に泊まりながら大豆の加工工場の立ち上げに携わります。そんなある日、住んでいた村に突然赤いテープが引かれ、立ち退きを命じられます。村の真ん中を通る大型道路計画が進行していたんです。一方に国全体の発展につながるインフラ整備があり、一方にこれまでの生活を壊されることに憤慨し悲しむ人々がいる。この両極に挟まれて自分のなすべきことを考えた結果、たどり着いたのが「台所探検」なのです。著者は、土木工学の道に進まず、料理の会社へと進むことになり、そしてこの本が存在する。

　つまり、この本は、気楽に読める作りにしてあるし、社会的な問題の解決を訴えているわけでもないけれど、そのような社会的な問題に対する著者なりのアプローチなのです。これは試行錯誤の過程であって、最終的な答えではないのでしょう。さらに言えば、この筆者にとって文章が答えではない可能性も多分にあると僕は思います。いずれにせよ、筆者は社会に向き合っていくのだろうとも思います。ただ、この穏やかな筆致の魅力に触れた自分としては、ぜひ文章も書き続けていただきたいなと思っています。

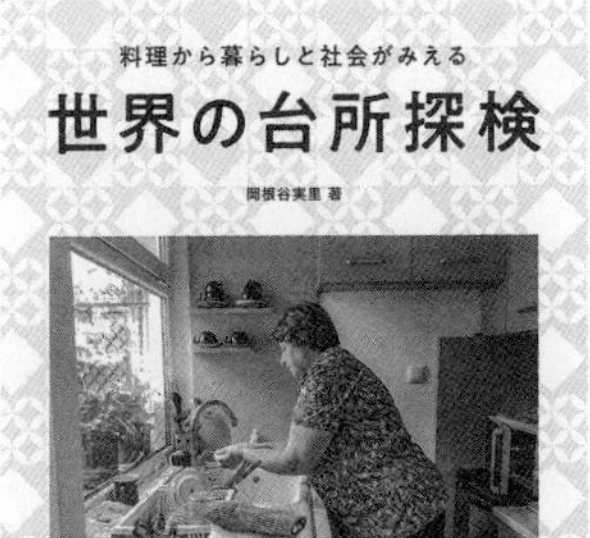

『世界の台所探検 料理から暮らしと社会がみえる』
岡根谷実里著
青幻舎　2200円　2020年

家庭の台所と食卓から、その土地の歴史や社会背景が見えてくる。世界の台所探検家が訪れた、世界16カ国/地域の台所を取り上げたエッセイ集。現地の人と一緒に料理や食事をともにした体験から、そこの住む人々の暮らしと文化を伝える一冊。料理レシピ13品も収録されて、実際に作ってみることで追体験もできる。

書評

DE CLINAMEN《デ・クリナメン》
（逸脱について）

スティーヴン・グリーンブラット著、河野純治訳
『一四一七年、その一冊がすべてを変えた』

高木陽之介

快楽主義の哲学者として知られるエピクロス（BC341年－BC270年）だが、彼自身の作品は今ではほとんど残っておらず、その哲学を研究する上で最も重要な作品は、彼の信奉者であったローマの詩人が詠んだ哲学詩であったことはあまり知られていない。

詩人の名はティトゥス・ルクレティウス・カルス（BC99年頃－BC55年）、哲学詩は『DE RERUM NATURA（物の本性について）』という。ルクレティウス自身の生涯についてはほとんど明らかではない。聖ヒエロニムス（347年頃－420年）による《媚薬を飲んで発狂し、後にキケロが手を入れた数巻の書を発作の合間に記したが、四十四歳で自殺した》という記述が、ほとんど残された唯一のものだが、エピキュリアンの評判を貶める風説の類と見るのが多くの歴史家の見解のようである。

1　THE SWERBE（逸脱）

スティーヴン・グリーンブラットによる『一四一七年、その一冊がすべてを変えた』（THE SWERBE -How the World Became Modern-）は、ルネッサンス（古代の再生）、つまり近代の起源の象徴的出来事として、ポッジョ・ブラッチョリーニ（1380年－1459年）によるルクレティウスの写本の発見を扱ったノンフィクションである。グリーンブラットはこの自らの著書に、エピクロス＝ルクレティウスの重要な概念〝CLINAMEN〟の訳語として〝THE SWERBE〟（逸脱）と名付けた。

この発見についてグリーンブラットは以下のように記している。

――この信奉者（筆者註／ルクレティウス）のかつて賞賛された詩が残っていたのは、まさに幸運だった。『物の本性について』の一冊が、修道院の図書館に、喜びを追求するエピクロス哲学を永遠に葬り去ったかに見えた場所にあったのは、たんなる偶然だった。どこかのスクリプトリウム（写本室）か何かで働いていた一人の修道士が、その詩が朽ち果てる前に書き写したのも、たんなる偶然だった。そしてこの一冊がおよそ五〇〇年もの間、火事にも洪水にも遭わず、時の試練にも耐えて、一四一七年のある日、ポッギウス・フロレンティヌスすなわちフィレンツェのポッジョと自慢げに名乗っていた人文主義者の手に渡ったのも、たんなる偶然だった。

（『一四一七年、その一冊がすべてを変えた』p 139）

この近代的な歴史観は、世界は神の摂理とは無関係の偶然によって動かされているとしたエピクロスに由来している。宇宙は虚空と原子で構成されているが、必然性のみが支配するデモクリトスの唯物論と違って、エピクロスの唯物論においては、原子はわずかな角度曲がることがある、クリナメン（逸脱）が生じるという修正が加えられた。これは物体の運動にはある程度の揺れ幅、揺らぎがあると理解すると分かりやすいが、この原理によって、必然性に支配されていたはずの世界は、偶然性に溢れたものとして見えてくるのだ。

上記を含めてルクレティウスの『物の本性について』が示す世界観は、近代以降の世界理解の基本原理となっているが、すでにそれが浸透してしまった我々が読んでもその衝撃を理解することは難しくなっている。しかし、だからこそグリーンブラットは、それが発見されるまでと、発見されてからの歴史を語らなければならなかったのであり、それは近代（modern）と呼ばれる時代がいかなる運動の中にあるのか、あるいは、いかなる運動と見做されているのかを改めて知ることなのだ。

2　DE RERUM NATURA
（物の本性について）

『物の本性について』は、エピクロスの『自然について』を元に、ルクレティウスが六歩格詩《ヘクサメトロス》として詠んだものである。すでにエピクロスの『自然について』は残っていない。ディオゲネス・ラエルティオス（200年代前半）の『ギリシャ哲学者列伝』によれば、エピクロスには三百巻を超える著書があったとされるが、そのほとんどは失われ、今では他人の作品に引用された手紙や断片を集めたものだけが残されている。

エピクロスの無数の著書よりもルクレティウスの作品が生き延びた理由は、それが高い技巧によって作られた韻文であったからである。真理は素朴な散文で綴られるべきと考えたエピクロスよりも、美しく飾られた言葉は妄想を伝えるためでなく、真理を伝えるためにこそ用いられるべきと考えたルクレティウスの作品は、思想的に受け入れられない時代も、ラテン語の勉強に用いられてきたからである。

ルクレティウスの死後発表されたこの詩は、美の女神と生殖の讃歌とともに始まり、疫病に苦しむ古代ギリシャの描写で終わっているが、そのラテン語の美しさにおいて、ウェルギリウス(BC70年－BC19年)やホラティウス(BC65年－BC8年)といった詩人たちに多大な影響を与えた。オウィディウス(BC43年－17年)は『愛の歌』の中で《大地が滅ぼされる日までルクレティウスの崇高な歌が滅びることはない》と言ったほどである。こうして『物の本性について』は、エピクロス学派の隆盛とともに読み継がれてきたが、三世紀ローマ帝国でキリスト教が公認されてからは、激しい攻撃にさらされるようになった。

それは彼らが魂の永遠性を否定し、神の摂理とは無縁の偶然性によって世界は動かされるという、キリスト教とは真逆の世界観を提唱したからだけではない。喜びを求め、苦痛を軽くすべきという、苦悩の共感に基づくキリスト教とは真逆の信条を持っていたからである。何よりキリスト教は、エピクロス学派からの嘲笑を恐れたのではないかとグリーンブラットは推測する。

洗練と呼ぶものからはあまりにも遠く離れた聖書の言葉だけでなく、宇宙が自分たちのためだけに作られたと考える、キリスト教の幼さを彼らは嘲笑ったのだ。

こうして四世紀半ばには、「無神論者」という烙印を押される覚悟なくしては読めなくなってしまった『物の本性について』だが、実際のところ、彼らは宗教を邪悪と見做していたものの、神の存在は否定していなかった。ただ神がいたとしても人間には無関心だろうし、神々もまた有限の命しか持たないと考えていたのだ。先程引用した聖ヒエロニムスの言葉が書かれたのも、この頃のことである。その後392年にキリスト教が国境化されるとともに、エピクロス学派も終焉を迎える。

こうしてキリスト教によって歴史の闇に葬られた『物の本性について』だったが、帝国の崩壊とともに教育施設も本市場も消失した後は、戒律として読書を義務付けたキリスト教の修道院だけが、皮肉にも唯一の保存機関となったのである。「祈りの読書」と呼ばれる黙読の時間は、日々の肉体労働とともに重要な修行であったばかりか、修道院生活における最大の病、無気力《アケディア》の病になった修道士を見分けるものとして機能したからである。黙読を続けるには、健康な集中力が不可欠だったのだ。

3 ATOM(分けられぬもの)

グリーンブラットによれば、ポッジョによる写本の発見こそ、世界を新たな方向に向かわせた歴史的事件だった。この写本の復活は、革命や戦争や新大陸の発見以上に人類の力を解放したのである。

――変化を引き起こしたのは革命でも、未知の大陸への上陸でもなかった。そういう大きな出来事には、歴史家や画家たちによって大衆受けする印象的なイメージが付与された。(中略)だが本書が扱う画期的な変化―それはわれわれの生活全般に影響をあたえてきたのだが―は、そう簡単に劇的イメージとは結びつかない。(中略)きわめて用心深い三十代後半の男が、ある日、図書館の書棚にあったひじょうに古い写本を手にとり、自分が発見したものを見て興奮し、それを書き写すよう誰かに命じた。それだけである。だが、それでじゅうぶんだった。(前掲書p20)

教皇秘書時代にポッジョが仕えて

いた教皇ヨハネス23世（1370年頃－1419年）は、海賊一族に生まれ、大学で法律を学んだ「学識高きならず者」であり、親しい人々の前では、死後の世界も復活もない、霊魂は獣の如く肉体と共に滅びると常々語っていたという。それゆえ彼は人文主義者を重用し、公文書書記官のポッジョは教皇秘書という地位にまで上り詰めていた。しかし、1415年のコンスタンツ公会議にて、教皇ヨハネス23世は失脚、幽閉され、ポッジョは35歳にして失職する。この挫折、逸脱によって、彼はその後の数年間、筆写の技術とラテン語の知識を用いることができるブックハンターという職に就くことになった。

グリーンブラットは、この逸脱において現れたポッジョの本性に注目する。それは、ルクレティウスの言葉《原子《アトム》が進路を逸れることによって運動の発生を起こすことがなければ、地上の生物の自由《リベラ》なるものはどこに起因するのか》（『物の本性について』II.251-262）が示す、地上の生物としてのポッジョというア（非）トム（分割）の逸脱である。

教皇ヨハネス23世は失脚したコンスタンツ公会議では、教皇や教会を批判し、聖書と神のみを信じよと主張したヤン・フス（1369年頃－1415年）も異端者と断罪され、幽閉の後、火刑に処せられている。翌年フスの同志、プラハのヒエロニムス（1379年－1416年）が異端者として断罪され、処刑されたとき、ポッジョも現場に居合わせていた。街の外に引き出されたヒエロニムスは自らの信念を雄弁に語った後、火刑に処せられたが、まだ37歳で屈強な彼は中々息絶えることなく、火の中で長い間悲鳴をあげていたという。

——相手方に返答するときの言葉の選び方、論理の厳密さ、自信に満ちた表情を目にして、私は驚いた。その熱弁はきわめて印象的で、今や大きな関心事となっている。これほど優れた才能を持つ人物が道をそれて異端者になってしまうとは。しかし後者に関しては、私はいくつかの疑問を抱かざるを得ない。（前掲書 p216）

この友人レオナルド・ブルーニ（1370年頃－1444年）に宛てた手紙は慎重な性格のポッジョには珍しいもので、受け取った友人も警告するほどであった。そしてグリーンブラットは、ブックハンターになって二度目の遠征でポッジョが入手した、クィンティリアヌス（35年頃－100年頃）の『弁論術教程』の写本について書かれた文章を取り上げる。

——この偉大と呼ぶに相応しい、道徳心と既知に富んだ、気品ある純粋な男は、汚物にまみれた牢獄の不潔さと看守らの非道な残酷さに、もうそれ以上長くは耐えられなかっただろう。彼は嘆き悲しみ、喪服姿であった。死ぬ運命にある人みなそうであるように、彼のあごひげは汚れ、髪の毛は泥で固まっていた。その表情や様子から、彼が不当な罰を受けていることは明白だった。彼は両手を伸ばし、ローマの人々の誠実さを求め、自分が不当な刑から救われることを願っているように見えた。（前掲書 p 222）

この文章から、彼が古代の写本に対して、幽閉された異端者のような姿を見出していたことが伺えよう。永遠の魂を信じぬルネッサンス教皇や、教会を批判した異端者は救い出せなかったが、だからこそ彼は同じく一神教の制度の中で排除され、幽閉された古代の写本を救出することに情熱を傾けたのである。そこには知的多様性に溢れた多神教時代に憧れる人文主義者の本性が現れている。グリーンブラットが断言するように、元より人文主義とは学問的なものなどではなかった。同時代の人間を嫌悪し、軽蔑し切っていたペトラルカ（1304年－1374年）は、ラテン語の手紙を日々古代の作家たちに宛てて書き、彼らと語り合っていた。ポッジョの師であるサルターティ（1331年－1406年）は、フィレンツェを古代ローマ共和制の偉大なる継承者と見做し、その復活に情熱を傾けてきた。同門の友人である唯美主義者ニッコロ・ニッコリ（1364年－1437年）は、古代遺物を愛でて鑑賞することを好み、それを妨げる女たちを生活から遠ざけ、必要な役割は全て家政婦に担わせていたという。ニッコリは自らの蔵書を元に、ローマ時代の公共図書館を近代に復活させるが、こうした図書館の閲覧室に置かれる作家の彫像は、仮面を飾るローマ人の風習に由来し、書物を通じて太古の死者の魂を呼び出すためだったという。彼ら同様の精神を、ポッジョも又共有していたのである。

〈参考文献〉
・『ルクレティウス『事物の本性について』―愉しさや、嵐の海に』小池澄夫、瀬口昌久著　岩波書店　2020年
・『物の本質について』ルクレーティウス著、樋口勝彦訳　岩波書店　1961年

『一四一七年、
その一冊がすべてを変えた』
スティーヴン・グリーンブラット著、
河野純治訳
柏書房　2420円　2012年

15世紀のイタリアのブックハンター、ポッジョ・ブラッチョリーニの、一冊の本をめぐる旅の物語。あるとき、彼は南ドイツの修道院でルクレティウスの『物の本質について』を発見する。紀元前50年頃、エピクロス派の思想を元に編まれたこの詩集には世界の真理が書かれており、やがてヨーロッパにルネサンスを巻き起こしていく。

ものものがたり

#1 九谷焼の箸置き／朝日焼の湯呑

丸若裕俊×沖本ゆか

「モノ」よりも「コト」のほうが人を惹きつける時代だと言われています。
でもだからこそ、人と「モノ」との関係を考え直してみたい。
そう考えてこの連載をはじめました。
日本の伝統工芸のアップデートに取り組む丸若裕俊さん（EN TEA代表）と、
日本国内の陶磁器の魅力を世界に発信するプロジェクト「CERANIS」を手がける沖本ゆかさん。
骨董の域に到達しそうな工芸品からジャンクな日用品まで、
さまざまな「モノ」の魅力を語り尽くす対談をお届けします。
第1回は、丸若さんは九谷焼の箸置き、沖本さんは朝日焼の湯呑を取り上げました。

文＝小池真幸　写真＝蜷川新　協力＝茶室 ぼん

愛用品のある生活への憧れ

丸若　今日ぼくが持ってきたのは、九谷焼の箸置きです。上出長右衛門窯という、百四十二年続いている窯元のもの。紙風船に似せた模様、雪や鳥のあしらい。箸置きなのに、ちょっとした小ネタがあるのが面白いですよね。このちょっと和やかな見た目が、ぼくは大好きなんです。

沖本　素敵ですね！

丸若　日常で何気なく使うものを自分のお気に入りで構成していくことに、昔から強い関心を持っています。昔の人が遺品や愛用品を残したりするのって、洒落ているじゃないですか？　箸置きのように、使いだしたら空気みたいな存在になるものに、「なんかいいな」という感情を抱きたい。

　上出長右衛門窯は割烹食器を得意としているので、道具としても優れています。たとえば、この箸置きは、箸が絶対に落ちないんですよ。とても使い勝手がいいから、可愛いだけじゃなく使い続けています。

沖本　たしかに、どれも真ん中がしっかりとへこんでいますね。

丸若　でしょう？　それから、九谷の箸置きはプレゼントにもいいんですよ。ふだん、箸置きってなかなか意識して買わないですよね。だからこそ、洒落た箸置きを贈ると、意外と喜んでもらえます。

沖本　わたしはどちらかといえば、食器を真剣に買うほうの人間だとは思いますが、箸置きはなかなか意識して買わないですね。プレゼントされたら嬉

丸若裕俊（まるわか・ひろとし）
東京生まれ横浜育ち。多種多様な文化が交わる港町で幼少期を過ごした後に、日本各地を旅する中で職人との交流が深まり、日本文化をプロデュースする丸若屋を設立。
自身の集大成として茶の可能性を世界に伝えることを目的にEN TEAを設立。

沖本ゆか（おきもと・ゆか）
外資IT会社に勤務。その一方で、世界中を旅して日本のものづくり文化のすばらしさを再認識し、同じデザインの陶磁器を国内各地の作家・職人の方に制作していただく「CERANIS」プロジェクトを実施。各地の技法を統一的に並べることで、各窯元の作風や風合いの違いや地域の景色を国内外に発信している。

しいと思います。

丸若　器と比べて箸置きは、相手の生活習慣をそこまで想像せずとも、プレゼントしやすい。小さくて、あまり迷惑にもなりませんしね。正直、迷惑なものをもらうことってあるじゃないですか（笑）。「ありがたいけど、これどうしようかな〜」「熱意は伝わってくるけれど、自分の生活習慣にまったく関係ないぞ」みたいな。そうならないものをプレゼントしたいなという気持ちが、ぼくにはあって。その意味で、箸置きは優れものなんですよ。

ものに触れれば、歴史とつながれる

丸若　沖本さんは、九谷にどんなイメージを持っていますか?

沖本　なんだろう……繊細な線で描くアートみたいなものもあるし、一筆書きみたいな身近な感じの絵付けのものもある。とにかく表現が多様です。あとは、色合いが鮮やかですよね。緑、紫、黄色、赤と、京都よりも彩りが華やか。

丸若　九谷は品を残した遊び心と可愛らしさを出すのがうまいんです。伝統工芸と聞くと雅すぎると感じるときもあるかもしれません。でも、九谷はそこまで肩肘を張っていない。とはいえ料亭で使われたり、魯山人が初めて焼きものを経験したのが九谷だったりと、聖地ではある。

歴史をひもといても、九谷焼ってとても不思議で。始まってから七十年ぐらいのときに、一度途絶えていて、そこから百何十年ぐらい経ってから発掘されているんです。そのとき、昔の九谷焼に関する文献が、何も残っていなかったんですよね。埋もれていたものを「古九谷」、それを解明復興しようとしたものを「再興九谷」と言います。

沖本　へえー!　何も残ってなかったのですか。

丸若　古九谷は謎が多くて、いまだに完全な再現はできていないんですよ。こういうミステリアスなところも、ぼくが九谷焼に惹かれる理由の一つです。しかも、それが手にとって使えるものだということが、とてもいいなと思っていまして。歴史の映像は画面の中で終わってしまいますが、ものなら自分が触れて、歴史につながることができる。

一方、いまの九谷焼のベースとなっている再興九谷は、いろいろ細分化していて、窯元によって得意なものや好きなものが違います。昔の伝統をすごく大切にしているのだけれど、次世代に伝えるために絶えずアップデートしようとしている姿勢も、触れていて楽しいんですよね。

ものには窯元を超えた「相性」がある

丸若　九谷は、ぼくが伝統工芸に関わるきっかけとなった窯元でもあります。十年以上前、あるプロジェクトで九谷焼を使うことになり、いくつかの窯元さんや関係者の方にお会いしたのが最初でした。

　二十代の頃は、福島武山さんや徳田八十吉さんなど、一応いろいろな九谷を代表する人間国宝の方々を見ていましたね。その中でも特に「これからの人生で一緒にいろいろなキャッチボールができたらな」と思ったのが、上出長右衛門窯なんです。

沖本　すごい、最初が九谷焼だったのですね。敷居の高さは感じませんでしたか？

丸若　当時は若くて、何もわかっていなかったのでしょうね（笑）。でも、たしかにいまはいい意味での品格や敷居がある感じがして、それが好きなポイントでもあります。「なんでもする」というスタンスではなく、しないことが明確にある。

沖本　明確なアイデンティティがあるということですね。

丸若　スタンスが明確だと、他の窯元との相性も明瞭になりやすい。以前、朝日焼の当主が「自分はほとんど器を

買わない。でも、上出長右衛門窯の焼きものは自分のところにはない良さを感じられて、久々に欲しいと思った」と言っていました。同じ品格、同じ客層を狙って作っているところは、全然違っていても相性が良い。トーンが合っていると、全然違ったもの同士でも違和感がなく、喧嘩しないんですよね。それ以外でも、唐津焼などの陶器とも洗練された食文化とともに育った共通点があり、相性が非常に良いです。

沖本　丸若さんはいろいろと網羅的に見られているからこそ、そうしたミックスができるのかもしれません。

丸若　器のプロの人たちって、洋服にたとえると、フォーマルの専門の人やアウトドア専門の人なんです。その人が洋服全部を語れるかというと、違うんですよね。ぼくはもう少し全体的なところを見ていて、料理屋さんに「合わせ方」の可能性をお伝えし、考え方を吸収していただくのが仕事です。

　そういう意味では、九谷から入ったのがとてもよかったと思います。上出長右衛門窯が割烹料理食器だったからこそ、器の良し悪しや取り合わせ方を、いろいろな場面で体感できたのではないかなと。

豪華さではない、「添えるだけ」の美しさ

沖本　丸若さんご自身は、この箸置きにどんな箸を置いているのですか？

丸若　昔から好きな蕎麦屋ととんかつ屋があるのですが、そこの割り箸を持ち帰ることを習慣的に行っています。素材として吉野杉を使っていたりとかもありますが、好きな店舗の道具を自宅で使えることがシンプルに好きで、この九谷の箸置きに置いています。

あとは、京都の公長齋小菅で求めた、煤竹のとても繊細なお箸も大好きです。粗末なものを食べるときでも、九谷の箸置きと合わせて使うと美味しくなります。

沖本　わたしも煤竹の細いお箸を買いましたが、いいですよね。でも、使うには集中しないといけないので、在宅勤務中のお昼とかには使いにくい。もう少し丁寧に、休日にゆっくりものを味わうときに使いますね。そうやって、ものが動作をつくるっていうのも日本独特で面白いな、と思います。

丸若　ぼくも家で道具を使うときは、けっこうシンプルなものを使うことが多くて。たとえば、永平寺などの禅寺に行くときに「これだけは持っていっていい」とされている、応量器という器を使っています。重ねの椀なのです

が、基本的に漆で塗ってあってフォーマット化されているから、どんなものを乗せても、これ一点置いておくだけで完璧な美しさになるんですよ。

　ただ、これは仏事の道具の意味合いが強いので、より日常的には応量器の仕組みを応用した漆の椀も使っています。古道具屋で状態のいいものを買ってきたのですが、とてもコスパがいい。一人暮らしでも完璧だし、家族がいても人数分あれば、食器棚にかなり余裕を作れると思うので、めちゃくちゃおすすめです。

沖本　わたしも一セット持っています。たぶんそこまで高級なものじゃないのですが、生活骨董屋さんで買いました。この一点があると、すでにバランスが取れているので、美しく整っていいですよね。

丸若　素焼きの箸とか、利休箸みたいな綺麗な箸があるだけで、自信につながる。日本の様式美は、豪華一点式ではなく、無駄なものをなくしてシンプルにして、何かを添えるというものだと思うんです。床の間に花を一輪挿すように、主に何をしたいかだけを定めて、あとはできるだけナチュラルな状態にする。

　それから、一個ワンポイント的に入れるなら、ちょっと華奢なほうが品がいい。ちょっとだけ小さいものは、人間にとっていい違和感を感じさせてくれると思うんですよ。最適化しすぎているものから、ちょっとだけずらす。

石は最良志向、土は地産志向

丸若　そろそろ、沖本さんが持ってきたものについても聞かせてください。

沖本　わたしが持ってきたのは、朝日焼の湯呑みです。月白釉の椀で、二時間くらい悩んで決めました（笑）。

丸若　いいですね！

沖本　ですよね！　初めて見たとき、「なんだ、この美しい色合いとバランスは!?」と思いました。朝日焼って、この鹿の背中みたいな鹿背と呼ばれる模様が、ぽつんぽつんと出てくるのが特徴です。なので、その特徴をもっているものにするかすごく迷ったのですけど、最終的にはこのほうじ茶椀にしました。

丸若　朝日焼は、もともとお殿様が自分の窯元として運営していて、そこから独立していった経緯があります。いろいろなターゲットに向けて作っていったブランドじゃないから、「この人が好むもの」というスタンスが明確で、世界観がとてもしっかりしているんですよね。キレ味があり、シャープさやモダンさがあるものをよしとしているから、ちょっと凛とした感じが出る。土の器やお茶道具って、ぽてっとして野暮ったくなりやすいんですが、朝日焼にはそれがなく、全体的にエレガントなんですよね。

沖本　突き詰めた人が出すシンプルさってすごいですよね。数年前に開化堂カフェで、玉露を飲むイベントに参加したのがきっかけで、宇治にある窯元で朝日焼と出会ったのですが、とても普遍的な美しさを持っていると感じました。まさに一目惚れでした。

　遠州七窯の一つであることや、侘び寂びに美しさや豊かさを加えた「綺麗さび」という言葉も教えていただいて、感動しましたね。「侘び寂びっていいよね。でも、もう少し色合いがあってもいいはず」と感じたことがある人も少なくないと思うのですが、それを一瞬で昇華させてくれている。まさに霧が晴れたような気持ちになったことを記憶しています。

　それと、朝日焼さんは宇治の土で作られているところも素敵だなと思いまして。最近なかなか土もとれなくなって、他の産地のものを使っているケースもあるじゃないですか。でも、朝日焼さんは頑なにそこを守られている。

丸若　磁器（石物）と陶器（土物）はまったく違っていて、土は地産がベストという考え方が根底にあります。磁器は「世界中の最良な石を用いる」と

いう考え方。もともとの発想が違うんです。

土物は使えば使うほど「育つ」

沖本　実は最初は、鹿背が出ている朝日焼らしさも備えて、かつモダンな別のものを買ったのです。でも、わたしはそれを使いこなせなくて。お煎茶椀だったので、コーヒーを飲むには高さが足りなくて手を添える部分が熱くなってしまうし、煎茶は本当においしいものを淹れようとすると温度管理が難しい。わたしの生活スタイルでは、毎朝湯冷ましをつかった美味しいお茶を淹れて一服する、ということができなかったのですよ。

　お茶をいろいろ飲んで思ったのが、コーヒーの代わりみたいな感じで、繊細な温度管理を気にせず淹れるにはほうじ茶が一番だということ。香りも強いから、ちょっとリフレッシュしたいときにぴったりで。それで、ほうじ茶を飲む湯呑を探していたのです。お茶なら、お抹茶や煎茶ではないけれど、お茶とともに四百年の歴史を紡がれている朝日焼さんで何かいいものがあればいいなと思って探しに行ったときに、この月白釉のほうじ茶椀に出会いました。

丸若　ほうじ茶に使ってみて、どうでしたか？

沖本　ぴったりでした。他のものは自由に自分の生活に合うような使い方をするのですが、これは別の用途での使い方をしていません。ある意味本当に、もの自体が考えつくされていてパーフェクトなのでしょうね。そして、さきほど指摘されていたようにほんの少しだけ小さいのです。

　最近はさらに急須も探しています。岩手の南部鉄器を使っていて、すごく気に入っているのですが、一人で飲むには大きいのですよ。ほうじ茶に適した、一人か二人用の小さめのものがほしくて。

丸若　ほうじ茶には、磁器でもいいのですが、陶器がおすすめです。土でできていることでの柔らかみであったり、使い込んでいくことで土物は育っていくので、ほうじ茶とともに長く楽しめると思います。

沖本　本当ですか？　じゃあ、今度は急須を探す旅に出なきゃな。

丸若　お茶もその種類やその日の気分で選ぶ、その面白さに気付くととても楽しいと思います。土の良さ、石の良さなどなど。香りも違ってきます。

沖本　香りに奥深さが出るのが、面白いです。香りって、心を持っていかれますよね。玉露もそうですが、日本料理は基本的に味の合わせを楽しむ文化じゃないですか。でも、もうちょっとリフレッシュしたいときは、香りで持っていくと一瞬なのですよね。忙しい生活には、それがどうしても必要で。それのわたしなりの解が、ほうじ茶だったのです。

ものを通してコトを見る

丸若　ちなみに、ほうじ茶用の湯呑を探しに行ったとき、この器のどんなところに惹かれたんですか？

沖本　宇治の川のギャラリーから見た風景に重なったのです。美しいものを作ろうとすると、意識せずともその土地の風景に似てきてしまう気がします。宇治のふもとにギャラリーがあるのですが、本当に清らかな川が流れていて。宇治に降り立って川の近くに行ったときの、橋からの風景も美しかった。ギャラリーから見た風景の美しさと、この月白釉の美しさが、同じような配分だった気がしたのですよね。あとは、登り窯で焼かれたものだということにも惹かれました。ガスや電気のようにコントロールがきかない分、一期一会な感じがして。

丸若　本当に、理想的なものの選び方をされていますね。「〇〇がいいと言ったから」とかは関係なく、みんながもっと自分の目線で選ぶようになれば、楽しくなるのではないでしょうか。そのぐらいの楽しみ方や引き感で、みんなが接したらいいのになって、いつも思っているんですよ。そうなったら、自ずとこういうものは残るし、精度を保つための適切な自然淘汰もなされていくはず。

沖本　ものを通して、もの以上のコトを見ているということが広まればいいなと思います。わたしは朝日焼の湯飲みを通して宇治川も見えるし、宇治に行くまでのわくわくした気持ち、綺麗さびなど丁寧に歴史や特徴を教えてくれた窯元の方々を思い出します。ものには、とても多くのコトが詰まっている。

　わたしはもともと世界を旅するのが好きでして。14歳でフランスの田舎のバカンスを体験してあまりの豊かさに衝撃をうけてから、ものより思い出の精神で体験ばかりを追っていたのですが、それを追い求めた結果、ものに帰っていったのです。実は、もの自体は作り手のコトの集大成だし、そこに私自身のコトを重ねて持って帰ってこれるのは、素敵じゃないですか。

日常の雑器の楽しみをもう一度

沖本　逆にものにこだわりを持つと、コトもさらに豊かになります。出会いと物語の連続なのですよね。この前、山梨の薪窯を見に行ったときも、調べて行ったわけじゃなくて。ゲストハウスに泊まって、たまたま出会った人に器が好きなことを話していたら「あそこいいよ」と薦められたから行きました。SNS上だけでなく、そうした偶然の出会いの機会がもっとあるといいなと思います。ものに出会う前の物語と、もの自体が持っている物語の両方をまるごと味わえるから、楽しいのですよね。そうしたものが家にあると、見るたびにいろいろなことを思い出し、にんまりしてしまいます（笑）。

丸若　昔は、自宅も道具屋よりもののが多い環境でしたが、今は自宅は本当にものが少ないです。だからこそものを手に入れるときは幾度となく頭の中でシミュレーションをします。最近京都で求めた「枕屏風」は、日本家屋において美しさと実用性を兼ね揃えた品です。江戸時代に町人が寝具などを目隠しにするときや隙間風を避けるために生まれたので、冬などの寒い時期には大変重宝する用の美が魅力です。

ただ、いま一番必要なのは、雑器というか、日常の器のようなものを買うことの楽しみ方を、もう一度提示することであるという気もするんですよ。たとえば禅もそうですが、日本の文化はある側面では、誰でも分かるものを良しとしない。双方が対等であって初めてという考えもあり、ある程度リテラシーがあって、さまざまな経験のある人間が次に欲しがる知識として、禅がある。茶道だって、「やりたい、興味ある！」で始められるものではなく、そこに至るまでの心身の準備が伴うものです。

工芸をめぐる現状は、プシュって空ける缶ビールから始まって、その後にいきなりマニアックなウィスキーに手を出すしか選択肢がないような状況だと思います。それらの間にある、自分の日常に持ち帰る家族のような、目線の合った物語を持ちつつ、絵空事でない知識を持ち合わせる必要があると思うのです。

おいしいものには
わけがある

#1

「たかまつ」の弁当

文＝モノノメ編集部　写真＝蜷川新

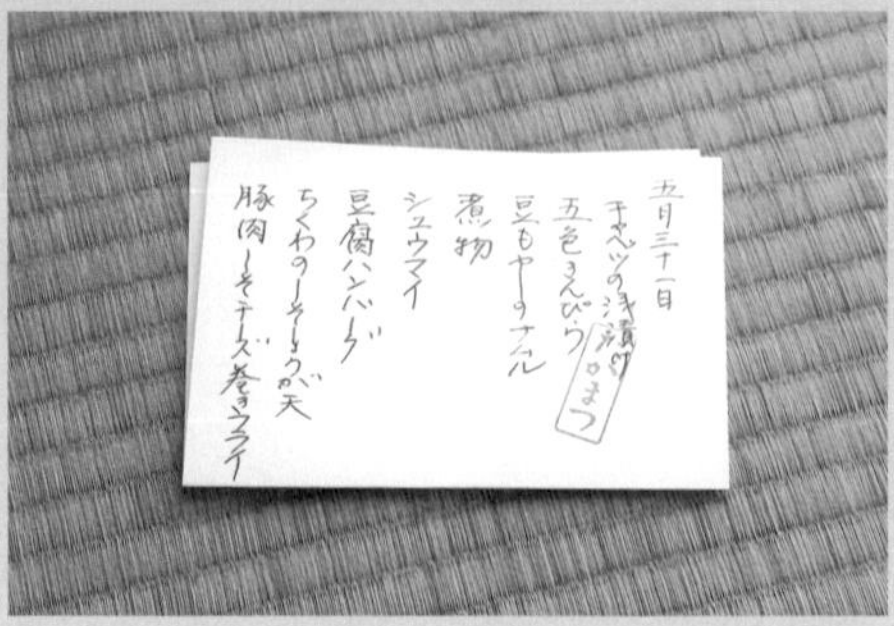

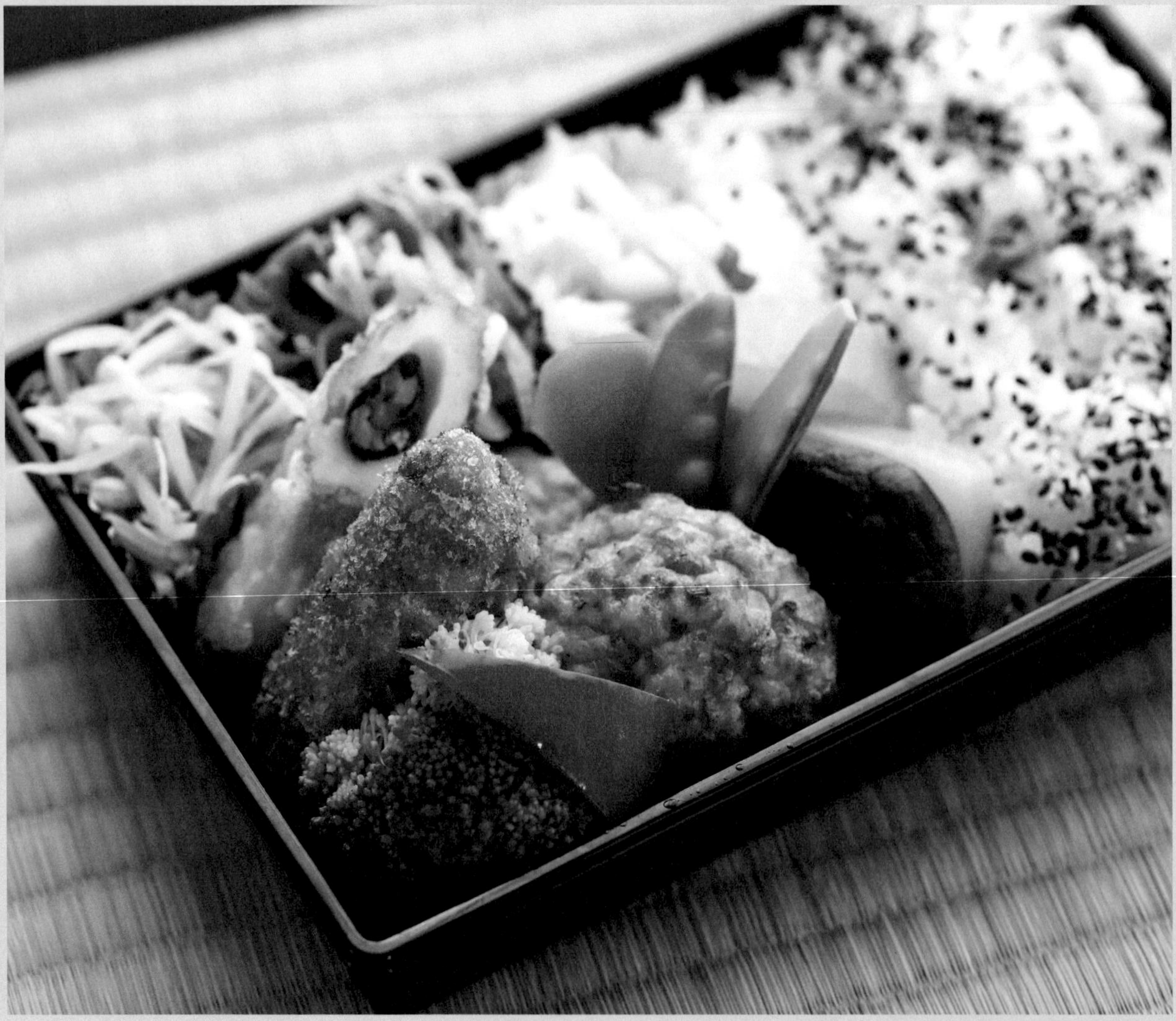

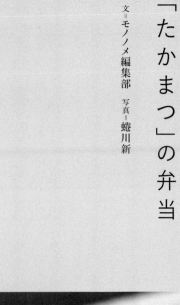

「たかまつ」の弁当

「たかまつ」のお弁当は、この雑誌の編集長である宇野がある研究会に出席したときに出会ったものだった。その研究会は平日の夜の7時からはじまると決まっていて、だからみんなお腹を空かせて集まっていた。もともとはそれぞれがコンビニエンスストアなどでおにぎりやサンドイッチを買い込んだり、近所のレストランから出前を取ったりしていたのだけれど、あるときメンバーのひとり（菊池昌枝さん）が言った。「どうせだったら、おいしくて身体にいいものを食べましょう」と。

そして、次の会合から届けられるようになったのが「たかまつ」のお弁当だった。それは、一見なんでもない、「ふつう」のお弁当だった。唐揚げに、シュウマイに、煮物に、白和え。特別なおかずはひとつもない。大きな揚げものとか焼き魚のようなわかりやすい主役もいない。味つけも、ぜんぶ「ふつう」。でもひとつのお弁当にとてもたくさんのおかずが入っていて、食べ終わるまで飽きさせない。そしてそのおかずのひとつひとつが、きちんと「食べる」という体験のなかで役割を与えられていて、そのためにしっかり料理されている。宇野は気がつけば、この「たかまつ」のお弁当を食べることを楽しみに会合に足を運ぶようになっていた。いったいどんな人が作っているのかと昌枝さんに尋ねたら、「うーーん。普通の人よ。お家を改築して作ってる感じだし」と言われた。どうやら、「たかまつ」さんは知り合いを中心に注文を受けた分だけお弁当を作って持っていく、という形式で営業しているらしい。そしてそう言われると、俄然興味が湧いてきた。そこで、宇野以下の編集部は特別にお願いして、都内某所の「たかまつ」さんのお店に、というか高松玲子さんのご自宅におじゃまさせてもらうことになった。

お店の看板はもちろん、表札も出ていない住宅のドアから、エプロン姿の女性が現れた。彼女が「たかまつ」のオーナーシェフである高松玲子さんだった。「メニューを考えるときに毎回紙に書くんです。それを全部ストックしているので、お客さんが好きだって言うと同じものを入れたり、前回はこうだったから別のおかずにしようとか考えたりしながら、作るメニューを決めています。今日は宇野さんが食べるから、ちくわ天は入れなきゃと思ってました（笑）」

以前の会合で「たかまつ」のお弁当に入っていたちくわ天。これを宇野が気に入っていたことが伝わっていて、その日のお弁当にはしっかりとちくわの天ぷらが入っていた。

「いつも注文してくれるお客さんだとちょっとおしゃべりをしたり、メールでやり取りしたりするんです。昌枝さんは必ず、おかずそのものの感想だけじゃなくて、食べているときの雰囲気も教えてくれる。いつもは何も食べないメンバーが『たかまつ』弁当だけは食べるんだよ、とか。私もほっとするし、うれしいし、次のつくる励みになります。そんな会話のなかに宇野さんがちくわ天が好きだということが出てきて。だから、今日は絶対にちくわ天は入れなくちゃ！って（笑）」

その日のお弁当には全部で八つのおかずがひしめいていた。豚肉しそチーズ巻きフライ、シュウマイ、豆腐ハンバーグ、キャベツの浅漬け、五色きん

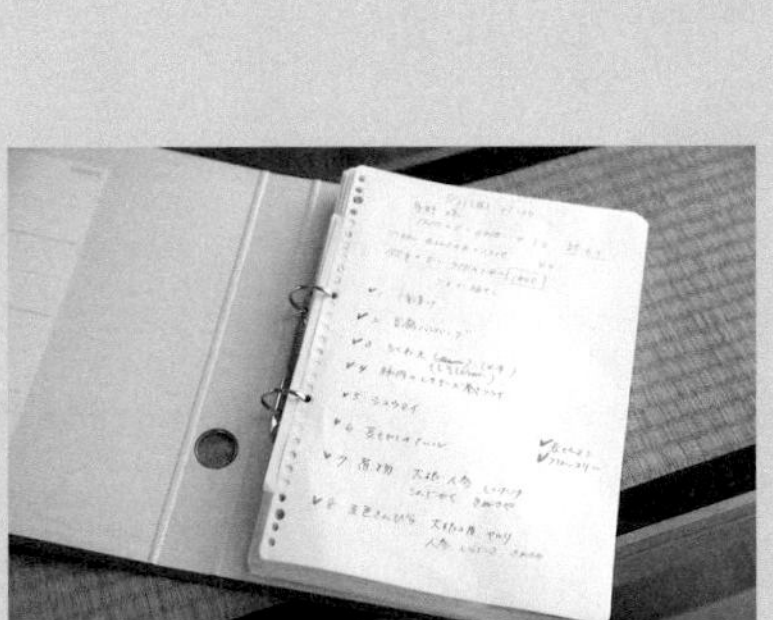

高松さんの手書きのファイル。「いつも前の日とかにこうやって書くんです。準備をしたり、できあがっていくと『これできた！　これできた！』ってチェックをしていくのが楽しみなんです」

五色きんぴら

きんぴらとは、なんでもいいので食材を細切りにして、砂糖、醤油、みりんなどで甘辛く炒めた料理だそうです。今回は、大根の皮、絹さや、人参、セロリ、しらたき。今日のポイントは、大根の皮です。本当は、大根の皮に、彩りで人参少々を入れた大根の皮のきんぴらがおすすめなんです。煮物のなかに大根を入れると皮がたくさんでるので、自分が食べるためにそれをきんぴらにしたら、不思議な食感が感じられて美味しかったのです。だから、お客さんにも食べてもらいたいなと思って入れました。

キャベツの浅漬け

「春キャベツが旬だから」「安かったから」という理由で入れました。とあるお店で食べた太め千切りキャベツと生姜の浅漬けが美味しくて真似しています。日本の家庭料理には、漬物は必須と言えるおかずなので、ほとんど毎回作ります。いつも前日に作るくらいの浅漬けです。美味しそうな野菜を塩で漬けるだけです。野菜によりますが、キャベツの場合は、塩を振って、しっかり揉んでから漬けると美味しい。最初、とあるお店となんか違うなーと思っていたけど、しっかり揉んだら美味しくなりました。

煮物

これも日本の家庭料理の定番。やっぱり和のお弁当には煮物を入れたいなと思い、煮物は必ず入れます。昔から日本人は奇数を大切にしているようで、和食が大事にしている考え方に、五味、五色、五法（五つの調理法）があります。だから、私も意識して、煮物には五種入れます。人参、椎茸、こんにゃくはお決まり。あとはじゃがいもや大根。そして、絹さややインゲンなど青いもの。よくスーパーで「青いの何にしよう……」と探しています。普通にだし汁で煮ているだけなので、何もしてないです（笑）。

豆もやしのナムル

これは、最近の私の流行りのメニューです。豆のしっかりした歯ごたえがいいなと思っています。きっかけはたしか「久々に焼肉屋で焼肉を食べたいなー。豆もやしのナムルも注文したいなー」と思ったことだったと思います。ナムルはいろんな野菜で作ります。知り合いに教えてもらったピーマンと塩昆布のナムルも定番。よく黙々と山のようなピーマンを切ってます。ナムルは、ビールにも合うから、残ると私のビールのお供になります。ごま油の香りって、食欲をそそるから好きです。ご飯も進みます。

豆腐ハンバーグ

豆腐ハンバーグは、私が好きだから入れました（笑）。私は、豆腐のふわふわ揚げとか揚げ出し豆腐が好きなのですが、お弁当だと揚げ出し豆腐は入れられないから、その代わりです。豆腐、えのき、長ネギ、鶏肉。鶏肉だけだとさっぱりしすぎると思って揚げ玉を少々入れています。ちょっと残っていたひじきを入れたり。「あー、この間使ったひじきがちょっとあったな。入れちゃおう！」といった感じですね。長ネギを玉ねぎしたり、しそを入れたりして、ときどき変化をつけることもあります。

シュウマイ

シュウマイは蒸し立てが美味しいけど、冷めても美味しいおかずだと思います。それに何と言っても、一度にたくさん蒸せるので助かります。前の日に餡を作り、当日、シュウマイの皮で餡を包んだら20個、30個と一気に蒸せるので、ひとりで作るにはとても便利なおかず。豚ひき肉と玉ねぎのシンプルなシュウマイです。醤油をつけなくてもいいように、お弁当のシュウマイはちょっと濃いめの味付けにしています。今日のシュウマイは柔らかくなっちゃいました。新玉ねぎの季節は、柔らかめです。

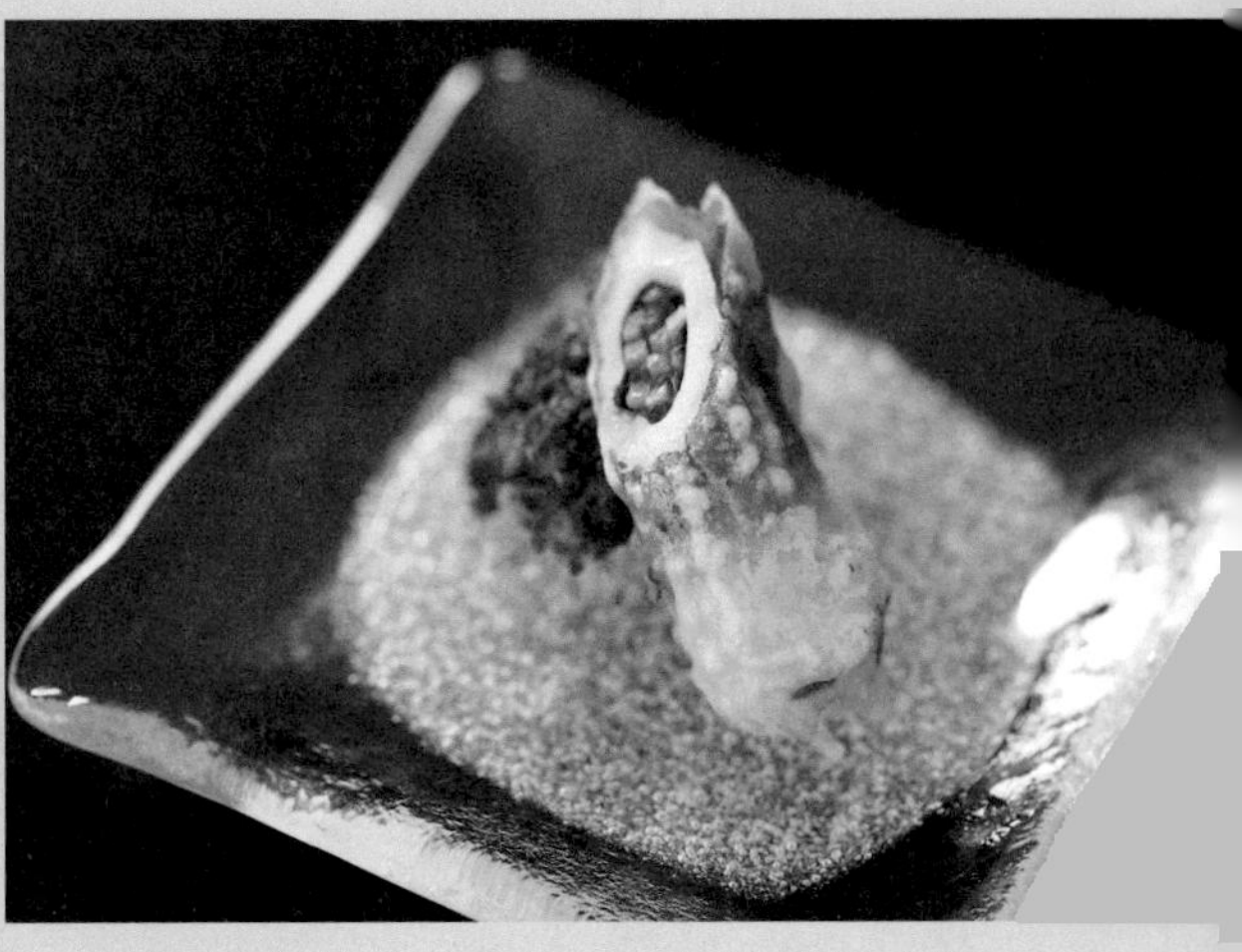

豚肉しそチーズ巻きフライ

豚肉しそチーズ巻きフライは私が好きだからよく入っています。肉の〇〇巻きフライって、私はテンションが上がります。私は、お弁当の場合、ソースをつけず、そのまま食べても美味しいフライにしたいと思っています。チーズや梅じそを巻くと、ソースを付けなくてもそのままで美味しい。ズッキーニやなすを巻くこともあります。そのときは、ズッキーニやなすにしっかりと塩、コショウで味をつけてから巻きます。そうすると、ソースがなくても、塩、コショウ味のさっぱりめのフライになります。

ちくわのしそしょうが天

私もちくわ天が好きなんです。ビールのつまみに最高。今日は、天ぷら粉にカレー粉を混ぜて、シンプルなカレー風味のちくわ天にしようかなと思っていたのですが、しそも紅生姜も冷蔵庫にあるなーと思って、急遽変更しました。ちくわ、しそ、紅生姜の組み合わせは、知人のレシピ。形は、筒を開いたちくわで、しそと紅生姜をくるっと巻き、楊枝で止めて揚げる。くるっと巻いたところが見た目にかわいいのですが、私は、キュッと詰めやすいように、ちくわの筒の中にしそと紅生姜を入れちゃいました。

ぴら、豆もやしのナムル、五種類の煮物、そしてちくわのしそしょうが天。やっぱり、わかりやすい主役はいない。どこにでもある、いい意味でふつうの料理たちだった。そしてやっぱり、そのどれもが、しっかりと味が染みていて、どんどんご飯が進んだ。

高松さんは気さくな人だった。宇野とはお弁当の受け渡しのときに多少、話したことがあるようだったが、初対面のスタッフの、調理法やレシピについての質問にも、面倒臭がらずに気持ちよく答えてくれた。

「スーパーに行ったときに、そのとき旬のものが一番買いやすいし美味しそうだし、それを買ってきて。特に農協の直売所とか行くとだめですね。これも買いたい、あれも買いたいって野菜を買いすぎちゃって」

高松さんは食材を普通のスーパーに買いに行く。調味料もさしすせそ、プラス、コショウやカレー粉のような基本的なスパイスがあるくらいだという。そのなかで甘じょっぱくするのか、さっぱりにするのか、酸味をつけるのか、普通の味つけで味の違いを出していく。「副菜は、例えばごま油を使ったコクのあるものと、さっぱりした酢のものとっていうふうにちょっと変化をつける。それぞれの味の付け方は、まあ味見をしながら。ひとつが濃いめにできちゃったら、もうひとつは薄味にしてみたり」

料理をしていると、冷蔵庫のなかにちょっとだけ野菜が残ってしまうことがある。そんなとき、高松さんは例えば「れんこんが残っちゃったな」とシュウマイの具に入れてしまうのだという。「冷蔵庫のなかがきれいに空になっていくと『ああ食材を無駄なく使った』って。偉いなーと思って自分を褒める(笑)。無駄なく使い切るゲームをしているような感じですね、ひとりで作っている楽しみは」

新しいレシピを創作することは基本的にはしない、と言いつつも、(見せていただいたファイルのとおり)料理のメニューは数十種類とたくさんできた。『ああ、大根の煮物と豆もやしのナムルだと色が似ちゃう』とか。『じゃあやっぱり今日のナムルは豆もやしはやめて青菜にしようかな』とか。でも、食材が美味しそうすぎたときは色味より、美味しい食材優先にしちゃうときもあるんですけどね(笑)」

高松さんが今のかたちでこの仕事をはじめた理由は、ふたつあるという。「二〇代から料理教室に通いました。先生は祖母と母の知り合いでそのころもう還暦を過ぎていました。習ったのは、日々の家庭の食卓のメニューです。『玲子さん、食べることは一生

高松玲子(たかまつ・れいこ)
20年以上さまざまな会社に勤めたところで、仕事以外に何か新しいことにも挑戦したくなった。店を開くという目標はなかったが、料理に興味はあったので、ふと夜間の調理師学校に入学。調理師免許取得後、食に関わる仕事を数年。自分でやってみよう!と小さい店を2018年に開業。

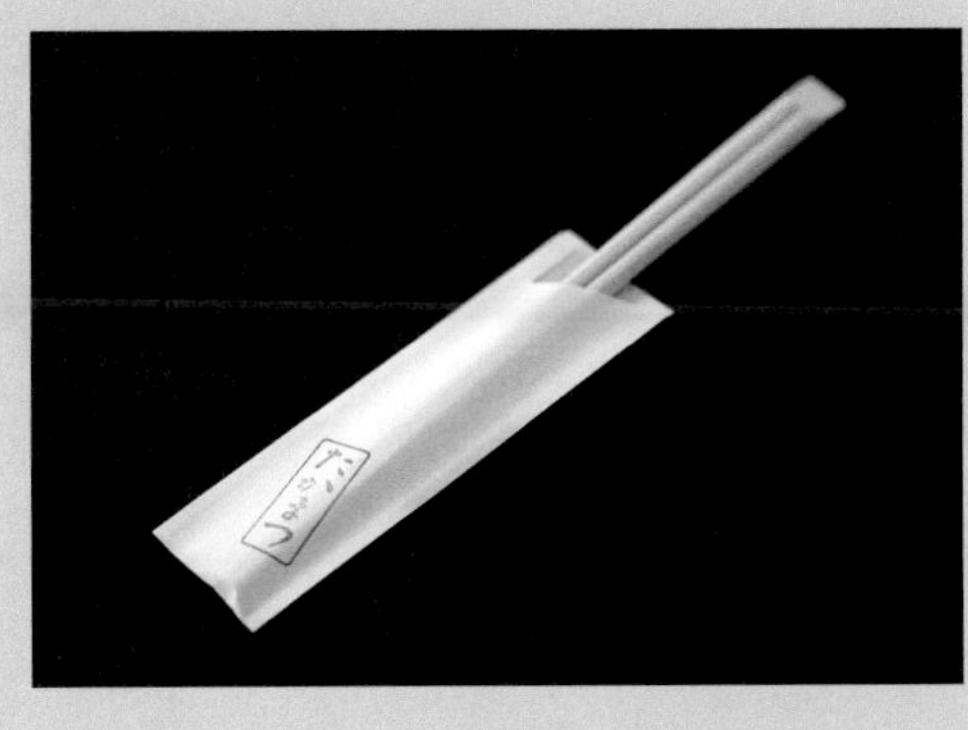

のことですからね』という先生の言葉はいつも思い出します。私も『インスタ映え』するような華やかな料理を食べたくなることはあります。でも結局、私が食べたくて作るのは日常の食事なんです。私、前にいた会社は広告代理店の中にあって、そこで働いている人たちって外食が多いし、オフィスでは買ってきたお弁当を食べていて、家庭料理を食べることは少ないだろうなあって感じていました。開業するなんて考えていなかったけど、働きながら調理師免許をとったのが数年前。普通のおかずだけど、午後の仕事のエネルギー補給になるような、家庭的なお弁当を作りたくてはじめたんです。捨てるのが嫌なので注文だけにしています。今のところ、このスタイルです」

　最後に、高松さんは短く付け加えた。

「タイミングがあえば、高田馬場まで持っていきますよ。宇野さんもきっと、外食ばかりでしょうから」

絵本のはなしはながくなる

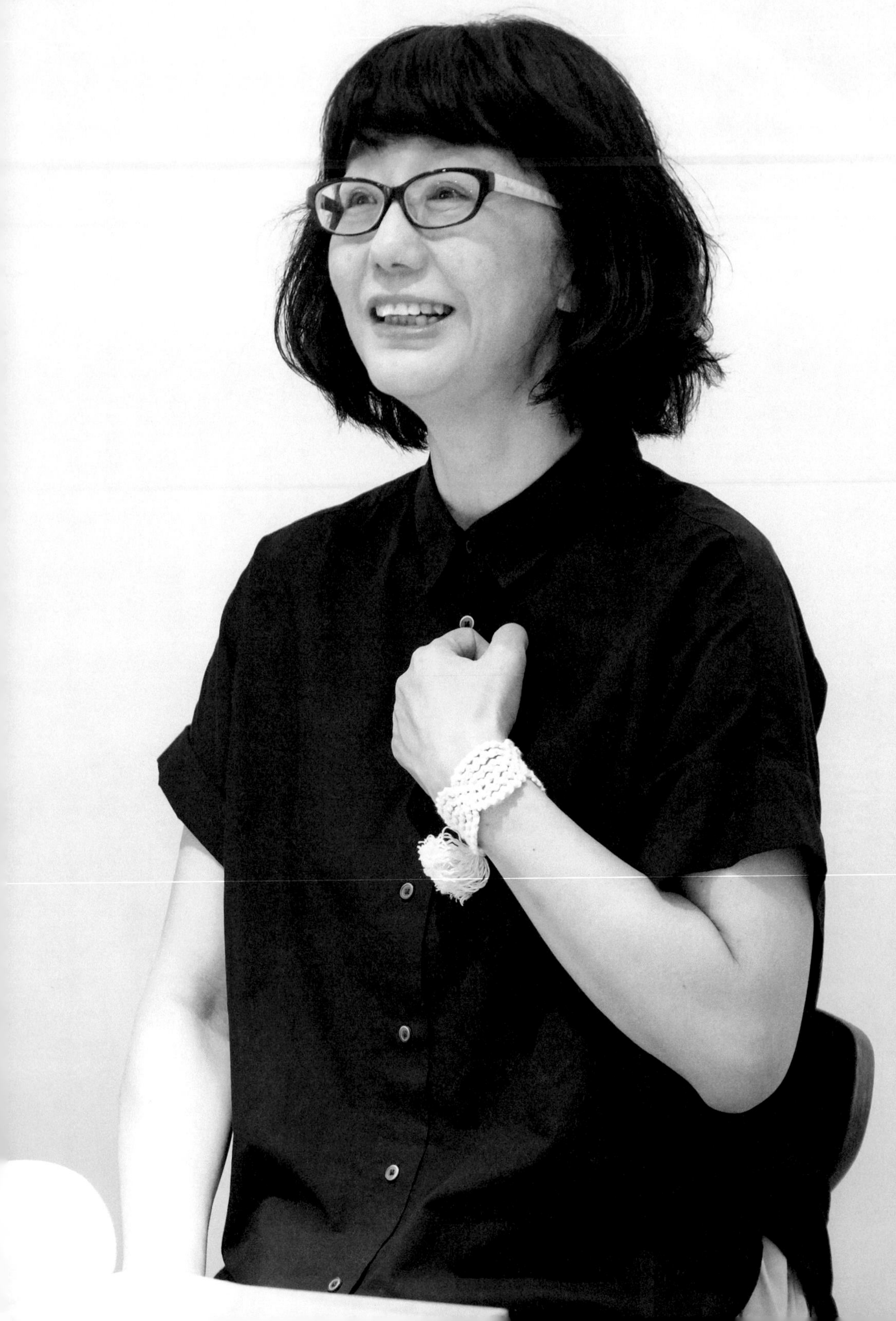

#1

川上弘美さんの選ぶ 不可思議な日常に出会える本

この連載は毎回いろいろな人に好きな絵本を紹介してもらう、ただそれだけの企画です。初回に来てもらったのは作家の川上弘美さん。取り上げるのは『レナレナ』『セーラーとペッカ、町へいく』の2冊です。

取材＝モノノメ編集部　文＝石堂実花、モノノメ編集部　写真＝小野啓

今回のお題

『レナレナ』
作・絵／ハリエット・ヴァン・レーク

ちょっと不思議な女の子「レナレナ」の日常をユニークに描いた作品。1989年、オランダで「金の石筆賞」を受賞。日本では2019年に30年の時を経て復刊。
朔北社　1650円　2019年

『セーラーとペッカ、町へいく』
作・絵／ヨックム・ノードストリューム

引退した船乗りのセーラーと、犬のペッカはある日、町に繰り出すことにした。スウェーデンの人気アーティストによるシリーズ第1作。
偕成社　1,430円　2007年

川上弘美（かわかみ・ひろみ）
1958年生まれ。96年「蛇を踏む」で芥川賞、99年『神様』でドゥマゴ文学賞と紫式部文学賞、2000年『溺レる』で伊藤整文学賞と女流文学賞、01年『センセイの鞄』で谷崎潤一郎賞、07年『真鶴』で芸術選奨、15年『水声』で読売文学賞を受賞。16年『大きな鳥にさらわれないよう』で泉鏡花文学賞を受賞した。ほかの作品に『風花』『どこから行っても遠い町』『神様 2011』『七夜物語』『なめらかで熱くて甘苦しくて』『ぼくの死体をよろしくたのむ』『森へ行きましょう』などがある。

『レナレナ』との出会い

川上　絵本って、今はわたしも好きで読むんですけど、小さい頃はあまり読みませんでした。家には『赤ずきんちゃん』みたいな古い童話はあったんだけれど、今みたいな創作絵本はあまりなかった時代なんですよ。幼稚園では月ごとにお金を払うと一冊ずつ絵本が送られてくる「キンダーブック」を取っていたけれど、こういう、一冊の独立したかたちの絵本は家庭にはあまりなかった。

　今みんなが読んでいるような創作絵本を大人も手に取るようになったのは「クレヨンハウス」ができたあたりからなのかなあ。

　学生時代、わたしは小説家になれると思っていなかったから、せめて出版社に就職したかったんです。「せめて」なんて、今は編集者の方が小説家などよりずっと大変なお仕事だってわかっているんですけれど（笑）。大学は理系だったので、文学系の本を作る会社には入れないんじゃないかということと、そもそも当時は四大出の女性をそんなに採用していなかったんですよね。「どうしましょう」って指導教官に相談したら、「じゃあちょっと探してあげるよ」って言ってくださって、

社長さん一人で絵本を作っている会社を紹介してくださったんですが、結局ご縁はなくて……。もしあのときうまくいっていたら、今は小説は書いていなかったかも（笑）。

　その後専業主婦になって子どもを産むと絵本の読み聞かせをするようになって、はじめて「ああ、いい絵本、たくさんあるなあ」って知ったんです。そこから絵本をよく読むようになりました。そんなときに発見して、以来心の拠り所になっているのが、この『レナレナ』です。

――川上さんが、打ち合わせのときにもしかしたら絶版かもしれないとおっしゃっていたんですけれど、版元を変えて再発売されていたみたいですね。

川上　これ、今でも売られていると聞いてびっくりしましたし、とても嬉しかった。わたしが30年以上前に買ったものを今日持ってきたんですけど、ほら、古いでしょ。色も褪せてるし、手垢もついていて。あれっ……表紙が違いますね！

――本当だ、違う！

川上　今は別の出版社さんから出てるんですね。びっくり。わたしの持ってきたものを見ると……初版が1989年だから、わたしが31歳のとき。やっぱり、子どもを育てていたときに出会ったんですね。

子どもを育てているときに絵本を買うと、つい母親という役割を意識して子どものためになるような本を選んでしまうんです。レオ・レオニの『スイミー』や、せなけいこさんの絵本、谷川俊太郎さんが訳した絵本だったり、いろんな名作絵本がありますよね。どれも素晴らしい作品で全然押しつけがましくはないんだけど、何かしらの「意味」を含んでいて、それはきっと子どもの生きるよすがにもなるだろうものなんだけれど、それだからこそ「ためになってしまう」。

でも、そういうときにこの『レナレナ』を見つけて。もう、全然違うでしょ。ひたすら、無意味で無教訓。「レナレナ」っていう不思議な、何歳かもわからない女の子の少し変わった日常がただたんたんと描かれているんです。レナレナは人とあまり接しないし、自分の好きなことだけを追求している。これを読んで「ああ、自分は『母親』であるよりも前に、本来こういうものだったはずだよな」って思い出して、すごくほっとしたんです。

――16コマの漫画のような形式って珍しいですよね。

川上 珍しいですよね、今でもあまり見ないと思います。レイモンド・ブリッグズの『さむがりやのサンタ』ってご存知ですか？ クリスマスイヴの

サンタクロースがどんな時間を過ごしているかということを描いたお話なんですが、わたしは大好きな作品です。それも漫画形式なんですよね。だから、漫画形式の絵本が好きなのかもしれない（笑）。

特に好きなページ？ うーん、みみずがレナレナの体を「橋」にして這うページかな（笑）。人間が偉そうじゃないっていうか、人間とみみずが同等なんですよ。でも別にみみずに優しいわけじゃないんですよね。それも好きで。

この絵本、レナレナ以外の人間がほとんど出てこないんです。一人だけ「ミー」っていう友達がでてくるんですけど、レナレナと二人で水辺で真っ裸になって好き勝手なことして、最後には裸でうつぶせになった「ミー」の背中にレナレナが草や石や小枝をのせたりする。大自然のなかに包まれているというのでもなくて、そこらにある自然のなかで好き勝手している、のびのび感とだらだら感。

――縦のストーリーがあるようでない、不思議な感じもいいですよね。

川上 そうですね。ありきたりな言い方になってしまうけれど、さりげない日常を切り取った感じ。でもその日常がすごく不思議で、わざと不思議にしているわけじゃなくて、彼女の自然が

こうなんだろうな、という。それがすごく気持ちがいいんです。

今にぴったりな絵本

わたしたちの若い頃は、女性には「女性」という役割が振られていたし、そういう枠のなかから出られない感じがありました。

でも、実際の女の子たちはそういう枠には囚われていなかったんですよね。女性性を利用して何かに取り入る一方だったり、女性という役割に埋没してばかりだったり、という一面的な女の子は少数派で、実はみんな「レナレナ」的なところがあったんですよ。

世間のレッテルなしで、自分のやりたいことを追求するような、今で言う「沼にはまる」のが好きな女子は一定数存在していて、すごく楽しく生きていたはずなのに、それが表現されたものがなかったんですよね。

――一見、イラストだけ見るとなにをやっているのかわからないところなんかもいいですよね。

川上 字がなければ何だか本当にわからないけれど、読むとなんだか自分との共通点を感じる。ふふっ。あ、あとわたしこのタマゴのページも好きだったな。「タマゴというのは、なにかとくべつなものだから。タマゴは、白くてすべすべで、きちんとしている」って詩的な文章が続いたと思ったら、最後に「口を大きくあける。あんなきれいで、ちゃんとしていたタマゴは、ぐちゃぐちゃだ」って終わるところとか。いさぎよいというか、ハードボイルドというか（笑）。

『セーラーとペッカ、町へ行く』の、絶妙な距離感

――「セーラーとペッカ、町へ行く」はシリーズが5冊も出ているのだけど、こちらはいま、手に入りにくいみたいですね。

川上 最近発売の絵本だと思ってたらもう何年か経っているんですね。これはこの本を作った編集者の方から「こんなの作りました」って薦めていただいたい本です。

これはやっぱりセーラーがいいんですよ。……よく考えたら、セーラーはちょっとレナレナと似たタイプですね。けっきょくわたしは、一人で生きている人間の絵本が好きなのかもしれません。一人といってもセーラーにはペッカはいるし、レナレナにもみみずはいる。でも、まわりの人との距離感がある、そういう人物の絵本が好きなんだと思います。

一人で生きているっていうと、すご

く特別だったり、ちょっと不幸そうだったり、孤独な印象を持たれるかもしれないけど、レナレナとセーラーはただ単に一人で楽しく生きているんです。そこがとても好きなところです。

　この絵本を教えてもらったのはわたしが50歳くらいのころ。子どもも手を離れて、絵本からちょっと離れていた時期ですね。わざわざ自分で絵本を買うことはあまりないので、久しぶりに読んだ絵本でした。「今こんなのが出てるんだ」と嬉しくなって、シリーズを全巻そろえました。

　これは絵もいいけれど、色使いもまたいいんですよ。出てくるものも人も、ちょっと不思議だし。人間もいるけど、人間じゃないものもいる世界ですよね。

　フィンランドの監督アキ・カウリスマキの作品のような、北欧の映画を見ているような気持ちになります。ヨーロッパの陽がたくさん当たる場所の光ではなくて、色は豊富なんだけれども、陽の光が薄い、そういう感じの色使いですよね。そこがなんとも言えず好きで。

――「町へ行く」というタイトルなんですが、彼らが住んでいる郊外から町に近づくにつれて、絵の密度も高くなっていきますよね。

川上　どんどん、色も多くなっていきますよね。「町がだんだんちかづいてきました」って書いてあるところには、まだそんなに色数が多くないんだけど、黄色・赤・青の三原色が出てきたり、どんどん人と人の距離が狭くなってくる。……でもこの町はあんまりコロナが広がりそうな感じがしませんね。この絵本のなかの人たち、最初からディスタンスをとってますね（笑）。

――「セーラーとペッカ」はシリーズ化されて、5巻までありますよね。ほかの巻で印象に残っているものはありますか。

川上　この本も『レナレナ』と同じように、意味のあるストーリーが進んでいくのではなく、セーラーとペッカのなんでもない、けれど不可思議な日常がたんたんと続いていく話なので、どこを切ってもいいんです。巻が進むごとに何かが積み重なって、重層的になっていくかというと、そうでもないところがまたいいんですよ。この犬、ペッカがあまり「おじさん、大好き！」みたいな感じでもないところもまた、いいんですよね。

　今の人たちが読むとまさに共感できるんじゃないかと思う本なので、絶版になっているのはもったいないなあ。

［その後のはなし］

あれからしばらく、『レナレナ』のことを考えています。ちょうど、この雑誌の特集で虫とか、鳥とか、猫とか、人間「ではない」生き物の眼から街を見るということを考えていました。なので、レナレナの毎日の遊び方がとても気になりました。ひからびそうなみみずを救出して湿地に移動させるとか、魚と一緒にお風呂に入るとか、雨水を集めてお茶を作るとか……。本当はレナレナみたいに誰だって一人で身の回りの世界に触れるだけで、いくらでも遊ぶことができるのだけれど、気がついたらそれができなくなってしまっているのだなあ、と思いました。誰かと一緒に遊ぶのがちょっと難しいタイミングだからこそ、こういう視線で身の回りの世界を眺めることを思い出すといいのかもしれません。

川上さんに取材をしたあと、あのとき川上さんが持ってきていた『レナレナ』、最初のリブロから出ていた邦訳版を探してみました。Amazon のマーケットプレイスで、たったの30円でそれは売られていました。30円。ビックリマンチョコがブームだった1980年台半ばでの値段です。今だったらな

んだろう……たぶん、シール付きのお菓子のようなものしか買えなくて、もっと駄菓子のようなものしか買えないと思います。そして、その上には「350円」の出品があって、それは「カバー欠品の裸本」と書いてありました。その上の864円の出品は「帯なし、カバー付。カバーにヤケ・シミ・ヨゴレ・イタミ有。本体外観にヤケ・シミ・ヨゴレ・イタミ有。見返しにヤケ・シミ有。中身にヤケ・所々少シミ有。」とあります。864円の本がこの状態だということなると、この30円の『レナレナ』はどんなコンディションなのだろう、と想像します。そして、きっとこの本はレナレナよりももっと小さい子どもに毎日のように読まれたお気に入りの絵本で、レナレナと同じように庭や公園でみみずや小さい動物たちと触れ合うときのお供になっていて、そしてひどく汚れてしまったんじゃないかと。それでも本当に大好きな本で、どれだけ汚れても捨てられなくて、でも大人になるといつの間にか存在そのものを忘れて、そしておそらくはその子が実家を離れたあとに親御さんが古本屋さんに引き取ってもらったのではないか、と……そんな想像を膨らませています。いま、30円の『レナレナ』を購入してみました。どんな本が来るのか、とても楽しみです。

UNIMOG

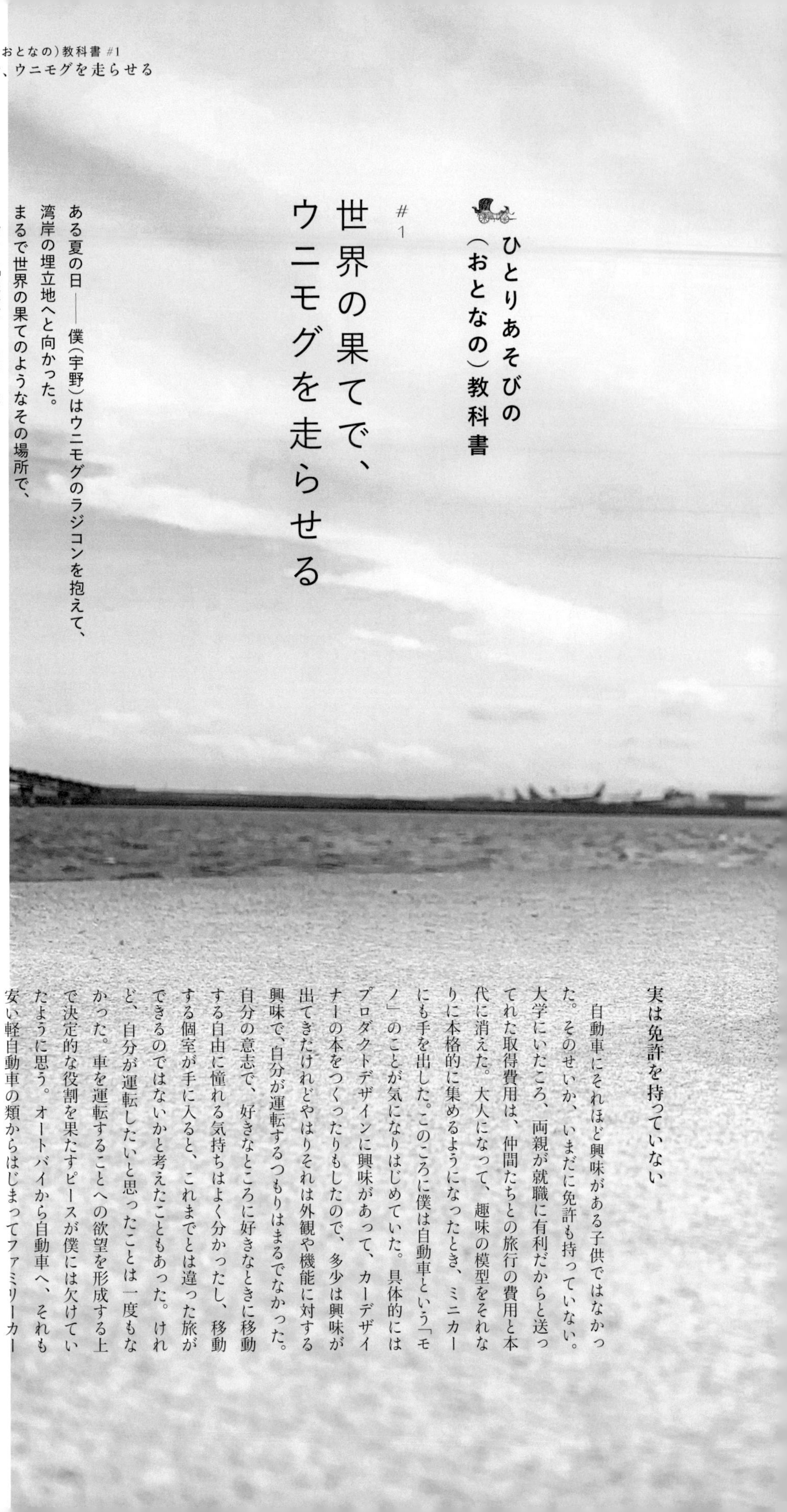

ひとりあそびの(おとなの)教科書

#1 世界の果てで、ウニモグを走らせる

ある夏の日——僕(宇野)はウニモグのラジコンを抱えて、湾岸の埋立地へと向かった。まるで世界の果てのようなその場所で、出会った「完璧な自由」とは——?
毎回ひとつ「おとなのひとりあそび」を取り上げるフォトエッセイの初回は、組立不要で手軽にはじめられるラジコンカーを取り上げます。

文=宇野常寛 写真=蜷川新

実は免許を持っていない

自動車にそれほど興味がある子供ではなかった。そのせいか、いまだに免許も持っていない。大学にいたころ、両親が就職に有利だからと送ってくれた取得費用は、仲間たちとの旅行の費用と本代に消えた。大人になって、趣味の模型をそれなりに本格的に集めるようになったとき、ミニカーにも手を出した。このころに僕は自動車という「モノ」のことが気になりはじめていた。具体的にはプロダクトデザインに興味があって、カーデザイナーの本をつくったりもしたので、多少は興味が出てきたけれどやはりそれは外観や機能に対する興味で、自分が運転するつもりはまるでなかった。自分の意志で、好きなところに好きなときに移動する自由に憧れる気持ちはよく分かったし、移動する個室が手に入ると、これまでとは違った旅ができるのではないかと考えたこともあった。けれど、自分が運転したいと思ったことは一度もなかった。車を運転することへの欲望を形成する上で決定的な役割を果たすピースが僕には欠けていたように思う。オートバイから自動車へ、それも安い軽自動車の類からはじまってファミリーカーを経て、いつかはクラウン——片岡義男の小説からトヨタのCMまで、20世紀後半に支配的だったあの価値観に対して、僕はとても距離を感じる少年だった。もちろん、女の子を助手席に乗せたいと思ったことなどただの一度もなかった。

昭和後期のラジコン少年

僕の少年時代――具体的には小学校の高学年のころ――は第一次ミニ四駆ブームだった。その少し前に日本を代表する模型メーカー「タミヤ」はラジコンカーを小学生向けにも展開しようとしていた。しかし当時の物価でもラジコンを楽しむなら初期だけで数万円の投資が必要で、小学生の趣味としては現実的ではなかった。そこで、タミヤが投入したのが1台600円のミニ四駆――ただ小型のモーターで直線的に走るだけの、コントロールという概念を放棄した「走るミニカー」――だった。要するに、ラジコンは小学生にとって憧れの存在で、ミニ四駆は叶えられない欲望を代替してくれるものとして発売されたものだった。そのミニ四駆がまさに「自走」しはじめて30年――いまやラジコンよりもミニ四駆こそが小学生のホビーの代名詞として認知されている。

僕はというと、当時はガンダムや戦車や飛行機のプラモデル作りに夢中でこっちには資金的に手が出せなかった。それなりに興味があったけれど、ここでミニ四駆まではじめてしまったら……と思ってしまったのだ。ラジコンにいたっては、何か遠い世界のことなのだと、児童誌の広告を眺めながら思っていて、それを手に入れようなどと考えもしなかった。いま思えば、ラジコンからミニ四駆への移行はより低価格でとっつきやすい商品の展開であったと同時に、「操縦する」快楽から「自

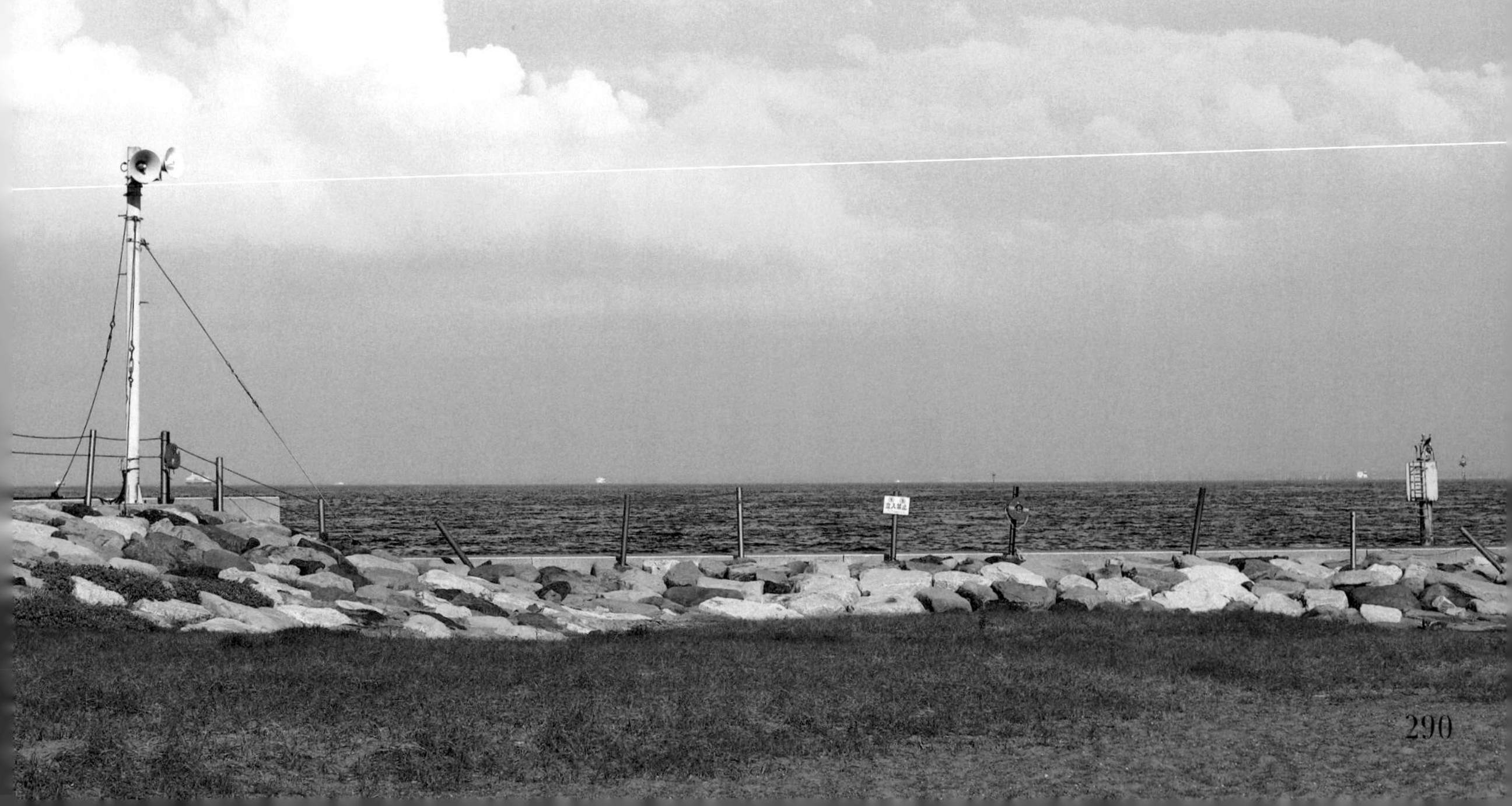

分で手を加える」ことの面白さへの商品価値の移行だったようにも思える。そう、ミニ四駆の魅力は「改造」にあった。もちろん実車も、ラジコンも手を加えることでより自分の求める走りに近づいていくものなのは知っている。

しかし「操縦できない」ミニ四駆は、自分で手を加えることで進化する楽しみに特化した「車」だった。一度スイッチをオンにしたら、ミニ四駆はただまっすぐ走ることしかできない存在だ。レース中の少年たちはコースを走る自分のミニ四駆がより速く走ることを祈ることしかできなかった。より正確にはたいていのミニ四駆はすでに十分速かった。いや、速すぎた。そのためレースの勝者になるのは、慎重に補助パーツを選びコースアウトしない、安定した走りを見せる「速すぎない」車を作り上げた少年であることが多かった。後に情報技術のもたらす「速さ」に翻弄される僕たちの世代だが、このときはまだ「速すぎるもの」を抑制することで何かを獲得することを、あえて「遅く」することの有効性を忘れていなかった。そして、僕の——つまり最初のミニ四駆ブームの世代——から、この国の男の子たちの「クルマ離れ」は少しずつ進むことになる。大きくて、重たい鉄の塊を自在に操ることに、そのことで何かを証明することにこの国の男の子たちはだんだんと興味を示さなくなっていった。少なくとも僕はそうだった。操縦の技術を競うラジコンよりも、手を加えれば加えるほど速くなるミニ四駆のほうが、当時の僕には魅力的に映っていた。

「働くくるま」を選び取る

ところが数年前、僕はふと考えた。ラジコンを買って、動かしてみようと。理由は要するに、ここに書いたようなことを考えたからだ。自分は乗り物を操縦したいと考えたことが、これまでの人生でまったくない。だから、ふとやってみようと思ったのだ。意外と面白いかもしれない、と思ったのだ。いきなり免許を取るというのも面倒なので、とりあえずはラジコンからはじめよう。そう、考えたのだ。

これまでも、いくつか子供向けのかんたんなものを買って触ってみたことはあったけれど、しっかりとした大人から子供までを射程に入れた本格的なものを操縦してみたことはなかった。そこで僕が選んだのがAmazonでセール中だった、ウニモグの完成品だった。僕が子供のころ、ラジコンの多くは自分で組み立てなければいけないもので、それは僕の好きなプラモデルとはまた少し違ったノウハウが必要なもので、それが僕を尻込みさせていた要素のひとつだった。しかしあれから30年、僕のような「忙しい大人」のためか、タミヤは多くの完成品ラジコンを発売していた。

ウニモグとはメルセデス・ベンツで有名なダイムラー社の発売しているトラックの車種で、こうしていまも世界中で活躍している「働くくるま」だ。このウニモグの輸入と日本における販売を行っている「ワイ・エンジニアリング株式会社」のウェブサイトによると「60年以上の歴史からなる経験と実績が育んだ『多目的作業用トラック』の代名詞」がウニモグであり、そして「複数種類の作業用アタッチメントを用意すれば、それらを付け替えることにより、何通りもの仕事を1台のウニモグで行うことが出来るという、極めて経済的で合理的なコンセプトのもとに開発された、とてもユニークなトラック」なのだそうだ。

かつてのタミヤのラジコンの主流はグラスホッパーやホーネット、あるいはサンダードラゴンといったオリジナルの車で、僕が昔『コロコロコミック』で読んでいたマンガで主人公たちが操縦していたのもこの類なのだけれど、僕は車に関しては実際に街で見かける、あるいは見かけたことはないがこの世界のどこかに実在している「働くくるま」のほうが好きだった。

世界の果て

そして僕はある日、30年ぶんの憧れとためらいを胸に都内の某所に出発した。前日に入念にバッテリーを充電して、部屋でかんたんな走行テストをして、IKEAの青い手提げ袋に車とプロポを詰め込んで、電車に乗った。それは平日の昼間のことだった。目的地は別の記事の取材で知った、埋立地だった。都内で安心してラジコンを走らせることのできる場所は、案外少ない。公園の類では禁止されていることも多いし、禁止されていなくても人が多ければ迷惑になる。そこで僕は平日の昼間を選び、とりあえずラジコンが禁止されてはいないある緑地を選んだのだ。

高田馬場の自宅から1時間と、少し。電車とバスを乗り継いで、僕は埋立地のある海の見える緑地にたどりついた。そこは高速道路の高架下にあたり、海の向こうには小さく羽田空港が見えた。首都の物流を担うこの埠頭近くのエリアでは、道を行く自動車の9割がトラックだった。このトラックが主役の街で、トラックのラジコンを走らせると思うと、とても不思議な気分になった。僕の訪れたそこは「公園」と地図上では表示されていたのだけど、どう考えても他に特に用途のない場所を、消去法で整備しただけの空間だった。公衆トイレ以外施設らしい施設もなく、近隣の流通拠点たちとは異なって、いかなる都市機能も担っていない、究極的に無用の場所だった。

緑地は小学校の体育館くらいの広さがあって、僕のほかに二人の人がいた。一人は20代半ばに見える青年で、彼は大きなサックスを持ち出して、ずっと僕の知らない曲を吹いていた。たぶん、彼も僕と同じような理由で、思う存分それができる場所を求めて、離れたところからここに来ているのだろうと思った。

もう一人は、ちょっとよくわからないところもあるのだけれど50代くらいに見える男性で、海側のベンチに腰を下ろして、ふっくらとした上半身を日光に晒していた。そこは、世界の果てだった。

完全な自由

そして、この二人――サックスを吹く青年と上半身裸で日光浴をするおっちゃん――の間には物理的な、そして社会的な距離が完全に取られていた。いや、この二者の間だけではない。彼らは二人とも、ウニモグをセッティングする僕の存在にも完全に無関心だった。そして、僕はウニモグを走らせた。僕が思っていたよりもずっと、ウニモグは速く、そして柔軟だった。ちょっとした指先の操作に反応してウニモグは器用に曲がり、速度を上げ、そしてその大きなタイヤの四輪駆動で、でこぼこした地面や草むらもぐいぐい乗り越えて走っていた。僕はすっかり楽しくなった。自分の身体ではないものを、それも遠く離れたところにあるものを自由自在に動かすことが、これほど気持ちのいいことだとは知らなかった。ラジコンだけが実現できる快楽があるのだと、僕は思った。自分の身体の延長のような乗り物を操り、自分の身体を運ぶこととの快楽とそれは明らかに異なっている。それは自分がいま存在している場所に留まっていても、世界の遠くのものに触れることができることから感じられる自由の快楽だった。

そして、そんな僕と僕の走らせるウニモグの存在を、サックスを吹く青年と上半身裸で日光浴をするおっちゃんは完全に無視していた。おそらく心のなかでは少しは、それぞれ「平日の昼間から、こいつは一体何者なんだろう」と疑問に思ってい

**タミヤ XBシリーズ（完成モデル）No.196
1/10RC XB メルセデス・ベンツ ウニモグ
425（CC－01シャーシ）**

XBシリーズは買ってすぐ遊べるプロポ付きの完成品のシリーズ。「走る場所を選ばないタフな四輪駆動シャーシ、CC-01を採用」し、道なき道を走破するウニモグの魅力を再現している。2016年5月発売。37,400円（本体価格34,000円）と定価は高価だがAmazonのセールでだいぶ安かった。

たはずだった。実際に僕は少し、自分のことを棚に上げてそう思っていた。僕ら三人にとって、他の人はまあ、不審者か不審者でないかと言えば確実に不審者だった。

しかしそのことで、相手を排除しようとしたり、その場を去ろうとする人は一人もいなかった。それはたぶん、それぞれがそれぞれの方法で、孤独に目の前の世界と向き合うことに充足していたからだ。青年は思いっきり大音量でサックスを吹くことに、おっちゃんは思いっきり上半身を露出してその肌に日光を当てることに、そして僕は思いっきりウニモグを走らせることに。

僕らの背後の道路には、首都の物流を担うトラック群が行き交い、そして僕らの頭上にはときおり羽田に着陸する飛行機が大きな音を立てて通り過ぎていった。このとき、この空間には五つの存在が交錯していて、そして完全に他のプレイヤーに無関心であるがゆえに、共存していた。そこには有用なものと無用なものとが並列に存在し、一つの場所を共有していた。そしてお互いについて決して干渉しなかった。干渉しないことで、許容していた。少なくとも、僕と青年とおっちゃんの三人はこの場所を愛していた。確かめたわけでもなく確かめる術もないが僕はそう、確信していた。きっと、二人も同じ気持ちだと。

そこは確実に東京の僻地であり、世界の果てに近い場所だった。しかしそこには自由が、それも完全な自由が成立していた。

走るひとり
高山都

日本の“ランニング”が過渡期を迎えていた2011年ごろ、走り始めた。
走ることがライフスタイルに組み込まれていく過程でランに出会い、
「ランと自身との関係に期待することもなく、すこしだけ前を見て、走り続け」た。
気負ったイメージを着せられたアイコンがブームと一緒に去っていったなか、
変わらず走り続けている高山都が、今日もただひとり。走りながら書く、走る日常。

写真＝久富健太郎（SPUTNIK）

企画＝上田唯人（走るひと）

ある6月の朝7時、カーテンを開けて空模様を確認する。

ぼやけたグレーに同化した雨粒の大きさと音で、なんとなく判断して、シャカシャカしたナイロン素材の上着を羽織り、家を出る。

帽子を目深にかぶり直し、人手が少ない朝の住宅街は誰ともすれ違うことがないので、ホッとした。マスクを顎までズラす。

都会の空気は美味しくない。

だけど、息をスースー吸えることってこんなにありがいことだったっけな……。

いつまで、こんな布切れを顔に被せて生きなきゃいけないんだろう。


アスファルトに響く水飛沫、サーサーと鳴る静かな雨、朝は音がやけに響く。

同じように雨降る夜もあるのに、朝のほうが美しい。


先日、同じように雨の日に走りに出たら、横断歩道で仕事終わりの友人に遭遇した。

「こんな雨の日に走るの？ えらいね！ 転ばないでねー」

彼女は、目を丸くして驚き笑いし、可愛らしい顔がさらに可愛く見えた。


自分といえば、夕方前なのに顔も洗っていないし、雨だからと適当に着てきた妙に派手なウエアに恥ずかしくなり、おつかれさまー！と逃げ出すように後退りして、大きく手を振って、お互いに「またねー！ バイバーイ」と公園のほうに駆け出した。


流れる雑踏に紛れるように、きっとすれ違う人の目にも自分は流れていく景色の一部なんだろう。

だから、自分が思うほど、人は走る私たちのことを見ていない。それは分かっている。

だけど、友人や知人に会うとき、なぜかランニングウエアのときだけは、走り始めて11年経った今でも小っ恥ずかしくなる。


「誰かにバッタリ」を想定外で選んだチグハグなウエアやシワだらけのTシャツで挨拶する日には、脳内に松任谷由実の「Destiny」が再生される。

〝どうしてなの
今日にかぎって
安いサンダルをはいてた〟

焦りを隠しながら、足速に去る。

いつもより大きなストロークで、ちょっとだけスピードをあげるのは、せめてもの格好つけなんだろう。

帽子からしたたる雨をときどきぬぐいながら、いつもの公園の西口をくぐる。

つい2、3日走るのを休んでいたら「オリンピック会場がワクチン接種会場に変更されました」という看板が立てられていた。

なんとも言えない違和感を覚えながら、外周のコースへ続く坂をのぼる。

そんなときは、いろんな思いを振り払うように、大きく手を振り足をのばす。


こんな雨の日に走るなんてと、だいたいの人は言う。

私としては、カンカン照りよりずいぶん走りやすいし、そんな点で言うと、真夏より真冬のほうが圧倒的に走りやすい。

毎年お正月の三ヶ日あたり「勝手に東京マラソン」と題して、20～30ｋｍを目標にロングランをするのが私の恒例行事になっている。

ひとりのときもあれば、おなじくらい走り続けている友人を誘うときもある。

冬のランは、スタートしてしまえば、動いていれば身体は暖まるので、夏より長く走ることができる。

かじかむ手は手袋をつければ問題ない。街の景色や美しいと思った瞬間にiPhoneで写真を撮りたいので、結局寒さよりも、そっちを優先してしまうのだけど。

東京に住んで20年近く、シンボルと言えばやっぱり東京タワーだ。何年経っても、ごめん、スカイツリーはなんだか馴染めない。私にとっての東京シンボルは真っ赤なのだ。

すこしだけ見える三角形のてっぺんを目指し足元まで。そこから皇居をぐるっとして、赤坂、青山、渋谷へと戻るコース。

箱根駅伝を見て感化された……わけではなく、みんながコタツでぬくぬくと餅やみかんやお節を食べている間に、自分はストイックなことをして、スタートダッシュする。これは優越感というものなのか、心の中で、だらだら過ごすみんなのことを豚だと見下す嫌な性格なのかもしれない。（こうして自分で書き出すともの凄く嫌な女だな……と思う）

勝手に走り出して勝手に満足する。

だけど、大会でもなんでもない日、ましてや日本中がハッピー浮かれモードになっているお正月に、敢えて長時間走りクタクタになる。

真っ青に晴れた空にそびえる真っ赤な東京タワーのコントラスト、誰もいない大手町のオフィス街のど真ん中を走り抜ける爽快感、27ｋｍを超えたあたり、全身が鉛のようになっても走り続ける自分の底力……コントラストも彩度も強めなこの日の全部の経験が今年1年の自分を動かす根底になる気がするから、きっと来年もこの苦行をやりとげよう！とワクワクしてしまうんだと思う。

そんなしんどさに比べたら、夏の雨の日は楽だ。

いや、むしろ日に焼けないし、シャワーみたいで気持ちいい。

目の前の眺めが、1枚うすいベールをかぶせたようなグレーのトーンの中を走っていると、またいつもと思考がすこし変わるのも面白い。

雨の中を走るいちばんの楽しみは、濡れた花を見ることだ。

花びらや葉っぱに乗る雨粒が、コロンと宝石のように輝きツヤツヤと光っている。

ポトンと落ちそうになるギリギリのところでぷるぷる震える雨粒に、興奮を感じる。それはある意味、性的なものに近いのかもしれない……そんな感覚を覚える。

静かに降る雨の中で、濡れながら咲く様子は、繊細な草花でさえ、強さと色っぽさが共存して、泣き顔のようだ。

赤ちゃんや子供の泣いているのとは違う、静かに感情が湧き出る泣き顔は、大人ならではの美しさだと思うことがある。

姉のように慕っている友人が、いつだったか、7〜8歳も下の私たちの前で泣いた。

「こんなこと初めてなのよー」と、彼女はまた笑い泣きした。

美しく強い人の大きな目からポロンポロンと涙が溢れていく姿は、うまく言葉が出ないほど見惚れてしまい、すごく綺麗だった。

人は歳を重ね、経験のたびに逞しくなるのかもしれない。

20代の頃は失敗して怒られて挫折して悔しくて、よく泣いた。

今は、そんな思いや経験もぐっと減った。

成長したせいか、失敗じゃなく安パイを選ぶのが上手になったのか。冒険をしなくなったせいか。

大人になればなるほど、人は誰かからの意見や叱りに触れることが減る。

それでも、ときどきいろんな重圧にくたびれてしまう事がある。

泣くのも逃げ出すのも、そういえば下手になった。

甘えることも苦手なことになった。

ランニングのおかげで、身体だけでなく心にも持久力がついた。

人よりはタフなほうだと思う。

もともと我慢強い性格なほうだ。

そんなタフな人間だって、小さなボディーブローを受け続けていれば、ある日突然バタンと倒れてしまう。

そんなことがここ数年ときどき起こる（これは体調的なことと言うより、心の状態と言うのだろうか）。

コロナ禍の前は、自由に旅ができていたので、そんな心の気配を感じると、逃げていた。

とにかく東京から、自分が身を置く場所からいったん離れていた。

２０１９年の12月のあたまに10日間の休みを取った。

こんなこと仕事を始めて以来初のことだった。

飛行機のチケットと宿だけ取り、あとは何も決めずに、とにかくパリへ行くことしか決めていなかった。髪を短くし、誰も自分のことを知らないパリへ逃げるように飛び立った。

冬のパリは朝8時でも真っ暗だ。

9時を過ぎて、街が光に包まれて起き出した頃に、アパートを出てフワッと決めた目的地に向かって走る。

ある日は、セーヌ川沿いをまっすぐと。晴れた気持ちのいい日はエッフェル塔の足元までの往復。

日本の治安に慣れているので、すこし怖めの勧誘なんかにはドキドキしつつ、こういうときこそ走って逃げるのだ！と心の中に勢いをつけて、聞き取れないフランス語のパンチをかわしていく。

つぎ、知らない街を走るのはいつ頃になるんだろうと考えながら、イロトリドリの薔薇が咲くいつもの公園を周回する。

逃げたい。全部放り出したい。6月は神様が強制終了ボタンを勝手に押したのかと思うほど、いろんなことが終わっていった。

そのひとつ、きっと人生で忘れることはないんだろうなという数年間の恋愛が終わった。

いや、やっと終わらせられたのかもしれない。

答えは決まっているのに、最後の最後に決定ボタンを押せない自分がいる。

そんな私を見かねたのか、神様が強制終了スイッチを押したかのように、6月はいろんなことが終

わっていった。

見ないふりして、結論の輪郭をぼかすように、何度も延長ボタンを押して、数年間過ごしてきた。

走り始めて、楽なほうに傾いてしまう自分の弱さは減ってきたように思えたけど、人は簡単には変わらない。

「〝何かを得るためには、何かを失わなければいけない〟となにかの小説で読んだんだ、ミヤは生まれ変わる瞬間だからヒリヒリすることが多いんだよ」と、友人がくれたメッセージをお守りのようにして心にギュッと握っていた。

これが次に進むための脱皮だと分かっていても、剥き出し状態の肌の痛みはなかなか辛い。

いつもなら、ちょっとした悩みや悶々は1時間ほど走ればだいたいスッキリする。

だから、私は11年近く走っているんだと思う。自身を上手に消化させる術は持っていて損はない。

だけど、今回だけは、走っても料理しても何をしても、ぽっかり空いてしまった穴を埋められなかった。抗うことも諦め、耐えるように過ごした。

むき出しの傷も、そのうち乾いて薄い皮がつく。

雨の中を走りながら、いつものように濡れた紫陽花や薔薇を眺め、ぼんやり立ち止まり、あなたたちも泣いてるの？と詩人のような感情で写真を撮っていた。

勝手に仲間意識を感じてた。

そんな時、皮肉にもイヤホンからはくるりの「ばらの花」が繰り返し流れる。

20年前の曲は今も色褪せるなく、こうして誰かの時間に寄り添い続ける。

長かった雨の季節が終わりに近づき、大きな傷口がいつの間にか、かさぶたくらいになっていた。人間は強い。私はたぶん、人よりもすこしリカバリーが早い。

ある日、いつもの薔薇が枯れていた。


楽しみにしていたドラマの最終回を見終わったような気持ちだった。

あの頃、一緒に泣いてくれてありがとう。

だけど、戦友が減った気持ちだった。

よし、またひとりで頑張るか。


その日は、まだ10時にもなっていないのに、陽射しは7月の強さで、首の後ろがじりじり暑い。

この街に引っ越した春の手前、威嚇してくるカラスに狙われないように、というかカラスに負けた結果、珍しくイロモノのウエアとシューズを買うことになった。


速乾性の素材として勧められた長袖のパーカーは30度も超えそうな夏日には暑い……失敗した。

アスファルトの照り返しの強いランニングコースを避けて、木陰を選んで走る。

オフロードは、まるで森の中にいるような感覚になる。

土から盛り出した木の根に足を取られないように気をつけて、二度だけ走ったまま、本格的に始めるキッカケを見失ってしまったトレイルランニングを思い出す。

やりかけてやめたこと、人生でどれだけあったか……。

暑さに集中力もきれ、足を止めてふと見上げたイチョウの裏側から光が降る。

裏側から見るほうがイチョウは綺麗だなと思った。

薄緑色が太陽のひかりで透けていて、ああ晴れの日もいいなって久々に思えた。

ものごとも視点の変化で、きっと良くも悪くも変えていける。

6月の乱気流は、いつの間にか抜けていた。

もしかしたら、人生の乱気流も、またひとつ抜けたのかもしれない。

「これでいい」じゃない。

「これがいい」って思えるようになった。

吐き気がするほど嫌いだった日曜日、家族連れや仲間で賑わう公園の風景も流れていく景色の一部として眺められるようになった。

苦手だった運動も11年も続けてみれば、自分のライフワークの一部になった。

ひとりで走り続けると、寄り道することも疲れて歩くことも、ここで終わり！と決めても、誰にも咎められることもない。

日々の一部、1日の一部のたった1時間足らずを、どうやって使ってみようか。

スピードをあげたり、緩めたり、階段を駆け降りてみたり、そういう緩急を入れて自分だけのコースを作ればいい。

人生はずーっと選択の連続で、日陰を選んだら、ぬかるみに足を取られて転びそうになったり、神社に寄ったらまだまだ工事は終わりそうになくて味気ない。楽なほうを選んでも外れクジをひいたときもあれば、思いもよらないラッキーに出会えることもある。

それは、選ばないと分からない結末なのかもしれない。

選ぶたびにコースが変わっていく、ロールプレイングゲームのようかもしれない。

コロナ禍でどう生きるか、出産のタイムリミット、結婚についての価値観、まだまだ選びきれていない問いは順番待ちしている。

それでも、明日は必ず来て、7時前から鳴き出す蝉の声、すでに高い太陽で気温を想像しながら、今日のウエアは自然とタンクトップを手に取っている。

どんどん黒くなっていく腕は今年こそ避けるぞと誓うくせに、やっぱり長袖は暑くて無理だ。

この街の坂は、すこし急で長い。グッとお腹に力を入れて、お尻の筋肉がかたくなる。こうやってギアを入れた瞬間は、生きている実感がする。

歩道橋からの眺めはトレンディーで、階段を駆け上がって見下ろす東京の景色が好きだ。

「1ヶ月に１００ｋｍ走る」これは数年前から掲げた自分だけの小さなマイルールだ。

どんなに暑くても寒くても忙しくても、１００ｋｍなら、ちょっとだけ自分のギアを入れれば越えられる。

このルールを人に話すとだいたいギョッとされるが、30日で割ると1日あたり3ｋｍになる。

この勝手に解釈とか勝手に割り算は、自分の人生を進めていくにあたって、意外となんにでも使えるイメージなので、持てて良かったと思っている。

隣の芝生は一生青い。だけど、私は私の芝生で生きていく。走りながら見るいつもの通り、すこしだけスピードを上げて風を切った。

汗が吹き出して、走るには、暑すぎる季節が来たなーと身構えながら、今月も１００ｋｍ走るというハードルに向き合おうと思う。

高山都（たかやま・みやこ）
1982年生まれ。モデル、女優、ラジオパーソナリティーなど幅広く活動。趣味は料理とマラソン。
「#みやれゴハン」として料理やうつわなどを紹介するインスタグラム（@miyare38）が人気。横浜マラソン2016を3時間41分で完走の記録を持っている。著書に『高山都の美食姿』（双葉社）シリーズ。

『「祈り」展』のこと

猪子寿之
（チームラボ）

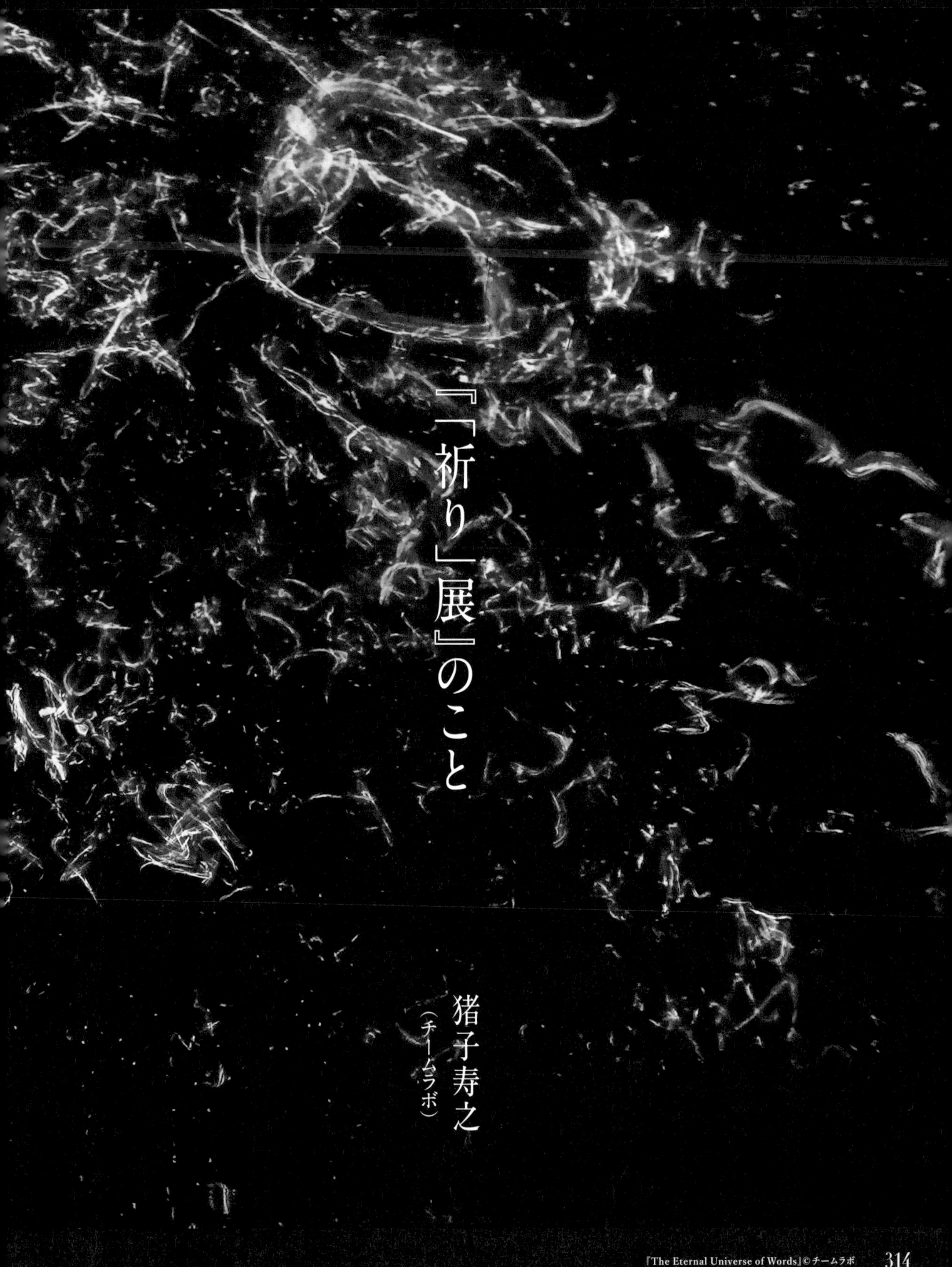

『The Eternal Universe of Words』©チームラボ

「人を呼ばない」展覧会

2021年4月下旬から5月末まで、東京は三度目の緊急事態宣言下に置かれた。美術館・博物館も、休館の対象になったことを覚えているだろうか。さらに、テーマパークは「無観客開催」を求めるとされ、実質的な休業要請だという声も聞かれた。しかし、実はチームラボは、この期間中、本当に無観客で展覧会を開催した。場所は明かさず、人も一切呼ばずに。

その展覧会の名前は、「祈り」展。パンデミックに対応する日本社会を見ていると、ウイルスそのものだけでなく、人が社会を壊しているように思えた。いわば、何か怨念のようなものが渦巻いているように感じたのだ。だから、とにかく、「祈り」を捧げる作品を創って展示しようと思った。

緊急事態宣言が終わった後、「祈り」展に来てくれた人は、合計で数十人ほどだ。昼間見に来た後、「どうしても」とその日の夜にもう一度来てくれた人もいれば、「亡くなった大切な人に会えた」と言ってくれた人もいる。

世情に流されず、粛々と祈る神社仏閣

「祈り」展の開催を決めるきっかけとなったのは、2020年の大晦日、京都を訪れたときに目にした光景だ。

その頃は、2021年初頭に二度目の緊急事態宣言が発令される直前。全国的に自粛ムードが漂っており、東京では多くの店や施設が閉まっていた。飲食店のみならず、マンションに併設された無人のジムまで閉まっている状況。何もかもが、ほとんど意味もなく閉まっているように見えた。

しかし、京都に行ってみると、少し違った光景が広がっていた。神社仏閣の祭儀である。自粛ムードの世情はものともせず、千年以上続いているまつりごとを、粛々と執り行っているのだ。鐘を叩き、お経を読み、楽器を演奏し、そして祈っている。世間の空気に右往左往せずに、すべきことを、ぶれずに淡々と行っていた。そんな光景に刺激を受け、「別に人が来なくてもいいから、展覧会をやりたい」と思うようになったのだ。

アートは必ずしもパブリックでなくてもいい

2016年に公開した『渓谷に咲く花、流れ込む滝・大歩危小歩危』は、徳島と高知の県境にある秘境の渓谷を作品空間にした。当然、そんな秘境に多くの観客が集まるとは思っていなかった。2017年には、四国の山奥にある滝を作品空間にして「teamLab: Waterfall Deep in the Mountains」という展覧会を、誰も呼ばずに行った。

そもそもチームラボを設立した当初から10年くらいは、何か出口があるわけではないが、アートを創っていた。自分たちにとってアートを創ることそのものに意味があると思っていたからだ。な

ので今回は、とにかくパブリックに公開できなくても、たとえ誰も呼べなくても展覧会をやりたいと思った。

肉声が可能にする、「意味」以前の体験

実際の作品も紹介していこう。まず今回の目玉が「書画」だ。『The Eternal Universe of Words』は、三次元上に書かれた「書」が、無限に広がる空間に浮かんでおり、その中に鑑賞者がしばらくいると、まるで身体が浮遊していくような感覚になる作品である。

それぞれの書は、高野山の高僧たちに読んでもらった肉声がセットになっている。「空」だったら「クウ」、「色」だったら「シキ」と、一文字ごとに個別に肉声が吹き込まれている。肉声とセットになった状態で、空間上に文字が浮遊しており、文字が鑑賞者に近づくほど、肉声はよく聞こえてくる。そして、複数の文字が降り注ぐと、複数の肉声が重なって聞こえてくる。

チームラボはこれまでも、ことあるごとに人間の肉声を作品中に使用してきた。お台場の「チームラボボーダレス」の中でも、人間の声による掛け声を多数吹き込んでいる。もっと遡れば、2008年のパリでの「感性」展の『花と屍』という作品の中では、高野山で録音した声明も使ったことがある。

言葉になって意味が生まれる前の、音楽としての人間の声は面白い。今回も高僧の断片的な肉声によって音楽空間が立ち現れてくる。

物理的には止まっているのに、主観的には動いている

『The Eternal Universe of Words』の話を続ける。書そのものは、空海の書を手本にして、三次元上に立ち現れるかたちとなっている。書であると同時に、ある種の生命体、燃え盛る炎にも思えるような、立体的な書として創り上げた。

無限に広がるかのような空間の中で、書いては消え、書いては消えを繰り返し、その中を我々が浮遊していく。

いや正確に言えば、それは相対的なもので、実際には会場の中にいる我々の間を、書が通り抜けていると言うべきかもしれない。自分が浮遊して動いているのか、もしくは、書が浮遊し降り注いでいるのか、それらは実は一体である、そんな体験が生み出されている。

炎は〝平面的な立体物〟である

書画の他には、炎にまつわる作品を展示した。『憑依する炎』では、チームラボが考える「超主観空間」によって炎を描いた。燃焼する粒子の動きによって、空間上に線を描き、その線の集合で炎を描いている。そして、『空から噴き落ちる、地上に憑依する炎』。超主観空間上に描かれた炎

『Light Sculpture of Flames』©チームラボ

の上に人々が立つと、黒い物体が生まれ、炎の形が変化していく。アプリを通じて、来場者のスマートフォンに炎がともり、作品を持ち帰り、さらに他の人に炎をともし、つなげていくこともできる。

光の点の集合で、三次元の立体物である炎をかたちづくった『Light Sculpture of Flames』。これはインタラクティブな作品で、人々がスマートフォンから炎を投げ込むと、炎は一段と強くなる。炎というのは、非常に面白い物質である。炎は立体物であり、ゆで卵のように複数の色の層が重なってできている。それにもかかわらず、ゆで卵を半分に切って割ったような、断面図のように見えてしまう。いわば、立体物であるにもかかわらず、平面的に見えるのである。物質の立体物であるゆで卵と違い、光でできた立体物である炎は、どの角度から見ても断面図のように見える。

その点に興味深さを感じ、今回はLEDのドット、すなわち光の点で、外側は赤であるにもかかわらず、遠くから見ると断面図のような炎に見える彫刻を創った。立体と平面がある種、行き来する彫刻を創りたいと思ったのである。先ほど触れた『The Eternal Universe of Words』もそうだが、人間の認知が二次元と三次元を行き来している状態に興味があるのだ。

人々は古来より祈ってきた

なぜ我々には「祈り」が必要なのだろうか。ウイルスは、ワクチンを作るなどして、科学の力で乗り越えていくしかない。しかし、冒頭でも触れた通り、人が人を壊している側面があることもたしかだろう。もっと言えば、民衆が人と人の破壊の連鎖に乗っかっている、つまり怨念の連鎖のようなものが生まれているようにも思える。

かつて奈良時代に疫病が大流行したときには、もちろん「ウイルス」は発見されておらず、怨念の仕業だと思われていた。だから、人々は祈った。炎を焚き、大仏を作り、祈ったのだ。そう考えると「祈り」展は、千年以上前と変わらないことを、粛々と再現しているだけなのかもしれない。

パンデミックに際して、さまざまなかたちのソーシャルなデザインによる感染抑制が試みられた。しかし、真に抑制しなければいけなかったのは、人と人の社会的な距離感ではなく、怨念だったのだ。デザインではなく、アートの領域。足りないのは、祈りだったのではないだろうかとも思う。

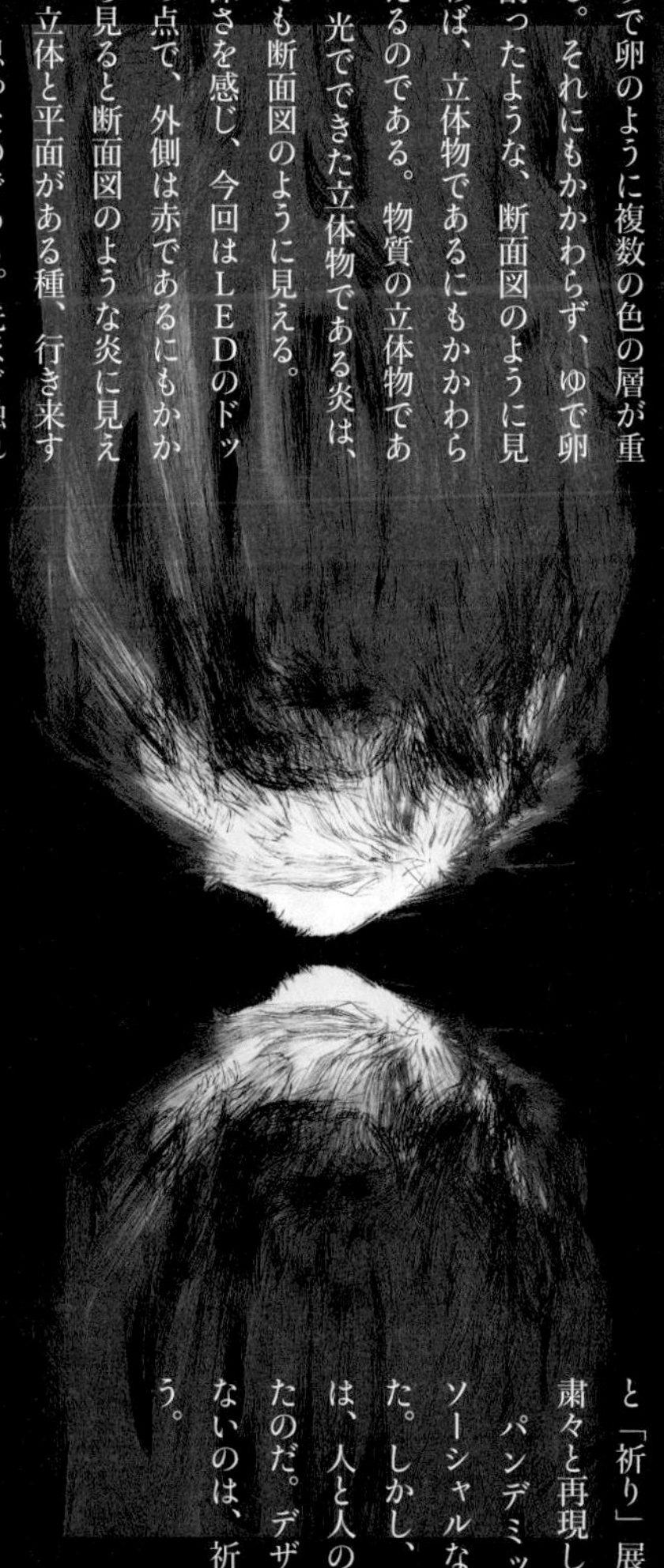

猪子寿之（いのこ・としゆき）
チームラボ代表。1977年生。徳島市出身。2001年、東京大学工学部計数工学科卒業と同時にチームラボ設立。チームラボは、アートコレクティブであり、集団的創造によって、アート、サイエンス、テクノロジー、デザイン、そして自然界の交差点を模索している、学際的なウルトラテクノロジスト集団。アーティスト、プログラマ、エンジニア、CGアニメーター、数学者、建築家など、さまざまな分野のスペシャリストから構成されている。

『憑依する炎』©チームラボ

セノノメ

クラウドファンディング
CAMPFIREを通じて
創刊をご支援いただいた皆さま（敬称略・順不同）

佐藤雅哉
太刀川剛
野中健吾
大野直樹
椿原誉樹
平野裕人
Kaz Ataka
木村裕之
はくさい
西裏康正
秋保ちなみ
宮崎達也
長谷川弘泰
熊谷玄
内藤雅文
尾﨑祐一
高田健二
吉野雄大
teruomi
古川祥子
加藤宏明
落合順
水野清文
ぷにょ
中河レナ
目黒智子

浜田綾
米田直弘
東京蔵前『自由丁』
オーナー小山
すずきわかは
山口純平
ひらほろ
樋口邦彦
松林建
清水聖
市川寛士
TAKAHIRO.O
坂直樹
菅原清美
小笠原京子
yuumi3
大星一馬
中野聡
保科真祐
タケウチマキ
手島由仁
三木智裕
長谷川裕
大西裕弥
荒木里咲
川喜田健人

和田至正
村井昭秀
田中伸幸
宮下哲
川端元維
矢口陽II
高橋秀明
三浦知子
鈴木大樹
藤沼康樹
中島健太郎
伊藤潔人
矢野博司
岡田好史
H.MINAMI
夏目和茂
笹川智志
馬場翔平
池田官司
俺の日本舞踊
とけ
西村邸｜杉本雄太
松江綾乃
伊藤陽平
松井俊樹
椎名久美子

松原明子
白川敬裕
オカダタクヤ
気仙沼のやっち
こんた
村上正行
地域医療ジャーナル
中川富紀子
高城良之
安岡浩太
福田勝樹
Ryota Ishihara
羽田成宏
hanakanmuri
紺田啓介
澤尚幸
鈴木栄一
ここらぼ心理相談
髙橋雄太
ななそね
鯖.
梅原法子
丸山花梨
いしげゆう
山本涉
吉岡隆志

稲垣教育研究所
千代さやか
喜多巧
三国正人
津田恭司
空色編集室 尾関史親
徳永裕介
薗頭隆太
べしあと
片山陽子
小玉周平
西田豊
cafe ma-no
長田真輝
Koji Tsuchikawa
田中葉物
徳田要太
清水千佳
金指大地
ジャクソン真紀
伊藤剛（PRプロデューサー）
Chihiro.M.Parfums
タータラ城
écru hair & gallery
トネリライナーノーツ
桐谷明宗

今回は計1,129名の方に支援していただき、本誌を出版することができました。
たくさんのご支援、本当にありがとうございます。

責任編集
宇野常寛

副編集長
中川大地

編集デスク
大内孝子

編集
石堂実花

編集協力
小池真幸
徳田要太

アートディレクター
館森則之

デザイン協力
上里心平

制作
阿部恵美子

広報
山口未来彦
岡庭正利

制作協力
アンカーコーヒー内湾店
IRORI石巻
株式会社CAMPFIRE
東急株式会社
三菱地所株式会社

SPECIAL THANKS
PLANETS CLUB

発行・販売
第二次惑星開発委員会／
株式会社PLANETS
http://wakusei2nd.com
https://slowinternet.jp
info@wakusei2nd.com

組版・印刷・製本
藤原印刷株式会社

2021年9月30日
初版発行

モノノメ

創刊号

編集後記

おかげさまで『モノノメ 創刊号』を、無事に送り届けることができました。いま、あえて「紙の雑誌」を、それも時代と逆行するような内容と流通の仕組みでやる。思いついたときは「これしかない」と得意になっていたのですが、いざはじめてみると大きな壁にいくつもぶつかって、その難しさを痛感することばかりでした。特にクラウドファンディングの成功がなければ、この雑誌はもしかしたら世に出なかったかもしれません。それくらい、難産の一冊でした。難しさを超えることそのものに価値はないと僕は思います。どうせなら、もっと余裕をもってことを成し遂げたい。しかし、この難しさはつまるところ手段の稚拙さや戦略の欠如の結果として生まれた難しさではなくて、やろうとしていることそのものの難しさです。「いまどき」紙の雑誌を出版する。しかもこのお世辞にも派手に人目を引くような内容ではないものを、読むことで分かりやすくコンプレックスが解消したり気持ちよくなるわけではないものを、どちらかと言えば、逆にモヤモヤとするような文章が並んでいるようなものを出す。つまり僕たちはこの雑誌のコンセプトそのものの難しさに直面したわけです。だからそれは正面から取り組んで解決しないといけないし、その解決の仕方をしっかりと残して、後の人に続いていってもらうことに大きな意味があると思っています。
そして、この試みはまだはじまったばかりです。そう、この『モノノメ』は創刊号です。2号、3号と続いていきます。というか続けないと意味がない。次号以降は今号のように創刊そのものが話題になることは期待できない。だからこそ、本当に質の一点突破を試みるしかない。そう思って、いまから震えています……と書くとなんだか悲壮な決意をしているように思われてしまうかもしれませんけれど、僕はワクワクしています。雑誌編集者というのも因果な仕事で、ある号が完成に近づくとこの号ではやりたかったけれどやれなかったこととか、新しく思いついて早く試したいアイデアがどんどん湧いてきます。だから僕はいま『モノノメ #2』の構想で早くも頭がいっぱいになりはじめています。次号は2022年の2月を予定しています。もう特集のテーマは決まっています。この人とこの人に寄稿を依頼して、ここに取材に行こうとか、そんなことをすでに考えています。そして頭の中の雑誌を形にするのが、今からとても楽しみです。こんなふうに楽しむことを忘れないように、粘り強くやっていこうと思っています。これからもずっと、引き続き、可能な限り長く、見守っていてください。

2021年9月　宇野常寛

宇野常寛（うの・つねひろ）
1978年生まれ。評論家として活動する傍ら、批評誌「PLANETS」を発行。主な著書に『ゼロ年代の想像力』（早川書房）、『リトル・ピープルの時代』（幻冬舎）、『日本文化の論点』（筑摩書房）、『母性のディストピア』（集英社）、『遅いインターネット』（幻冬舎）ほか多数。